ANN RULE

UNE PETITE FILLE
TROP GÂTÉE

Traduit de l'anglais (États-Unis)
par Isabelle Saint-Martin

ÉDITIONS FRANCE LOISIRS

Titre original : *Everything she ever wanted*

Édition du Club France Loisirs,
avec l'autorisation des Éditions Michel Lafon

Éditions France Loisirs,
123, boulevard de Grenelle, Paris
www.franceloisirs.com

© Ann Rule, 1992, 2002
© Éditions Michel Lafon, 2010, pour la traduction française
ISBN : 978-2-298-04424-9

UNE PETITE FILLE
TROP GÂTÉE

À mon meilleur ami,
Richard W. « Dick » Reed,
police criminelle de Seattle (en retraite).
Avec mes affectueux souvenirs.

L'intention de nuire explicite suppose une préméditation délibérée et illicite de prendre la vie d'un semblable, manifestée par des circonstances extérieures démontrables.

L'intention de nuire est dite implicite lorsque n'apparaissent pas de provocations excessives et que toutes les circonstances du meurtre reposent sur la malveillance et la corruption.

Loi de l'État de Géorgie

PREMIÈRE PARTIE

Zebulon

1

Zebulon, le siège du comté de Pike, à soixante-quinze kilomètres au sud d'Atlanta, est à peine plus large qu'une place de village, avec ses quatre rues et quelques maisons alentour. Comme de nombreuses autres petites villes de cette région de la Géorgie, elle est peuplée d'innombrables pins, de cornouillers, de magnolias et de chênes. Leurs branches forment une voûte feuillue qui conserve la chaleur moite, une véritable serre où poussent toutes sortes de plantes dont l'ombre n'offre, par les étouffantes journées d'été, qu'une promesse illusoire de répit. Sous ses allures de vigne vierge apparemment inoffensive, le kudzu profite de cet environnement qui lui convient à merveille pour recouvrir le sol orange, étouffant tout sur son passage de parasite.

Le tribunal de Zebulon est un bâtiment de brique rouge surmonté d'un clocher d'albâtre blanc qui scintille sous le ciel bleu. Magnolias, érables et chênes en ornent la pelouse, et ses quatre entrées sont flanquées de géraniums rouge sang en pots de pierre. Un monument aux morts de pierre grise occupe un angle du terrain adjacent; il fut érigé en l'honneur de dix-sept garçons blancs morts pendant la Seconde Guerre mondiale, dont deux de la famille Marshall, deux de la famille Pressley et un de la famille Pike. Un seul nom apparaît dans la colonne réservée aux GENS DE COULEUR, en bas à droite. E. R. Parks reste séparé des autres, même sur la plaque saluant les héros.

Les entreprises installées en face du tribunal se cachent derrière des façades contiguës, quoique totalement différentes les unes des autres et de hauteurs variables : un dépôt de vêtements, quelques boutiques de souvenirs, un magasin d'ameublement, une quincaillerie. Le *Reporter*, l'hebdomadaire de Zebulon, a ses bureaux au bout du pâté de maisons. On trouve tous les vingt mètres, sur les trottoirs, des distributeurs de Coca-Cola et de Dr Pepper. Les véhicules, essentiellement des pickup, se garent en diagonale, et un chien jaune se balade tranquillement sur la chaussée le plus souvent déserte.

À la recherche d'une ville typique du Sud pour y tourner *Murder in Coweta County*, avec Andy Griffith et Johnny Cash, les producteurs de Hollywood choisirent Zebulon. Ce fut aussi le cas de Pat Taylor et Tom Allanson lorsqu'ils voulurent vivre un fantasme bien particulier. Ils y arrivèrent en 1973, encore amants, puis s'y installèrent et s'y marièrent. Pat était une femme mince aux yeux d'émeraude et à l'épaisse chevelure bouclée; Tom, un homme de haute taille au teint mat. Elle était jolie, il était beau, et tous deux semblaient s'aimer d'un amour assez fort pour surmonter tous les obstacles. Pat devait décrire ses sentiments dans un message qu'elle rédigea à l'adresse de Tom au dos de leur photo de mariage.

Nous sommes unis pour la vie et nous ne faisons plus qu'un. Qu'y a-t-il de plus beau pour deux âmes humaines que d'être unies pour la vie, de s'épauler dans le travail, de compter l'une sur l'autre en cas de besoin, de se consoler l'une l'autre dans les moments de chagrin, de se porter secours dans la difficulté, de rester à jamais ensemble avec nos souvenirs et notre amour fusionnel pour nous soutenir... Je crois qu'en aimant mon Tom je me rapproche du paradis... Quand je suis venue à toi, mon Tom, je me suis remise entre tes mains, de tout mon corps, de tout mon cœur, de toute mon âme. Tu es mon amour et je t'appartiens en tout ; ce doux lien est plus fort qu'aucune serrure, qu'aucun barreau. Je ne quitterai jamais ton cœur pour rêver d'autre chose, car j'ai trouvé en mon Tom le « but de ma quête »... Mon corps s'épanouit de toutes ses veines [sic] car je suis la Pat à Tom. Voyez, j'ai laissé derrière moi celle que j'étais et dépouillé mon ancienne vie feuille après feuille...

Comme elle disait.

Sur les bases de ce parfait amour, Pat et Tom voulurent se créer un monde parfait. Pourtant, au cœur de ce paradis se tapissaient les démons de la jalousie et de la fureur, de l'adultère, de l'inceste, du viol et même du meurtre, sinistres et violentes intrusions du monde réel. Tous deux avaient des attaches familiales trop puissantes pour ne pas entacher leur engagement amoureux. Des profondeurs, les affronts passés remontaient sans cesse et s'amplifiaient au lieu de s'atténuer. La fierté, tel ce kudzu qui recouvrait la terre desséchée, ne formait qu'une cicatrice sur de graves et douloureuses blessures jamais guéries. Vouloir démêler l'histoire de leurs existences revient à suivre les circonvolutions verdoyantes de cette vigne parasite qui finit par tuer tout ce qui vit dessous et l'alimente.

2

À leur rencontre, l'un et l'autre émergeaient des cendres froides de mariages ratés. Âgé de trente ans, Tom en avait six de moins que Pat et avait déjà connu deux unions de courte durée ; quant à elle, elle tentait d'en oublier une qui lui avait donné l'impression d'un piège étouffant. Tous deux avaient toujours rêvé du parfait amour et, contre toute attente, ils semblaient l'avoir trouvé l'un avec l'autre bien que, au moins en apparence, ils n'aient en commun qu'une puissante passion sexuelle.

Tom était fort comme un bœuf, et Pat menue et fragile, souvent malade. Il était maréchal-ferrant, elle n'aimait que les travaux manuels délicats, tels que la broderie et la peinture. Il était allé à l'université, alors qu'elle avait interrompu ses études secondaires pour se marier une première fois. Il était calme et apaisant quand elle semblait parfois anxieuse, craintive.

Peu importait. Il n'avait qu'à lui ouvrir les bras pour qu'elle vienne se réfugier au creux de sa force. Il lui disait toujours :

— N'oublie pas, chaton, « tout vient à point à qui sait attendre », et pour moi rien ne passe avant toi. Je t'aime plus que tout au monde.

16

À quoi elle répondait de sa voix de petite fille, malgré ses trente-six ans :

— Je t'aime, mon chaton. Je t'aime.

Pat Taylor connaissait Tom depuis des années avant de « sortir » avec lui. À l'instar de sa famille – ses parents, le colonel en retraite Clifford Radcliffe et sa femme, Maggy ; ses enfants, Susan, Deborah et Ronnie –, elle était profondément impliquée dans le monde des concours hippiques d'Atlanta. Les écuries Radcliffe abritaient quelques-uns des plus beaux chevaux de la région. Pat, qui vivait avec ses parents, enseignait l'équitation à une clientèle distinguée, et ses deux filles avaient remporté de nombreux prix.

Tom Allanson avait travaillé avec eux et leur avait vendu de la nourriture pour chevaux lorsqu'il était employé chez Ralston Purina. Fils d'un avocat, il s'était destiné un temps à devenir vétérinaire. C'était un ami de la famille de Pat, sans plus, mais toutes les femmes qui le voyaient travailler torse nu, ses muscles luisant de sueur, ne pouvaient que le remarquer. Rien de plus facile pour lui que de ferrer les champions de l'écurie Radcliffe, de puissants chevaux Morgan, en soulevant leurs pieds au creux de la main, comme s'il s'agissait d'agneaux.

À l'automne 1973, une suite d'événements permit à Tom et à Pat de se rapprocher. Elle était libre de tout engagement, alors que lui, en plein divorce d'avec sa deuxième femme, cherchait un endroit où passer quelque temps. Les Radcliffe, qui disposaient de toute la place voulue dans leur ranch de Tell Road à East Point, au sud d'Atlanta,

17

l'y invitèrent. Il pouvait dormir sur le canapé du bureau contre de petits services auprès de leurs chevaux.

Aux yeux d'un pragmatique, leur union tombait à pic ; aux yeux d'un romantique, elle était inéluctable. Quoi qu'il en soit, Tom Allanson et Pat Taylor passèrent bientôt tout leur temps libre ensemble. Il aimait tout en elle, qui ne cessait de le surprendre. Pourtant, il ne savait à peu près rien de sa vie avant leur rencontre et s'en moquait. De son côté, elle était au contraire d'une insatiable curiosité et l'interrogeait sans cesse sur sa famille et sur les femmes qu'il avait aimées avant elle.

Bien qu'il soit encore marié, ce fut pour eux une période d'un romantisme extraordinaire. Tom n'en revenait pas : non seulement il avait eu la chance de rencontrer Pat, mais en plus elle lui rendait son amour ! Il ne craignait qu'une chose : la perdre à cause de sa mauvaise santé. Ainsi, lorsqu'elle fut hospitalisée à la suite d'un de ses évanouissements, il ne put quitter son chevet tant il se désolait, tenant sa petite main pâle dans sa large paume. Chaque fois qu'elle se réveillait, elle trouvait une rose sur son oreiller et Tom auprès d'elle, qui la contemplait les yeux pleins de larmes.

Elle n'en essaya pas moins de le décourager, le prévenant qu'elle n'était pas faite pour lui, qu'il méritait une « femme complète », l'implorant de considérer la vérité en face.

— Ce n'est pas moi qu'il te faut, sanglotait-elle. Je ne pourrai jamais te donner d'enfant… j'ai subi une hystérectomie. Je ne suis plus qu'une vieille femme qui porte une cicatrice au ventre. Personne ne peut vouloir de moi.

Il ne l'en aimait que davantage. Il ne voulait pas d'autres enfants ; avec elle, ils élèveraient les deux qu'il avait eus d'un précédent mariage et, bien sûr, son fils à elle, Ronnie, encore adolescent.

Pat et sa famille représentaient désormais tout pour Tom. Ils lui avaient donné un toit et l'amour, alors que personne ne voulait de lui. La mère de Pat, Maggy, était la femme la plus gentille qu'il ait jamais rencontrée ; elle aurait fait n'importe quoi pour aider ses enfants et ses petits-enfants. De même, il respectait le colonel pour sa belle carrière militaire. Il finit par implorer Pat de l'épouser dès que son divorce serait prononcé.

Pat ne pouvait supporter aucune pression, pas plus que les dissensions ou les déceptions. Lorsqu'elle confia ses plus chers désirs à Tom, il se rendit compte qu'elle n'en demandait pas trop, mais qu'en revanche elle y tenait beaucoup. Alors il promit de lui offrir une vie si heureuse et si paisible qu'elle recouvrerait la santé.

Pat avait un rêve... un rêve que bien peu de personnes étaient parvenues à réaliser. Elle aspirait à vivre dans sa propre plantation. Plus d'un siècle avait passé depuis la guerre de Sécession, mais elle se voyait encore mener la vie d'une Belle du Sud comme l'évoquait Margaret Mitchell dans son roman, *Autant en emporte le vent*. Elle voulait sa propre plantation, sa Tara, elle voulait être Scarlett O'Hara. Elle était persuadée que Tom finirait par lui offrir une grande propriété qu'elle pourrait fièrement gérer. Une terre où elle pourrait cultiver ces roses qu'elle aimait tant.

— Je suis comme une rose, Tom, expliquait-elle doucement. Et, comme une rose, je suis égoïste. Je veux tout le soleil pour moi, toute la pluie. Les roses ont besoin de tout pour pouvoir s'épanouir et être belles.

Il savait bien qu'elle n'était pas vraiment égoïste. C'était juste son appétit de vie, d'amour qui s'exprimait ainsi. Et cela faisait partie des choses qu'il admirait en elle : elle prenait son existence à pleines mains. Elle lui montrait ce qu'il pouvait, ce qu'il devait en espérer.

Ensemble, en ce 1er octobre, ils découvrirent une plantation qui semblait faite pour eux. Pat avait bien commencé la semaine, elle se sentait forte et en bonne santé, si bien qu'avec Tom ils étaient allés à la chasse. Il était si fier d'elle ! Il n'en revenait pas de cette façon qu'elle avait de parcourir les bois avec lui, de charger son propre fusil, l'épaulant comme un homme.

— Elle en savait davantage sur les armes à feu que la plupart des hommes, dirait-il plus tard. Elle m'avait fait acheter une carabine 44 pour pouvoir chasser le daim en ma compagnie… C'est un calibre puissant.

C'était une femme si remarquable ! Pat savait absolument tout faire. Ils se serraient dans les bras l'un de l'autre par les longues soirées fraîches de Géorgie, se réchauffaient avec une ferveur sexuelle qui ne diminua en rien avec le temps ; au contraire, elle ne fit que s'intensifier. Au cours de cette chasse, en découvrant à Zebulon la maison de brique rouge entourée d'une véranda, ils y virent un heureux présage de leur vie future. Devant était planté le panneau « À vendre » ; ils apprirent que c'était l'ancienne demeure de Hoyt Waller, qui la vendait ainsi que plusieurs de ses nombreuses propriétés.

Lorsque Pat eut souligné l'extraordinaire potentiel de cette grande demeure, Tom en eut autant envie qu'elle. Située à quelques kilomètres au nord de Zebulon, elle possédait un grand jardin entouré de barrières de bois blanc qui couraient sur plus de cent vingt mètres. Derrière la pelouse s'élevaient d'immenses pins, et un chemin serpentait entre les buissons de houx jusqu'à la maison et à ses dépendances.

— Elle était parfaite, se souviendrait Tom. Je voulais y rester jusqu'à ma mort. Elle représentait tout ce dont j'avais toujours rêvé ; elle ressemblait un peu à un ranch, mais avec une plantation de plus de dix hectares de pacaniers et encore douze hectares de terrain. Que demander de plus ? Elle était magnifiquement agencée, avec ses vergers, ses jardins, ses vignes, et puis ses pommiers, ses pacaniers, ses poiriers, ses catalpas et ses roseraies. À l'arrière, il y avait aussi une mare et des prairies, des biches, des cailles. C'était un superbe endroit...

Il ne leur restait qu'à se procurer de quoi l'acheter. Waller en voulait quarante-deux mille dollars, le financement risquait de se révéler difficile pour Pat et Tom. Certes, la famille de ce dernier avait de l'argent. Son père, avocat d'East Point, gagnait beaucoup dans les transactions immobilières. Cependant, Tom savait que ses parents ne l'aideraient pas car il ne s'entendait pas très bien avec eux depuis son deuxième divorce. D'autant qu'il avait l'impression que son père prenait un certain plaisir à le voir rater sa vie.

Tom était le dernier des trois Walter Allanson. La lignée commençait avec le vieux Walter Allanson, dit Walt; ensuite venait le père de Tom, Walter O'Neal Allanson, et, enfin, Tom lui-même, Seaborn Walter Thomas, dit « Tommy ». Walt et Nona, ses grands-parents, avaient dépassé les soixante-dix ans; pourtant, il les considérait davantage comme ses parents que Walter et Carolyn Allanson. Walt travaillait toujours à sa ferme de Washington Road, à East Point. Il avait fini par amasser une petite fortune, d'autant qu'il vivait de manière frugale.

Tom finit par trouver un moyen d'acquérir la plantation Waller pour Pat. Il y avait longtemps qu'il voulait prendre auprès de lui Nona et Walt. Sa grand-mère n'était plus en bonne santé et Walt ne vivrait pas éternellement. Un jour, il emmena Pat les voir et la laissa bavarder avec Nona tandis qu'il sortait se promener avec Walt autour de la ferme pour « parler affaires ».

Walt et Nona se montrèrent polis envers Pat, même s'ils s'étonnaient de voir Tom avec une troisième femme en dix ans. De plus, celle-ci paraissait plus âgée que lui. Et puis Nona estimait qu'elle s'habillait de façon vulgaire. La vieille dame fut surprise lorsque Pat lui dit avoir trois enfants, dont deux filles déjà mariées. Nona, qui avait du mal à s'exprimer à la suite d'une attaque et qui, de toute façon, était trop polie pour dire tout ce qu'elle pensait, la laissa parler de ses merveilleux projets avec Tommy. Malgré ses doutes, la vieille dame ne put s'empêcher de l'aimer et de se laisser gagner par son enthousiasme. Cependant, Tom parlait à Walt de la plantation de Zebulon : les vingt hectares, la maison, la grange et tout le reste, qui pourraient lui appartenir si seulement il avait quarante-deux mille dollars. Tom se sentait incapable de renoncer à une telle affaire, surtout à cause de Pat.

Les deux hommes tombèrent d'accord. Walt allait donner à son petit-fils de quoi en acheter la moitié, somme qui servirait d'acompte, et Tom se débrouillerait pour le solde. Celui-ci proposa de construire ou aménager un bâtiment dans la propriété pour que ses grands-parents viennent s'y installer, et Walt trouva l'idée à son goût ; depuis l'attaque de Nona, il travaillait autant à maintenir la ferme qu'aux tâches ménagères. Il se flattait de bien s'occuper de sa femme, mais il n'aurait rien contre le fait d'avoir une personne qui leur prépare un repas de temps à autre. Tom lui assura que Pat les aimait déjà beaucoup tous les deux. Il lui avait raconté à quel point il avait toujours pu compter sur eux.

Le colonel et Mme Radcliffe, les parents de Pat, aidèrent eux aussi Pat et Tom. Ils demandaient une seule chose : que la plantation soit nommée Kentwood en souvenir du frère de Pat, Kent, mort à vingt-cinq ans. Bien que Pat eût préféré un nom plus romantique, par exemple la Ferme de Rose Hill ou les Écuries de Holly Hedge, ou même les Vergers de Tara, ils la baptisèrent le Haras Kentwood de Morgan.

Finalement, Pat gardait son amoureux et obtenait sa plantation, sa belle maison de brique, et de quoi installer une grande écurie pour tous les chevaux qu'elle allait élever avec Tom. Ils en feraient un centre équestre et organiseraient de nombreux concours. Tom ferrerait les bêtes, elle prendrait des élèves. Après quoi, main dans la main, ils pourraient se promener ensemble dans la roseraie de Pat. Et rien ne serait plus beau que leur amour par les calmes crépuscules de Géorgie.

Pat et Tom emménagèrent dans leur magnifique plantation à la fin de 1973, et il entreprit aussitôt les travaux d'embellissement, sûr que le divorce d'avec sa deuxième femme était imminent. Dès qu'il serait libre, il épouserait sa Pat. À ses yeux, c'était une façon de prouver son amour et, comme il avait facilement accès à des matériaux de construction, il transforma les lieux.

— J'ai fait les choses comme nous les avions prévues. Nous allions chercher du bois au Fort McPherson, et nous avons aménagé les écuries. Je débordais de projets.

Pat se révéla d'une extraordinaire maladresse pour tout ce qui touchait à l'aménagement de la maison et, bien qu'elle fasse mine, de temps à autre, de prendre un pinceau, Tom se chargea en fait du gros des travaux. Mais il n'y voyait pas d'inconvénient, tout à l'euphorie de vivre avec elle et de posséder Kentwood.

Âgé de quinze ans, Ronnie vint vivre avec sa mère et Tom, bien que ses grands-parents aient proposé de le garder. Pat aimait son fils et cédait un peu trop à ses caprices. Elle lui achetait tout ce qu'il voulait et le laissait tout faire à sa guise... sauf rendre visite à son père. Il manquait souvent l'école et Pat ne le poussa jamais à s'y rendre. Il était à la fois gâté et délaissé. Lorsque Tom tentait d'expliquer que les garçons avaient besoin de discipline pour devenir des hommes, Pat lui rappelait aimablement que Ronnie était son fils à elle et qu'elle savait ce dont il avait besoin.

Ronnie adorait sa mère et se montrait prêt à tout pour elle. Dès qu'elle exprimait un vœu, il s'efforçait de le réaliser. Cela ne l'empêchait pas de faire des bêtises, par exemple s'enivrer ou casser des voitures; pourtant, il ne voulait pas lui causer d'ennuis. Si elle souffrait trop et devait prendre des calmants, c'était toujours Ronnie qui se précipitait pour les lui chercher. Si quelqu'un manquait de respect à sa mère, il ne se gênait pas pour le remettre à sa place.

La vie ne s'écoulait évidemment pas comme un fleuve tranquille, mais Tom était si heureux que rien ou presque ne pouvait l'atteindre. Le jour de Noël 1973, il voulut sortir un grand hongre : à peine dehors, celui-ci partit au triple galop. Tom eut beau essayer de le retenir de tout son poids, le cheval l'entraîna dans sa course, lui fracturant la clavicule droite au passage. Pour un maréchal-ferrant, c'était une blessure terrible : elle l'empêchait de travailler.

Pat était jalouse de l'épouse de Tom, que tout le monde appelait « la petite Carolyn » puisque sa mère à lui se nommait aussi Carolyn, qui devint donc « la grande Carolyn ». Et Tom n'était pas peu fier de cette jalousie, même si elle n'avait aucune raison de l'éprouver. La petite Carolyn était jolie mais, selon Tom, n'arrivait pas à la cheville de Pat; il voyait en cette dernière une personne élégante, belle et flamboyante, et ses baisers avaient un goût de miel. Il avait hâte d'obtenir le divorce.

Pat refusait de garder le moindre objet qui puisse lui rappeler la petite Carolyn.

— Je me souviens, dirait-il plus tard, qu'un jour où j'ouvrais la porte en rentrant à la maison, j'ai vu quelque chose me passer sous le nez pour aller s'écraser sur le trottoir. C'était une radio toute neuve que je gardais dans ma chambre, mais Pat estimait qu'elle appartenait à Carolyn et refusait de conserver quoi que ce soit venant d'elle. Elle la détestait tellement qu'elle est allée jusqu'à prétendre que je n'étais pas le père de nos enfants, qu'ils étaient en fait de mon père à moi, que Carolyn avait eu une liaison avec lui durant notre mariage.

Tom n'en crut pas un mot, d'autant que Pat proposa souvent de faire venir Russ et Sherry, affirmant qu'elle les élèverait comme ses propres enfants. Simplement, Pat était tellement nerveuse qu'il arrivait que les mots dépassent sa pensée.

Néanmoins, elle refusait que Tom expose les portraits de ses enfants à la maison.

Le divorce d'avec la petite Carolyn traînait en longueur et Pat en pleurait parfois de rage. Elle voulait épouser Tom, pas juste vivre avec lui. Pourtant, au début du printemps 1974, une audience s'acheva non par un jugement définitif, mais par un autre report. Quand il se rendit compte que Tom et la petite Carolyn étaient bien loin de parvenir à un accord financier, le juge statua :

— Je n'accorderai pas le divorce cette fois-ci.

À ces mots, Pat blêmit, enfonça ses ongles dans le bras de Tom et, à la sortie du tribunal, s'évanouit sur la pelouse. Il fallut appeler les secours et

Tom se demandait combien de temps encore elle supporterait une telle tension.

Et soudain tout s'arrangea, comme si leur amour était béni. Le 9 mai 1974, Tom devait assister à une nouvelle audience. Il s'attendait à un autre report et trouvait la convocation d'autant plus agaçante qu'avec Pat ils devaient se rendre, le soir même, à une fête du cheval, à Stone Mountain, en Géorgie.

Pat avait décrété qu'ils iraient à Stone Mountain en « Scarlett et Rhett » et leur avait confectionné elle-même les costumes qu'ils porteraient. Elle adorait se déguiser, se glisser dans la peau d'une autre – comme si elle parvenait ainsi à échanger son existence contre une autre dont elle rêvait. Tout le monde s'accordait pour la considérer comme une merveilleuse couturière. Elle savait qu'ainsi ils seraient les stars de la soirée.

Sa robe était blanche avec un décolleté en cœur, des manches ballon et une large jupe à crino-line. Elle porterait des gants blancs, des plumes blanches dans les cheveux, et attacherait son plus joli pendentif bordé d'or à un ruban moiré. Quand elle posa pour Tom dans cette tenue, il put lui enserrer la taille entre ses deux mains. Jamais elle n'avait été aussi belle, et elle le savait.

Tom se sentit un peu bête quand il vit son propre costume, mais il l'essaya quand même : veste noire à queue-de-pie, gilet de satin blanc sur une che-mise à jabot et manchettes, haut-de-forme. Elle avait même prévu une fausse moustache. Scarlett et Rhett plus vrais que nature : en se voyant ensemble dans la glace en pied, ils eurent l'impres-sion de revenir à Zebulon après avoir traversé le miroir du temps. Pat était ravie.

Bien sûr, lorsque le divorce de Tom fut prononcé, ils furent tous les deux fous de joie. Ils réservèrent en hâte une chapelle à Stone Mountain pour s'y marier. Cependant, rien dans la vie de Pat ne semblait devoir se produire sans tambour ni trompette, et ses noces avec Tom n'allaient pas faire exception. La presse s'en mêla. Un reporter quelque peu sentimental du *Griffin Daily News* alla jusqu'à noter que non seulement Pat et Tom étaient « beaux » mais qu'en plus ils faisaient un « beau mariage ». Sous le titre ILS AVAIENT DÉCIDÉ DE SE MARIER COÛTE QUE COÛTE, un article sur trois colonnes décrivait la cérémonie.

> Pat Radcliffe et Tom Allanson ont vécu un mariage pour le moins extraordinaire…

Elle avait expliqué au reporter qu'elle et Tom se connaissaient depuis quinze ans, exactement depuis le jour où elle avait appelé Tom pour remplacer à la dernière minute son habituel maréchal-ferrant. Elle avait ajouté en riant qu'ils ne s'étaient pas entendus dans la mesure où elle était spécialiste du Morgan tandis qu'il préférait la race Quarter Horse. Évidemment, elle avait fini par le convaincre.

L'article continuait ainsi :

> Lorsque Pat était malade, il venait souvent la voir. Et c'est ainsi qu'il a finalement été question de mariage. « Elle remue tellement que c'est la première fois que j'ai pu l'attraper », dit-il en riant l'autre jour.

L'article ne précisait pas que le divorce de Tom était des plus récents. Pas plus qu'il ne mentionnait, d'ailleurs, les autres mariages des deux amoureux, préférant s'en tenir aux détails romantiques de ce 9 mai 1974. Tom et Pat avaient retenu la chapelle pour 14 heures, puis « une chambre dans un motel » pour la nuit suivante.

Tom conduisait un van plein de chevaux vers le concours hippique lorsqu'un pneu éclata, bientôt suivi d'un autre, et il se retrouva en rade sur une autoroute très fréquentée, à proximité d'Atlanta. Par chance, comme il partait à pied à la recherche d'une station-service, un automobiliste s'arrêta et lui indiqua l'endroit où il pourrait se procurer des pneus neufs.

À l'heure dite, sa future épouse l'attendait à la chapelle de Stone Mountain. Il la fit avertir qu'il avait eu des ennuis et serait en retard, mais, le temps que le message parvienne à Pat, elle avait déjà compris qu'il lui était arrivé quelque chose. La cérémonie fut annulée.

Dès que le van de Tom fut réparé, il fila au concours hippique ; cependant, le public savait déjà ce qui lui était arrivé. Comme les tentes étaient toutes plus jolies les unes que les autres, les exposants décidèrent que l'une d'elles servirait pour le mariage. Tom et Pat acceptèrent. On fit appel au révérend William Byington, un pasteur baptiste, et celui-ci déclara que, depuis qu'il exerçait, il n'avait jamais eu l'occasion d'unir deux personnes dans de telles circonstances. Néanmoins, il accepta. C'est ainsi que, devant une foule d'amateurs de Morgan, il pria Tom et Pat de se jurer fidélité au cours d'une simple et courte cérémonie.

Pat en profita pour faire la publicité de leur centre équestre de Kentwood tout en précisant qu'elle continuerait de donner des cours à l'école Woodward, sur le campus de Riverdale. Elle y amènerait chaque jour ses chevaux.

Visiblement fasciné par ces nouveaux résidents, le journaliste de Griffin continuait :

Pour en revenir à ce mariage, le couple a passé la soirée du dimanche au *Western Sizzlin Steak House*. Le dîner achevé, Tom a repris le volant du van tandis que son épouse le suivait en voiture. Il s'engagea sur l'autoroute très encombrée. En vérifiant dans le rétroviseur que sa femme restait bien dans les parages, il entendit un bruit de collision et s'arrêta.

Quelqu'un était entré en collision avec le véhicule de sa femme. Elle fut transportée à l'hôpital de Griffin-Spaulding pour y être examinée et soignée. Le bras en écharpe, elle assura qu'elle pourrait rentrer ainsi, mais la douleur persista et, le lendemain, elle se rendit à l'hôpital d'Atlanta où l'on devait diagnostiquer une fracture de la clavicule. Elle arriva donc chez elle avec un plâtre qu'elle n'a toujours pas quitté... Les jeunes mariés parviennent encore à en sourire et ne songent qu'à poursuivre l'installation de leur haras.

La photo qui accompagnait l'article convenait parfaitement au ton du récit. Pat et Tom, tels Scarlett et Rhett dans leur tenue d'avant la guerre de Sécession, souriaient devant l'objectif tandis qu'on les mariait devant une large bâtisse envahie de fleurs : la jolie et mince jeune femme aux cheveux ornés de plumes, à l'éventail ivoire ouvert dans sa petite main gantée, l'homme immense au sourire éclatant de fierté.

Quant à comprendre comment Pat avait pu se jeter sur une voiture entrant sur l'autoroute, cela restait un mystère. Avait-elle été aveuglée par le soleil ou, tout simplement, pensait-elle à autre chose ? Ce n'était pas une conductrice hors pair et elle se laissait facilement distraire. Elle qui aurait d'abord pu se croire « abandonnée au pied de l'autel » était devenue subitement l'héroïne d'un mariage des plus romantiques. Tout s'était passé encore mieux qu'elle n'aurait pu l'imaginer.

Dans le même ordre d'idées, n'était-il pas aussi romantique que tous deux se soient cassé la clavicule ? Ils partageaient donc tout... Lui était guéri depuis longtemps, mais il se rappelait à quel point une telle fracture était douloureuse, de sorte qu'il se montra particulièrement tendre envers Pat.

Peu à peu, elle recommença à donner des leçons, et Tom se partagea entre son travail, le ferrage des chevaux et l'installation de la maison. Plus ils gagnaient d'argent, plus ils voulaient acheter de Morgan. Ils auraient les plus beaux chevaux de Géorgie, après avoir eu le plus beau des mariages, Tom en était convaincu.

Deux âmes unies pour la vie...

3

Un seul nuage assombrissait leur bonheur. Si la famille de Pat était contente de son mariage avec

Tom, si les grands-parents de celui-ci trouvaient en elle une charmante jeune femme très attentionnée, il en allait tout autrement avec les parents du marié. Walter et la grande Carolyn Allanson ne voulaient rien savoir de la troisième épouse de Tom. En fait, ils avaient pris le parti de la précédente pendant le divorce et refusaient de rien entendre sur les qualités de Pat.

Dans l'espoir de détendre quelque peu la situation, Maggy Radcliffe fit plusieurs ouvertures en direction des Allanson. Elle leur téléphona, les invita à dîner avec le colonel Radcliffe au mess des officiers du Fort McPherson.

— Ils ont refusé, raconterait plus tard Maggy. Et je me suis demandé pourquoi ils se comportaient ainsi alors qu'ils ne nous connaissaient même pas.

Elle, qui avait toujours été fière de ses bonnes manières et de son comportement en société, fut choquée de l'hostilité témoignée par les parents de Tom. Elle avait coutume de dire :

— Jamais je n'aurais cru qu'il puisse exister au monde des gens capables de se conduire ainsi.

Ce fut alors que Tom perdit son emploi chez Ralston Purina et soupçonna son père d'y être pour quelque chose. Il essaya de compenser le salaire perdu avec son travail de maréchal-ferrant, mais cela provoqua quelques difficultés dans sa relation avec Pat. Ainsi, il eut la surprise de découvrir que son épouse était non seulement jalouse de son ex-femme, mais aussi de toutes celles qui s'avisaient de lui jeter un coup d'œil appréciateur. Elle voulait être la seule à pouvoir l'approcher. Il tenta de lui expliquer qu'une écurie n'était pas vraiment l'endroit idéal pour donner des rendez-vous galants et qu'il passait quatre-vingt-quinze pour cent de son temps entouré d'hommes, cela ne suffisait pas. Pat insistait pour l'accompagner dans ses tournées.

Si Tom était fier d'elle, sa présence faisait l'effet d'une douche froide dans ce monde d'hommes. Au lieu de tailler tranquillement une bavette avec ses copains, il s'inquiétait de savoir si Pat se sentait bien. De plus, elle décontenançait les clients. Cependant, il l'aimait trop pour se sentir étouffé par ses craintes. Elle était la bienvenue tant qu'elle voulait rester avec lui.

Jamais il n'aurait songé à lui dire de rester à la maison.

Dorlotée par l'amour de Tom, Pat recouvra la santé au point de lui donner un coup de main dans l'aménagement des terrains de Kentwood; elle pouvait conduire le tracteur-tondeuse. Elle donnait aussi quelques leçons d'équitation et il leur arrivait de louer leur vélo de Surrey à deux sièges ou le sulky ainsi que leurs chevaux pour des concours ou des exhibitions. Tom et elle assistaient à de nombreux concours hippiques. Cependant, ils se rendirent vite compte qu'ils allaient devoir resserrer leur budget et travailler encore plus dur s'ils voulaient que leur belle plantation de Kentwood ressemble à ce dont ils avaient rêvé. Pat voulait tout, tout de suite, et Tom devait la calmer en lui expliquant qu'ils ne pouvaient s'en offrir davantage pour le moment; il faudrait attendre pour la deuxième écurie, pour la tribune, pour une plus grande roseraie, pour les lustres, pour d'autres Morgan...

Tout cela coûtait de l'argent, et l'argent allait devoir venir d'ailleurs que de la maison. Privé de son emploi chez Ralston Purina, et avec cette fracture de la clavicule qui l'avait empêché de travailler pendant deux mois, Tom avait beaucoup perdu. S'il avait fini par reprendre ses activités, sa clientèle diminuait à vue d'œil, essentiellement à cause de la présence pesante de Pat ou, au contraire, parce qu'il devait tout lâcher pour se précipiter à son chevet.

Elle pouvait s'évanouir à tout instant, parfois alors qu'elle conduisait leur jeep; un jour, la portière s'ouvrit, laissant tomber la conductrice à terre; une autre fois, Tom dut rentrer en catastrophe à la maison, car Pat avait perdu connaissance au téléphone. Impossible de l'imaginer assumant un emploi à plein temps. De toute façon, il n'en était pas question. Tom trouvait même qu'elle devait donner moins de leçons d'équitation.

Et puis il voulait que ses grands-parents viennent vivre avec eux. Il le leur avait promis et estimait devoir tenir cette promesse avant l'extension du grand Kentwood. Pourtant, malgré ses soucis d'argent et sa querelle avec ses parents, Tom se sentait comblé. Dès qu'avec Pat ils sellaient leurs chevaux pour aller parcourir leurs terres, il se disait qu'il était sans doute l'homme le plus heureux du monde. Il arrivait que Pat revête un costume pour monter à cheval et, dès qu'il l'apercevait ainsi, devant les arbres en fleurs, il avait envie de pleurer de joie. Tous deux se donnaient mille petits noms, adaptaient chansons et proverbes à leur couple. « Tout vient à point à qui sait attendre, chaton », telle était leur devise. Ils paraient au plus pressé, estimant que le reste suivrait.

Tom n'avait jamais dit à Pat à quel point ses relations avec ses parents s'étaient envenimées, particulièrement avec son père. Walter Allanson pouvait avoir la dent dure ; quand il parlait de Pat, c'était dans les termes les plus grossiers. Bien qu'il ne l'ait jamais rencontrée, il la détestait. Au début, lorsque Tom vivait avec elle, il l'avait traitée devant son fils de traînée, de femme à la mauvaise réputation établie.

— Elle coucherait avec tous les hommes qui possèdent un van et des chevaux. Tu n'as donc pas compris, crétin ?

Les aventures de Pat n'étaient un secret pour personne, avait-il ajouté. Si Tom décidait de la fréquenter, il était encore plus bête que son père ne le croyait.

— Ne te lance pas là-dedans, avait insisté Walter. Tu vas te casser le nez.

Bien entendu, ces avertissements n'avaient fait que conforter davantage Tom. Il ne croyait pas un mot de ce que disait son père. De toute façon, dès que Tom avait envie de quelque chose, il cherchait à l'en dégoûter.

Pat serait dégoûtée d'entendre ce qu'il avait dit à son sujet, ce qui ne facilitait pas les choses parce qu'elle insistait pour que Tom fasse la paix avec sa famille. Elle pensait, à juste titre, que ces gens étaient riches même si, à part sa tante Jean Boggs, la sœur de Walter, ils menaient une vie plutôt austère. Tom lui avait dit qu'en homme astucieux

Walt avait caché de l'argent partout dans sa maison de Washington Road.

Selon Pat, il avait cédé le fonds de son terrain au père de Tom et celui-ci s'était arrangé pour le diviser en plusieurs parcelles qu'il avait revendues à des entrepreneurs ; là avaient été construites trois résidences des plus lucratives. Tom n'avait pas l'air de s'en soucier ; pourtant, il était le fils unique des Allanson, le petit-fils préféré de Walt et Nona. En principe, tout devait lui revenir. Car il était inutile de se voiler la face : jamais ils ne pourraient aménager correctement Kentwood si Tom ne touchait pas cet héritage.

La tante de Tom, Jean Boggs, et son mari, Homer, possédaient une jolie maison à East Point, et elle ne portait que des vêtements coûteux. D'après Tom, elle ne voyait plus son frère depuis six ou sept ans, à la suite de querelles au sujet des biens de leur père. Elle avait des enfants, mais eux aussi avaient été élevés par les grands-parents Allanson, tout comme Tom, qui se sentait comme le fils aîné de Walt et Nona.

Maintenant qu'elle avait épousé Tom, Pat était convaincue que Walter et la grande Carolyn l'accepteraient. Ne descendait-elle pas par sa mère des Siler, une bonne famille de la région ? Et puis elle pouvait être fière de ses parents : après tout, son père n'était-il pas un colonel en retraite ? Elle se considérait comme supérieure à l'ex de Tom. Les Allanson devraient bien finir par le reconnaître et se réjouir qu'elle ait accepté d'épouser leur fils. Forcément.

Tom ne se montrait pas aussi optimiste : son père n'était qu'une tête de mule... Mais comment expliquer à sa femme qu'elle n'avait aucune chance d'avoir ses parents au téléphone? Il avait beau l'aimer tendrement, il s'était bien rendu compte qu'elle avait le don d'exaspérer les gens, parlait sans réfléchir et ne possédait aucun sens de la diplomatie. Sans compter son allure. Personnellement, il aimait sa façon de se présenter et de s'habiller, mais il frémissait en pensant au point de vue de son père. Pat montrait trop ses jambes et sa poitrine. Les petites broches démodées qu'elle utilisait pour retenir les bretelles croisées de ses robes ne servaient pas à grand-chose. C'était une femme magnifique, mais, s'il la voyait, son père ne trouverait que davantage à y redire.

Tom ne voulait pas soumettre Pat à une telle épreuve.

Et maintenant qu'ils étaient mariés, il constatait qu'elle était encore plus sensible aux affronts qu'il ne l'aurait cru. Sa grand-mère Siler mourut peu de temps après leur mariage; tout le clan se réunit en Caroline du Nord pour l'enterrement. La plupart ne connaissaient pas encore Tom. Il y eut un esclandre pendant la procession. Une tante de Pat, Mary Adams, et son mari, Charles, placèrent leur Cadillac juste derrière le corbillard en attendant le départ vers le cimetière. Et Pat s'emporta.

— Mamie Siler aurait voulu que je sois devant! sanglota-t-elle. J'étais sa préférée. Tom, amène la camionnette par ici et place-toi devant la Cadillac.

Abasourdi mais docile, il se faufila avec son véhicule orné sur la portière d'un cheval Morgan dans un macaron, emblème de Kentwood, et dépassa la Cadillac. Personne ne l'arrêta. Il fut stupéfait de voir comment les Siler s'écartaient pour faire place à sa bien-aimée.

Pat se calma tandis qu'ils prenaient la tête de l'interminable file de véhicules; séchant ses pleurs, elle se redressa, la tête haute, expliquant à Tom combien sa grand-mère l'avait toujours aimée; il put lui-même constater que tous la révéraient, les Radcliffe, bien sûr, les filles autant que Ronnie, de même que ses grands-parents à lui... tout le monde sauf ses parents à lui, têtus comme des bourriques.

Pat était trop intelligente pour ne pas se rendre compte que ses beaux-parents ne voulaient pas entendre parler d'elle. Elle en était blessée, furieuse. C'était injuste. Elle n'avait jamais rien fait contre eux. Était-ce un crime de tant aimer leur fils? Elle avait six ans de plus que Tom, mais de là à dire qu'elle les prenait au berceau... Pour quelle raison Walter et la grande Carolyn se montraient-ils si mesquins?

Ces relations avec les parents de Tom, ou plutôt cette absence de relations devint une constante source d'irritation pour Pat. Ils passaient des journées de rêve à Kentwood, mais de minuscules fissures commençaient à marquer leur vie. Pat se plaignait auprès de qui voulait l'entendre du père de Tom et de l'ex-épouse de ce dernier, la petite Carolyn. Elle n'en démordait pas : selon elle, ils étaient responsables, d'une façon ou d'une autre, du renvoi de son mari de chez Ralston Purina.

En outre, Pat sentait que Walter s'était donné pour mission de s'assurer que son fils ne retrouvât jamais d'emploi.

— Il s'était présenté à plusieurs postes intéressants, mais chaque fois son père s'était arrangé pour lui mettre des bâtons dans les roues. Tom voulait entrer dans la police montée : là aussi, son père est intervenu.

Cela n'avait rien d'impossible. Walter Allanson entretenait contre son fils unique une animosité fielleuse. Cependant, Tom eut vite fait de se rendre compte que sa nouvelle épouse ne faisait qu'envenimer les choses et que, chez elle, le tact était réduit à sa plus simple expression. Elle était toujours de son côté, ce qui était plutôt bien en soi, mais parlait beaucoup trop, et ses commentaires finissaient par arriver aux oreilles de son beau-père.

À la fin du printemps 1974, Pat Allanson bouillait de rage. C'était un aspect de sa personnalité que Tom ne connaissait pas encore. Il la savait aimante et passionnée, triste et mélancolique, apeurée comme une petite fille. Il n'avait pas décelé la fureur qui pouvait parfois l'animer. Au lieu de se réjouir d'avoir pu enfin se marier avec lui et d'oublier le reste, elle ne cessait de le harceler, de le prier de « faire quelque chose ».

— Si tu étais un homme, tu ne le laisserais pas nous traiter comme ça !

Ses larmes impressionnaient Tom encore plus que ses paroles : il ne supportait pas de la voir pleurer. Cependant, il n'avait jamais su tenir tête à son père et ne voyait donc vraiment pas ce que Pat attendait de lui. Il voulait vivre sa vie, mener son haras, profiter de son couple. Mais il avait beau dire, elle s'opposait sans cesse à lui et il ne parvenait pas à lui faire comprendre qu'ils n'avaient nul besoin de son père ni de son argent.

Pat s'obstinait. Elle voulait réconcilier Tom avec ses parents, lui demandait qu'il s'arrange pour qu'elle soit accueillie dans sa famille. Ces gens-là l'offensaient, l'importunaient, elle autant que son père et sa mère. Aucun mari digne de ce nom ne supporterait une telle situation. Ils étaient mariés depuis à peine plus d'un mois que, déjà, leur bonheur tournait au vinaigre.

Elle s'éloignait de Tom. Pour commencer, il y avait Ronnie, cet adolescent de quinze ans, qui vivait avec eux, et voilà que Pat demandait à ses filles, Susan et Deborah, ainsi qu'à ses amies de leur rendre souvent visite. Sa tante, Alma Studdert, et la petite-fille de celle-ci, Mary Jane Smith, venaient fréquemment passer la nuit. Pat et Alma restaient des heures sur la balancelle de la véranda à regarder le soleil se coucher, puis la lune se lever, alors qu'Alma estimait que sa nièce aurait dû rejoindre son mari au lit. Aucun de leurs nombreux invités ne pouvait s'empêcher de remarquer qu'elle évitait de se retrouver seule avec Tom.

Certes, Pat avait toujours aimé s'entourer de sa famille : cela la rassurait. Toutefois, elle avait maintenant un homme pour la protéger ; mais elle semblait plutôt le fuir que vouloir se réfugier auprès de lui. Peut-être craignait-elle de laisser échapper des paroles malheureuses. Elle semblait en tout cas souffrir d'un immense chagrin et sa famille savait qu'elle avait toujours eu besoin de s'appuyer sur les autres pour contenir ses émotions. Le rejet total des parents de Tom l'avait bouleversée au point de lui ôter toute joie de vivre et de gâcher ces premiers mois de mariage qui auraient dû n'être que bonheur et sérénité.

4

La lune de miel s'achevait beaucoup trop vite et cette situation ne fit qu'empirer lorsque la mère de Pat, Maggy, reçut un appel téléphonique inopiné au secrétariat de la clinique dentaire où elle travaillait. Il venait de Walter Allanson en personne.

— Vous avez peut-être de l'influence sur Tom, commença-t-il sans préambule. Pourriez-vous lui dire d'arrêter ses bêtises et de faire ce qu'il a à faire ?

Maggy Radcliffe avait tendance à ne pas oublier ce genre de discours. Des années après, elle pouvait le répéter mot pour mot. Le sans-gêne et la grossièreté des malotrus la scandalisaient, particulièrement ceux qui ne comprenaient pas sa fille Pat. À ses yeux de mère, celle-ci ne pouvait commettre d'erreur. En quoi elle était l'exact contraire du père de Tom.

Encore incrédule, Maggy devait par la suite rapporter ainsi leur conversation :

— Il m'a dit que Tommy s'était introduit dans l'appartement de son ex-femme pour verser du formaldéhyde dans le lait ! J'ai demandé : « Vous avez appelé la police ? » Il a dit que oui, que les analyses avaient prouvé qu'il s'agissait bien de cette substance, alors que c'était sa petite-fille qui devait le boire. Et M. Allanson a ajouté : « Je suis sûr que c'est Tom qui a fait ça. »

Maggy n'en revenait pas. Cela ne tenait pas debout. Jamais Tom n'aurait pu accomplir un tel geste. Il aimait ses enfants et jamais ne pourrait leur faire de mal. Évidemment, elle mit sa fille au courant et celle-ci faillit sortir de ses gonds. Comment Tom pouvait-il laisser quelqu'un raconter de tels mensonges sur son compte ? Son père et son ex-femme allaient finir par ruiner sa réputation avec leurs mensonges.

Maggy Radcliffe en avait assez. Elle ne permettrait à personne de faire ainsi souffrir Pat. Elle en parla à Walt et à Nona, les grands-parents de Tom, mais ceux-ci ne voyaient pas ce qu'ils pouvaient y faire. Ils expliquèrent stoïquement que leur fils était « un être froid. Il n'a jamais commis d'erreur de sa vie, ne s'est jamais trompé et n'a jamais rien regretté… depuis sa plus tendre enfance ».

Maggy, qui avait tendance à ne pas s'occuper que de ses affaires, décida de remettre dans le droit chemin le beau-père de sa fille. Le lundi 21 juin 1974, elle alla le trouver sans rendez-vous dans son cabinet d'avocat et demanda à la secrétaire, Mary McBride, de l'annoncer. La petite-fille de celle-ci avait été dans la classe de la fille de Pat, et elle lui demanda des nouvelles. Abasourdie, Maggy apprit ainsi que Mary n'était pas au courant du mariage de Tom et Pat. Les Allanson savaient garder un secret…

Lorsque Walter eut raccroché, Maggy entra dans son bureau, sans se laisser impressionner par son regard stupéfait. Elle gardait de leur première entrevue un souvenir précis.

— Monsieur Allanson, lui dit-elle, je n'avais pas envie de venir vous voir, mais il le fallait… et ce n'est pas faute d'avoir essayé d'organiser des rencontres entre nos deux familles. Je n'arrive pas à croire ce que j'ai entendu! Même si vous êtes un homme sévère et dur, je n'arrive pas à croire qu'un père puisse se comporter ainsi... Tommy n'a rien dit, mais on voit qu'il a le cœur brisé par votre attitude...

Ces paroles indignées ne parurent pas vraiment émouvoir Walter Allanson.

— Laissez-moi vous dire une bonne chose : je suis écossais, pour moi, la discipline est une chose importante et je n'ai rien d'un plaisantin. Je m'en tiens à mes principes : quand c'est fini, c'est fini. Je n'ai plus de fils.

— Vous ne pensez pas ce que vous dites. Au fond de vous, vous savez que ce n'est qu'une façade. Vous devez bien avoir d'autres sentiments.

— Non, madame, certainement pas... Si Tommy mourait subitement aujourd'hui, je n'irais pas à son enterrement. Et s'il était mourant et m'appelait à son secours, je ne lèverais pas le petit doigt pour l'aider. En fait, je ferai tout ce qui est en mon pouvoir pour le détruire.

— Monsieur...! Vous avez toujours été comme ça avec lui?

— Non. Il a changé depuis un an. Je crois qu'il souffre d'une tumeur.

Maggy se redressa de toute sa hauteur.

— Moi, si je croyais mon enfant atteint d'une tumeur, au lieu de l'accuser de toutes sortes de choses, je ferais tout pour le convaincre d'aller voir un médecin.

— Il ne tient aucun compte de ce que je dis.

Là-dessus, il embraya sur l'incident du formaldéhyde dans le biberon et ajouta que Tom avait aussi mis du sucre dans le réservoir à essence de sa voiture, le 9 mai.

— Impossible, rétorqua Maggy. Il était à Stone Mountain en train de se marier; il y avait au moins trois cents personnes autour de lui. Franchement, monsieur, vous devez avoir un problème avec les affaires que vous défendez, et c'est là que vous devriez chercher au lieu de croire Tommy responsable de tout ce qui vous arrive.

— Bien, dit-il en se penchant vers elle, je vais vous raconter ce qu'il a fait. Hier matin, entre 9 heures et 13 h 30, quelqu'un s'est introduit chez nous pour voler trois pistolets.

Walter Allanson voulait récupérer ses armes et pria Maggy de dire à Tom de les lui faire parvenir.

— Et qu'il ne vienne pas me les rapporter parce que je le tuerai si je le vois. S'il ne me les envoie pas et si la police ne retient pas ma plainte, c'est moi qui le supprimerai.

Maggy blêmit.

— Monsieur, vous n'êtes pas sérieux... Même si votre fils ne vous a rien fait? S'il venait vous voir pour vous dire « Papa, je ne sais pas ce qui se passe mais si on en discutait calmement, si on oubliait le passé », monsieur Allanson... vous ne pourriez pas lui pardonner?

— Non. C'est fini. Je n'ai pas de fils. Ni de belle-fille. Votre fille n'est pas ma belle-fille.

Horrifiée, Maggy Radcliffe quitta le cabinet de Walter Allanson. Cette visite n'avait fait qu'empirer les choses. Toute la famille eut l'occasion de s'en rendre compte. En cette fin juin, l'atmosphère à Kentwood était des plus tendues.

Liz Price, amie de longue date de Tom, souvent présente aux mêmes manifestations que Pat, possédait un élevage à dix kilomètres au sud de Kentwood. Sa fille Johnette entraînait leurs chevaux trois ou quatre jours par semaine et il lui arrivait de monter les Morgan dans les concours. Liz était là lorsque Tom entra dans la cuisine, un soir, armé d'un oignon du jardin qu'il montra à Pat d'un grand geste spectaculaire. À l'étonnement de Liz, Pat se rembrunit et le repoussa.

— Elle passait son temps à le rabaisser, dira Liz.

La fille de Pat, Susan Alford, alors âgée de vingt et un ans, venait souvent à Kentwood avec son fils, Sean, et savait toujours très bien évaluer l'état d'esprit de sa mère ; elle vit aussitôt combien celle-ci était désemparée et s'en prit à Tom, l'accusant de manquer de cran. Elle le pria de défendre l'honneur de Pat, d'obliger ses parents à l'accueillir comme sa femme dans le cercle familial.

Il était si amoureux de Pat qu'il aurait fait n'importe quoi pour lui plaire, du moins si c'était à sa portée. Cependant, il savait ne rien pouvoir faire face à son père. Ni maintenant ni jamais.

Par une douce soirée de juin, sur la balancelle de la véranda, la tante de Pat, Alma, ne parvenait plus à se détendre.

— Je ne pourrais pas dire quoi, dit-elle à Liz Price, mais il va se passer quelque chose de terrible.

Le 28 juin, Pat était seule à Kentwood. Tom s'était rendu à Barnesville pour y ferrer des chevaux et Ronnie avait dit qu'il serait à Zebulon pour y faire de la peinture. C'était une belle journée ensoleillée, et Pat se sentait assez bien pour travailler un peu dans la plantation. Elle sortit le tracteur-tondeuse et entreprit de rafraîchir la pelouse. Dans la déclaration qu'elle devait faire par la suite à un shérif adjoint du comté de Pike, elle décrivit la terreur qui l'avait habitée cet après-midi-là.

— J'étais là-bas, toute seule, dans cette propriété de plus de vingt hectares... et je me dirigeais vers la route, très loin de la maison. J'étais tranquillement assise sur le petit tracteur... quand j'ai vu passer une camionnette bleue. Elle ressemblait à la nôtre, mais je savais que ce n'était pas celle-là parce que la plate-forme était dégagée... Vous savez ce que c'est quand quelque chose vous entre dans la tête et ne veut plus en sortir ? Je suis allée vérifier, vers la haie de plus de quatre mètres de haut, qui nous sépare du champ voisin et... j'y ai vu la camionnette... Je me suis dit, bon sang, ce type doit avoir des ennuis... Alors j'ai filé vers le bout de la haie, où nous avons un grand arbre. Et il était là. Les manches roulées, il venait de baisser son pantalon... je ne savais plus quoi faire. J'ai écrasé les freins du tracteur. Je dirai que je suis restée coincée là une heure, même si ça n'a duré qu'une seconde.

Mais son épreuve ne s'arrêta pas là. Elle raconta ensuite avoir reconnu l'homme ; cela faisait des années qu'elle le croisait à East Point et, récemment, sa photo avait paru dans les journaux et sur des affiches électorales. Cet homme qui se dénudait devant elle n'était autre que Walter Allanson, le père de son mari !

46

— Je suis sûre que c'était lui. La seule chose qui m'ait fait douter, c'est le cigare entre ses lèvres... Je n'avais jamais vu son père fumer le cigare, il ne fumait que des cigarettes... J'ai passé la troisième vitesse du tracteur. Il ne va pas très vite. Je voulais rejoindre la maison des voisins, mais il n'y avait pas de voiture devant, alors j'ai repris le long chemin qui menait chez moi, j'ai retraversé la pelouse. Il y avait plus de cinq cents mètres.

Tom laissait son agenda à la maison, afin que Pat sache toujours où le joindre en cas d'étourdissement. Plutôt que la police, elle préféra l'appeler, lui. Elle était tellement affolée qu'elle commença par bafouiller avant de parvenir à lui faire entendre que son père était là, derrière la haie, et qu'il lui avait montré son sexe. Sur le moment, Tom n'en crut pas ses oreilles, mais il comprit au moins qu'elle était complètement hystérique.

— Il m'a dit : « Chaton, pour l'amour du ciel, raccroche vite et appelle le shérif ! »

Ce que fit Pat. Le shérif promit d'arriver tout de suite et, avant qu'elle puisse composer un autre numéro, la sonnerie retentit. C'était Ronnie qui appelait d'Atlanta, où il rendait visite à Maggy. Par la suite, Pat déclarerait avoir eu tellement peur qu'elle n'était même pas certaine de l'endroit où se trouvait son fils. Elle le croyait à Zebulon, occupé à repeindre une maison.

Mais qui savait où était Ronnie la plupart du temps ? Avec son ami, Cecil « Rocky » Kenway, qui venait souvent le voir à la maison, ils se comportaient comme la plupart des adolescents, prêts à partir dans l'instant où bon leur semblait.

Ronnie dit à sa mère qu'il avait eu un pressentiment à son sujet.

— Maman, je ne sais pas pourquoi, je voulais juste t'appeler pour vérifier que tout allait bien.

Elle lui dit alors ce qui se passait, mais il l'interrompit :

— Tu as fermé les portes à clef ?

— Oh, mon Dieu ! Je n'en sais rien. Attends. Je te rappelle.

Elle déposa le combiné et fila boucler la maison. Un doute affreux la saisit alors : *Oh non ! et si je l'avais enfermé avec moi ? Il pourrait très bien avoir escaladé la haie qui donne sur l'arrière de la maison...*

Ronnie attendit en ligne jusqu'à ce que le shérif du comté de Pike, Billy Riggins, ait parcouru les quatre kilomètres entre le tribunal de Zebulon et Kentwood. Il y trouva une jolie femme complètement terrifiée, devant le téléphone de sa cuisine, une carabine 22 long rifle déchargée à la main. Il commença par la désarmer puis elle lui tendit l'appareil.

— S'il vous plaît, pouvez-vous rassurer mon fils et lui dire que vous êtes ici avec moi ?

Après que Riggins eut parlé à Ronnie et raccroché, il fut assailli par un torrent de paroles, Pat ne cessant de répéter combien elle avait été horrifiée d'avoir vu son propre beau-père derrière la haie en train d'exhiber ses parties intimes.

— J'en ai été malade. J'ai des problèmes de coagulation sanguine et tout le bazar et il me faut de l'oxygène. Ma tension est trop forte à la suite d'un accident récent... je viens de sortir de l'hôpital. C'était le premier jour où je commençais à me sentir vraiment bien. Mon fils m'a dit de vous demander de m'aider à charger la carabine, pour que je puisse me protéger quand vous serez parti... au moins jusqu'à l'arrivée de mon mari.

— Où sont vos cartouches? demanda Riggins.

— Je ne sais pas.

Tom rappela et put indiquer où il rangeait ses munitions. Le shérif montra alors à Pat comment se servir de cette arme. Elle n'était pas tout à fait débutante puisqu'elle avait passé l'automne à chasser en compagnie de son mari. Toutefois, l'affolement lui obscurcissait les idées et elle avait encore les mains toutes tremblantes.

Riggins remarqua aussi combien elle était mal à l'aise, mais quelle femme ne l'aurait été à sa place? C'était une chose de se faire importuner par un exhibitionniste, mais une autre quand il s'agissait de quelqu'un de votre propre famille...

— Pourriez-vous décrire l'homme que vous avez vu? demanda-t-il.

— Oui... Évidemment... enfin, je savais que c'était son père... D'ailleurs, il portait le même genre de chapeau mou, vous savez, et il avait remonté ses manches, comme d'habitude, et il a juste laissé tomber son pantalon. Et moi je me disais : *Ce n'est pas possible, ce type ne peut pas être son père!* Vous voyez? Mais je savais que c'était lui.

Le shérif s'efforça de la calmer et lui conseilla de décider avec son mari s'ils allaient porter plainte ou non. Elle semblait à peu près rassurée lorsqu'il dut partir, appelé pour une autre urgence.

En fait, c'était la deuxième fois que Riggins venait à Kentwood. Au début du mois d'avril, Tom

49

Allanson l'avait appelé pour faire constater qu'on avait criblé de balles de calibre 22 un de ses véhicules garé derrière l'écurie – à croire qu'il avait servi de cible dans un champ de tir. Riggins n'avait jamais pu déterminer d'où venait cette attaque et Tom n'en avait pas la moindre idée. De nombreux visiteurs allaient et venaient à Kentwood, sans compter cet ado, Ronnie Taylor, qui vivait là avec sa mère et son beau-père, et invitait parfois ses amis. Cette fois, en revanche, on avait clairement identifié un suspect.

Lorsque Tom rentra, quelques minutes après le départ de Riggins, il eut droit aux accusations les plus glaçantes de Pat contre son père. Certes, cet homme n'avait rien d'un doux agneau, mais de là à l'imaginer commettant un tel outrage... Walter Allanson se dominait beaucoup trop pour se laisser aller à ce genre d'excès. Cela ne l'avait pas empêché de faire tout ce qu'il pouvait pour leur gâcher la vie.

Tom appela le cabinet de son père, mais personne ne répondit. Il avait l'impression que sa vie partait à la dérive. Subir les malveillances de cet homme, il en avait pris l'habitude. Mais chaque jour apportait un nouveau choc. Maggy lui avait dit que son père se fichait qu'il soit vivant ou mort et que, le cas échéant, il ne se dérangerait même pas pour aller cracher sur sa tombe. Il accusait Tom d'avoir empoisonné le lait de son propre bébé et de lui avoir volé des armes. Et Pat croyait qu'il avait saboté toutes ses chances de retrouver un emploi et le tuerait si l'occasion s'en présentait. D'ailleurs, c'était exactement ce qu'il avait dit à Mme Radcliffe. Même Nona et Walt avaient dit à leur petit-fils de se méfier.

Mais là... son père avait commis l'impardonnable. Walter Allanson, avocat, candidat aux prochaines élections pour le poste de juge, s'exhibant devant sa belle-fille...

Tom était fou de rage. La malheureuse Pat était si malade qu'elle pouvait à peine bouger, sa clavicule la faisait constamment souffrir; pourtant, elle était sortie tondre la pelouse. Comment son père avait-il osé lui faire si peur? Pour le coup, Tom comprenait que Pat avait eu raison depuis le début : impossible de passer l'éponge. Malgré son appréhension, il allait devoir affronter son père.

5

Walter O'Neal Allanson et sa femme, Milford, qui se faisait appeler Carolyn, avaient tous les deux cinquante et un ans en cette fin de juin 1974. Ils étaient mariés depuis trente-deux ans, plus de la moitié de leur vie. Ils vivaient à East Point, élégante banlieue d'Atlanta. Le couple s'entendait bien, quoique d'aucuns prétendissent que Walter avait plus ou moins dévié lors de la crise de la quarantaine. Que ce soit vrai ou non, Carolyn n'en avait rien dit, d'autant que la femme en question était morte depuis longtemps. En abordant la cinquantaine, Walter Allanson ne jurait plus que par le caractère sacré du mariage, et il n'y a pas plus puritain qu'un puritain converti. Il combattait impitoyablement le divorce si le couple avait des enfants – une position plutôt délicate pour un avocat.

Walter était un bel homme aux cheveux argentés et aux yeux bleu-gris clair, mince et athlétique malgré un menton qui commençait à s'affaisser. La grande Carolyn, quant à elle, était une femme plutôt ordinaire qui se maquillait rarement et coiffait en arrière ses cheveux bruns ondulés. Ni mince ni grosse, elle avait juste une forte poitrine, une allure solide.

Les mois à venir promettaient d'être des plus agités puisque Walter avait annoncé qu'il briguait les fonctions de juge civil. Sa bonne réputation l'autorisait à penser qu'il avait de bonnes chances de gagner les élections à l'automne. Carolyn aimait beaucoup son travail d'infirmière dans un centre médical. Comme Walter, elle rentrait chaque jour déjeuner à la maison. Ils étaient toujours ensemble. Si la passion du début ne les habitait plus, ils s'entendaient bien.

Walter venait d'un milieu très simple, où l'on ne faisait guère d'études, mais il possédait une intelligence innée. Après une enfance misérable, il s'était juré de ne jamais manquer d'argent. Il possédait un instinct très sûr en matière de biens immobiliers. Il avait acheté un bon prix la maison du 1458, Norman Berry Drive, à East Point. À l'époque, le voisinage était de premier ordre, avec une rue plantée de jeunes arbres sur sa partie centrale ; quant au lycée, il se trouvait presque en face.

La maison de brique décorée de linteaux blancs et de lucarnes pointues datait des années 1940 ;

massive, elle reposait sur un plateau tellement élevé qu'on prenait le vent rien qu'à remonter l'allée. Chênes, pins, lauriers et rhododendrons y étouffaient les bruits de la rue en contrebas.

La mère de Carolyn, « Mae Marna » Lawrence, possédait la maison voisine, mais on l'apercevait à peine à travers les feuillages. Walter avait installé à l'arrière une vigne en tonnelle qui avait magnifiquement pris, et construit une esplanade de ciment au milieu de la cour afin de pouvoir faire tourner sa voiture et d'éviter de descendre à reculons les soixante mètres de l'allée donnant sur la rue. Ce n'était pas très joli, mais pratique. Et Walter Allanson était avant tout un homme pratique.

Ses considérations pragmatiques sur la vie lui avaient déjà valu de rompre toute relation avec sa sœur Jean, alors qu'avec son époux celle-ci habitait à quelques rues de là. Et voilà qu'à présent sa rigidité morale l'éloignait aussi de son fils. Il détestait Pat et préférait encore perdre Tom que d'avoir affaire à elle. Il tournait le dos à tous ceux qui osaient contester son autorité. Tom le savait depuis sa plus tendre enfance.

Ils étaient nombreux, ceux qui pouvaient en vouloir à Walter Allanson. Les avocats se font des ennemis, souvent sans même le savoir. Depuis des années, il avait représenté toutes sortes de clients qui croyaient n'avoir pas reçu l'attention qu'ils méritaient. Mais cela n'effrayait pas Walter, qui avait toujours estimé pouvoir se défendre seul. Néanmoins, son associé, Al Roberts, son stagiaire et sa secrétaire avaient remarqué combien il semblait tendu en ces dernières semaines de juin 1974, et cela ne lui ressemblait pas.

Le samedi 29 juin 1974, Carolyn et Walter Allanson quittaient leur maison de Norman Berry Drive un peu après 9 heures, dans leur break blanc Ford de 1963. Walter voulait vérifier l'état d'une de ses propriétés. C'était un beau matin d'été et la chaleur n'avait rien d'insupportable ; ils prirent la direction de Lake Lanier, dans le comté de Forsyth. Il n'y avait pas encore d'immeubles au bord de l'eau, le paysage était magnifique, et sur les terrains voisins s'élevaient déjà de jolies cabanes et quelques maisons privées. Avec Tommy, ils avaient construit un débarcadère, mais, durant l'hiver 1971, il avait tellement gelé que l'ensemble avait coulé. Tommy avait passé l'été à plonger et ils avaient fini par le renflouer. Avec l'aide du meilleur ami de Walter, Jake Dailey, ils l'avaient nettoyé et restauré. Et Tommy n'avait plus cessé de l'entretenir, jusqu'à ce que son père se détourne de lui à cause de Pat. Maintenant, il allait tout devoir finir seul.

Le lac n'était pas à plus d'une heure de conduite, pourtant, le comté de Forsyth semblait à des années-lumière d'Atlanta : où qu'on se tournât, on ne voyait que de petits restaurants offrant poissons grillés et beignets, choux verts, patates douces, pain de maïs, biscuits et barbecue pour quelques dollars. Les Noirs n'y étaient pas les bienvenus après la nuit tombée ; ce n'était plus indiqué en toutes lettres sur des panneaux, mais l'impression restait la même et l'on disait que le Ku Klux Klan restait très actif dans la région.

Le vieux break Ford des Allanson, légèrement marqué de rouille sur les portières, n'était pas le véhicule le plus indiqué pour un éventuel juge, mais il convenait très bien pour le travail. Walter et Carolyn roulaient vitres baissées, s'imprégnant des odeurs d'aiguilles de pin et d'argile cuite. Les vignes kudzu envahissaient poteaux télégraphiques, clôtures et chemins. Ils traversèrent la Chattahoochee et la forêt de pins s'épaissit encore ; les déversoirs de ciment attendaient sur la terre déshydratée qu'un déluge remplisse leurs fosses d'eau. En juin, ils étaient à peu près aussi inutiles que des décorations de Noël. Il faisait tellement sec qu'on avait du mal à se souvenir qu'il pouvait aussi pleuvoir.

Passé Atlanta, l'atmosphère changeait à vue d'œil. Des pancartes proposaient sirop de sorgho, cacahuètes bouillies et tabac à chiquer. À Cumming, le siège du comté, des hommes âgés en survêtement se rappelaient le bon temps en chiquant, laissant devant les maisons des ruisseaux de crachats brunâtres.

Walter ralentit avant le carrefour central, s'arrêta au stop puis continua tout droit sur la route 306 qui débouchait sur l'autoroute 53. Il l'avait si souvent empruntée qu'il ne faisait plus attention aux panneaux. Ils arrivèrent ainsi au Y où ils devaient la quitter pour prendre sur la gauche en direction du lac, sur la route de Truman Mountain.

Walter écrasa une cigarette dans le cendrier de verre en équilibre sur le tableau de bord. Chênes et pins étaient assez denses pour plonger la route dans l'ombre ; le soleil ne projetait qu'une lueur jaune aussitôt avalée par les arbres. L'atmosphère semblait si calme qu'on entendait passer les véhicules sur la 53, à soixante mètres de là, dans les sous-bois. Walter alluma une autre cigarette et se tourna pour parler à sa femme.

Les coups de feu retentirent soudain, tirés du bois, sur la rive, à leur droite. Pas question de se défendre ni même de fuir. Walter et Carolyn étaient pris au piège dans leur habitacle, tels des poissons dans un aquarium.

— Quoi ? cria Carolyn.

Son mari la poussa en avant puis écrasa l'accélérateur.

Ils étaient touchés, ou plutôt la voiture. Une fois, deux fois. Encore une fois… Maintenant, c'était bien eux. Walter sentit un filet de sang sur sa joue et se rendit compte qu'ils saignaient tous les deux. Et les balles continuaient d'atteindre la voiture. Le pare-brise éclata devant Carolyn puis devant lui ; ensuite le montant de la fenêtre latérale parut s'enfoncer avant que la vitre explose complètement. Walter filait aussi vite que possible quand la lunette arrière se désintégra.

Lorsque le calme revint, Walter entendit de nouveau le vent dans les arbres. Il se retourna mais ne vit personne. D'une main tremblante, il aida sa femme à se relever, sans cesser de conduire. Tous deux avaient reçu des éclats de verre qui les faisaient saigner.

Mais ils étaient vivants.

L'appel parvint au bureau du shérif du comté de Forsyth à Cumming à 11 h 20, et le shérif Donald Pirkle ainsi que ses adjoints, Jim Avery, Randall Parker et Richard Satterfield, se précipitèrent vers le magasin J. C. Jone's, où les Allanson avaient pu utiliser le téléphone. Le break avait essuyé neuf coups de feu et les enquêteurs retirèrent quatre fragments de balles de l'intérieur du véhicule.

En retournant vers le lac, ils repérèrent l'endroit d'où était partie la fusillade, un site soigneusement choisi et préparé. On avait coupé des branches de sapin pour les disposer ensuite comme un bouclier propre à camoufler un tireur. Il restait une canette de bière aux trois quarts vide, encore fraîche, et six douilles de calibre 22. Derrière le paravent de branches, les enquêteurs découvrirent un sentier qui descendait vers l'autoroute 53. Sur le bas-côté, on voyait des traces de pneus indiquant qu'un véhicule large y avait été récemment garé.

Il semblait qu'on ait tranquillement attendu dans la chaleur naissante de ce matin de juin l'entrée du break sur la route de Truman Mountain. L'espace entre les branches coupées laissait au tireur une vue parfaite directement sur le magasin. C'était un miracle si les Allanson n'avaient pas été touchés par au moins une balle chacun. À moins qu'on n'ait seulement voulu leur faire peur.

Quoi qu'il en soit, ce dernier but était atteint. Les mains de Walter Allanson tremblaient encore en allumant une cigarette. Oui, répondit-il à Satterfield, il avait une idée de qui pouvait leur avoir tendu cette embuscade.

— Mon fils. Je crois que c'est lui. Ça n'allait pas, avec lui, ces derniers temps. Il m'a volé des armes il y a quelques mois.

Et de donner le nom de son fils :

— Tommy. Walter Thomôs Allanson. Il habite à Zebulon, en Géorgie.

Pat et Tom dînaient ce soir-là avec le colonel et Maggy au ranch de Tell Road, à East Point. Il devait être 18 h 30 lorsqu'ils reçurent un message disant que Nona et Walt voulaient leur parler immédiatement. Ce fut ainsi qu'ils apprirent qu'on avait tiré sur le break des parents de Tom, non loin de leur propriété de Lake Lanier.

Tom se demandait pourquoi sa vie prenait un tour si bizarre, si violent. Il ne voyait pas qui aurait pu viser la voiture de son père. Ce pouvait même avoir été un accident, un crétin qui chassait le cerf. Quant à Pat, elle se moquait bien de ce qui avait pu arriver. Walter Allanson l'avait trop maltraitée pour qu'elle ait envie de le plaindre. Elle ne se priva pas de rappeler à Tom qu'il devait avoir de nombreux ennemis. Peut-être même s'était-il exhibé devant une autre épouse, une autre fille, suscitant assez de haine pour qu'on ait envie de se venger sans perdre son temps avec les voies légales.

Cependant, Tom préféra réagir dans les règles. Le lundi 1er juillet, il se présenta, en compagnie de Pat, au poste de police d'East Point à 17 h 15. Extrêmement agitée, les larmes aux yeux, la jeune femme se chargea de l'essentiel des déclarations. Elle porta également plainte contre Walter O. Allanson, l'accusant d'attentat à la pudeur et de menaces par téléphone. Le sergent Charles Butt les informa que Zebulon ne relevait pas de sa juridiction et qu'ils devaient plutôt s'adresser au shérif du comté de Pike ou à la police de Zebulon.

Tom resta calmement derrière sa femme jusqu'à ce qu'elle éclate en sanglots. Alors, seulement, il s'avança pour déclarer :

— Mon père est candidat au poste de juge de ce comté. Ce genre d'homme ne mérite pas une telle fonction.

Par la suite, Butts devait jurer qu'il l'avait entendu ajouter à mi-voix :

— Si ça continue, je vais le tuer, ce salaud !

Il est très probable que ce soit vrai. Désormais, le père et le fils s'étaient mutuellement menacés. Cependant, Tom ne savait pas encore que Walter Allanson l'accusait d'être l'auteur de la fusillade de Lake Lanier, et ce dernier ignorait que Pat l'accusait d'exhibitionnisme.

Le mardi 2 juillet, Maggy était à son bureau lorsque le téléphone sonna. Elle eut la surprise d'entendre la voix de Walter Allanson. Elle ne s'attendait certes pas à ce qu'il la rappelle. Après lui avoir rendu visite à son cabinet, elle était allée directement à la police d'East Point pour demander qu'on déclare cet homme dangereux, surtout pour son fils. De même, elle avait prévenu les employées de sa clinique dentaire. Et voilà qu'il la rappelait.

— Ici Walter Allanson.

— Oui, monsieur.

— Madame Radcliffe, à quelle heure déjeunez-vous ?

Elle répondit que, d'habitude, elle prenait sa pause entre midi et 13 heures, en fonction des patients.

— Je serai d'ailleurs un peu en retard, aujourd'hui.

— J'ai quelque chose à vous dire et à vous montrer.

— Très bien, je serai contente de parler avec vous.

— Vous viendriez chez moi ?

Elle accepta, mais, dès qu'elle eut raccroché, ses collègues de travail l'entourèrent, stupéfaites qu'elle envisage seulement une chose pareille. Cet homme était visiblement déséquilibré et elle risquait de se mettre en danger. Après tout, n'avait-il pas déjà « montré quelque chose » à Pat ?

— Vous n'allez pas chez ce type ! lui intima une secrétaire. Si vous le faites, je préviens le colonel Radcliffe.

Il s'avéra que Walter Allanson acceptait sans se faire prier de venir lui-même à la clinique dentaire. Il arriva dans un break au pare-brise retenu par des bandes adhésives et ne se priva pas de le montrer à Maggy. Elle ne put s'empêcher de frémir devant un homme aussi dangereux.

Il lui dit qu'il croyait son fils coupable de l'attentat, à quoi elle se hâta de répondre qu'elle tenait pour acquis que Pat et Tom se trouvaient alors à Lithonia, ce dernier occupé à ferrer des chevaux, qu'il y avait des témoins.

— Je vous l'ai déjà dit, monsieur, vous feriez mieux de chercher ailleurs.

Allanson ouvrit le break, lui fit signe d'y entrer.

— Là, je tremblais intérieurement, avouera-t-elle plus tard. « Non, monsieur, lui ai-je dit, il fait chaud et je n'ai pas beaucoup de temps à vous consacrer… » Et puis, j'ai ajouté : « J'ai rencontré une fois l'ex-femme de Tom, mais je l'ai souvent eue au téléphone… Alors dites-moi : est-ce quelqu'un de nerveux ? Aurait-elle une raison de vouloir vous faire du mal ? Qu'est-ce que ça lui rapporterait... à part nuire à Tom ? ».

À quoi Allanson aurait répondu, selon Maggy :

— C'est effectivement une personne assez nerveuse et vive, mais je ne vois pas pourquoi elle voudrait faire une chose pareille.

Maggy essaya ainsi de lui faire cerner le véritable coupable. Tout en s'efforçant de garder son calme, elle suggéra de nouveau qu'il devait avoir un client en colère. Après quoi, elle évoqua l'incident de Kentwood, le vendredi précédent ; il lui en coûtait beaucoup parce que ce n'était certes pas à elle de parler d'exhibitionnisme avec un homme qu'elle connaissait si peu... d'autant qu'il était le premier suspect.

Allanson la dévisagea comme si elle avait perdu l'esprit.

— Madame Radcliffe, soupira-t-il, je jure, en tant que maçon et en tant que gentleman, que je n'ai pas mis les pieds dans le comté de Pike vendredi dernier et, *a fortiori*, que je ne me suis pas déshabillé devant votre fille. D'ailleurs, voilà un moment que je ne suis pas retourné là-bas... Madame, je souffre d'une tension élevée, je suis sous traitement médical et je peux vous dire que ce traitement affecte ma vie sexuelle. Voilà un bon moment que je n'ai pas eu de rapports. Alors, je vous le demande, comment pourrais-je me donner en spectacle à votre fille ? Pour tout vous dire, si j'étais une plante dans une exposition, je ferais plutôt partie des fleurs séchées !

Ainsi que Maggy Radcliffe devait le rapporter plus tard, cette entrevue avec le père de Tom fut extrêmement pénible et d'un goût douteux pour une femme délicate. Mais elle se battait pour sa fille, aussi trouva-t-elle encore la force de répondre à cet homme malgré l'aveu plutôt cru qu'il venait de lui faire.

— Comme je devais m'en aller, il m'a rattrapée pour me dire : « Vous pourrez répéter à Tommy que je finirai par l'avoir parce que je sais très bien, quoi que vous me racontiez, quels que soient les témoins qu'il a à présenter, que c'est lui qui a fomenté cette attaque. Je le tuerai à la première occasion. Tenez, je peux même vous dire que ce sera ce week-end. Parce que je crois qu'il va vouloir remettre ça ; prévenez-le de bien se cacher, cette fois, parce que, moi, je ne le raterai pas. Et je n'ai pas peur de mourir. Alors oui, je crois que tout ça sera fini ce week-end. »

Maggy regagna son bureau et informa ses collègues que Walter Allanson était dérangé, que c'était lui qui devait avoir une tumeur au cerveau et qu'il était très, très dangereux.

Elle était ainsi. Quand elle ne pouvait concilier son point de vue avec l'attitude d'une personne, elle lui conseillait invariablement de « se faire soigner ». À présent, une seule chose comptait vraiment pour elle : protéger Pat. Et elle venait de passer une heure de « terreur absolue » avec un être qu'elle considérait comme fou à lier. Pat aurait peut-être mieux fait d'attendre un peu avant d'entrer dans cette famille. Cela n'empêcherait pas Maggy de se battre pour protéger son enfant. Elle était capable de tout pour son bonheur.

De tout.

Maggy rapporta cette dernière rencontre à Pat et à Tom, mais, malgré leurs récriminations, ou peut-être parce qu'elle et Tom avaient tellement besoin d'une diversion, Pat ne voulut pas renoncer à la parade de la fête nationale où ils devaient paraître, tous les deux, costumés, sur leurs plus beaux Morgan. Elle aimait tellement ces fastes, elle aimait tellement se déguiser, jouer un rôle...

Pour lui faire plaisir, Tom accepta de chevaucher à côté d'elle même si, en ce 3 juillet, il s'attendait plutôt à mourir le samedi suivant, au cours de la parade d'Atlanta qui devait avoir lieu deux jours après la fête nationale. Il pensait que son père allait le descendre de son cheval, au beau milieu de la foule. Cela pouvait sembler inconcevable, d'autant que Walter Allanson voulait tant devenir juge, mais à quoi pouvait-on s'attendre avec une personne pareille ? Mme Radcliffe venait de lui dire que le cher homme voulait le tuer, et Nona et Walt partageaient cet avis.

À trente et un ans, Tom était profondément amoureux de Pat. Pourtant, que lui avaient rapporté ces sept petites semaines de mariage ? Il allait perdre la vie à cause de son père, ferait sans doute les gros titres des informations du week-end... Seulement il ne serait pas là pour les voir.

6

Ce 3 juillet 1974 s'annonçait frais et pluvieux à Zebulon, peu propice pour les festivités à venir.

D'un côté, les choses semblaient tout à fait normales. Après avoir cousu la jupe longue au corsage qu'elle voulait lui assortir, Pat reprit les mesures de Tom pour opérer aussi quelques transformations sur le costume qu'il allait porter. Elle se réjouissait de la publicité que cette parade allait faire au haras Kentwood de Morgan. D'un autre côté, rien n'était normal. Pat et Tom avaient fini par aller demander une ordonnance restrictive contre Walter Allanson à la police du comté de Pike ; mais, de même qu'au bureau du shérif de Zebulon, ils ne furent pas pris au sérieux.

— Tout le monde le connaissait, là-bas, dirait Tom plus tard. Ça n'a servi à rien.

Désormais, il ne voulait plus laisser Pat seule à la maison. Elle parvint à le convaincre d'aller voir son père et de régler leurs différends : ils finiraient bien par trouver un terrain d'entente. Cette perspective le rendait malade. Il ne doutait pas une seconde que son père allait tenter de le tuer. Cependant, Pat insistait pour qu'il fasse quelque chose. Ils ne pouvaient continuer ainsi.

Walter Allanson et ses amis étaient tout aussi crispés, et ce depuis des mois. Jake Dailey avait prêté à l'avocat son propre 8 mm au printemps dernier. À 10 heures, ce mercredi 3 juillet, Jake Dailey remontait l'allée des Allanson avec une nouvelle batterie pour le moteur d'un des bateaux de Walter. Il n'était pas là depuis une minute lorsque Lee et Mary Dorton, qui habitaient un peu plus bas sur la rue, arrivèrent en courant. Ils n'avaient pas reconnu son véhicule et savaient que Walter et Carolyn étaient au travail.

La méprise éclaircie, tous trois décidèrent d'en profiter pour s'assurer que tout allait bien dans la maison. Lee Dorton et Jake Dailey remarquèrent une lumière allumée à la cave. Intrigués, ils firent le tour du bâtiment, vérifièrent si les portes donnant sur l'extérieur étaient fermées.

Tout semblait aller bien.

À Kentwood, l'atmosphère n'était pas plus détendue. Pat avait été malade la nuit précédente; les douleurs de sa clavicule s'étaient réveillées quand elle avait voulu seller un cheval. Et puis un nouvel événement la tourmentait.

— Ton père, ou je ne sais qui, a téléphoné plusieurs fois dans la nuit et, en décrochant, je n'entendais qu'une respiration. Tu n'as pas été réveillé par les sonneries ? Ce n'est pas vrai ! Moi, entre ce cinglé et mon épaule, je n'ai pas fermé l'œil.

En prévision de la fête du vendredi et de la parade du samedi, Tom insista pour qu'elle consulte un médecin. Au début elle refusa, car elle n'avait pas terminé ses costumes, mais elle finit par accepter.

— Je ne dormais plus depuis que son père nous avait menacés. Tom disait que je ne tiendrais pas avec ma tension et tous mes problèmes de santé.

Elle n'obtint pas de rendez-vous avec son thérapeute habituel, mais Tom lui conseilla d'aller au moins voir son orthopédiste, le Dr Thomson; son cabinet se trouvait sur Cleveland Avenue, au croisement de Norman Berry Drive, à deux pâtés de maisons de la résidence des parents de Tom – soit presque à cent kilomètres du haras de Zebulon.

Ce matin-là, alors que Tom finissait de ferrer ses chevaux avant leur départ pour East Point, il prit une décision : le meilleur moyen de faire la paix avec son père serait de passer par sa mère. Ce ne serait pas facile, car il l'avait déjà appelée à plusieurs reprises au centre médical où elle travaillait et elle en avait eu assez. Il ne pouvait lui téléphoner à la maison, car elle s'y trouvait rarement seule. Tom essaierait de lui rendre visite avant que son père rentre du travail. Avec un peu de chance, il aurait à peu près une heure devant lui pour tenter de la convaincre.

Ce qui se passa exactement sur Norman Berry Drive, ce 3 juillet, allait être sujet à conjectures pendant près de deux décennies. Certains faits étaient incontestables : la grande Carolyn et Walter étaient partis travailler comme d'habitude, elle dans son uniforme blanc d'infirmière, lui en pantalon bleu-gris à rayures, en chemise blanche et cravate anthracite. Ils déjeunèrent ensemble, comme toujours, à midi juste. En fin de journée, la grande Carolyn sortit du centre médical peu après 16 heures; quant à Walter, il devait quitter son cabinet vers 18 heures.

Une seule entorse à la routine, ce jour-là : Walter s'était éclipsé de son cabinet entre 14 h 45 et 15 heures. À son retour, il montra à sa secrétaire, Mary McBride, ce qu'il avait acheté : un puissant fusil Marlin 45/70 et sa boîte de cartouches, du plus gros calibre existant. Il l'avait payé 201,15 dollars au centre sportif Berryman d'East Point. En quelques mois, c'était la deuxième arme qu'il obtenait, après le revolver 8 mm que Jake Dailey lui avait prêté.

Il y avait plus d'une heure de route entre Zebulon et East Point, et Pat et Tom quittèrent

Kentwood au début de l'après-midi ; il conduisit prudemment à cause de la pluie qui rendait les routes glissantes. Pat lui dit au revoir devant le cabinet du Dr Thompson, sur Cleveland Avenue, à 15 h 30, et le regarda partir à pied vers sa banque où il avait quelques affaires à régler.

À peu près à la même heure, Horace Smith, un pompier local, essayait un camion d'incendie sur Norman Berry Drive. Il vit passer un homme de haute taille, aux longs cheveux brun clair, en jean et bottes de cow-boy. Soudain, il le reconnut, car c'était un vieil ami.

Il cria :

— Hé, Tom !

Mais l'individu ne répondit pas.

Un autre incident inhabituel se produisit cet après-midi-là, qui devait apporter une autre variante à l'emploi du temps jusque-là si précis de Walter Allanson. D'abord, il avait acheté ce fusil ; ensuite, il partit plus tôt ce soir-là. Son équipe se rappela qu'il reçut un coup de téléphone vers 17 h 30, de la part d'une femme qui n'avait pas voulu dire son nom. Elle s'était montrée brutale :

— Dites à M. Allanson de rentrer chez lui tout de suite ! Son fils est allé y faire du grabuge.

Allanson courut vers sa voiture et fila chez lui.

La grande Carolyn s'y trouvait déjà avec ses petits-enfants, Russ et Sherry, qu'elle était passée chercher à la garderie. Elle avait acheté une caisse de Coca pour le pique-nique du lendemain, et un dinosaure bleu gonflable, en vue de la baignade dans la piscine. Pour le moment, elle les faisait dîner dans la salle à manger. En arrivant, Walter sortit son nouveau fusil et déposa la boîte de cartouches à côté des canettes.

— Papy, lui dit la grande Carolyn, c'est drôle, il n'y a pas eu d'orage aujourd'hui, pourtant, l'électricité ne fonctionne plus, je n'ai pas pu allumer la télévision.

Il descendit vérifier à la cave et put constater qu'on avait fermé l'interrupteur principal. Il appuya sur le disjoncteur et les lumières revinrent, le réfrigérateur recommença à ronronner.

Peu après, la petite Carolyn, ou Junior, comme l'appelait Walter, arriva. Craignant que quelqu'un ne se cache à la cave, la grande Carolyn était restée à la cuisine avec les enfants. Leur mère descendit rejoindre son beau-père et, avec lui, vérifia toutes les fermetures de la maison, s'assura que rien n'avait été volé. C'est ainsi qu'ils découvrirent que le fil du téléphone avait été coupé.

Walter put également constater qu'il manquait deux choses : une vieille valise de cuir et un fusil de chasse Excel qu'il possédait depuis des années. Il alla en parler à Lee et Mary Dorton, qui lui dirent d'appeler la police puis l'accompagnèrent chez lui où il leur montra comment la ligne avait carrément reçu un coup de lame.

D'après les Dorton, Walter ne paraissait pas inquiet, ni même préoccupé. Après tout, cette soirée d'été commençait à peine et il ne pouvait prétendre qu'il n'avait rien vu venir.

Le sergent C. T. Callahan, de la police d'East Point, se gara dans l'allée à 19 h 01 et Walter Allanson vint l'accueillir devant l'entrée. Il voulait porter plainte pour cambriolage.

— Je ne peux pas dire par où il est entré, mais il a pris une valise et mon fusil de chasse…

— Il… ?

— Mon fils, Walter Thomas Allanson.

Callahan se dirigea vers la maison en disant qu'il allait vérifier, mais Allanson lui barra le passage.

— C'est inutile. Je m'en suis chargé. Il n'y a plus personne.

Le policier eut beau dire qu'il savait mieux où regarder qu'un particulier sans entraînement, Allanson ne voulut rien entendre ; d'ailleurs, il avait fait un stage dans la police et savait donc comment s'y prendre. Inutile de perdre leur temps. Il voulait seulement une confirmation officielle que sa ligne téléphonique avait été sabotée ; il conduisit Callahan à l'angle de la maison et lui montra le fil qui pendait le long du mur, visiblement coupé ; celui qui avait fait ça avait dû traverser d'épais buissons de rhododendrons pour l'atteindre.

Allanson entra dans la maison et en ressortit avec le fusil Marlin.

— Je viens de l'acheter, annonça-t-il. Je connais le coupable et je m'en occuperai moi-même.

— Pas de geste inconsidéré, objecta le policier. Téléphonez-nous d'abord.

L'air excédé, Callahan redescendit l'allée. Rien de pire que les disputes familiales. Mais on ne contredisait pas Walter O'Neal Allanson, c'était un notable d'East Point. La moitié au moins des effectifs de la police devaient le connaître. On ne pouvait lui imposer de protection s'il n'en voulait pas.

Walter rentra chez lui, déposa le fusil dans son étui sur la table de la salle à manger. Puis, laissant la grande Carolyn et les enfants à la maison, il accompagna la petite Carolyn à son appartement voisin pour s'assurer que personne ne l'y attendait dans l'intention de l'attaquer, mais aussi que rien n'avait été volé. Apparemment, rien n'avait bougé depuis le matin, quand elle était partie travailler.

Ils revinrent sur Norman Berry Drive. En route, la petite Carolyn repéra devant eux une jeep bleue ornée d'un macaron du comté de Pike et s'écria :

— Papy, c'est Pat !

— Suis-la, Junior, on va voir où elle va.

Ils la virent ainsi s'engager dans Norman Berry Drive pour aller se garer devant l'entrée voisine des Allanson, la maison de la mère de la grande Carolyn. Mae Mama Lawrence se faisait vieille, il n'était pas question de la déranger. La jeep stationna un moment, mais, lorsque Walter sortit de sa voiture pour s'en approcher, Pat démarra vivement et disparut au coin de la rue.

— Ne la lâche pas ! lança Walter à la petite Carolyn.

Elle obéit et repartit à travers les rues étroites du quartier, mais la jeep bleue avait disparu. Lorsqu'elle rejoignit Walter, celui-ci lui dit de rester devant la maison pour vérifier si Pat ne revenait pas, ce qu'elle fit, en s'installant en sommet de la pelouse d'où elle dominait le croisement de la rue et de l'avenue.

Cependant, quand Sherry cria, elle fila voir ce qui se passait à la cuisine. Par la suite, en essayant de reconstituer les événements, l'ex-femme de Tom revécut la scène dans un douloureux ralenti. La grande Carolyn s'était tournée vers Mary

Dorton qui faisait les cent pas dans la salle à manger.

— Où est Walter ? lui demanda-t-elle.

— Il est descendu à la cave, dit Mary.

— Pour quoi faire ?

— Je ne sais pas.

C'était la deuxième fois en une heure qu'il y descendait, armé, cette fois, du revolver qu'il avait emprunté. Il ne fallut pas moins des trois femmes pour faire taire les enfants ; elles crurent alors percevoir la voix d'un autre homme, à moins que ça n'ait juste été celle de Walter en train de marmonner quelque chose au sous-sol.

Soudain, Carolyn entendit son beau-père crier dans l'escalier :

— Junior ! Fais sortir les enfants ! Je l'ai coincé dans le débarras !

Les deux Carolyn poussèrent les enfants vers Mary Dorton qui les prit dans ses bras puis courut à l'arrière de la maison.

Walter cria encore dans l'escalier :

— Maman ! Apporte-moi le nouveau fusil !

Comme au ralenti, la grande Carolyn ôta l'arme de son étui et se dirigea vers la cave. La petite Carolyn la supplia de ne pas descendre.

À 20 h 04, soit près d'une heure après s'être présenté chez les Allanson, le sergent Callahan entendit un appel sur sa radio le priant de retourner à cette adresse. Cette fois, la plainte provenait d'une voisine : Mary Dorton.

— Voiture 26... On signale un cambrioleur au 1458, Norman Berry Drive, retenu par un civil.

71

D'autres voitures de patrouille répondirent elles aussi à l'appel, mais Callahan arriva le premier. Comme il contournait la maison pour aller se garer à l'arrière, une jeune femme courut à sa rencontre en criant, les yeux écarquillés, échevelée. Il ne comprit pas ce qu'elle disait mais s'arrêta entre deux autres voitures, un vieux break Ford aux vitres explosées et une Chevrolet pas vraiment plus récente.

La plupart des fenêtres de la maison étaient situées à deux mètres du sol, mais à cet endroit apparaissaient, à hauteur du sol, les lucarnes de la cave. La porte en était ouverte, cependant, Callahan attendit de voir arriver ses collègues avant de s'aventurer sur les degrés extérieurs qui y descendaient. En attendant, il s'allongea pour tâcher de distinguer à travers les carreaux ce qui pouvait se passer au sous-sol.

Retenant son souffle, il distingua une femme immobile dans une sorte d'uniforme blanc, assise toute droite sur les dernières marches de l'escalier donnant sur la cuisine, une grosse tache de sang entre les seins.

Était-elle là depuis le début ? Non, impossible, à moins qu'elle n'ait été descendue par Walter Allanson lui-même, ce qui expliquerait pourquoi il ne l'avait pas laissé fouiller la maison. Cependant, mieux valait s'en tenir à la première règle sur une scène de crime : « ne rien imaginer ».

De toute façon, il n'eut pas le temps d'échafauder d'autres hypothèses, car il entendit une cacophonie de sirènes qui s'approchaient. Bientôt, toute la police d'East Point, ou presque, remonta l'allée ; les agents entourèrent la maison et plusieurs vinrent constater devant les lucarnes ce que leur avait dit Callahan : il y avait une femme morte à la cave et du sang partout. Quoi qu'il se fût passé dans cette maison, c'était effroyable.

L'agent Cecil McBurnett Jr était sur un accident matériel lorsqu'il entendit l'appel radio pour un cambriolage sur Norman Berry Drive. Il se trouvait à trois rues de là, aussi fila-t-il dans cette direction. Il vérifiait les numéros de la rue quand il aperçut un homme courant sur la pelouse voisine de la maison de Mae Mama Lawrence puis bondissant sur le trottoir, non sans avoir regardé dans sa direction à plusieurs reprises. Si bien que McBurnett distingua parfaitement ses traits.

Il n'avait pas encore la description du suspect, mais pas question de laisser filer un homme si pressé à proximité d'une scène de crime. Il allait faire demi-tour pour l'appréhender lorsque les appels radio se firent plus pressants :

— J'ai une femme abattue. L'auteur du crime retient un otage à la cave.

Cette fois, McBurnett était tenu de se porter au secours de son collègue, aussi abandonna-t-il la poursuite du fuyard pour s'engager dans l'allée des Allanson, juste derrière une autre voiture de patrouille. Cependant, l'image de l'homme restait imprimée dans sa mémoire. Il portait un Levi's, des bottes et une chemise rayée vert et marron. McBurnett n'aurait su déterminer exactement sa taille, car il courait penché en avant. Il pouvait mesurer entre un mètre soixante et deux mètres...

En arrivant dans la maison, McBurnett découvrit un chaos incroyable. Une jeune femme pleurait, en pleine crise de nerfs; d'autres agents arrivaient encore, et les lumières rouges tournoyantes donnaient à la nuit un aspect psychédélique; la pluie qui tombait n'évoquait en rien une aube de 4 juillet sur la banlieue d'Atlanta.

Le sergent William Vance et l'inspecteur J. E. Lambert remarquèrent des traces de couteau sur la porte extérieure du sous-sol; ainsi, elle avait été forcée. Dès les premiers degrés, l'ampoule allumée leur permit de découvrir le corps de la femme morte. Le reste de la cave était baigné d'ombres noires et grises. Lambert jeta un coup d'œil du côté du chauffage central et de la climatisation, et crut apercevoir un bras qui en dépassait. Surpris, il fit feu.

La balle heurta un obstacle métallique, mais aucun mouvement humain ne se fit entendre. Le bras ne devait être qu'une ombre.

Le capitaine J. D. Lynn ordonna de jeter une bombe lacrymogène dans la cave et toutes les issues en furent aussitôt fermées. S'il y avait eu un cambrioleur dans la maison durant la première visite de Callahan, il pouvait fort bien s'y cacher encore. Les hommes qui encerclaient les lieux étaient certains de traiter une prise d'otage.

Ils attendirent, guettant chaque porte, chaque fenêtre. Cinq minutes. Dix minutes. Personne ne sortit en pleurant et en vomissant, aveuglé par les gaz. Au bout d'un quart d'heure, le lieutenant Thornhill, l'inspecteur Lambert et le sergent Vance passèrent des masques fournis par les pompiers et pénétrèrent dans le sous-sol.

On n'y voyait rien; les yeux pleins de larmes malgré leurs masques, ils trébuchèrent sur des rondins et des outils qui traînaient, tombèrent sur un bateau inachevé, une planche de surf, un train électrique monté sur du contreplaqué. C'était une cave ordinaire, pleine de choses dont on se servirait un jour ou qu'on n'avait pu se résoudre à jeter.

Ils distinguèrent le corps vêtu de blanc assis sur les dernières marches et, juste à l'opposé, derrière la chaudière, la base d'une cheminée de brique, qui présentait une large ouverture rectangulaire, assez grande pour permettre à un homme de s'y cacher. Impossible de savoir jusqu'où elle allait.

Devant traînaient une lampe torche éteinte, pleine de sang, et un pistolet 8 mm coincé entre la planche de surf et le contreplaqué du train électrique. Leurs propres torches captèrent une profusion de gouttes de sang encore liquides à l'entrée de la cheminée.

À côté de l'escalier de la cuisine, ils retrouvèrent un fusil 45/70 ainsi qu'une pince à levier, non loin de plusieurs portes empilées les unes sur les autres. Malgré les larmes qui leur brouillaient la vue, ils en virent dépasser une jambe dans un pantalon bleu.

Ils s'approchèrent, l'arme au poing.

7

Le capitaine Lynn envoya ses hommes fouiller les alentours de la maison, à la recherche d'un suspect. Pour le moment, ils savaient une seule chose : une femme âgée était morte. Quant à la jeune, elle était dans un tel état qu'elle ne pouvait guère les aider, même s'ils savaient que c'était Carolyn Allanson, l'ex-belle-fille de Walter Allanson. Elle ne cessait de répéter que quelqu'un était en bas, que papy Allanson était descendu pour « l'attraper ». Et de divaguer sur « papy » qui tenait quelqu'un « enfermé dans la niche », alors elle avait supplié « Mère » Allanson de ne pas se rendre dans la cave. Presque inopinément, la malheureuse indiquait avoir vu « la nouvelle femme de Tom » qui faisait le tour du quartier dans sa jeep bleue. Ce fut à peu près tout ce qu'on put obtenir d'elle. Dès qu'on l'interrogeait, elle recommençait à divaguer.

Ce n'était un secret pour personne, dans tout East Point, que Walter Allanson et son fils Tom se disputaient sans cesse. Les rumeurs avaient couru d'une embuscade à Lake Lanier, mais aussi que Tom et Pat étaient passés quelques jours plus tôt au poste de police, accusant leur père et beau-père d'exhibitionnisme. Si Pat Allanson se trouvait bien dans le quartier à ce moment, la police d'East Point voulait la rencontrer le plus vite possible. Ils n'eurent pas à chercher longtemps.

Le King Building occupait le pâté de maisons donnant d'un côté sur Bayard Street, de l'autre sur l'angle de Norman Berry Drive et de Cleveland Avenue, à environ cinq cents mètres de la résidence des Allanson. C'était un haut bâtiment neuf, en béton, au parking à peu près vide à 20 h 20, sous la pluie. Néanmoins, le capitaine Lynn, les sergents R. W. Jones et Callahan y virent la jeep bleue qu'ils recherchaient.

Ils se doutaient que c'était là le véhicule mentionné par Carolyn Allanson, au point qu'on avait déjà émis un avis de recherche dessus ainsi que sur sa conductrice, Patricia Taylor Allanson. Le sergent Callahan nota aussitôt le numéro de la plaque, CY 242, Géorgie, 1974. Une rapide demande de vérification par radio leur confirma qu'il s'agissait d'un véhicule neuf, acheté trois mois auparavant à Marietta, en Géorgie, et enregistré au nom de Patricia R. Taylor, du haras Kentwood, à Zebulon.

Dans la lumière qui diminuait rapidement, les trois policiers aperçurent la silhouette d'une femme au volant. Impossible d'affirmer qu'elle était seule, qu'il n'y avait pas quelqu'un tapi à côté d'elle ou à l'arrière.

Quittant discrètement leur véhicule, ils s'approchèrent, l'arme au poing. La femme au volant ne bougea pas d'un pouce, pas même pour regarder dans leur direction.

— Descendez de la jeep! ordonna Callahan. Les mains en l'air!

Pendant un instant, rien ne bougea dans l'habitacle, jusqu'à ce qu'une jolie femme mince, en minijupe et débardeur, sorte une jambe nue, puis l'autre, regarde autour d'elle. Elle leva un bras en faisant signe qu'elle ne pouvait bouger l'autre parce qu'il était blessé.

— Vous êtes seule là-dedans? cria Callahan.

Elle fit oui de la tête.

— Vous en êtes sûre?

— Il n'y a personne.

Callahan et Jones entourèrent celle qu'ils supposaient être Pat Allanson et la menèrent à la voiture de police. Elle n'opposa aucune résistance mais frémit, comme si elle craignait de se faire mal.

— Qu'est-ce qui se passe? demanda-t-elle. Qu'est-ce qui est arrivé? Où est Tom?

— Vous êtes Mme Allanson?

— Oui.

— Il vient de tuer sa mère.

Elle se tassa sur elle-même avant de lancer avec véhémence :

— C'est impossible! Il ne peut pas avoir fait ça. Pas Tom. Pas mon Tom!

— C'est son ex-femme qui dit ça.

Pat se fichait de ce qu'avait pu dire l'ex-femme de Tom et maintint que si quelqu'un avait tiré des coups de feu, ce ne pouvait être lui.

En la circonstance, il semblait difficile de soutenir le contraire. Une seule chose était certaine, la grande Carolyn avait perdu la vie. Et rien ne disait que Tom n'avait pas subi le même sort, aussi bizarre que cela puisse paraître ; ils s'avisèrent alors qu'ils feraient aussi bien de rechercher Walter Allanson. La cave était tellement obscurcie par tout ce qui l'encombrait qu'on ne pouvait rien affirmer, et ils ne savaient pas encore ce que les enquêteurs avaient pu découvrir sur place.

Malgré les cordons de policiers encerclant la maison, personne n'avait vu Tom. Sa femme semblait en état de choc. Tout ce qu'elle savait, c'était qu'elle l'attendait depuis des heures. Elle était malade de peur, au point qu'elle avait appelé ses parents, le colonel et Mme Clifford Radcliffe, pour qu'ils viennent lui tenir compagnie. Elle serait certes contente de répondre à toutes les questions qu'on pourrait lui poser, pourvu qu'on la laisse attendre ses parents.

Elle semblait affolée à l'idée que les agents puissent l'obliger à quitter le parking avant leur arrivée.

— Je vous en prie, ne m'emmenez pas ! Ils sont en route, ils ne sauront jamais où me chercher si vous m'emmenez.

Elle ignorait où pouvait se trouver son mari pour l'instant. Il portait une chemise marron, un jean et des bottes de cow-boy la dernière fois qu'elle l'avait vu.

— Combien mesure votre mari, madame ? demanda Lynn.

— Il est grand, un mètre quatre-vingt-treize, très fort mais très gentil. Il doit peser dans les quatre-vingt-quinze kilos.

Le capitaine Lynn alla communiquer ces données par radio ; elles correspondaient à la description de l'agent Cecil McBurnett de l'homme qu'il avait vu en arrivant s'enfuir vers l'intersection du King Building.

Cela dit, qui pouvait affirmer qu'il s'agissait de Tom plus que de Walter ? Le fils était en jean, mais Callahan affirmait que son père portait un pantalon bleu lorsqu'il s'était entretenu avec lui.

Lynn, Jones et Callahan avaient trop à faire pour attendre les parents de Pat Allanson. Ils l'emmenèrent donc avec eux et reprirent leurs recherches à travers le quartier, s'arrêtant chaque fois qu'ils voyaient un garage où aurait pu se cacher un fugitif.

La radio ne cessait d'émettre des avis et des nouvelles. Pat essayait de comprendre les codes utilisés entre patrouilles. On lui avait juste dit que la mère de Tom était morte, mais rien à propos de son père ni de Tom. Elle se mordait les lèvres tout en inspectant les alentours du regard.

Quand ils quittèrent Cleveland Avenue pour s'engager sur Steward Avenue, ils passèrent à l'endroit exact où le frère de Pat, Kent, était mort huit ans plus tôt. D'un coup de feu, lui aussi. Elle détourna les yeux sans rien dire.

Et puis les policiers la ramenèrent au King Building où l'attendaient le colonel et Mme Radcliffe. Sa mère la prit par la main tandis que son père demandait ce qui se passait au juste et pourquoi leur fille était ainsi retenue.

Dans la jeep, les hommes ramassèrent l'agenda de Pat et un nécessaire à couture, puis ils prièrent les Radcliffe de les suivre au poste d'East Point. Alors commencèrent, pour tous trois, de longues heures d'attente. Les agents avaient trop à faire pour seulement leur adresser la parole.

Pat avait presque envie d'en profiter pour continuer à préparer son costume en vue de la parade, mais à quoi bon désormais ? Ils risquaient fort de ne jamais participer à cette parade. Elle ne savait même pas si Tom était vivant.

La jeep bleue fut remorquée jusqu'au garage municipal. Les enquêteurs mirent encore la main, à l'avant, sur une boîte contenant du poulet et des frites, et l'ajoutèrent à leur liste.

Cependant, au 1458, Norman Berry Drive, les agents avaient fini de fouiller la cave. Milford Carolyn Allanson restait toujours assise sur les marches de l'escalier, frappée en plein cœur. Ils avaient aussi découvert un autre cadavre. Walter Allanson gisait à terre, allongé parallèlement aux marches – les portes l'avaient caché jusque-là. Son nouveau fusil traînait à peu près à égale distance des deux corps. Impossible de dire qui, du mari ou de la femme, s'en était servi. On en avait tiré une balle et il était légèrement replié, une autre balle déjà engagée dans la chambre.

Walter Allanson avait pris un coup de feu dans le visage, un autre dans le cou, un troisième dans la poitrine. Selon toute vraisemblance, c'était son sang qui avait giclé dans la cave.

Après que l'inspecteur Marlin Humphrey Jr eut prit des photos, Lambert, Vance et l'agent Bob Matthews emportèrent les corps de Walter et de Carolyn Allanson qu'ils déposèrent sur la pelouse; là, on prit d'autres photos avant de les emporter vers l'hôpital Fulton. Ils ne pouvaient être déclarés morts que par un médecin; après quoi, ils seraient examinés par un légiste.

Bob Matthews, chargé de l'identification, emporta le fusil 45/70 et le pistolet 8 mm au chargeur à six coups, entièrement vidé. Impossible d'inspecter correctement la scène de crime avant le lever du jour. Le lieutenant Thornhill ordonna que la résidence restât jusque-là sous la garde des agents. On savait maintenant ce qui s'était passé. Il faudrait beaucoup de temps avant de comprendre pourquoi et comment.

Jean Boggs, la sœur de Walter Allanson, préparait un dîner léger lorsqu'un voisin apparut à la porte de la cuisine.

— Je ne voudrais pas vous faire peur, mais je crois qu'il se passe quelque chose chez votre frère. Vous devriez peut-être lui téléphoner. Il y a des ambulances et des voitures de police partout dans la rue.

Alarmée, elle appela Walter, laissa la sonnerie retentir six, dix, douze fois, sans obtenir de réponse. Elle ne savait pas, évidemment, que la ligne avait été coupée et que l'appareil restait muet. Alors elle composa le numéro de Mae Mama, et ce fut un policier qui répondit et lui conseilla de venir. Il ne voulut pas en dire davantage, pas plus que l'agent de garde au poste d'East Point. Cela l'effraya d'autant plus que son mari n'était pas là ; au moins le voisin proposa-t-il de la conduire chez Walter et Carolyn.

— Quand je suis arrivée là-bas, raconterait-elle plus tard, j'ai vu des quantités de gens qui allaient et venaient de la rue à la maison, de la maison à la rue. Il y avait même la télévision…

Elle se dirigea vers un agent qui retenait les curieux en tendant les bras. Lorsqu'elle déclina son identité, il avertit le capitaine Lynn qui vint la prendre en charge.

— Madame, tout ce que je peux vous dire, c'est que votre frère a été tué d'un coup de feu.

— Tué ?… Et… et Carolyn, sa femme ?

— Elle aussi. On les a emmenés à Fulton et je vous conseille de vous y rendre.

Elle n'obtint guère plus d'informations à l'hôpital qui n'était qu'à deux rues de là. La réceptionniste appela une infirmière.

— Dites-moi quelque chose ! la supplia Jean. C'est terrible de ne rien savoir.

L'infirmière interpella une collègue qui s'approcha.

— Est-ce que je pourrais voir mon frère et ma belle-sœur?

— Non. Leurs corps arrivent juste et ils n'ont pas encore été identifiés. C'est tout ce que je peux vous dire. Il va falloir attendre l'arrivée d'un inspecteur.

Les deux infirmières semblaient plutôt bouleversées et elles éludèrent les questions de Jean.

C'était un vrai cauchemar. Jean demanda à voir le lieutenant Thornill, qu'on lui avait dit chargé de l'enquête. Elle le connaissait. Lui au moins dirait la vérité. Elle pourrait identifier son frère et sa belle-sœur. Qui d'autre le pourrait? Ses parents étaient trop âgés pour supporter une telle épreuve et elle ne savait même pas où habitait son neveu Tommy.

Thornill arriva en hâte; il tenait à la main le permis de conduire de Carolyn Allanson. Jean en eut le cœur retourné.

— Ils sont là? balbutia-t-elle. Ils sont morts?

— Oui.

— Je peux les voir?

— Madame Boggs, soupira-t-il, voilà un moment qu'on se connaît tous les deux et c'est l'ami qui vous parle : je vais vous demander de ne pas y aller.

— Mais qu'est-il arrivé?

— C'est Tom qui les a tués...

Non. Non! Tommy ne pouvait avoir fait une chose pareille. C'était impossible aux yeux de Jean. Elle crut alors voir un écran de télévision allumé dans une chambre voisine. Les informations, déjà. Tout le monde recherchait son neveu, qu'on disait blessé. Et Jean de penser : *Seigneur! Je vais en avoir trois à enterrer au lieu de deux.*

Et puis elle s'avisa qu'elle allait devoir prévenir ses parents avant qu'ils allument leur poste. Walt et Nona en mourraient s'ils l'apprenaient ainsi. Gus Thornill accepta de la conduire chez eux.

Alors que tous deux quittaient l'hôpital, ils croisèrent une ambulance arrêtée devant les urgences, une porte arrière ouverte. Jean aperçut un corps couvert d'un drap ensanglanté. Paralysée par l'horreur, elle voulut s'en approcher et il fallut toute la persuasion de Thornill et de son voisin pour l'en dissuader.

— Gus, dit-elle, je veux savoir la vérité. C'est Walter? C'est mon frère?

— Oui, madame, mais je dois vous demander de ne pas regarder.

En arrivant chez ses parents, elle commença par prier son père de s'asseoir, mais celui-ci resta debout, bien décidé à affronter la réalité, en homme qui avait déjà connu d'autres tragédies.

— Walt, commença-t-elle doucement, Walter et Carolyn ont été tués... je ne sais pas comment dire ça... mais Tommy est recherché...

— Je m'attendais à quelque chose de ce genre, murmura-t-il d'une voix cassée.

Quand ils le dirent à Nona, celle-ci cria et il fallut appeler son médecin pour qu'il lui administre un calmant.

Walt se faisait un sang d'encre sur ce qui avait pu arriver au « gamin ». Il appela Kentwood, laissa sonner vingt fois, dans le vide semblait-il. Il décida de recommencer jusqu'à ce que Tommy lui réponde. En rentrant chez elle, Jean s'aperçut qu'elle tenait toujours sous le bras une enveloppe qu'on lui avait donnée à l'hôpital.

— Je l'ai ouverte. C'étaient les bagues de ma belle-sœur, pleines de sang, et j'ai dit : « Oh, mon Dieu ! Je n'en peux plus ! »

8

Gus Thornill appela l'inspecteur George Zellner chez lui à 21 h 30, le soir du 3 juillet, pour lui demander de venir interroger deux personnes : la petite Carolyn Allanson et Pat Taylor Allanson. Arrivé au poste, il fut brièvement mis au courant de l'essentiel, à savoir qu'un double meurtre avait été commis. Cela faisait deux ans et demi qu'il travaillait à la police d'East Point et il n'était passé inspecteur que l'année précédente. C'était un jeune homme mince mais musclé.

Il ne put recevoir Pat Allanson qu'à 22 h 50 et vit entrer une jeune personne inquiète, aux magnifiques yeux verts. Elle ne pleurait pas ; elle paraissait épuisée et angoissée. Le couple de personnes âgées qui l'accompagnait semblait plein de sollicitude à son égard.

Zellner commença par lui exposer la loi Miranda, selon laquelle il devait lui énoncer ses droits puisqu'elle était, au moins en théorie, suspect et/ou témoin de fait du meurtre des parents de son époux. Elle signa les formulaires sans paraître s'inquiéter des conséquences.

En présence de l'inspecteur Lambert, Zellner commença l'interrogatoire.

— Madame Allanson, pourriez-vous commencer par ce qui s'est passé cet après-midi? Qu'est-ce qui a mené à la disparition de votre mari?

Elle parla rapidement, sans presque prendre le temps de respirer; elle attendait depuis si longtemps de pouvoir s'exprimer! Zellner n'eut à poser que de courtes questions çà et là pour canaliser le flot de pensées qui ne demandait qu'à s'écouler.

Elle exposa d'abord ses innombrables problèmes physiques, son manque de sommeil et l'insistance de Tom pour qu'elle consulte un médecin.

— On a fini de ferrer les chevaux ce matin... Ensuite, il m'a amenée au cabinet du Dr Thompson, comme toujours, parce que je souffre trop quand je conduis. Il m'a accompagnée jusqu'à la porte, comme toujours... Il devait être 3 h 30 de l'après-midi. En sortant, je ne l'ai pas trouvé dans la salle d'attente, alors je suis descendue et la jeep était là... Quand on s'est quittés, il était parti dans la direction opposée, vers la banque C & S. Il voulait les voir pour leur parler d'un prêt en cours et obtenir un complément parce qu'il avait une telle pension à verser et tellement de frais de justice et avait perdu au moins deux emplois à cause de son père qu'il était allé supplier de nous ficher la paix. Son père n'arrêtait pas de téléphoner pour nous menacer et il est venu vendredi dernier quand je tondais la pelouse... et il m'a exhibé son sexe!... Après il a téléphoné à ma mère pour lui demander de dire à Tom qu'il allait le tuer... Tom avait dit plusieurs fois qu'il irait le voir et moi je disais « Non, ça ne sert à rien »...

D'un seul coup, elle parut changer d'idée.

— J'ai attendu Tom des heures, mais il ne venait pas. Jamais il ne m'avait fait attendre comme ça.

— À quelle heure êtes-vous sortie de chez l'orthopédiste ?

— On m'a prise tout de suite... ils n'avaient pas beaucoup de patients aujourd'hui. Il m'a fait une radio de l'épaule. Je n'ai pas dû y passer plus d'une heure... Je suis descendue et Tom n'était pas dans la jeep... Et j'avais apporté la jupe pour le costume que je me préparais. Je n'ai pas arrêté de regarder ma montre, je suis même remontée au cabinet pour demander si je pouvais utiliser leur téléphone. Je voulais appeler ma fille... Ça ne ressemblait pas à Tom, ce retard, et je commençais à m'inquiéter à cause des menaces de son père. La première chose qui m'est venue à l'esprit, c'était que peut-être... que sa mère et son père l'avaient croisé en voiture et qu'il était en train de discuter avec eux ou qu'alors il y était allé pour leur parler... Et moi j'attendais, j'attendais. Je commençais à vraiment me faire du mauvais sang... Ça devenait très long... Il devait être 18 heures parce que toutes les voitures quittaient le parking d'en face, les gens sortaient des bureaux. Je cherchais où je pourrais trouver un téléphone... Le seul possible était dans le King Building. Alors j'ai pris la jeep et j'y suis allée... Tom savait que je n'allais pas conduire la voiture sur une longue distance parce que ça me faisait trop mal. Alors j'ai essayé d'appeler la clinique dentaire de sa mère, mais ça ne répondait pas...

— Où travaille-t-elle ?

— Au service du Dr Tucker… Il a fallu que j'aille faire de la monnaie dans ce restaurant de poulet… J'étais tellement inquiète… Il s'était peut-être fait renverser par une voiture ou je ne sais quoi. Je me suis dit : *Arrête et réfléchis un peu !* J'ai d'abord appelé l'hôpital pour demander s'ils n'avaient pas réceptionné de blessé de la route ou pire… Je savais qu'il avait ses papiers dans sa poche…

— Il avait des armes sur lui ? demanda Zellner.

— Absolument pas… Tom ne pourrait pas tuer un être humain.

Pat expliqua que les parents de son époux, ainsi que sa grand-mère maternelle, vivaient très près du cabinet de son médecin.

— Il m'a dit qu'il allait leur parler une fois de plus : « Je vais les supplier, insister. » À quoi j'ai répondu : « Inutile de supplier ton père. Ça ne sert à rien. Ne t'occupe plus d'eux et peut-être qu'ils finiront par ne plus s'occuper de nous. » On voulait juste recommencer une vie tranquille.

Pat ajouta qu'elle avait téléphoné à toutes les personnes possibles et imaginables, mais elle ne connaissait pas le numéro de Mae Mama. Après quoi, elle avait regagné la jeep et fait le tour du quartier à la recherche de Tom. Elle était allée jusqu'à appeler sa propre maison, à Zebulon, quoique Tom eût tout juste eu le temps d'arriver, et même Liz Price pour lui annoncer qu'il avait disparu. Après quoi, elle avait supplié son père et sa mère de venir à la rescousse.

Zellner nota qu'elle en faisait des tonnes quand elle décrivait ses états d'âme.

— Alors, je suis restée là et je me suis mise à travailler sur la jupe… au beau milieu du parking.

Je ne voulais pas trop me rapprocher du bâtiment. Je savais qu'il allait faire de plus en plus noir et je n'avais aucune idée des gens qui pouvaient traîner dans le coin.

— Vous n'êtes donc jamais allée dans la maison de son père et sa mère ?

— Non. J'ai stationné devant la maison de sa grand-mère. J'étais presque prête à sortir lui parler, mais je me suis dégonflée à la dernière minute... Je me disais : *Non, c'est complètement idiot. Ils ne voudront jamais me parler de toute façon. Ils vont peut-être me tirer dessus parce qu'ils ont menacé de nous tuer tous les deux.*

À en croire le récit de Pat, ils avaient affaire à deux jeunes gens qui s'aimaient, harcelés par de méchants beaux-parents et une ex-épouse vindicative. Zellner entendit parler une dizaine de fois de la pension « excessive », du beau-père libidineux, des menaces et des appels en pleine nuit. Selon ses dires, Pat vivait un enfer. Elle se présentait comme une pauvre petite femme sans défense, malade, blessée, qui venait de passer des heures étranglée d'angoisse depuis que son mari n'était pas revenu la chercher chez son orthopédiste.

— Vous n'avez aucune idée de l'endroit où il pourrait se trouver ? insista Zellner.

— Aucune, sauf s'il est rentré à la maison. Mais comment aurait-il pu ? Je ne vois pas comment...

— Où habitez-vous actuellement ?

— On a un élevage à Zebulon. J'ai acheté une propriété là-bas. Quand on s'est mariés, Tom et moi, on est allés y vivre... Tout le monde sait que c'est le « haras de Pat Allanson ». J'élève des

Morgan depuis quinze ans en Géorgie, je suis connue pour mes chevaux. J'ai déménagé pour tout recommencer...

— Il y a quelqu'un là-bas, en ce moment ?

— Non. En fait, c'est ouvert à tous les vents, parce qu'on pensait rentrer vite. Nos bêtes n'ont pas été nourries, chevaux, vaches... rien.

— Vous avez dit que Tom était incapable de commettre un tel acte ? reprit-il.

— Écoutez-moi bien ! articula-t-elle avec ferveur. Tom est incapable de faire du mal à autrui, en tout cas, ce n'est jamais lui qui commencerait. Pas lui ! Pas Tom !

— Pas même avec toute la pression exercée sur lui ?

Elle secoua la tête d'un mouvement impatienté. La police perdait son temps en n'interrogeant pas l'ex-femme de Tom, Carolyn Allanson.

— Tom ne m'aurait jamais laissée tomber, sauf cas de force majeure ou si on l'avait obligé à partir... ou si on lui avait fait quelque chose. Je ne sais pas. Mais s'il les a suivis dans leur maison, je vous garantis que Carolyn n'aurait pas voulu qu'ils se parlent... Parce que s'ils commençaient à écouter Tom, ils auraient découvert qu'elle fait la fête et qu'elle lâche leurs enfants... enfin un tas de trucs qu'elle n'aurait pas voulu qu'ils sachent... Tom n'a tiré sur personne, sauf si on lui a tiré dessus d'abord, et, de toute façon, je suis sûre qu'il n'a rien fait.

Elle ajouta qu'en revanche elle n'en dirait pas autant de Carolyn et qu'elle la voyait bien utiliser un fusil. Celle-ci avait tiré sur Tom à l'époque où ils vivaient encore ensemble.

— Je me rappelle qu'il était arrivé en retard pour ferrer mes chevaux à cause de ça… Alors, s'il les a interrompus en pleine bagarre, si on lui a tout mis sur le dos…

Elle se redressa comme si elle allait faire une déclaration de la plus haute importance.

— S'il est en fuite, c'est parce qu'il a peur, parce que quelqu'un va vouloir tout lui mettre sur le dos.

— Vous ne savez pas où il aurait pu aller ?

— Où voulez-vous aller quand vous n'avez pas d'argent, pas plus d'un dollar ? Il m'écouterait, c'est sûr, mais je ne sais pas où le chercher. Vous croyez que je n'ai pas envie de le retrouver ?

— Si vous avez de ses nouvelles, faites-le-nous savoir.

— Écoutez, si vous savez comment faire… Je ne sais pas s'il a accès à une radio ou à une télévision, mais si je pouvais juste lui dire de revenir !

— On va voir ce qu'on peut faire.

Pat Allanson avait hâte de passer à la télévision pour lancer un appel dramatique à son mari, si cela pouvait le faire revenir.

— S'ils ne l'ont pas tué, ajouta-t-elle amèrement.

Zellner ne sut trop si elle faisait allusion à ses parents ou à la police.

— Non, assura-t-il. Je n'ai rien entendu dire qui aille dans ce sens. Mais ça pourrait finir comme ça s'il ne se manifeste pas bientôt.

Tendrement épaulée par les Radcliffe, Pat reçut l'autorisation de quitter le poste de police, quand le colonel eut déposé une garantie de mille dollars.

Elle devait rester dans le ranch de ses parents jusqu'à ce que Tom ait été retrouvé.

Zellner interrogea ensuite Carolyn Allanson mais ne trouva pas beaucoup de sens à sa déposition. Elle était encore en état de choc et ne cessait de répéter que papy Allanson cherchait un cambrioleur dans la maison, qu'il était descendu à la cave et qu'il avait appelé Mère Allanson pour qu'elle lui apporte son nouveau fusil. Entre deux sanglots, elle balbutia que papy lui avait sauvé la vie ainsi que celles de ses enfants en leur faisant quitter la maison. Elle ne mentionna aucun nom pour le ou les tireurs. Zellner décida de l'interroger de nouveau lorsqu'elle aurait récupéré un minimum de maîtrise.

9

Le shérif Billy Riggins, du bureau du comté de Pike, était rentré chez lui en cette soirée du 3 juillet 1974. Cinq jours auparavant, il avait montré à une Pat Allanson complètement affolée comment charger une carabine pour se protéger d'éventuelles avances de son beau-père. Certes, sa plainte pouvait sembler bizarre, mais il ne s'agissait pas non plus d'une affaire majeure et Riggins ne s'attendait pas à entendre parler davantage du haras Kentwood, bien que le bureau du shérif ait reçu un nombre extraordinaire d'appels des Allanson depuis le peu de temps qu'ils habitaient la plantation. Riggins avait comme l'impression que la femme était du genre nerveux. À son avis, elle avait dû voir un épi de maïs agité par le vent et se faire des idées...

Et voilà que le lendemain, soit quatre jours auparavant, Riggins était rappelé à Kentwood, cette fois à la demande du bureau du shérif du comté de Forsyth. Walter O'Neal Allanson, le prétendu exhibitionniste, et son épouse avaient été attaqués près de Lake Lanier. Riggins était donc allé visiter le haras Kentwood le 29 juin pour seulement constater qu'il n'y avait personne à la maison.

Avec ces nouveaux résidents, il n'aurait pas le temps de s'ennuyer. Néanmoins, par cette soirée pluvieuse, ce mercredi, il fut choqué en recevant un appel transmis par la police d'East Point qui voulait lui faire vérifier ce qui se passait au haras, s'ils y repéraient le moindre mouvement, particulièrement s'ils trouvaient trace de Walter Thomas Allanson, le propriétaire, recherché pour interrogatoire à la suite du meurtre de ses parents.

Riggins envoya des adjoints surveiller les alentours sous le crachin. Ils rapportèrent que la maison semblait déserte, qu'aucun véhicule n'était garé devant. Riggins les pria de l'appeler à la seconde où ils verraient Tom Allanson.

Peu après 2 h 30, le téléphone sonna. Ses adjoints venaient d'apercevoir le suspect qui rentrait chez lui. Il en informa aussitôt son supérieur, le shérif de Spalding Country, qui coiffait toute la région, et demanda des renforts. Tom lui avait toujours paru un homme aimable, mais il était d'une carrure impressionnante... et puis on l'accusait d'avoir abattu son père et sa mère. Inutile de prendre le moindre risque en n'envoyant qu'une équipe réduite pour l'appréhender. Après quoi, Walt Allanson téléphona pour dire que Tom était rentré.

Riggins composa son numéro et, à sa grande surprise, Tom décrocha. Il semblait épuisé mais tout à fait lucide.

— Nous sommes bons amis, commença le shérif. J'ai ici un mandat d'arrêt contre vous, et votre grand-père vient de nous avertir que vous étiez chez vous. Je voudrais que tout se passe correctement.

— D'accord. C'est moi qui ai demandé à Walt de vous prévenir. Je n'opposerai aucune résistance.

Ce fut le cas. Il sortit sur le pas de sa porte à 3 heures du matin et fut arrêté pour meurtre.

Riggins lui énonça ses droits et lui notifia qu'il avait en sa possession deux mandats l'accusant du meurtre de ses parents. Il guettait la réaction de Tom mais ne vit ni larmes ni surprise. L'homme semblait surtout fatigué, vraisemblablement en état de choc.

Riggins ne lui posa aucune question et le plaça en garde à vue environ une heure, le temps pour l'inspecteur George Zellner et les sergents Callahan et Vance d'arriver, afin de conduire le prisonnier à Atlanta. La pluie martelait les vitres de Zebulon et le vent arrachait les pétales des géraniums dans leurs pots.

Les policiers arrivèrent peu avant l'aube.

— Vous avez déjà été avisé de vos droits, commença Zellner, mais nous devons le refaire.

Nous avons ici deux mandats qui vous accusent des meurtres de votre père et de votre mère...

— C'est complètement absurde, rétorqua-t-il d'une voix accablée.

Néanmoins, après que les inspecteurs eurent sorti une paire de menottes assez larges pour ses poignets épais, il se laissa remmener vers East Point sous un véritable déluge. On était maintenant le 4 juillet, jour de la fête nationale. L'enregistrement de la conversation du suspect avec ses accompagnateurs fut quelque peu estompé par le tambourinement de la pluie sur le toit du véhicule et par les mouvements des essuie-glaces.

— Que s'est-il passé, cet après-midi ? demanda Zellner.

Tom expliqua qu'il avait eu « un gros désaccord » avec sa femme deux soirs auparavant, soit le 2 juillet, et que tous deux avaient continué de s'« énerver » en se rendant au cabinet de l'orthopédiste.

— J'ai fini par lui dire que j'allais partir, lui donner l'argent, la maison et tout le reste, mais que je n'étais pas fait pour elle, que je ne faisais que la blesser. Je l'ai laissée et je suis rentré à la maison.

Il estimait avoir quitté Pat vers 17 heures, la veille, pour repartir en auto-stop jusqu'à Zebulon.

— Mais j'ai surtout marché.

Il expliquait avoir compris quel mal il faisait à Pat, que ce devait être lui qui la rendait si triste, si malade. Son amour pour elle ne semblait pas entrer en ligne de compte. Et puis il semblait avoir changé d'avis.

— À mi-chemin, je me suis rendu compte que j'avais choisi la pire des options, parce qu'elle ne pouvait rien faire sans moi.

Le reste était simple. Épuisé, il s'était endormi dès son arrivée chez lui. Il ne fuyait personne, parce qu'il n'avait rien fait de mal. Il ne savait même pas que ses parents avaient été tués avant que son grand-père l'appelle.

Tom semblait intarissable sur sa mésentente avec son père. Il revint sur l'acrimonie et les conflits suscités par son récent divorce. Il n'avait plus vu son père en dehors d'un tribunal depuis que celui-ci l'avait exclu de la maison familiale, l'hiver précédent. Il ne tenait pas à le voir et ne serait certainement pas entré dans la maison de ses parents quand son père risquait de l'accueillir à coups de fusil. Il ajouta que celui-ci s'était fait de nombreux ennemis. N'importe qui pouvait avoir voulu s'en prendre à lui depuis qu'il avait décidé de se présenter au poste de juge.

— Mais je ne vois pas pourquoi on aurait voulu tuer ma mère, ajouta-t-il. C'est une gentille femme.

Tout comme Pat, il précisa que son ex-femme, Carolyn, était totalement incontrôlable, surtout quand elle buvait.

— Mais ils l'ont prise sous leur aile depuis le divorce. Ils ont payé son avocat et elle travaille dans le même centre médical que mère. Seulement, elle s'enivre de temps en temps, alors elle m'appelle et me dit : « Je voudrais que tu sois mort. »

Il parlait trop pour un homme dans une position aussi précaire, comme s'il ne pouvait supporter le silence. Cependant, au contraire de sa femme, il s'exprimait lentement même si lui aussi semblait incapable de s'arrêter tout seul.

— Il y a une fille, dans la ferme de mes grands-parents, qui s'est suicidée. C'était une alcoolique et je sais que mon père la sautait. Mon grand-père a dit qu'il ne faisait que boire avec elle, mais moi je dis qu'il la sautait. Et quand elle avait bu, elle n'arrêtait plus de parler. À l'époque, j'étais lycéen. Elle était mariée, mais ça ne l'empêchait pas de venir tous les soirs se saouler à la ferme et après elle se couchait littéralement devant lui. Ma mère n'était pas là et je ne crois pas que le mari ait été au courant non plus.

Il marqua une pause, pensif, avant de reprendre :

— Vous savez, j'aimais quand même mon père, mais j'avais parfois du mal à le comprendre.

Il ajouta qu'il n'avait pas mauvais caractère. Jamais il ne s'était battu avec quiconque… « en dehors d'un terrain de football ».

— Walt m'a téléphoné cette nuit, continua-t-il. Je lui ai demandé d'informer le shérif que j'étais là. Il m'a demandé : « Ça va ? » et j'ai dit : « Oui, sauf que je vais aller en prison. » Il a dit qu'on prétendait que j'étais blessé et j'ai répondu que non.

Il présentait juste une estafilade sur une jambe. Il pensait s'être fait ça durant sa marche depuis East Point. Cent kilomètres. Une très, très longue marche.

Il niait catégoriquement s'être rendu chez ses parents cet après-midi-là, ni d'ailleurs depuis des mois. Au point de se demander si une tierce personne ne cherchait pas à les dresser l'un contre l'autre. Il en avait parlé à Maggy Radcliffe : une sorte d'ennemi qui les harcèlerait l'un et l'autre. Après tout, n'avaient-ils pas reçu, chacun, des coups de fil menaçants ?

La chose était-elle possible ? Existait-il quelqu'un qui pourrait souhaiter la mort de Walter et de Tom ? Quelqu'un qui aurait quelque chose à y gagner ? Cela semblait un peu tiré par les cheveux. Quelque douze heures après le meurtre, les inspecteurs d'East Point étaient à peu près persuadés qu'ils avaient mis la main sur le seul et véritable meurtrier.

Tom Allanson.

Dès son arrivée au poste, il apprit que Pat avait engagé un avocat pour le défendre : Calhoun Long. Sur les conseils de celui-ci, autant que de sa femme, il cessa de parler aux inspecteurs.

Un meurtre, quel qu'il soit, semble toujours un acte insensé. Mais ce double meurtre le paraissait plus qu'aucun autre. Deux notables d'East Point étaient morts, et leur fils en prison. On ne connaissait à ce dernier aucun antécédent criminel ; il ne se droguait pas, ne sortait pas. Il venait de se marier, d'acquérir une magnifique plantation ; il avait bonne réputation au sein de sa profession. C'était un brave homme, aimable et gentil. Nul n'avait jamais rien trouvé à redire sur lui, à part ses parents et son ex-femme. Pourquoi Tom Allanson renoncerait-il à tout cela sur un simple coup de sang ?

Même son attitude durant le long trajet de retour de Zebulon semblait l'exonérer de toute tendance à la colère. À vrai dire, il n'avait pas montré beaucoup d'émotion. Ses parents étaient morts quelques heures auparavant, pourtant, les trois inspecteurs ne l'avaient pas vu verser une larme, entendre émettre la moindre plainte.

Ils ne comprenaient pas.

Susan et Bill Alford étaient loin d'Atlanta lorsqu'ils apprirent la terrible nouvelle. En route pour le Colorado afin d'y récupérer quelques chevaux Morgan pour le haras Kentwood, ils reçurent à leur motel, dès l'aube, un appel téléphonique les priant de rentrer sur-le-champ parce qu'il y avait eu une tragédie.

Susan et sa grand-tante Alma avaient pressenti un drame imminent – « quelque chose allait arriver » –, mais cette information dépassait tout ce qu'elles auraient pu envisager dans leurs pires cauchemars. Traînant un van toujours vide, Bill et Susan Alford firent demi-tour.

Les inspecteurs du poste de police d'East Point n'allaient encore pas pouvoir dormir. Pas plus qu'ils ne fêteraient le 4 juillet. Dès les premières lueurs du jour, ils retournèrent sur la scène du crime. L'inspecteur George Zellner, les sergents Marlin Humphrey et C. T. Callahan examinèrent l'intérieur de la maison tandis que le sergent Bill Vance et une escouade d'agents passaient au peigne fin le jardin détrempé.

Alors qu'avec ses hommes ils fouillaient les buissons séparant cette propriété de la suivante, Vance découvrit un fusil à quarante mètres de l'entrée de la cave, apparemment jeté là en catastrophe, sa crosse coincée contre la barrière, à quelque douze mètres du trottoir. C'était un Excel à un coup, exactement comme celui que Walter Allanson avait dit s'être fait voler lorsque Callahan avait pris la première plainte des Allanson, la veille. Il était armé.

En poursuivant leurs investigations, les agents pénétrèrent chez les voisins.

— Pas la peine d'écraser les géraniums! cria Harriett Duckett de sa maison.

Ils s'excusèrent et prirent ses déclarations ainsi que celles de son mari : tous deux avaient vu un homme de haute taille remonter l'allée la veille vers 20 heures, faisant aboyer le chien. Par la suite, Paul Duckett avait voulu en informer l'un des nombreux agents venus sur la scène du crime, mais l'agitation était telle qu'on l'avait renvoyé chez lui sans l'écouter.

— Au début, je n'ai vu que ses jambes à cause du feuillage des arbres, indiqua-t-il à ceux qui voulaient maintenant l'écouter.

Lui-même devait largement peser son quintal, aussi était-il bien placé pour juger de la carrure d'un homme.

— J'ai aperçu son profil droit quand il a atteint la rue. Il y avait une voiture de police, dans le coin, qui semblait le suivre au ralenti. Tout d'un coup, elle a fait demi-tour et elle est entrée chez les voisins. Le type était grand et devait faire dans les cent kilos; il portait un pantalon sombre et une chemise légère. Il était tout crispé.

Joignant le geste à la parole, Duckett se pencha, les bras collés au corps.

Harriett Duckett, qui veillait encore à ce que les agents n'abîment pas son jardin, avait elle aussi aperçu l'intrus. Celui-ci avait traversé la haie pour atterrir sur leur allée, avant de se diriger vers le building Pilgrim Press.

Les deux voisins étaient un rien contrariés que la police n'ait pas voulu les entendre jusque-là. Cependant, Harriett avait quand même pu attirer l'attention d'un agent vers 22 h 30.

— Votre homme est parti depuis longtemps ! Il a disparu au coin de Harris Street.

Ni le mari ni l'épouse ne connaissaient les Allanson, dès lors, ils n'auraient su dire si c'était Tom qu'ils avaient surpris. Ils n'avaient entendu ni cris ni coups de feu avant d'apercevoir le fugitif; plus tard seulement, lorsque la bombe lacrymogène explosa chez les Allanson, ils entendirent vraiment du bruit.

Ils acceptèrent d'assister à une séance d'identification.

Dans la cave des Allanson, les restes de gaz lacrymogène laissaient traîner une odeur persistante et picotaient les yeux des enquêteurs. À la lumière qui filtrait par les lucarnes, le sergent Callahan et l'agent Bob Matthews purent constater que les plus importantes traces de sang se trouvaient près de l'escalier, là où on avait découvert les deux victimes, ainsi que devant la niche de la cheminée. Tout autour, le sol était jonché de gouttelettes rouges séchées; depuis la cachette de la niche, on voyait directement les dernières marches de l'escalier.

La niche en question avait un sol de terre battue ; on y avait laissé traîner une vieille glacière, des toiles d'emballage, des sacs de papier pleins de clous. Quand on tenait sa torche en biais, on apercevait sept marques sur les briques du mur interne, laissées par des balles qui avaient ricoché. D'ailleurs, certains fragments restaient visibles, avec des débris de ciment.

Cependant, ils n'y repérèrent pas une trace de sang. Il y en avait à l'extérieur, car il avait giclé depuis la sortie de la niche jusqu'à l'escalier, sur plus de cinq mètres, au point de vider complètement le corps qui s'était traîné là avant de s'effondrer.

Ils en recueillirent des échantillons afin de l'identifier, quoiqu'ils fussent sûrs que c'était celui de Walter Allanson. Sa femme n'avait plus bougé d'un pouce après s'être assise sur les marches.

Matthews et Callahan récupérèrent aussi les fragments de balles tombés à terre. En revanche, il n'y avait pas de douilles dans la niche, mais une cartouche bleu foncé de fusil devant. Vance repéra un grain de plomb dans la niche. Et, en soulevant une pièce de bois, Matthews aperçut une autre cartouche de fusil de calibre 20, jaune, celle-ci.

La seule balle qu'on ne trouva jamais était la seule tirée du Marlin 45/70 que la grande Carolyn avait descendu sur ordre de son mari. La douille était bien là, près du fusil. Mais pas de balle.

Les inspecteurs furent surpris de ne pas découvrir de sang à l'intérieur de la niche. Pourtant, n'importe quel tireur était sûr d'atteindre une cible coincée dans ce piège. Et la petite Carolyn n'avait-elle pas entendu papy Allanson crier qu'il le tenait « enfermé dans la niche » ? S'il s'agissait de Tom, celui-ci pouvait s'estimer heureux d'être vivant. En fait, il n'était pas blessé, à part une estafilade sur la jambe gauche.

Rien de plus fastidieux que la balistique – balles, cartouches, douilles, fragments, ligne de tir, angles, ricochets –, mais dans ce genre de cas elle devenait essentielle pour l'établissement de la vérité. Cette cave avait servi de champ de tir, deux personnes étaient mortes et il semblait hautement improbable qu'elles se soient mutuellement prises pour cibles. Cela impliquait donc au moins un survivant. Pour envisager une reconstitution, les inspecteurs d'East Point devaient tenir compte du moindre détail, tangible et intangible.

Il semblait évident que deux coups avaient été tirés du fusil Excel, six du 8 mm et un seul du nouveau Marlin 45/70. L'important était maintenant de savoir qui avait utilisé quoi. Et pourquoi.

Par la suite, les policiers soumirent Pat Allanson à un test à la paraffine, afin d'établir si elle avait récemment fait usage d'une arme à feu. Cependant, ce test n'était valable que si le sujet ne s'était pas lavé les mains, n'avait pas fumé, ni utilisé de mouchoir en papier, ni recouru à toute autre fonction humaine de base. Ce n'était certes pas le test le plus infaillible, d'autant que Pat ne le subit que le 4 juillet.

Les résultats furent négatifs.

Lorsque vint le tour de Tom Allanson, celui-ci crut bon de préciser qu'il s'était entraîné au tir quelques jours plus tôt. Néanmoins, les résultats furent là aussi négatifs.

Tom fut retenu à la prison du poste d'East Point, et Pat priée de rester habiter chez ses parents au ranch de Tell Road. Leur voisine, Liz Price, et le fils de Pat, Ronnie, s'occupaient des animaux au Haras Kentwood, le paradis que Tom et Pat avaient créé à Zebulon. Ils n'étaient mariés que depuis cinquante-quatre jours. Il semblait dès lors inévitable que, lorsque le *Griffin Daily News* publia son article sur le meurtre des Allanson sous le titre Un nouveau résident du comté de Pike incarcéré suite à la mort de ses parents, il l'ait encore accompagné de la photo du mariage de Pat et de Tom, habillés en Scarlett et Rhett.

10

Alors que les enquêteurs grouillaient dans leur maison, les corps de Walter et de Carolyn Allanson attendaient à la morgue du comté de Fulton d'être autopsiés par le Dr Robert Rutherford Stivers. Depuis six ans qu'il y travaillait, il avait effectué trente-huit autopsies, et cette lugubre journée de fête nationale s'annonçait pour lui bien remplie.

Il commença par noter que Walter Allanson pesait quatre-vingt-dix kilos pour un mètre soixante-quinze ; comme la plupart des êtres humains ayant dépassé la cinquantaine, il avait perdu quelques centimètres depuis sa jeunesse. Tout en travaillant, Stivers enregistrait ses observations sur un magnétophone.

« Le corps est revêtu d'une chemise blanche, d'un pantalon et de sous-vêtements bleu et blanc, de chaussettes et de chaussures noires... La température du corps est froide, la rigidité cadavérique présente aux extrémités. L'examen externe... montre de multiples entrées de blessures par projectiles de trois types différents. Leur nombrc s'élève à vingt... Plusieurs sont rassemblées dans un diamètre de treize centimètres sur le côté gauche du visage et du cou, le centre étant situé à l'angle de la mandibule (le bord arrière de la mâchoire), et il y a dix blessures d'entrée sur le côté gauche du visage qui s'étendent de cette région jusqu'au nez et à la lèvre supérieure et descendent vers le cou... On trouve, en outre, une multitude de blessures au poignet et à la main gauches, s'étendant sur une distance totale de dix centimètres. Elles sont au nombre de cinq. On relève aussi cinq blessures éparpillées sur le torse, une sur chaque épaule, une sur la partie basse du sternum... ou plutôt sur la partie supérieure du centre du sternum... et ensuite sur les quadrants abdominaux gauche et droit... »

Le Dr Stivers détermina que les blessures à la main, aux épaules et à l'abdomen n'avaient atteint aucun organe vital. Le traumatisme mortel provenait des blessures au visage et au cou.

« Le tracé s'élève légèrement de gauche à droite... à travers l'artère carotide, causant une hémorragie massive sur le côté gauche du cou et dans le larynx... avec des destructions à la base de la langue. La mort a été causée par des blessures par projectiles à la face et à la poitrine. »

Walter Allanson s'était vidé de son sang suite à la rupture de l'artère carotide. Mais, selon le Dr Stivers, il pouvait s'être déplacé, avoir marché sur une quinzaine de mètres et même tiré un coup de pistolet malgré cette blessure. Mais il n'aurait pu ni parler ni crier, car il avait eu la langue et le larynx détruits.

En ce qui concernait Carolyn Allanson, le Dr Stivers commença par noter qu'elle mesurait un mètre soixante-huit pour soixante kilos. Elle portait un uniforme blanc d'infirmière, composé d'une blouse et d'un pantalon.

« Il y a une perforation des vêtements sur le panneau antérieur gauche de la blouse... À l'examen... on observe de multiples blessures perforantes de la partie supérieure gauche de la poitrine à l'intérieur d'un cercle de dix centimètres avec quatorze entrées de blessures, y compris sur le sein gauche... De multiples traces de destruction y passent à travers le tissu du sein gauche, du sternum, du haut du cœur et du poumon droit... La mort a été provoquée par un coup de feu dans la poitrine. »

La mort avait dû être quasi instantanée.

« La partie supérieure du cœur est détruite, de même qu'une partie du poumon droit... Il peut y avoir eu un court instant de conscience jusqu'à ce que les cellules du cerveau manquent d'oxygène, mais elle est pratiquement décédée sur-le-champ. La partie supérieure du cœur a disparu. »

Le Dr Stivers estimant que Carolyn Allanson pouvait avoir connu un court mouvement musculaire spasmodique, pouvait-elle avoir armé un fusil ? C'était possible. Pouvait-elle avoir pressé la détente ? C'était possible.

Pat se rendit à la prison d'East Point et insista pour y voir son mari. Elle fut conduite dans un parloir et ne cacha pas sa déception quand elle comprit qu'il ne lui serait pas possible d'étreindre Tom pour lui montrer que tout allait bien. Au lieu de quoi, on lui indiqua une chaise devant un panneau de verre. Elle n'aurait pas le droit de le toucher ; elle pourrait seulement lui parler au téléphone accroché sur la paroi de la cabine.

Il semblait dans un état affreux, mal rasé, les paupières tombantes, comme s'il n'avait pas dormi.

— Je m'occupe de tout, chaton, commença-t-elle. Surtout ne l'oublie pas. Ne dis rien. Je t'ai trouvé un bon avocat. Fais-moi confiance et ne parle à personne d'autre. Tu m'entends, chaton ?

Il hocha la tête. Elle était si courageuse ! Il voulut lui poser une question, mais, d'un regard oblique, elle désigna les gardiens et posa un doigt sur ses lèvres.

— Chaton, silence ! Je vais revenir.

Encore mal remise de son choc, Jean Boggs se battait pour maintenir ce qui restait de sa famille. Cette jolie brune à la silhouette mince avait les traits tirés en arrivant à la prison d'East Point un peu plus tard en ce même 4 juillet. La police dut se faire prier pour la laisser voir Tom ; finalement, George Zellner la fit entrer, tout en précisant qu'il assisterait à l'entrevue.

Jean n'avait pas vu son neveu Tommy depuis un an ou deux, indication s'il en fallait de la mésentente dans cette famille. Elle proposa de lui trouver un avocat, et il répondit :

— Il faudra que tu voies avec Pat. Elle s'en occupe. Elle a déjà dû choisir quelqu'un.

— Pat ? demanda Jean, perplexe. Qui ça, Pat ?

— Ma femme.

— Elle ne s'appelle pas Carolyn ?

— Non. On a divorcé et j'ai épousé Pat Taylor.

Sur le coup, Jean parut complètement perdue. De même que Mary McBride, la secrétaire de Walter, sa propre tante ignorait que Tom était remarié.

Les joues ruisselantes de larmes, il jura qu'il n'avait pas tué ses parents.

— Tu sais ce qui se passait. J'avais une peur bleue de papa, je n'avais aucune raison de tirer sur maman.

Il expliqua, comme il l'avait déjà fait dans la voiture aux trois policiers qui le ramenaient de Zebulon, qu'il était parti à pied en laissant derrière lui sa femme car il avait l'impression de la rendre malheureuse.

— J'avais pris ma décision, j'allais la quitter. Alors j'ai fait de l'auto-stop.

Il ne savait pas combien de conducteurs l'avaient pris, ni combien de kilomètres il avait marché. Par la suite, il refusa catégoriquement de passer au détecteur de mensonges, car il n'avait pas confiance en cette technique.

Jean Boggs en fut profondément troublée, mais elle croyait son neveu. Elle l'aimait, il avait grandi avec ses propres enfants. Elle ne pouvait l'imaginer faisant du mal à ses parents. Elle se demandait quel genre de personne était Pat, cette nouvelle épouse dont elle n'avait jamais entendu parler.

Elle passa le reste de cette journée à organiser les obsèques de son frère et de sa belle-sœur, qui auraient lieu au funérarium Hemperley's, comme pour Kent, ainsi que pour presque tous ceux qui avaient habité East Point. Sans qu'on sache trop pourquoi, Mae Marna demanda que sa fille soit revêtue d'une robe bleue à manches longues.

— Sinon, ajouta la vieille dame, je ne la regarderai pas.

Ce fut un cortège solennel qui pénétra dans la maison de Walter et Carolyn : Jean Boggs, Nona (en fauteuil roulant), Walt, leur pasteur et leur médecin. La maison était bouclée, mais Jean se fit violence et descendit à la cave, évitant du regard les traces sanglantes, pour remonter vers la cuisine par les marches sur lesquelles était morte sa belle-sœur. Toutes ces portes étaient restées ouvertes.

La maison sentait encore le gaz lacrymogène ; entre deux quintes de toux, Jean s'aperçut que les doubles fenêtres ne faisaient qu'en emprisonner les émanations. Alors elle se précipita pour ouvrir et provoquer des courants d'air. Après quoi, elle fit entrer ses parents et présenta les costumes de Walter à Nona, afin de lui faire choisir celui qu'il porterait dans son cercueil. En revanche, elle ne trouva aucun vêtement bleu pour sa belle-sœur. Il lui faudrait donc en acheter un.

Ce n'était pas possible, elle allait s'éveiller de ce cauchemar... Le sac en paille tressée de Carolyn traînait encore sur la table de la salle à manger, non loin de la caisse de Coca et du dinosaure bleu gonflable.

Pourtant, ce n'était que la réalité, et les journalistes d'Atlanta se bousculaient pour prendre des photos, des inconnus allaient et venaient dans le jardin, essayant de regarder par les fenêtres ce qui se passait à l'intérieur. On avait l'impression qu'ils se baladaient là de plein droit. Manquaient-ils à ce point de considération pour les morts? Jean et le pasteur remmenèrent Walt et Nona aussi vite que possible.

Al Roberts, l'associé de Walter, son ami depuis le lycée, vint présenter ses condoléances aux parents du défunt. Après s'être entretenu avec Walt et Nona, il s'éloignait, en compagnie de sa femme et de sa fille, lorsqu'on sonna. Deux femmes entrèrent et la plus jeune éclata en sanglots.

— Walt! haleta-t-elle. Ce n'est pas lui, il n'a rien fait!

La fille de Roberts, Martha, s'adressa à elles, les appelant par leurs noms :

— Bonjour, madame Taylor… pardon… Allanson. Bonjour, madame Radcliffe.

Elle expliqua à son père que c'étaient la nouvelle épouse de Tom et sa mère. Maggy et Pat entrèrent dans la chambre de Nona et les cris hystériques retentirent encore à travers toute la maison.

Roberts savait que la mère de Walter ne pourrait supporter davantage d'émotions, aussi se précipita-t-il pour faire sortir Pat de la chambre. À sa deuxième demande, celle-ci accepta de le suivre dans la cuisine où l'on avait déposé des dizaines de gâteaux, de tartes et de plats cuisinés, concoctés par les voisins, les amis et les membres de la paroisse.

Lorsque le téléphone sonna, elle décrocha, répondit puis, apparemment calmée, composa un numéro à son tour. Roberts, assis à quelques pas de là, fut stupéfait d'entendre ce qu'elle disait à Calhoun Long, apparemment l'avocat de Tom. À croire qu'elle ne se rendait pas compte qu'il y avait du monde autour d'elle.

— Il est innocent ! Il est venu m'accompagner chez l'orthopédiste. Quand je suis descendue du cabinet, il était parti. À pied. Pour Zebulon.

Et là, devant l'associé du défunt, Pat raconta ce qui s'était passé ce vendredi. Alors que Walt venait de s'asseoir pour manger une soupe, elle continuait de jacasser sur les exploits de son beau-père décédé qui lui aurait montré ses parties génitales six jours auparavant, le 28 juin. Elle insista sur la terreur qu'elle en avait éprouvée puis se lança dans une énumération des alibis de Tom au moment de l'embuscade de Lake Lanier, le lendemain.

— Ma mère, Mme Radcliffe, va décrocher l'autre poste dans la chambre pour vous confirmer tout ça.

La femme de Tommy n'avait décidément aucun sens des convenances, et Al Roberts se demanda comment elle pouvait seulement imaginer que Walter ait pu jouer les exhibitionnistes. Il le connaissait, jamais son associé n'aurait pu faire

111

une chose pareille; en outre, il savait exactement où celui-ci se trouvait le jour dont elle parlait : dans leur cabinet, avec lui. Ce matin-là, Walter était arrivé à 9 h 10 et il était resté toute la journée, avec une absence d'un quart d'heure vers 15 heures, lorsqu'il était descendu acheter son fusil. Si Tom Allanson avait abattu son propre père parce qu'il le croyait capable d'un tel forfait, il avait tout faux. Walter n'avait matériellement pas pu se rendre à Zebulon, à cent kilomètres de là, ce 28 juin. Si Pat avait raconté ça à Tom, elle avait commis une tragique erreur, aux conséquences fatales.

La sonnette retentit encore, et cette fois ce fut Paul Vaughan, le stagiaire du cabinet, qui entra. Roberts lui demanda de venir avec lui prendre un verre de thé glacé. Il était perplexe, choqué par les manières de la femme que Tom avait épousée.

Vaughan écouta les souvenirs de Roberts; lui aussi avait vu Walter le 28 juin. Ils discutèrent de l'embuscade de Lake Lanier, mais il restait des choses qu'Al Roberts ne savait pas encore, par exemple, comment le moteur du bateau de Walter avait explosé; il avait réussi à le ramener à quai sans couler. Vaughan se rappelait aussi ce message téléphonique pour Carolyn et Walter de la part d'un homme qui se présentait comme leur fils :

— Il voulait leur dire qu'il les avait manqués mais qu'il finirait par les avoir.

Al Roberts ne savait qu'en penser. Pat Allanson et sa mère, Mme Radcliffe, semblaient comme chez elles dans la maison de Walt et Nona; et Pat ne se gênait pas pour laisser libre cours à son chagrin autant qu'à son hystérie. Manifestement, elle avait du mal à se contrôler. Vis-à-vis de son avocat, elle avait fait preuve dans l'exposé des faits d'une indécence qui n'avait d'égale que sa froide détermination. Peut-être avait-elle été trop choquée pour se rendre compte de la portée de ses paroles sur le vieux couple qui venait de perdre un fils.

Mme Radcliffe se comportait et s'habillait comme une dame, mais ce n'était pas le cas de sa fille. Certes, elle était jolie, bien que plus âgée que Tommy, et sa mise avait quelque chose de… tapageur qui permettait de comprendre pourquoi Walter Allanson ne l'avait jamais admise dans le cercle de sa famille.

Il semblait clair que les deux femmes formaient une équipe. Quoi que dise la femme de Tommy, Mme Radcliffe la soutenait. À peine sa fille ouvrait-elle la bouche qu'elle hochait la tête.

11

Tout en poursuivant leurs investigations, l'inspecteur Zellner et le sergent Callahan se penchèrent aussi sur l'embuscade du comté de Forsyth, le samedi qui avait précédé le meurtre des Allanson. En fait, Mary Rena Jones, qui tenait le magasin J. C. Jone's avec son mari, était sûre d'avoir vu Tom près des pompes à essence, debout à côté de sa camionnette bleue, le vendredi 28 vers 17 h 30. Elle avait reconnu le macaron du Haras Kentwood sur la porte ; bien entendu, le couple se souvenait aussi d'avoir vu Walter Allanson le lendemain matin de la fusillade. Sa femme et lui portaient des écorchures sur les bras.

— Je lui ai dit, se souvenait J. C., que je ne me laisserais pas tirer dessus sans répliquer aussitôt. À quoi il a répondu que c'était son fils qui les avait attaqués.

Mary Jones identifia le portrait de Tom parmi les photos de suspects qu'on lui présenta.

Zellner et Callahan étaient au courant pour le sucre dans le réservoir à essence des Allanson, ainsi que pour l'explosion du bateau et les appels anonymes. Soit Tom Allanson avait commis tous ces forfaits, soit quelqu'un d'autre cherchait à le faire accuser. Et s'y prenait remarquablement.

Le 5 juillet, George Zellner remplissait une déclaration de « cause probable » pour obtenir un mandat de perquisition dans le comté de Pike. Les enquêteurs d'East Point voulaient perquisitionner le Haras Kentwood ainsi qu'une camionnette GMC de 1971 (plaque d'immatriculation : RL 7223) pour y rechercher certains éléments : une carabine 22 long rifle semi-automatique, une chemise d'homme à rayures marron et vertes, un jean, et des bottes tachées de sang.

Les enquêteurs trouvèrent plusieurs jeans, mais aucun qui fût taché de sang. Il y en avait aussi deux dans la machine à laver, avec des vêtements blancs encore mouillés. Jamais une femme n'aurait fait un tel mélange, mais un homme, oui, surtout s'il voulait effacer des taches de sang. Les Allanson possédaient un râtelier où s'alignaient fusils de chasse et carabines, dont un 22 long rifle Remington modèle 66, chargé de balles Federal chemisées de cuivre. Les cartouches vides retrouvées sur le lieu de la fusillade à Lake Lanier étaient du même type.

Ils ne trouvèrent pas de chemise rayée. Quand un voisin leur dit qu'il avait vu Tom descendre la ruc à l'aube du 4 juillet en jean et tee-shirt, ils comprirent qu'ils ne mettraient jamais la main dessus ; elle pouvait être n'importe où entre East Point et Zebulon.

Elizabeth Thomason, sérologiste scientifique du laboratoire d'État de Géorgie, reçut le 5 juillet, de la part du Dr Stiver, des échantillons de sang prélevés sur les cadavres des Allanson. Ils étaient du même groupe, O positif. Tous les échantillons prélevés à la cave, sur le sol, sur l'interrupteur, sur le fusil, sur l'étui, sur le contreplaqué, étaient O positif. Toutefois, le principal suspect, retenu à la prison d'East Point, était le fils de Walter et Carolyn Allanson. Lui aussi devait être O positif. Difficile, donc, de tirer des conclusions. La seule blessure de Tom était cette éraflure sur sa jambe gauche, qui n'avait guère saigné.

Les preuves matérielles habituellement décisives dans les enquêtes pour homicide – cheveux, fibres, sang, empreintes digitales – perdaient toute acuité dans les affaires de « meurtre en famille ». Les deux victimes et l'accusé avaient toutes les raisons valables de se trouver sur les lieux du crime. Il fallait s'attendre à y trouver leurs empreintes, les fibres de leurs vêtements, leurs cheveux, leur sang, leur urine, leur salive et même leur semence. Peu importait que Tom n'ait plus vécu à Norman Berry Drive depuis six mois ; les empreintes digitales duraient des années, parfois des dizaines d'années. Toute preuve matérielle « étrangère » deviendrait intéressante dans la mesure où le tueur ne ferait pas partie de la famille et ne serait pas un habitué des lieux.

De toute façon, on ne releva pour ainsi dire aucune trace à la cave. Seuls le revolver 8 mm et l'ampoule présentaient une empreinte partielle qui se révéla être celle d'un policier, découverte gênante mais pas vraiment étonnante si on pense au chaos qui avait régné dans cette cave le soir du 3 juillet.

Le mystère de la mort de Walter et Carolyn Allanson ne serait sans doute pas résolu dans les laboratoires ; la réponse viendrait d'un domaine beaucoup moins précis : le comportement humain.

Le samedi suivant parut durer quarante-huit heures. En ce 6 juillet, Tom Allanson subit sa première séance d'identification. C'était de loin le plus grand des hommes présentés. Tous portaient un tee-shirt blanc et un jean. C'étaient soit des pompiers, soit des policiers, ainsi qu'un ami de Tom, un homme de haute taille qui avait demandé à se joindre au groupe afin que celui-ci ne s'en distingue pas trop.

Les témoins présents étaient Harriett et Paul Duckett, ainsi que l'agent C. L. McBurnett junior, les seuls qui aient vu le fuyard quitter la scène du crime. Ils vinrent tour à tour et sortirent sans rien dire.

Tous désignèrent le numéro 2 : Tom Allanson.

Les choses se présentaient mal pour lui. Sa tante Jean proposa de l'aider, mais il n'osa en parler à son épouse. Pat lui avait promis de s'occuper de tout, qu'il ne s'inquiète pas; elle lui trouverait le meilleur avocat. Il devait juste promettre de ne parler à personne qu'à elle. Lorsqu'il allégua que, de toute façon, mieux valait dire la vérité, elle le fit taire : non, il ne devait même pas y penser; ce serait une folie que de vouloir assurer sa propre défense. Avant tout, il devait lui faire confiance, car personne ne l'aimait autant qu'elle.

Ce même samedi, la famille de Walter et Carolyn Allanson se réunit à la chapelle de Hemperley d'East Point pour la cérémonie funèbre. Les deux cercueils furent placés l'un près de l'autre, fermés. Ni Mae Mama ni personne ne sut dire si Carolyn fut enterrée dans une robe bleue à manches longues. Mae Mama, en larmes, se déclara « contente » que sa fille et son gendre soient « partis ensemble. Ils étaient toujours ensemble. Ils n'auraient jamais pu vivre séparés ».

La chapelle était pleine à craquer, et les innombrables fleurs dégageaient un parfum suffocant.

Pat était trop malade pour y assister, mais elle voulait que la famille soit représentée; aussi appela-t-elle ses filles, Susan Alford et Deborah Cole, pour les supplier de s'y rendre. Susan avait vingt et un ans, Deborah dix-neuf, et elles refusèrent mordicus d'aller ainsi provoquer des gens qu'elles ne connaissaient même pas.

— Il le faut, pour Tom ! insista leur mère. Sinon, c'est moi qui vais devoir me lever de mon lit. Allez-y la tête haute, montrez-leur que nous sommes navrés pour eux.

Quant à Maggy et au colonel Radcliffe, ils soutenaient Tom tant qu'ils le pouvaient. Cependant, ils ne se sentaient aucune obligation envers ses parents qui avaient toujours refusé leurs invitations, plutôt impoliment. Aussi ne voyaient-ils aucune raison d'assister à leurs obsèques.

Les deux filles de Pat finirent par s'y rendre. Elles ne passèrent pas inaperçues : dès leur entrée, un murmure s'éleva dans la chapelle et les têtes se tournèrent, l'air souvent effarées.

Mais ce ne fut rien à côté de l'entrée de Tom, qui avait reçu l'autorisation d'assister à la cérémonie, enchaîné et encadré de George Zellner et de C. T. Callahan. On ôta les chaînes de ses chevilles mais pas ses menottes, et il resta dans le fond, la tête baissée, les joues ruisselantes de larmes. Les deux filles parvinrent à capter son regard et lui sourirent faiblement. Les quelques minutes qu'elles avaient passées à la chapelle resteraient parmi les plus terribles de leur vie.

Les Allanson furent enterrés côte à côte dans le cimetière de Westview.

Peu avant 17 heures, au poste de police, ce samedi-là, l'inspecteur Zellner interrogea Mme Clifford B. Radcliffe, la femme que Pat Allanson appelait affectueusement « Boppo ». S'il avait trouvé sa fille bavarde, Zellner ne savait pas à quel « courant de conscience » s'attendre.

Maggy Radcliffe ne marqua aucune pause dans sa conversation et elle avait beaucoup à lui dire. Elle s'exprimait d'une voix parfaitement posée. C'était une femme intimidante qui donnait l'impression que jamais, au grand jamais, elle ni ses relations, proches ou lointaines, n'avaient été mêlées à une enquête criminelle. Elle ne demandait évidemment qu'à aider Zellner, ne serait-ce que pour sortir le plus vite possible Tom de cette situation insensée.

Bien sûr qu'elle avait parlé, pas une mais deux fois, avec M. Allanson. Il lui avait confié soupçonner Tom de toutes les malveillances possibles, aussi bien en mettant du formaldéhyde dans le lait de son propre enfant qu'en volant une valise. La victime menait une vie infernale à son propre fils. Elle ne voyait vraiment pas pourquoi.

Même Bill Alford, « le mari de ma petite-fille », l'avait appelée depuis l'une des audiences de divorce à l'époque où Tom tentait de se libérer de la petite Carolyn Allanson.

— M. Alford s'apprête à faire des études de droit, figurez-vous, et il m'a dit : « C'est incroyable ce qui se passe ! Je suis là, je vois tout de mes yeux, j'entends tout, mais je n'en reviens pas. Tom n'a pas le droit de dire quoi que ce soit… En revanche, M. Allanson est venu témoigner que son fils était un ivrogne ! » C'est complètement faux. Tom ne boit pas, il ne fume même pas.

Mme Radcliffe expliqua que Tom était leur maréchal-ferrant depuis des années.

— Mais nous n'avons vraiment appris à bien le connaître que ces derniers mois. Sa femme est notre fille. C'est un jeune homme bien et personne ne se plaint jamais de lui.

— Et vous ne l'avez jamais entendu dire du mal de son père ?

— Jamais de la vie ! D'ailleurs, il n'en parle pas.

Mme Radcliffe ajouta que personne ne lui avait paru plus désagréable que l'ex-femme de Tom, qui passait son temps à téléphoner, à n'importe quelle heure du jour et de la nuit, pour réclamer de l'argent à Tom et à Pat.

— Que pouvait-elle faire de tout cet argent ? murmura-t-elle. Elle en avait reçu tellement et elle en voulait encore !

— Ils venaient souvent vous voir ? Tom et sa femme, votre fille ?

— Ils ont habité chez nous jusqu'à leur mariage. Il dormait sur un canapé, dans le bureau.

Maggy Radcliffe expliqua aussi qu'elle avait très peu de contacts avec les parents de Tom, qui se montraient toujours très grossiers. Walter Allanson lui faisait très peur, à elle aussi, quand il accusait Tom de toutes sortes de larcins. Il était allé jusqu'à menacer : il finirait par « l'avoir ».

Zellner n'avait pas besoin de poser de questions tant Maggy semblait pressée de lui dire tout ce qu'elle avait sur le cœur.

— Il se comportait avec moi comme si je savais des choses, alors que je ne savais rien, comme s'il voulait se justifier, alors que ce n'était pas la peine… J'étais convaincue que cet homme était dangereux, très sournois, mais je ne voyais pas pourquoi. Je ne comprenais pas ce qu'il avait dans la tête.

La mère de Pat ajouta que l'attitude de Walter Allanson l'avait tellement effrayée qu'elle était allée demander conseil à la police d'East Point.

— Je leur ai dit : « Je crois que cet homme est un grand malade. »

Elle n'avait jamais vu la grande Carolyn Allanson.

— J'ai seulement eu une conversation avec elle quand je l'ai appelée au centre médical où elle travaillait, il y a quelques mois, dans l'espoir qu'elle accepte notre invitation à déjeuner ou à dîner, avec son mari.

Elle n'avait pas oublié son effroi lorsque Walter Allanson avait amené son break criblé de balles devant la clinique dentaire pour lui montrer ce que Tom avait fait.

— J'ai vu trois impacts sur le pare-brise, fermés par une espèce de sparadrap... et c'était éclaté autour... Il a dit : « Savez-vous que, samedi, alors que nous nous rendions au lac, Tommy nous a tendu une embuscade et nous a tiré dessus ? » J'ai dit : « Sûrement pas, parce qu'il était chez nous à ferrer nos chevaux. » Il a dit : « C'était forcément lui. » Et j'ai répondu : « Non. Impossible, parce que tout ce dont vous l'avez accusé... il y avait plein de gens autour de lui au moment où ça s'est passé... »

— Avez-vous été personnellement témoin de ce que faisait Tom ce jour-là ? demanda Zellner.

— Ce jour-là ?

— Oui, madame.

— Il nous avait appelés et de nombreux témoins vous diront qu'il est passé chez eux ferrer leurs chevaux.

Le colonel Radcliffe rejoignit sa femme tandis qu'elle racontait ses rencontres angoissantes avec feu Walter Allanson.

— En toute franchise, ajouta-t-elle, j'ai dit à mon mari qu'il semblerait que les Allanson se soient disputés. J'ai l'impression qu'il se passait des choses chez eux.

— Il aurait été pris dans la bagarre?

— C'est cela. Mais, en toute franchise, je suis absolument certaine que Tom Allanson n'aurait jamais pu tuer ses parents... J'ai deux théories à son sujet. Est-ce que je peux vous les exposer?

— Bien sûr, si vous le souhaitez.

Maggy Radcliffe laissa donc entendre que, selon elle, le défunt et sa première belle-fille pouvaient avoir entretenu une liaison. Bien entendu, ce n'était qu'une théorie...

— Je crois franchement qu'il y a eu un coup monté et j'ai l'impression que M. Allanson et Carolyn avaient l'intention de faire quelque chose à Mme Allanson pour ensuite en accuser Tom, et peut-être qu'à la dernière minute ça s'est retourné contre lui et que c'est Carolyn qui a tout fait.

Mme Radcliffe répéta qu'en aucun cas Tom ne pourrait avoir commis un tel forfait et que, s'il en était accusé, elle serait « la personne la plus indignée de la terre ».

— Mais vous avez dit, tout à l'heure, rappela Zellner, que vous aviez tendance à toujours voir le bon côté des gens.

— Disons que j'essayais, face à M. Allanson... Je ne crois pas qu'on puisse être aussi dur...

— Vous avez fini par changer d'avis, n'est-ce pas?

— C'est même pour ça que je suis allée au poste de police, en me disant : *Oh, mon Dieu, j'espère qu'il n'arrivera rien à cet homme, parce que sinon ce sera Tom qu'on accusera…* Cet homme me terrifiait. Et je crois que ses parents, ceux qu'on appelle Walt et Nona Allanson, en avaient peur eux aussi… Hier, elle a pu dire pour la première fois, ce qu'elle n'avait jamais fait du vivant de son fils, que Walter et Carolyn ne se sont jamais comportés comme des parents envers Tommy. J'ai entendu beaucoup d'autres choses, mais ce ne sont que des ouï-dire.

Zellner l'interrogea sur le premier mariage de Pat, et Maggy expliqua que sa fille était alors très jeune et que le couple n'avait jamais fonctionné.

— Son père et moi, le colonel Radcliffe et moi, les avons entretenus seize, dix-sept, dix-huit ans. N'est-ce pas, chéri ? Elle n'a rien obtenu du divorce… Juste de beaux enfants, au moins cela.

La journée avait été bien remplie. Une identification positive de Tom Allanson. Un double enterrement. Et une très longue entrevue avec Mme Radcliffe. Selon elle, Walter Allanson avait été un homme monstrueux, effrayant, au cœur froid comme la mort. Et Tommy, comme elle-même, ne voyait que le meilleur de chacun. Il avait été un bon fils, un bon gendre et avait des alibis pour tous les incidents dont l'accusait son père.

Pour tous sauf pour le dernier, fatal.

Au cours des semaines qui suivirent, les enquêteurs apprirent que Tom n'hériterait rien de ses parents. Lui le savait depuis des mois. Son père et sa mère l'avaient rayé de leur testament dès la Saint-Valentin. Il avait bien tenté de l'expliquer à

Pat, mais elle n'avait jamais paru comprendre ; elle pensait qu'il finirait par récupérer d'office la fortune familiale, alors que, dans leurs dernières volontés, ils désignaient le frère de Carolyn, Seaborn Lawrence, comme leur exécuteur testamentaire. Chacun devait hériter de l'autre et un codicille stipulait que, s'ils venaient à mourir ensemble, leurs biens iraient aux enfants de Tom et qu'il ne pourrait, par ailleurs, les récupérer en aucune façon.

C'était une gifle d'outre-tombe. Tom versait cinq cents dollars par mois à titre de pension et il aurait rêvé pouvoir retrouver la garde de ses enfants et les élever dans sa propriété de Kentwood. Il avait quitté leur mère le cœur brisé, anéanti par cette union sans amour.

Visiblement, son père ne lui avait jamais pardonné. La seule chose que Walter ait oubliée était cette assurance vie dont Tom restait le bénéficiaire – mais celui-ci ne l'apprendrait que des mois après la disparition de ses parents.

La maison de Norman Berry Drive fut vidée, nettoyée et mise en vente. Malgré l'horreur qui s'y était déroulée, elle trouva relativement vite un acquéreur. Ce furent Paul et Harriett Duckett, les voisins et témoins de la fuite du tireur, qui l'achetèrent.

Tom n'avait pas vécu un an dans sa belle plantation, et son mariage avec Pat ne dura pas deux mois. Il allait fêter leur anniversaire en prison, accusé d'un double meurtre.

Leur amour avait brûlé de tous ses feux; maintenant, il connaissait la grisaille des crépuscules. L'éclat des rêves de Tom s'était évanoui et il ne comprenait pas pourquoi.

DEUXIÈME PARTIE

Tom

12

Seaborn Walter Thomas Allanson – Tom – n'était pas né au bon moment, ni au bon endroit. Il aurait fait un fils beaucoup plus acceptable pour son grand-père que pour son père. Walt Allanson n'avait jamais trop su quoi faire de son propre rejeton, l'austère et ambitieux Walter O'Neal Allanson, et celui-ci semblait toujours considérer Tom comme un obstacle agaçant.

En fait, Carolyn et Walter avaient appris à contrecœur en 1942 qu'elle attendait un enfant : ils n'avaient tous deux que dix-neuf ans et lui servait dans l'armée de l'air, en pleine Seconde Guerre mondiale. Sans doute n'avaient-ils pas prévu d'avoir un seul enfant, et ils n'en auraient pas d'autre. Carolyn mit Tommy au monde le 22 avril 1943 à Ocilla, en Géorgie, où Walt et Nona habitaient à l'époque. C'était un gros bébé qui annonçait d'ores et déjà son futur grand gabarit d'adulte.

Dès le début, il sembla que tout serait fait pour leur compliquer la vie. Comme nombre de jeunes gens sortis du lycée en 1940, Walter avait dû partir à la guerre. Quand elle fut finie, il s'inscrivit à l'université de Géorgie, passa son diplôme de droit tandis que Carolyn travaillait comme infirmière pour les faire vivre.

Alors que Walter pouvait enfin envisager de travailler, la guerre de Corée éclatait. Il fut de nouveau appelé, si bien qu'il avait dépassé les trente ans lorsqu'il commença à exercer son métier. Son bureau au tribunal d'East Point se trouvait dans le même couloir que celui de son ancien camarade de fac, Al Roberts. Walter et Carolyn avaient beaucoup de temps à rattraper. Il fut juge de paix de 1952 à 1956 et fit partie de toutes les associations dont pouvait rêver un jeune homme de son âge : la loge maçonnique d'East Point, le club Optimiste, la Légion américaine, la Première Église méthodiste unie d'East Point.

Carolyn dirigeait les chœurs de l'église et enseignait le piano à domicile. Un dimanche, ce fut le tour de Walter d'accueillir la réunion des jeunes mariés et il parcourut tout d'abord le groupe d'un regard sombre.

— Je suis écossais, je suis buté et je veux que les choses se passent comme je l'ai dit.

C'était un désistement, une façon d'annoncer comment il allait orienter sa leçon sur la façon de chacun d'être chrétien. On pouvait, commença-t-il, se montrer têtu, ou malléable, ou agressif, ou carrément idiot, tout en restant un bon chrétien. On n'aurait su mieux résumer le caractère de Walter Allanson que par ce mot : buté. Pas d'excuse. Pas de promesse de s'amender. Il était ce qu'il était.

Carolyn continua de travailler à plein temps pour le Dr Tucker à East Point et, petit à petit, leur vie s'améliora. Ils commençaient à rattraper le temps perdu. En mars 1959, Walter et Al Roberts déménagèrent dans des bureaux plus spacieux et se firent une large clientèle. Sans prétendre à la fortune, Walter gagnait bien sa vie. Il s'était spécialisé dans le droit civil : héritages, divorces, contrats. Son équipe le trouvait plutôt efficace et agréable. Il s'engagea dans le corps des gardes-côtes auxiliaires et fit sa place dans la loge maçonnique n° 88 d'East Point jusqu'à atteindre le trente-deuxième degré. Il aimait les bateaux et la pêche mais préférait les pratiquer en solitaire, sans s'encombrer de la présence de Tommy.

Du point de vue de son jeune fils, il avait passé sa vie à étudier et à travailler. C'était un être qui montrait rarement ses émotions, et Tommy fut humilié les rares fois où il essaya de se confier à cet homme fermé et rigide qui avait décidé une fois pour toutes ce qu'il attendait de son fils. Carolyn Allanson était plus chaleureuse, mais elle s'en remettait à son mari pour tout ce qui concernait l'éducation de Tommy et leur façon d'aborder le monde. Le foyer ne tournait certes pas autour de cet enfant unique, prié de s'adapter au mode de vie qu'on lui imposait.

Comment s'étonner dès lors qu'il se soit tourné vers Walt pour trouver l'amour et l'attention qu'il n'obtenait pas à la maison ? Ce fut dans la ferme de ses grands-parents qu'il passa les meilleurs moments de son enfance. Il n'était jamais plus fier que lorsqu'il accompagnait son grand-père pour aller chercher du fourrage et que Walt annonçait avec un clin d'œil :

— Voici mon fils, Tommy!

Il adorait le suivre dans ses tournées des fermes de la région. Le vieil homme et ce garçon blond déjà bien costaud partageaient le même amour des animaux.

Tommy fréquenta l'école de Harris Street, à East Point, jusqu'à l'âge de neuf ans; après quoi ses parents l'inscrivirent à l'académie militaire de College Park. Il effectua toutes ses études secondaires dans ce prestigieux établissement et en sortit en 1961, dûment diplômé. La discipline militaire ne lui parut pas très différente des règlements que son père s'efforçait de lui inculquer, quoiqu'il ait passé à peu près tous ses week-ends et ses vacances chez ses grands-parents, dans la ferme de Washington Road; dès lors il ne voyait guère ses parents. Il allait à la chasse avec Walt et celui-ci lui préparait ses petits déjeuners. Tous deux fouillaient les poubelles des supermarchés, à la recherche de légumes périmés pour les vaches et les cochons. Ils taquinaient la grand-mère en rapportant salades fanées et tomates ramollies et en annonçant:

— Regarde ce qu'on a trouvé! Le dîner de ce soir!

Nona était une jolie femme aux yeux verts qui menait remarquablement sa maison. Walt la laissait faire; à sa manière taciturne, il l'idolâtrait. Et, tout comme Walt, elle aimait Tommy et ne demandait qu'à le recevoir le plus souvent possible.

Walt Allanson était un vieux Sudiste: il n'avait pas fait beaucoup d'études et travailla cinquante-cinq ans comme ouvrier métallurgiste. Il avait traversé la crise de 1929 et, depuis, n'accordait aucune confiance aux banques; quand il avait de l'argent, il préférait le cacher dans le jardin.

Nona et Walt avaient acheté la ferme de Washington Road en 1934. La maison n'était alors qu'une sorte de cabane; cependant, cet achat se révéla des plus avisés lorsque la région d'Atlanta prit un essor inattendu et que le quartier devint très couru. Walter et sa sœur Jean auraient dû se charger des travaux de la ferme puisque leur père travaillait à travers toute l'Amérique sur d'innombrables chantiers immobiliers. Ils possédaient des chevaux, des vaches, des chiens et des poulets, et il y avait toujours du travail dans les champs; ils vendaient leurs bœufs et leurs porcs, ce qui apportait un complément appréciable au salaire de Walt.

Vers l'âge de douze ans, Walter contracta un rhumatisme articulaire aigu et ses parents ne songèrent plus qu'à assurer sa survie. Nona était constamment fatiguée, car elle passait ses jours et ses nuits à retourner l'enfant dans son lit pour qu'il n'attrape pas d'escarres. On n'avait pas encore découvert la pénicilline, les streptocoques pouvaient provoquer des infections souvent fatales. Ni Walt ni Nona ne négligeaient sciemment Jean, mais les besoins de leur fillette passaient toujours après le combat pour la vie de leur fils.

Walter et Jean n'avaient jamais entretenu des rapports très étroits. Il avait quatre ans de plus qu'elle et leurs personnalités différaient à peu près en tout. La maladie de Walter ne fit que les séparer davantage; lorsqu'il put enfin quitter le lit, ses parents en furent tellement reconnaissants qu'ils lui passèrent tous ses caprices. Aux yeux de Jean, il se croyait tout permis. Et c'était encore le cas à l'âge adulte.

De nombreuses années plus tard, Walter persuada Walt de lui accorder la moitié des trente-quatre hectares qu'il possédait sur Washington Road. Bien entendu, il se hâta de revendre cette terre avec un bénéfice considérable. Pourtant, Jean l'avait demandée la première : elle fut blessée, humiliée d'apprendre que Walt avait cédé à son frère ce qu'il lui avait refusé. Elle avait beau faire, elle ne parvenait jamais à satisfaire ses parents : Walter passait avant, parce que c'était un garçon.

Les relations de la famille Allanson resteraient toujours distendues. Walt était devenu un vieillard grincheux, quoique toujours aux petits soins pour sa femme, Nona ; et puis il adorait Tom. Pour le reste, il se fichait de Walter et de la grande Carolyn, et oubliait carrément l'existence de Jean.

Avec son mari, George « Homer » Boggs, celle-ci avait eu deux enfants, David et Nona, un peu plus jeunes que Tommy. Les cousins n'entretiendraient jamais des relations très étroites. La lignée des Allanson ne s'était prolongée qu'à contrecœur. Tommy la représenterait longtemps et serait le dernier à porter ce nom, à moins qu'il n'ait un fils.

Des années entières s'écouleraient sans que Jean voie Walter. Pourtant, il était son frère. Peut-être ne l'avait-elle pas beaucoup aimé, mais la famille passait avant le reste et elle avait toujours assumé cette notion, persuadée qu'un jour ils régleraient leurs différends.

Et, d'un seul coup, il était trop tard.

Tom Allanson avait souvent tremblé de solitude dans la maison de son enfance.

— C'est pour ça, se souviendrait-il, que j'ai tellement été idiot avec les femmes. Jamais je n'ai eu droit à des gentillesses de la part de mon père ou de ma mère, jamais ils ne m'embrassaient... Ils tenaient à ce que je reçoive une bonne éducation, j'étais logé, nourri, blanchi : ils ne connaissaient pas d'autre moyen de prouver leur amour. Je l'avais compris, même si j'ai fini par apprendre que ma naissance n'était pas spécialement désirée. Mais j'étais le genre de gosse qui a soif d'amour. Il fallait qu'on me dise et me répète qu'on m'aimait, qu'on me le montre.

Il grandissait tellement qu'il eut tôt fait de dépasser ses parents ; il avait l'air d'un bon gars de la campagne, et ça lui allait très bien. Toute sa vie, il cacherait son intelligence et sa culture sans jamais se débarrasser de son lourd accent du Sud. Il se sentait mieux à la campagne entre écuries et rodéos. Avec ses jeans moulants, il exsudait la virilité et les adolescentes le lorgnaient sans vergogne, autant que les femmes.

Parmi ces dernières, il y avait Liz Price ; elle ne pouvait s'empêcher de rire dès qu'elle évoquait Tom.

— Il représentait mon idéal d'homme. C'était une véritable star des rodéos. Vous l'auriez vu en jean ! Un jour, alors que je portais à boire aux chevaux, j'ai entendu quelqu'un crier : « Voilà Tom ! » Je me suis retournée et j'ai couru à sa rencontre, c'est là que je me suis pris les pieds dans un hauban et que j'ai renversé de l'eau dans mes bottes !

133

Tom ne savait pas que les femmes le regardaient ainsi. Il n'avait pas reçu beaucoup de compliments dans sa vie et ne tirait fierté que de son savoir-faire avec les chevaux. Il était encore à l'école quand il avait appris à les ferrer et avait commencé à exercer son métier dès l'âge de seize ans. S'il éprouvait un certain penchant pour Liz, un peu plus âgée que lui, il n'osa jamais le lui avouer.

— Je ne peux pas dire, ajouterait-il, que j'étais si doué que ça depuis le début. Liz a été ma première cliente et j'ai commencé par massacrer les pieds de ses chevaux.

Dès sa sortie de l'académie militaire, il entra à l'université de Géorgie, à Athens. Il jouait au football, un véritable rêve pour les entraîneurs avec son un mètre quatre-vingt-quinze et ses cent treize kilos. Cependant, il dut tout arrêter en 1963, à la suite d'un accident de rodéo. Il entra à l'école Truett McConnell pour y passer un diplôme de sciences, après quoi il retourna à l'université de Géorgie.

Malgré l'opposition véhémente de son père, il se maria une première fois alors qu'il poursuivait ses études. Il avait été fasciné par une longue et fine jeune femme aux cheveux aile de corbeau et aux yeux clairs, Judy Van Meter.

— Je suis tombé amoureux d'elle à Athens. Elle était ravissante, genre Linda Carter, *Wonder Woman*. Personne ne pouvait s'y opposer, j'étais trop amoureux. Mon père disait : « On ne se marie pas quand on est encore étudiant ! » Et moi, je répondais : « Ce n'est pas toi qui m'empêcheras d'aimer cette fille ! » Il jura que si je me mariais il me couperait les vivres. Je me suis marié et ça n'a pas raté. Je n'avais plus un sou. Il a bien fallu que j'en gagne.

Le mariage ne dura guère.

— Elle aimait trop le luxe et je n'avais qu'une vie modeste à lui offrir. Je voulais entreprendre des études de vétérinaire tout en travaillant. Elle aussi travaillait. Et puis elle s'est lancée dans le chantage : si je ne faisais pas ce qu'elle voulait, plus de rapports sexuels.

Par la suite, il reconnaîtrait qu'il allait mettre encore longtemps à comprendre les femmes. Lorsque sa première épouse lui ferma la porte de sa chambre, il se tourna vers une option encore plus désastreuse.

— Je n'écoutais personne, à l'époque, j'étais amoureux.

Malheureusement, il avait jeté son dévolu sur la meilleure amie de sa femme, Carolyn Brooks, mince jeune femme aux cheveux blonds relevés en chignon.

— Elle ressemblait à Grace Kelly. Toutes mes femmes étaient très belles.

Carolyn avait une vingtaine d'années et était mariée avec un homme de près de quinze ans son aîné.

— Elle me procurait ce que je ne trouvais plus dans mon couple, elle était libre, elle m'emmenait boire, moi qui ne buvais jamais.

Ils aimaient danser et s'enivrer. Au début, il n'y prit pas garde.

Le divorce fut consommé le jour où l'épouse de Tom et le mari de Carolyn découvrirent leur liaison. Tom ne faisait pas encore la différence entre amour et désir. Il était persuadé d'avoir trouvé ce qu'il recherchait et que Carolyn ferait une parfaite épouse dès que leurs divorces seraient prononcés.

Malgré ces mésaventures, il parvint à passer sa licence d'agronomie avec une option en médecine vétérinaire. Après quoi, il fut engagé dans un élevage près de Colbert, en Géorgie, où il resta trois ans, pour gérer un troupeau de plus de mille huit cents têtes. Ensuite, il fit une formation au Kansas pour apprendre l'insémination artificielle.

Si Tom Allanson ne comprenait rien aux femmes, il s'y connaissait remarquablement en chevaux. Il était devenu maréchal-ferrant, spécialisé en Quarter Horses, en pur-sang Morgan et arabes. Ainsi devint-il vite juge de concours hippiques de chevaux américains. C'était un bourreau de travail, toujours en jean et en chemise, toujours accompagné de son enclume brûlante dans les chaleurs de l'été, large et puissant comme un lutteur, et cependant l'homme le plus gentil qui fût, qui rêvait encore d'amour en écoutant de la musique country.

S'il était tombé sur la femme adéquate, il serait indubitablement resté fidèle cinquante années durant. Mais Tom avait le don de choisir les femmes qui lui correspondaient le moins.

Il n'était pas davantage assorti à sa future épouse, vite surnommée « la petite Carolyn ». Il avait des diplômes universitaires, alors qu'elle avait quitté l'école en seconde. Il était débonnaire quand elle s'enflammait pour un rien. Mais elle était jolie, attirante, et lui ne rêvait que de fonder une famille. Ils se marièrent le 25 octobre 1968.

— J'étais persuadé, expliquerait-il, que je pourrais la changer, la faire cesser de boire, que ça se passerait tout seul parce que j'allais m'occuper d'elle. Mais on ne peut rien faire si l'autre n'est pas d'accord.

Ils revinrent sur Atlanta et Tom fut engagé chez Ralston Purina. Le quatrième Walter, Walter Russel Allanson, dit Russ, naquit en 1970. Il était encore bébé lorsque Tom et Carolyn, qui ne s'entendaient décidément pas, se séparèrent ; Tom demanda à son père de se charger de la demande de divorce. Alors que Carolyn et Russ partaient pour Athens, il se dit que c'était fini.

— Mais je ne supportais pas de me voir ainsi séparé de mon petit garçon. Alors je suis retourné les chercher et, un an plus tard, un autre bébé est né. Mon père avait toujours les papiers du divorce dans son tiroir. Il ne les avait pas remplis.

Le deuxième enfant de Tom, Sherry Lynette, naquit en 1972. Ses parents n'appréciaient pas vraiment Carolyn, ni en tant qu'épouse ni en tant que mère, mais ils voulaient voir Tom se stabiliser. La grande Carolyn et Walter étaient contents d'avoir des petits-enfants. Cependant, lorsque la petite Carolyn emboutit la voiture de sa belle-mère, Walter crut devenir fou.

De son côté, Tom doutait de nouveau. Lui dont le seul désir était de retrouver une maison paisible le soir, après une rude journée de travail, avait droit chaque soir à un chapelet de récriminations. Le désordre régnait, les enfants pleurnichaient. De plus, Carolyn était loin de la jolie blonde dont il avait cru naguère tomber amoureux.

Un soir, Carolyn but trop et, selon Tom, le menaça d'un pistolet 357. Inquiet pour Russ et Sherry, il prit un enfant sous chaque bras et fila vers la porte. Il ne l'avait pas franchie que son épouse lui tirait dessus. L'encadrement vola en éclats et Tom passa le seuil d'un bond, ses longues jambes les entraînant tous trois au pied de la véranda.

Personne ne fut blessé, mais il eut l'estomac retourné à l'idée de ce qui aurait pu se produire. Cette fois, c'était fini, il ne pouvait vivre plus longtemps avec cette femme. Il ne savait pas comment se sortir de cette histoire sans blesser ses enfants. Il ne tenait pas à porter plainte contre Carolyn et se demandait que faire. Il n'avait pas trente ans; l'amour dont il rêvait se cachait encore quelque part dans le lointain, hors de sa portée.

13

À l'été 1973, Tom cherchait comment sortir de ce mariage où il risquait littéralement sa vie. La fragile blonde qui ressemblait à Grace Kelly le considérait avec un mépris non feint, si ce n'était avec une franche hostilité. Il savait désormais qu'il ne pouvait se laisser entraîner par toutes les femmes qui l'attiraient, qu'il devait se concentrer sur des qualités plus solides. Et que Carolyn était une erreur de plus. Leur union était morte depuis longtemps.

Le 23 septembre 1973, Tom quittait Carolyn. Comme il ne pouvait entretenir deux foyers et n'avait nulle part où aller, il retourna dans la maison de son enfance, sur Norman Berry Drive, malgré ses appréhensions. Il dépassait son père d'une tête; pourtant, celui-ci pouvait encore le rabaisser d'un mot, d'un regard méprisants. Inutile de chercher une épaule compatissante sous ce toit; tout au plus pouvait-il espérer respirer un peu, retomber sur ses pieds et envisager son avenir sous un jour nouveau. Rien de tout cela ne se produisit.

Ses parents n'avaient pas été trop offusqués par son premier divorce, car il n'était alors qu'un étudiant et le mariage n'avait pas duré longtemps. Mais quand il demanda à son père de s'occuper des démarches pour le divorce d'avec Carolyn, il put constater que les règles avaient changé. Walter désapprouvait vigoureusement, car la présence des enfants changeait complètement la donne. Levant ses yeux bleu-gris sur son fils, il tonna :

— Tu peux obtenir un divorce n'importe quand tant que tu n'as pas d'enfants. Si tu en as, tu restes marié quelles que soient les circonstances. Je me fiche que tu risques ta vie ou non. Tu restes.

Walter ne voulut même pas entendre les raisons les plus pertinentes pour lesquelles Tom voulait se libérer. Peu lui importait que Carolyn boive parfois trop ou qu'elle ait tiré sur son mari; elle pouvait même lui rouler dessus avec sa camionnette. Tom était un assez grand garçon pour contrôler sa femme.

— Je ne veux pas entendre parler d'un divorce pour Tom, confia-t-il à un vieil ami. Je ne m'en mêlerai pas. Je l'ai dit à sa femme : « Vous êtes majeure. Trouvez-vous un avocat de votre côté. Moi, je ne veux pas le savoir. »

Finalement, il accepta à contrecœur de jeter un coup d'œil à l'affaire de son fils. En fait, il faisait tout ce qui était en son pouvoir pour bloquer le dossier, même s'il prétendait le suivre. Il s'arrangeait pour le retarder le plus possible afin de laisser à son fils le temps de changer d'avis. S'il avait passé plus de la moitié de sa vie à subvenir à ses besoins, il n'avait aucune envie de continuer pour une épouse divorcée et ses deux enfants. Cela risquait de se terminer ainsi, et il n'était pas homme à laisser un membre de sa famille vivre de l'aide sociale. Or la petite Carolyn n'avait certes pas les moyens de se maintenir à flot, encore moins avec sa progéniture. Walter s'en chargerait s'il le fallait, ses petits-enfants ne manqueraient jamais de rien, mais il en voudrait toujours à son fils de lui imposer une telle charge.

De toute façon, il n'avait pas apprécié de voir revenir à la maison ce grand gaillard de trente ans. Tom avait beau essayer d'aider, par exemple en passant des heures à réparer la jetée, rien de ce qu'il faisait ne trouvait grâce aux yeux de son père.

Son seul soutien lui venait de ses grands-parents, Walt et Nona. Et lorsqu'il découvrit que son père n'avait strictement rien fait pour les papiers du divorce, Tom prit un autre avocat – ce qui mit Walter hors de lui.

En octobre 1973, juste avant Thanksgiving, Walter ordonna à son fils d'aller s'installer ailleurs. Bien qu'ils aient juré de ne pas prendre parti dans le différend qui opposait Tom à sa femme, ses parents finirent par faire exactement le contraire en se ralliant à la cause de la petite Carolyn.

Par chance, du moins était-ce son impression à l'époque, Tom savait où aller. Il comptait depuis des années les Radcliffe pour ses clients, mais, jusque-là, n'avait que rarement rencontré leur fille Pat, récemment divorcée. Aussi fut-il agréablement surpris de constater qu'elle s'intéressait à lui. Ils avaient commencé à sortir ensemble. Tom aimait toute sa famille, et les Radcliffe l'appréciaient d'autant plus qu'ils espéraient voir Pat se stabiliser grâce à lui.

Ainsi, quand il dut quitter la maison des Allanson, il trouva un toit temporaire chez les Radcliffe; il dormirait sur le canapé dans le bureau. Évidemment, ce n'était là qu'un écran de fumée. Pat n'avait-elle pas déclaré, six mois plus tôt, qu'elle comptait épouser Tom, longtemps avant que lui-même songe même à la fréquenter? Elle s'était employée à l'attirer, à le séduire, et il ne lui avait guère résisté. Malgré ses deux premières expériences malheureuses, il restait foncièrement naïf. Pat avait six ans de plus que lui, des enfants adultes et vingt ans de mariage derrière elle. Il ne lui fut pourtant pas difficile d'entraîner Tom sur les chemins qu'elle avait tracés.

— Je la définirais comme une femme sûre de son pouvoir sur les hommes, devait déclarer Tom des années plus tard. Elle savait très bien ce qu'elle voulait et faisait ce qu'il fallait pour l'obtenir. C'était une attitude que j'admirais chez les autres.

D'autant que, selon ses propres dires, il était « tellement privé d'affection ».

— Pat semblait trouver la situation toute naturelle, comme si ces choses allaient de soi. On se retrouvait pris au piège avant de se rendre compte de quoi que ce soit. Elle s'y prenait avec une telle douceur, un tel calme et tant d'innocence... En même temps, peu à peu les pièces s'emboîtaient et, d'un seul coup, on perdait le contrôle de la situation. Elle resserrait son emprise, lentement mais sûrement... elle vous étranglait irrésistiblement. Je ne me suis jamais rendu compte de ce qui m'arrivait.

Au temps où ils sortaient ensemble, elle lui montrait une ferveur absolue et Tom s'en délectait.

Le 31 décembre 1973, la demande de divorce entre Tom et la petite Carolyn Allanson passait en jugement. Au grand dam de Tom, non seulement ses parents n'allaient pas témoigner en sa faveur, mais ils prendraient la défense de son épouse. Ils ne mentionnèrent jamais l'accident qui avait démoli leur voiture ; en revanche, Walter déclara que son fils avait parfois tendance à trop boire, lui qui ne buvait ni ne fumait. Il n'en crut pas ses oreilles : sa propre famille tentait de convaincre un juge qu'il était le fautif et devait payer une pension largement au-dessus de ses moyens.

Ce soir-là, il fit irruption dans la maison de Norman Berry Drive pour dire sa façon de penser à sa femme et à ses parents. Ce n'était pas un ange, il pouvait s'emporter violemment quand il se sentait attaqué. Par la suite, Walter affirmerait qu'il avait « copieusement injurié » la grande Carolyn. Vraisemblablement, les invectives de Tom s'adressaient plutôt à son père. Toujours est-il que celui-ci le mit une fois de plus dehors.

Cette nuit-là, quelque chose s'était brisé en Tom. Jamais plus il n'entretiendrait de relations normales avec son père, comme si ce dernier l'avait déshérité en faveur de la femme qui avait tenté de lui brûler la cervelle. C'était incompréhensible. Elle ne se gêna pas pour lui décocher un sourire narquois en le regardant battre en retraite. Tom était blessé, furieux, et l'avenir s'annonçait sombre. Pour toute famille, il ne lui restait désormais que Walt et Nona. À part eux, il ne pouvait plus compter sur personne d'autre que Pat et les Radcliffe, ce qui leur vaudrait toute sa reconnaissance.

En traitant Pat de traînée et de salope, Walter n'avait fait qu'accroître le désir de Tom, car il ne voyait là de la part de son père que jalousie et hypocrisie.

— Je ne voulais rien entendre, expliquerait-il. C'était comme si on disait à un adolescent de ne plus penser au sexe. Dès que je la voyais, avec ses minijupes et ses débardeurs… Tout ce que je peux dire, c'est qu'elle aurait détourné un pasteur. J'étais vulnérable. Elle avait besoin de quelqu'un qui se débrouille bien avec les chevaux, et qui puisse les ferrer et les nourrir pour rien. J'étais une proie facile. Une femme qui vient et me dit qu'elle m'aime, évidemment je réponds : « Vous m'aimez ? Parfait ! Je suis votre homme. » À l'époque, je n'imaginais même pas qu'on puisse m'aimer encore.

Ainsi commença-t-il à voir en Pat une femme toute différente de celle contre laquelle son père l'avait mis en garde. Tout en reconnaissant qu'elle aimait marquer son territoire en prenant tout ce qu'elle y voulait, il la trouvait gentille, douce et fragile comme une rose battue par les vents. Elle avait une mauvaise santé mais se battait farouchement pour tenir le choc. Elle s'évanouissait sans cesse, s'affalait au sol avec tant de grâce... Lorsque cela se produisait, Tom ne savait que faire pour la protéger ; il se précipitait, l'emportait dans ses bras jusqu'à la maison, l'allongeait doucement sur le canapé.

Ce n'était pas tout. Pat lui avait enseigné des choses de l'amour dont il ignorait jusqu'à l'existence. Dès qu'ils se retrouvaient seuls, elle semblait oublier sa fragile constitution pour ne plus songer qu'à lui donner du plaisir. Jamais aucune femme n'en avait tant fait pour lui. Il était fou d'elle.

Un soir, la fille de Pat, Susan Alford, et son mari, Bill, rentrèrent de voyage pour trouver leur appartement occupé. Ils tombèrent d'abord sur une paire de bottes puis sur une Pat triomphante et un Tom tout penaud rajustant sa chemise dans son jean.

— Tom ! lança-t-elle bien fort. Tu as déjà fait l'amour, mais il a fallu que j'arrive pour que tu apprennes à bien le faire !

Autour d'elle, personne ne savait où se mettre. Susan fit mine d'aller préparer du thé glacé pendant que Bill changeait de sujet de conversation. Quant à Tom, il était rouge comme un collégien entiché de sa première conquête.

Deux jours après le jugement sur la garde des enfants, son père envoyait à Tom une lettre à en-tête de son cabinet.

2 janvier 1974

Tommy,

Je t'annonce par la présente que je me suis entretenu ce matin avec M. Turner et qu'il m'a informé que ta femme se voyait attribuer tous les meubles et tous les appareils électroménagers, y compris le réfrigérateur et le congélateur conservés dans la cave de Mme Lawrence, et que tu n'es pas autorisé à y toucher. Ta femme m'a également demandé de veiller à ce que tu ne t'en approches pas, ce qui fait de moi son dépositaire. C'est pourquoi j'ai posé une serrure supplémentaire sur cette cave, afin de m'assurer que ces deux appareils ne seraient bel et bien enlevés que lorsque j'aurais obtenu une ordonnance du tribunal m'y autorisant.

Si toutefois tu décidais de n'en faire encore qu'à ta tête, je porterais plainte contre toi et tous ceux qui pourraient t'aider, pour violation de domicile et cambriolage…

Et puisque tu as du monde pour t'aider, je te prie de débarrasser mon garage et mon jardin du bric-à-brac que tu y as entassé, et de me rendre le ventilateur qu'on t'a prêté. Si tu n'as pas libéré les lieux d'ici au 15 janvier 1974, tout cet attirail ira rejoindre les ordures dans la rue.

Tu voudras bien rendre à Mme Lawrence la clef de sa porte, étant donné que tu n'es plus autorisé à entrer chez elle.

Walter O. Allanson

Allanson envoya aussi une lettre à la police d'East Point pour prévenir qu'il porterait plainte contre son fils et tous ceux qui pourraient l'aider à enlever des appareils se trouvant dans la cave de sa grand-mère.

Tom n'avait pas besoin de ce matériel, mais il devait se méfier de Carolyn. Le divorce se passait trop mal. D'après Maggy, Carolyn encombrait les lignes téléphoniques de Tell Road de ses appels intempestifs.

— Je ne l'avais vue qu'une fois à une fête du cheval, quelques semaines auparavant, et je l'avais trouvée insipide. Et voilà qu'elle nous submergeait jour et nuit de coups de fil.

Au début, Tom ne gagna pas bien sa vie ; or il devait verser 500 dollars par mois à Carolyn, obligation qui mettait Pat en rage. Cette femme ne les laisserait donc jamais vivre en paix ! Pat et Maggy juraient que l'ex-femme de Tom ne cessait d'en demander encore et encore.

Pat détestait la petite Carolyn pour avoir autrefois vécu avec Tom et pour être encore sa femme, du moins sur le plan théorique. Elle l'appelait déjà « mon Tom » ou « le Tom à Pat », et lui se régalait de cette possessivité, des messages sirupeux qu'elle lui rédigeait, où elle remplaçait tous les *o* par des cœurs.

De plus, Pat était persuadée que la petite Carolyn brûlait de jalousie depuis que Tom lui avait acheté le haras de Zebulon, cela s'aggravant encore lorsqu'ils se marièrent à Stone Mountain.

Maggy partageait cette opinion. Sans le dire ouvertement, après le meurtre, elle s'arrangea pour laisser planer des sous-entendus auprès de l'inspecteur Zellner sur ce qu'elle pensait des relations entre le papa de Tom et sa belle-fille. Si cela ne constituait pas un mobile de meurtre… De plus, cela expliquerait pourquoi Walter détestait Tom au point de vouloir l'abattre. Elle frémissait encore à l'idée d'une Pat, toute seule à Kentwood, recevant la visite de ce vieux pervers.

Tom avait toutes les raisons d'en vouloir à son père, mais c'était un gentil garçon qui ravalait son chagrin. Jamais il n'aurait tué ses parents. C'était atroce de l'enfermer ainsi. Pour Maggy et Pat, une seule personne était capable d'un tel geste : la petite Carolyn Allanson. Elles ne comprenaient pas pourquoi la police ne voulait pas utiliser les informations que toutes deux lui avaient communiquées. Elles étaient persuadées d'avoir désigné la vraie coupable et reprochaient à la police de ne pas vouloir le reconnaître.

14

Un meurtre n'est jamais simple ; il ne suffit pas de démêler ses enchevêtrements pour aboutir à un dénouement limpide. On peut à la rigueur recueillir des échantillons de sang pour les analyser, il n'en restera pas moins des questions auxquelles nul ne trouvera de réponse. Même avec un suspect en prison, accusé des meurtres de Walter et Carolyn Allanson, les enquêteurs d'East Point avaient encore beaucoup de points à éclaircir.

Au soir du samedi 7 juillet, George Zellner reçut un appel téléphonique de la petite Carolyn. Elle se souvenait d'une phrase entendue la nuit du double meurtre, dont elle n'avait pas encore fait mention.

Convoquée au poste de police, elle se montra, face à Zellner et à Gus Thornhill, infiniment plus calme qu'au cours de leurs rencontres précédentes. Sa version des événements qui avaient précédé le drame n'avait pas vraiment changé, mais elle se rappelait davantage de détails. Papy Allanson avait hurlé depuis la cave qu'il « le » tenait enfermé dans la niche, cependant, elle n'avait pas, jusque-là, précisé de nom pour ce « le » en question.

— Avez-vous vu votre beau-père dans la cave ? interrogea Zellner.

— Non, monsieur.

— Mais vous l'avez entendu ?

— Oui... juste quand il a demandé à Mère de lui descendre le fusil et qu'il a crié : « Junior ! Fais sortir les enfants ! Foutez-moi le camp ! »

Carolyn raconta comment sa belle-mère s'était dirigée vers l'escalier de la cave et s'était précipitée pour lui arracher le fusil des mains.

— Pourquoi ?

— Je ne voulais pas qu'elle y aille... qu'elle se fasse tuer.

Mère Allanson semblait affolée. Carolyn l'avait entendue marmonner :

— Si je le vois, je lui tire dessus !

Et puis, quand elle s'était engagée sur les marches, elle avait ajouté quelque chose.

— Quoi ? insista Zellner.

— Juste avant de se faire abattre, elle a crié : « Tommy ! Tommy ! Tommy, ne fais de mal à papy ! »

Les inspecteurs la dévisageaient sans comprendre. Comment pouvait-elle avoir oublié des jours durant un élément pareil ?

— Avez-vous entendu autre chose? finit par demander Zellner d'un ton égal.

— Oui, une voix d'homme, pas celle de papy... qui criait : « La ferme ! La ferme ! La ferme ! »

— C'était la voix de Tom?

— Je ne peux pas le jurer.

Elle ajouta que Mère Allanson braquait le fusil devant elle, comme si elle s'apprêtait à tirer. Et à ce moment-là tout explosa. La petite Carolyn avait commencé à descendre derrière elle et c'était là que Walter avait hurlé : « Foutez-moi le camp ! », et elle avait entendu la détonation. Elle avait vu sa belle-mère s'asseoir et une tache de sang s'étaler sur son sein gauche. La petite Carolyn sut alors que sa belle-mère était morte; tout ce sang et elle qui restait là, immobile, comme une statue de cire.

Carolyn ajouta qu'elle avait alors pris la fuite tandis que résonnaient cinq ou six coups de feu consécutifs, pan, pan, pan...

Après quoi, elle crut entendre une autre explosion.

Le nœud se resserrait autour du cou de Tom Allanson. Sa première femme avait certainement toutes les raisons de vouloir l'incriminer, mais irait-elle jusqu'à se « rappeler » des détails qui l'accusaient encore plus formellement? N'était-ce pas plutôt qu'elle se remettait de son choc et que les souvenirs lui revenaient, plus précis? Les inspecteurs ne voyaient pas en elle la coupable, malgré les soupçons des Radcliffe.

Tom Allanson fut déféré le lundi 8 juillet 1974 devant le juge du tribunal municipal d'East Point,

R. M. McDuffie, qui refusa la mise en liberté sous caution. Le 2 août, le grand jury du comté de Fulton inculpait formellement Walter Thomas Allanson de deux meurtres. S'il était reconnu coupable, il encourait la peine de mort.

Tom avait un nouvel avocat. Bien que Cal Long, qui avait permis aux Radcliffe de gagner quelques procès, certes moins lourds, lui convienne parfaitement, Pat voulait que son époux bénéficie des meilleurs défenseurs d'Atlanta. Mais cela coûterait très cher, beaucoup plus que ce qu'elle avait prévu d'investir dans les transformations de Kentwood.

Tom avait déjà eu besoin de quatre mille dollars le 15 juillet pour engager un autre cabinet d'avocats. Sa tante Jean lui en avait prêté deux mille, mais il devait la rembourser la semaine suivante. Pat régla la dette d'un chèque qui se révéla sans provision, à la grande colère de Jean. Pour recueillir de quoi défendre Tom, les Radcliffe hypothéquèrent le ranch de Tell Road et en tirèrent trois mille cinq cents dollars. Puis ils le mirent en vente.

Tom écrivit à ses grands-parents, Nona et Walt, les suppliant d'aider Pat. Malgré sa situation difficile, c'était le désespoir de Pat qui le rongeait.

— Je vous en prie, faites quelque chose pour ma Pat.

Elle n'avait pas un sou pour entretenir le haras, ni pour sa vie quotidienne. Walt et Nona mirent longtemps à répondre, même s'ils soutenaient Tom. Ils étaient devenus ses derniers alliés, Pat ayant vite trouvé le moyen de s'aliéner Jean Boggs en refusant d'emblée tous ses conseils. Tom expliqua à Walt que Pat irait travailler sur-le-champ si elle le pouvait mais qu'elle était trop délicate pour occuper un emploi à plein temps. Elle avait déjà vendu ses précieux bibelots pour l'aider.

Pourtant, Walt se faisait encore tirer l'oreille.

Sans trop savoir d'où lui viendrait l'argent pour régler les honoraires, Pat retint le cabinet de Garland, Nuckolls & Kadish, en jurant qu'elle ferait face à ses engagements. Reuben A. Garland en était le patron, circonspect et sage ; il avait pour fils le colonel T. M. Garland, brillant personnage pittoresque d'une petite quarantaine d'années. C'était ce qu'on faisait de mieux à Atlanta en matière de défense.

Le père et le fils seraient assistés par John Nuckolls qui plaida, dès le 8 août, la remise en liberté provisoire de Tom en attendant le jugement. Il argua que Tom n'était jamais passé pour un être violent avant les crimes dont on l'accusait. Et tant de personnes dépendaient de sa présence à la maison...

— Votre Honneur, mon client doit faire face à de graves problèmes financiers en connexion avec un prêt sur le haras, acheté il y a cinq mois grâce à un acompte sur la caution à l'échéance imminente, et au risque de perdre cette plantation s'ils n'y font pas face. Pis encore, ajouta Nuckolls, la femme et la grand-mère de Tom sont d'une constitution très fragile, et cette incarcération n'arrange rien. Votre Honneur, j'ai deux lettres de médecins au sujet de l'état de son épouse.

Il expliqua que Pat souffrait d'un embolie pulmonaire, de caillots dans le sang qui risquaient d'attaquer son cœur et ses poumons.

— Elle a subi une opération à cœur ouvert et on lui a posé une valve parapluie. Ses médecins de l'hôpital Emory et son médecin traitant, le Dr William J. Taylor, la jugent comme étant en phase terminale avec, tout au plus, deux années à vivre.

Pat n'avait effectivement pas l'air en bonne santé. Depuis le drame, elle avait perdu beaucoup de poids et paraissait squelettique. Sa mère et ses tantes avaient tout essayé pour l'inciter à manger un peu ; mais quand elle se forçait, elle vomissait.

La défense avait d'innombrables témoins de moralité à présenter, dont le colonel et Mme Radcliffe, prêts à garantir la gentillesse de Tom. Nona et Walt voulaient également le voir relâché. Si tel était le cas, son avocat promettait qu'il se rendrait directement à Kentwood et n'en sortirait plus, sauf pour accompagner de temps à autre son équipe de défense.

William Weller, le procureur du comté de Fulton, s'empressa d'effacer cette image de douceur et d'affabilité, décrivant Tom comme une « montagne humaine » accusée d'avoir « explosé le cœur de sa mère ». Il avait beau connaître la famille depuis des années, le juge Wofford était plutôt d'accord avec l'accusation et refusa sans enthousiasme de laisser libérer Tom. En revanche, il accepta de fixer le procès le plus tôt possible, soit le premier lundi matin qui suivrait la fête du Travail : le 9 septembre 1974.

L'équipe de défense de Tom n'avait perdu que la première manche, mais Ed Garland n'aimait pas la tournure que prenaient les choses. Bien qu'elle n'ait aucune notion de droit, Pat Allanson ne faisait pas confiance aux défenseurs de son mari. Elle ne voulait pas que Tom s'entretienne avec eux hors de sa présence. Elle veillait sur lui comme un faucon sur sa proie, achevant ses réponses à mesure qu'il les commençait. Elle parlait pour lui dès qu'elle en avait la possibilité. Pourquoi s'inquiétait-elle donc tant de ce que pouvait dire son mari ? Elle semblait terrifiée à l'idée de perdre son Tom.

Garland nota que ce dernier n'aimait pas s'adresser à lui en privé ; un poids énorme pesait sur ses épaules. Certes, il devait être exténué, mais le zèle de Pat à vouloir le protéger tourna vite au cauchemar pour la défense. D'autant que Tom se fiait aveuglément à elle. Cet homme avait l'esprit égaré, consumé par l'amour ; visiblement, il donnerait sa vie pour sa femme. Ed Garland espérait sincèrement que cela ne se terminerait pas ainsi.

15

En moins d'un an, Pat était tombée amoureuse de Tom, l'avait épousé ; ils avaient acheté le Haras Kentwood, et tout cela avait disparu. Elle était trop malade pour vivre seule dans cette grande maison et ne pouvait absolument pas en assumer l'entretien, ni s'occuper des chevaux. À quoi bon, de toute façon ? Ils allaient sans doute tout perdre. Sans Tom, elle ne pourrait jamais faire face aux

153

échéances. À l'automne, elle était retournée vivre chez Maggy et le colonel, dans le ranch de Tell Road, alors que Ronnie restait à Zebulon, afin que les lieux ne soient pas complètement déserts, livrés au vandalisme. Il n'aurait pas seize ans avant novembre mais se montrait toujours prêt à aider sa mère : il ne savait rien lui refuser.

Tom Allanson attendait son procès dans une cellule étouffante.

Maggy Radcliffe attribuait tous les malheurs de la famille survenus en 1974 à l'union passionnée entre Pat et Tom et aux violences qui s'en étaient suivies. Lorsque la situation commença à dégénérer, le reste s'effondra en avalanche.

Comme presque toujours pour les grands procès criminels, celui-ci fut reporté d'un mois; Pat crut qu'elle ne tiendrait pas le choc, qu'elle n'aurait jamais la force d'attendre jusque-là. Elle dit à son mari qu'elle devait se faire hospitaliser.

— Mais je n'irai pas, chaton, ajouta-t-elle doucement. Parce qu'on ne pourrait plus se voir du tout et que ça me tuerait. Sans compter que je n'ai plus payé notre assurance santé depuis un moment et que je n'aurais pas les moyens de me soigner.

Il ne pouvait exister pire punition pour un homme comme Tom que de se voir enfermé, alors que la femme si fragile qu'il adorait était réduite à la pauvreté et à la maladie. Rien ni personne au monde ne comptait davantage à ses yeux. De ses humeurs, de ses angoisses, de ses opinions, de son bien-être dépendaient ceux de Tom. Par la seule expression de ses craintes, elle avait le pouvoir de le retourner comme un gant.

Les avocats auraient préféré voir Tom négocier des chefs d'inculpation allégés plutôt que d'aller au procès dans l'espoir de se voir innocenté d'une accusation de meurtre, mais Pat ne voulait rien savoir. Elle assistait à toutes leurs entrevues, collée aux basques de son mari, comme si elle redoutait que celui-ci ne confie un secret qui la mettrait en danger, elle. Impression sans doute excessive.

Garland finit cependant par trouver la chance de s'entretenir en tête à tête avec Tom, et il en profita.

— Tom, écoutez-moi ! Je ne pourrai bien vous défendre à moins de connaître la vérité. Je me baserai sur ce que vous me direz, mais il faut que je sache… parce que tout ce baratin ne tient pas debout.

Tom reconnaîtrait par la suite avoir effectivement raconté à Ed Garland ce qui s'était vraiment passé ce soir-là dans la cave de la maison de ses parents. Mais il lui interdit de le répéter à quiconque et lui fit promettre de ne pas exploiter cette information. Lui-même l'avait juré à Pat, elle qui l'aimait plus que personne. Ils feraient donc comme elle l'avait recommandé. Garland en fut consterné : lui, l'un des meilleurs avocats criminalistes de Géorgie, se voyait obligé de plaider les mains liées.

Pat s'affola en apprenant ce que Tom avait dit à son avocat.

— J'ai cru qu'elle allait demander le divorce sur-le-champ, se souviendrait Tom.

Cependant, tout se passa comme elle l'avait exigé. Elle refusait mordicus d'entendre parler d'un arrangement s'il plaidait coupable, car c'était inéluctablement la prison pour Tom, ne serait-ce que pour quelques années. Séparée de lui, elle mourrait. Il fallait absolument viser sa libération et elle ne doutait pas un instant qu'ils l'obtiendraient. Elle n'accepterait aucun compromis.

Dès lors, il fut convenu que Tom plaiderait innocent de toutes les charges – ce qui ne laissait guère de munitions à la défense. Ils allaient pouvoir présenter des témoins de moralité qui admiraient Tom, d'autres qui dévaloriseraient les arguments soulevés contre lui. Ce n'était pas vraiment le tissu dont on faisait les grandes plaidoiries.

Les détectives privés engagés par le cabinet avaient tenté de trouver quelqu'un ayant aperçu Tom loin des lieux du crime. Ils avaient même passé une annonce dans l'*Atlanta Journal*.

Récompense

À TOUTE PERSONNE AYANT VU TOM A., 1,95 M, 113 KILOS, CHEVEUX CLAIRS, IL Y A DEUX SEMAINES, LE MERCREDI 3 JUILLET ENTRE 16 H 30 ET 21 H, SUR CLEVELAND AVENUE ENTRE L'HÔPITAL FULTON ET L'I-75, OU QUI L'AURAIT PRIS EN STOP SUR L'I-75 ENTRE CLEVELAND ET CENTRAL. PRIÈRE D'APPELER LE 344-5729, 436-8435.

URGENT! URGENT!

L'annonce ne donna rien et servit à l'accusation qui la produisit comme pièce à conviction numéro 102.

Cet été étouffant fit enfin place à l'automne, et le 14 octobre 1974 finit par arriver. Pat et Tom semblaient persuadés qu'il serait déclaré innocent et qu'ils seraient enfin réunis, peut-être même à temps pour sauver leur haras. S'ils se mettaient à jour de leurs échéances avant décembre, ils garderaient leur petit paradis. Tom espérait pouvoir réunir l'argent nécessaire, mais pour cela il devait sortir à la fin octobre.

Les audiences de son divorce avaient eu lieu dans des tribunaux secondaires, son procès se tiendrait dans celui du comté de Fulton, en plein Atlanta. C'était une bâtisse massive de marbre blanc, entourée de chênes rougeoyants et d'érables écarlates. À l'intérieur, le passage des saisons ne se marquait que par la poussière et l'usure du temps.

— L'audience est ouverte, commença le juge Charles A. Wofford. Affaire numéro A-22765, l'État de Géorgie contre Walter Thomas Allanson, accusé de meurtre ; la défense est assurée par le colonel Edward T. M. Garland, l'accusation par le colonel William Weller.

En principe, la famille de l'accusé prenait place derrière la balustrade séparant la cour de la salle, mais Pat avait insisté pour s'asseoir à la table de la défense. Tom n'y voyait pas d'inconvénient, mais Garland en fut tout déconfit. Vêtue chaque jour d'un ensemble différent, qu'elle s'était elle-même confectionné, Pat était l'image même de l'épouse dévouée, prête à soutenir son mari contre vents et marées. De son poste d'observation, elle put aussi, pendant tout le procès, transmettre ses instructions

157

à Garland et encourager Tom par de petits coups de coude, de petites phrases murmurées à l'oreille.

Le jury fut sélectionné en une seule journée, bien qu'il ait fallu examiner une cinquantaine de candidatures avant que la défense et l'accusation se mettent d'accord sur sept hommes et cinq femmes, huit Noirs et quatre Blancs, ainsi que deux suppléants. Le destin de Tom serait finalement tranché par un directeur de magasin, un professeur à la retraite, deux employées des postes, un agent d'assurances, un épicier, un professeur d'éducation physique, un employé d'une compagnie téléphonique, une serveuse à la retraite, une comptable, une femme au foyer et un pilote à la retraite.

Le procureur adjoint William Weller appela un à un ses témoins à la barre, et tous dépeignirent l'accusé sous un angle désastreux qu'il reviendrait à la défense de démentir. Le sergent Butts, de la police d'East Point, rapporta que Tom était tellement en colère deux jours avant le double meurtre, alors qu'il venait porter plainte contre son père pour exhibitionnisme, qu'il s'était écrié : « Si ça continue, je le tuerai ! » Le shérif adjoint Richard Satterfield, du comté de Forsyth, qui avait enquêté sur la fusillade de Lake Lanier quatre jours avant les meurtres, raconta comment Walter et Carolyn Allanson avaient failli mourir sous un déluge de balles. Mary Rena Jones, propriétaire du magasin du même nom, assura avoir aperçu une camionnette bleue ornée d'un macaron sur la portière, le matin de l'embuscade.

Weller appela aussi à la barre les employés et les voisins de Walter Allanson, et tous les enquêteurs qui avaient fouillé la maison et le jardin de Norman Berry Drive ainsi que ceux qui s'étaient rendus à Zebulon pour y arrêter Tom. Vingt-deux témoins de l'accusation, dont aucun n'avait un intérêt personnel dans l'histoire. Pas à pas, le procureur bâtit son accusation, laissant entendre au jury que Tom Allanson était coupable non seulement d'avoir tué ses parents ce 3 juillet, mais encore qu'il avait participé aux harcèlements et aux attaques des jours précédents.

Tom restait figé à sa place, les cheveux maintenant coupés court, vêtu d'un blazer bleu marine. Lorsque Mary Jones témoigna l'avoir vu passer devant son magasin, le matin du 29 juin 1974, dans sa camionnette bleue surmontée de sa caisse, la portière ornée d'un macaron, il secoua lentement la tête. Ce véhicule ne portait plus de macaron depuis l'accident de Pat à Stone Mountain, deux mois auparavant. La réaction de celle-ci fut autrement plus perceptible pour le jury : tout en grimaçant et en fronçant les sourcils, elle rédigea hâtivement une note qu'elle passa ostensiblement à Ed Garland.

Au cours du contre-interrogatoire, celui-ci fit admettre à la commerçante qu'elle n'avait pas reconnu le conducteur de la camionnette bleue, pas plus qu'elle n'avait signalé avoir aperçu ce véhicule le jour de l'embuscade. Son témoignage contredisait carrément sa première déposition. Elle avait commencé par se rappeler avoir vu Tom la veille de l'incident à Lake Lanier. Garland voulut faire supprimer ce témoignage, en vain. Pour la deuxième fois, en deux jours, il demanda un non-lieu pour vice de procédure et, pour la deuxième fois, le juge Wofford rejeta sa requête.

Il y aurait ainsi de nombreuses prises de bec entre la défense et l'accusation, des moments où le jury serait prié de sortir du tribunal. Le juge Wofford était un magistrat des plus détendus ; il invita les protagonistes masculins à tomber la veste ou même à ôter leurs chaussures. On apporta des cendriers pour ceux qui voulaient fumer. Il s'excusa aussi pour le retard pris par l'instruction, assurant qu'il en était « seul responsable ».

La petite Carolyn Allanson fut sans doute l'arme maîtresse de l'accusation. Quasi-témoin oculaire, elle représentait ce que tout un chacun considérait comme une preuve infaillible grâce aux séries télévisées. Elle n'avait jamais dit avoir vu Tom ce soir de pluie mais, au cours de son troisième entretien avec George Zellner, elle s'était rappelé avoir entendu sa belle-mère crier : « Tommy ! Tommy ! Tommy ! »

Elle passa à la barre le plus clair de cette troisième journée du procès, d'abord à témoigner puis en contre-interrogatoire.

Les voisins des Allanson, les Duckett, ainsi que l'agent McBurnett étaient, quant à eux, d'authentiques témoins oculaires de la fuite d'un homme de haute taille. Tous trois désignèrent Tom Allanson, le mettant davantage encore au pied du mur.

Handicapé par l'opposition de Pat à toute négociation impliquant de plaider coupable, Ed Garland n'avait plus qu'à tenter de limiter les dégâts. Il y fut remarquable, obligeant par exemple McBurnett à reconnaître qu'il avait aperçu Tom au poste de police avant la séance d'identification. Comme la plupart de ses collègues, il avait pris l'habitude de jeter un coup d'œil dans la salle réservée à cet effet, afin d'y adresser un signe à la jolie stagiaire qui y travaillait. Le 6 juin, on y avait déjà fait asseoir Tom lorsque McBurnett était passé devant.

Plusieurs enquêteurs n'avaient pas conservé leurs notes, ni transcrit leurs interrogatoires sous forme de rapports. Garland était adroit comme un escrimeur, perçant de petits trous le dossier de l'accusation avec la pointe de son fleuret. Mais seulement de petits trous, car parmi les témoins se trouvaient un policier et un pompier, que les Duckett décrivirent tous deux comme l'homme impressionnant passé devant leur maison alors que les premières sirènes commençaient à hurler dans le quartier. Contrer de telles dépositions se révélait une tâche herculéenne pour n'importe quel défenseur ; et Ed Garland était d'autant plus handicapé par l'attitude de Pat en plein tribunal, par son insistance à orienter elle-même ses arguments. Lorsque quelque chose ne lui plaisait pas, elle donnait de petits coups dans les côtes de Tom. Elle semblait constamment au bord de la crise de nerfs, guettant le moindre danger qui pouvait menacer Tom. Garland crut devenir fou.

Au matin du mercredi 16 octobre, les dents serrées, il demanda au juge Wofford une audience dans son bureau, en dehors de la présence du jury. Seule la partie adverse y assisterait, ainsi que la sténographe.

161

— Monsieur le juge, commença Garland, il me semble nécessaire, afin de protéger ma réputation et l'intégrité du processus juridique, de noter que je suis en désaccord profond avec la femme du défendeur sur la façon... de conduire l'affaire... Il y a certains témoins que je refuse de faire venir à la barre, à cause de mon enquête. Je suis aussi dans l'incapacité de m'entretenir avec mon client dans la mesure où il tient à ce que sa femme soit toujours présente et que je trouve cette personne instable. En orientant constamment son jugement, elle affecte mon aptitude à communiquer avec lui.

Visiblement exaspéré, il raconta comment Pat voulait choisir les témoins qui allaient déposer, comment elle tenait à ce que Tom lui-même soit appelé à la barre. En règle générale, un avocat digne de ce nom essaie d'éviter cette démarche, car c'est livrer son client à un contre-interrogatoire qui peut être désastreux. Pat semblait persuadée qu'elle pourrait le préparer, lui faire répéter toutes les réponses possibles...

— Je tiens, continua Garland, à ce qu'il soit noté que j'ai demandé son exclusion du tribunal. Elle s'y est évidemment opposée et le défendeur a insisté pour qu'elle soit présente... J'estime que mon approche de l'affaire est la meilleure possible. C'est tout ce que je voulais déclarer, monsieur le juge.

— Voudriez-vous que je fasse venir Mme Allanson ?

— À mon avis, cela n'aurait pour résultat que de la faire pleurer et grincer des dents.

— Colonel Garland, je l'ai de nombreuses fois observée, particulièrement dans ses mimiques faciales. Il est certain qu'elle n'a pas fait de déclaration tonitruante, qu'elle n'a eu aucun geste déplacé, du moins si on n'y regarde pas de trop près... J'ai le sentiment que, depuis le début, sa présence porte préjudice à ce procès. Néanmoins, elle n'a commis aucune infraction manifeste qui autorise la cour à prendre des mesures radicales. Je reconnais que sa présence constitue une véritable pierre d'achoppement pour la sérénité des débats à venir.

Ed Garland était coincé.

— Ce qui est arrivé s'est produit en dehors de la présence du jury et de la cour. Je lui ai demandé hier de partir, afin que je puisse m'entretenir seul à seul avec mon client, le soustraire à son influence... Elle a traversé le tribunal en simulant une crise cardiaque – selon moi, pour attirer l'attention.

Le juge Wofford hocha la tête. Pat Allanson s'était évanouie en poussant un cri au moment où il était sorti du tribunal et le shérif adjoint était venu les prévenir.

— Effectivement, ajouta Garland. Après quoi elle a exigé d'assister à tous nos entretiens... mais j'estime que cette façon d'agir nuit à mon client.

Nul, dans le bureau du juge, ne vint le contredire. Cependant, il n'y avait pas grand-chose à faire. Dans son combat quasi hystérique pour sauver Tom, Pat ne faisait que perturber le procès, mais elle parvenait toujours à rester dans les limites légales. Le juge avait interdit toute manifestation, mais il ne pouvait l'empêcher de grimacer ou de murmurer. Chacune de ses visites à Tom le laissait plus déstabilisé, inquiet. Elle voulait qu'il témoigne et disait qu'Ed Garland ne faisait pas ce qu'il y avait de mieux pour lui. En dehors du tribunal, elle s'évanouissait souvent et se tenait le cœur. Une fois, au cours d'une suspension, elle désigna un agent à Tom en murmurant avec effroi :

— Oh, mon Dieu ! Cet homme m'a violée !

Et elle s'évanouit de nouveau.

— Qu'est-ce que je pouvais y faire ? demanda Tom par la suite. Me jeter sur un flic en plein tribunal ? Je ne pouvais pas réagir.

Tom Allanson s'enfonçait davantage dans son enfer personnel. À la façon dont tournaient les événements, il commençait à croire qu'il allait être déclaré coupable et exécuté. Qui s'occuperait alors de Pat ? Il était tellement amoureux de sa femme que son propre avenir passait au second plan. Mais que deviendrait-elle dans ce monde hostile s'il n'était plus là pour la défendre ?

Ed Garland pataugeait dans les marécages où l'entraînait Pat Allanson. Il essaya de lui faire décrire les vêtements portés par son mari en temps normal. Elle n'aidait pas du tout la défense en corroborant les dires des témoins à charge. L'objection de Garland fut rejetée.

Le jury vit des dizaines de photos de la cave ensanglantée et entendit le sergent Callahan décrire la scène qu'il avait découverte la nuit du 3 juillet. Mais Tom en avait-il fait partie ? Si Garland pouvait convaincre Pat de ne pas témoigner, l'affaire ne reposerait plus que sur des preuves scientifiques, loin de toute influence émotionnelle.

Trois armes avaient été utilisées : un revolver 8 mm, un fusil de chasse Marlin de gros calibre, flambant neuf, et un autre de calibre 20. Pouvait-on prouver qui les avait utilisés ? Garland parvint à établir, au cours des contre-interrogatoires, que les mains de Tom ne présentaient aucun résidu de poudre quand on l'avait arrêté et qu'on n'avait pas relevé d'empreintes digitales sur les armes.

Kelly Fite, criminaliste et microanalyste de la police scientifique de Géorgie, fut appelé à la barre en tant que témoin de l'accusation. Il certifia que les cartouches, une bleue et une jaune, trouvées dans la niche de la cave et juste devant, provenaient d'un fusil Excel, celui qui avait été « volé ». Elles avaient contenu à peu près une vingtaine de plombs, de la chevrotine numéro 3, du même calibre que ceux trouvés sur Walter et Carolyn Allanson ; on ne pouvait cependant certifier que c'étaient ceux-là mêmes qui avaient été tirés de l'Excel dans la mesure où les plombs, contrairement aux balles, ne présentaient pas de marques permettant d'identifier l'arme à coup sûr.

Les essais de laboratoire pratiqués par Kelly Fite indiquaient que le fusil se trouvait à trois mètres environ de Carolyn quand le coup de feu avait été tiré, de gauche à droite. Certains plombs avaient « ricoché » sur une lampe torche portée par Walter et sur l'ampoule du plafond. Plus une arme est proche de sa cible, plus petit sera le cercle laissé sur le but, ou sur la victime. Les blessures de Carolyn Allanson étaient concentrées sur la gauche de sa poitrine, celles de Walter largement étalées du visage à la main, au poignet, à l'abdomen.

Kelly Fite en conclut que seuls deux coups avaient été tirés de l'Excel dans la cave, l'un frappant Carolyn, l'autre Walter. Il avait essayé l'arme et constaté que la cartouche s'éjectait vers l'arrière à quinze ou vingt centimètres pour retomber aux pieds du tireur. En partant des preuves matérielles, il put reconstituer l'enchaînement des événements. Quelqu'un avait tiré un coup fusil depuis la niche ou juste devant. Quelqu'un avait fait feu dans la niche avec le pistolet, pas une fois mais six ou sept. Quelqu'un avait tiré un coup de feu avec le Marlin depuis une zone proche de l'escalier. La cartouche vide trouvée près de Walter et Carolyn provenait du Marlin, le gros calibre, mais la balle elle-même n'avait pas été retrouvée.

On pouvait en conclure qu'il y avait eu au moins deux tireurs dans la cave, ce soir-là, peut-être trois. Mais si Tom avait été le troisième tireur, était-il capable de tuer ses propres parents ?

Dans le but de définir un type de comportement haineux, le procureur Weller insista sur les harcèlements subis par Walter Allanson, particulièrement l'embuscade de Lake Lanier, avant la soirée fatale, et Ed Garland se battit comme un beau diable pour faire rejeter cette allégation. En reliant Tom à toutes ces traces de balles laissées sur le break de ses parents, on ne faisait que l'enfoncer davantage. Évidemment, Weller insista sur le fait que l'embuscade ne constituait qu'une partie d'une « opération continue » menée du 29 juin au 3 juillet. Et l'on argua des heures et des heures sur le fait que le macaron Kentwood avait ou non été retiré de la camionnette de Tom Allanson. En fait, il n'existait plus depuis mai, bien que les témoins du magasin Jones aient assuré avoir vu Tom au volant d'un véhicule portant cet emblème au matin de la fusillade. Garland voulait faire exclure cette identification erronée des considérations du jury, mais le juge Wofford s'y opposa.

De même, lorsqu'il demanda d'écarter les dispositions malveillantes des testaments de Walter et de Carolyn. Le jury les entendit de la bouche de Mary McBride, la secrétaire de Walter Allanson.

— Ils ont atteint leur but, se plaignit alors Garland au juge Wofford. Ils voulaient taper à coups de marteau sur le crâne du jury avant de leur demander : « Vous ne tiendrez pas compte de votre migraine. » Voilà où nous en sommes. Nous avons jeté du crottin de cheval sur le banc des jurés en les priant de ne pas le sentir… Nous leur avons brandi sous le nez ces testaments en disant : « Oh ! s'il était question d'un héritage, il y avait forcément là un motif. Il doit avoir tué pour des raisons financières. »

Sans doute la plus grande défaite de Garland intervint-elle lorsqu'il réclama de nouveau un non-lieu face aux souvenirs révisés de Carolyn Allanson sur la nuit des meurtres. En affirmant de sa voix bien ferme qu'elle se rappelait soudain avoir entendu crier : « Tommy ! Tommy ! Tommy ! » avant la fusillade fatale, elle sonnait tout simplement le glas pour l'accusé.

L'accusation ayant exposé les faits, Ed Garland se leva pour présenter les arguments de la défense. La pente serait ardue à remonter, mais il n'en montra rien en appelant ses premiers témoins.

Avec ses enquêteurs, ils avaient convoqué nombre de personnes qui connaissaient bien Tom Allanson et l'avaient vu, ce samedi 29 juin. Les tirs avaient atteint la voiture de ses parents un peu après 11 heures alors qu'elle remontait la route de Truman Mountain. Si Garland pouvait prouver que Tom se trouvait ailleurs à ce moment-là, il mettrait à mal les affirmations sur l'homme à la camionnette bleue surmontée de sa caisse et marquée du macaron Kentwood. Avec un peu de chance, il pourrait peut-être même présenter une personne affirmant avoir vu Tom le soir du 3 juillet bien loin de la maison de ses parents.

Garland commença par le samedi précédent.

James Strickland, employé à la station-service Kayo, de Barnsville, à quelque cent cinquante kilomètres au sud de Lake Lanier, avait vu Pat et Tom Allanson entre 10 h 15 et 10 h 30. Ils conduisaient une camionnette bleue tirant une remorque verte ornée d'un fer à cheval mais sans macaron sur les portières.

Bobby Jackson, qui faisait du rodéo avec Tom depuis douze ans, l'avait lui aussi vu le 29 juin. Il se rendait alors à une capture de bouvillons au lasso, à Madison, sur l'I-20, à l'est d'Atlanta, quand la remorque de Tom l'avait dépassé pour prendre la bretelle de Lithonia. Ce devait être entre midi et midi et demi.

Edgar Milton Smith, président de Voice Communications Inc., d'Atlanta, avait des chevaux au pré à Lithonia, et Tom était arrivé peu après midi et demi pour les ferrer. Il était resté jusque vers 18 heures.

Robert Warr, le voisin de Tom et Pat à Zebulon, les avait vus rentrer à 23 heures, la nuit du 29, au volant de la camionnette bleue tirant la remorque verte.

Donald Cooper, acheteur potentiel de chevaux, s'était rendu à Kentwood le 29 mais n'y avait trouvé personne. En revanche, il avait aperçu la caisse de la camionnette sur des parpaings dans la cour.

Liz Price, une voisine et amie, avait constaté que le macaron Kentwood n'était plus sur la camionnette depuis l'accident de Pat, juste après le mariage.

Garland tirait le meilleur des éléments dont il disposait, et il n'avait pas encore abordé l'épopée de Tom la nuit du double meurtre. Comme c'était Pat qui lui avait amené le témoin suivant, l'avocat l'aborda non sans méfiance.

Il se nommait Bill Jones, employé d'un caviste de Cleveland Avenue sur l'I-75. Il se souvenait qu'en effet il avait vu Tom Allanson à 19 h 48, le 3 juillet, alors que celui-ci était entré faire de la monnaie pour donner un coup de téléphone.

— Les gens passent parfois à la caisse pour aller ensuite à la cabine qui se trouve à l'extérieur, sur le parking, mais depuis que je travaille dans cet endroit, on ne m'avait jamais demandé de quoi passer un appel longue distance... Il a même précisé Zebulon, en Géorgie. Je m'en souviens parce que sa femme est venue le lendemain soir pour vérifier si un homme ne s'était pas présenté la veille. Je lui ai raconté ce qui est arrivé... Vous voyez, quand il a parlé de « téléphoner », ça m'a interpellé parce que ma femme s'endort régulièrement sur le canapé le soir vers 20 heures et que je suis prié de l'appeler... Et là, quand il a dit « téléphoner », j'ai regardé ma montre.

Le volubile M. Jones estimait que son magasin se trouvait à peu près à trois kilomètres de Norman Berry Drive à East Point.

L'accusation démolit ces arguments au cours du contre-interrogatoire. D'abord, Jones dut admettre avoir répondu au sergent Callahan que Tom était passé au magasin à 16 h 30, même s'il avait ensuite dit à un détective privé qu'il ne savait plus si c'était à 19 heures ou à 20 heures... ou peut-être même à 21 heures. Sur l'insistance de Weller, Jones finit par se rappeler que Pat Allanson était venue le voir au moins trois fois, qu'ensuite il avait reçu à plusieurs reprises la visite d'enquêteurs de la défense. Il nia vigoureusement avoir vu dans l'*Atlanta Journal* qu'on offrait une récompense pour toute information.

Ce n'était pas un témoin crédible... indubitablement un de ces « témoins de Pat » dont Garland avait dit au juge Wofford qu'il ne voulait pas les voir venir à la barre. Mais lui seul plaçait Tom loin de la scène du crime et, malheureusement, sa déposition n'était pas crédible.

Heureusement, Mme Clifford B. Radcliffe le fut. Impeccablement vêtue, ses beaux cheveux gris parfaitement coiffés, elle se dirigea vers la barre d'une démarche élégante.

Ed Garland s'approcha en souriant.

— Quel est le métier de votre mari ?

— Il travaille pour le gouvernement fédéral... dans la sécurité. Il est lieutenant-colonel à la retraite.

— Est-il présent aujourd'hui, ou non ?

— Oui, il est là, répondit-elle en lui rendant son sourire.

— Ici même ?

— Oui.

— C'est le monsieur qui vient d'ôter ses lunettes ?

— L'homme le plus distingué de tout le tribunal, répondit fièrement Maggy.

Garland l'avait poussée un peu trop loin. Il voulait montrer au jury que les Radcliffe étaient des gens bien, pas lui donner l'impression qu'ils se croyaient supérieurs au commun des mortels. Il se hâta de changer de sujet.

— Très bien. Dites-moi, madame, votre fille est-elle présente aussi ?

— Oui.

— C'est l'épouse de l'accusé ?

— En effet. C'est notre fille.

Garland se hâta d'embrayer avant que le témoin ajoute qu'il s'agissait de « la plus belle femme du tribunal ».

Maggy réfuta l'idée absurde que la camionnette des Allanson ait jamais arboré un macaron tel que le décrivait le témoin de Lake Lanier. Après quoi, elle confirma que Pat et Tom étaient venus dîner le 29 juin pour se rendre ensuite chez Nona et Walt.

Garland passa ensuite à la soirée du 3 juillet. Maggy témoigna que Pat leur avait téléphoné, malade d'inquiétude, vers 19 h 30.

— Je lui ai dit que son père et moi allions venir la rejoindre, qu'elle reste où elle était, dans le parking du King Building, mais loin des bâtiments... Et nous l'y avons retrouvée.

Garland évoqua ensuite les deux rencontres, aussi étranges qu'effrayantes, de Maggy avec feu Walter Allanson. Bill Weller émit une objection.

— Votre Honneur, il me semble que nous nous égarons dans les ouï-dire... Dommage que je ne puisse faire venir le malheureux M. Allanson à la barre pour confirmer ou infirmer ces allégations... mais je me trouve dans une situation délicate... Votre Honneur, si la défense peut se fonder sur des ouï-dire concernant un homme qui repose six pieds sous terre, je ne vois pas pourquoi l'accusation ne pourrait se baser sur les paroles de son épouse.

Le juge Wofford refusa d'entrer dans ces considérations. D'un signe de tête, il pria Garland de continuer et celui-ci demanda au témoin ce que Walter Allanson lui avait dit.

D'un ton dramatique, Maggy répéta sa dernière conversation avec la victime.

— Il a dit : « Je crois que tout ça sera fini ce week-end, que Tommy sera soit en prison soit mort », et ça m'a terrifiée.

— Qu'a-t-il répondu lorsque vous avez dit que Tommy n'avait rien à voir avec l'embuscade ?...

A-t-il dit quoi que ce soit sur un autre instigateur éventuel ?

— Votre Honneur, objecta Weller, je crains que nous ne soyons un peu trop directif.

Garland eut un sourire narquois.

— En effet, Votre Honneur.

Bill Weller se tourna vers la belle-mère de l'accusé. Même en contre-interrogatoire, elle se montra des plus volubiles. Cependant, elle fut désorientée par des citations qui lui avaient été attribuées au cours de son entrevue avec l'inspecteur Zellner. On eut beau lui dire que c'était la transcription fidèle d'une bande magnétique, elle n'en démordit pas : on avait ajouté ou retiré certaines paroles à sa déposition. Jusqu'au moment où l'enregistrement fut diffusé, prouvant que rien n'avait été changé.

— Le soir où Pat vous a appelée, elle n'avait aucune idée de l'endroit où se trouvait Tom, c'est cela ? reprit Weller.

— Elle a dit qu'il était allé parler avec sa mère, répondit Maggy.

Il parut surpris.

— Ah ! Elle vous a dit ça ?

— Oui.

— Elle ne vous a pas dit qu'elle ne savait pas où il était et qu'elle l'attendait désespérément ?

— Non.

— Elle vous a dit qu'il était allé…

— Là-bas… J'avais peur.

Garland s'empressa de dénoncer un ouï-dire, qui fut retenu.

— À présent, madame, continua Weller, le jugement définitif du divorce de la deuxième femme de Tom Allanson, Carolyn, a été prononcé le 9 mai 1974, c'est bien cela ?

— À ma connaissance, oui, monsieur.

— Et Tom et Pat se sont mariés... quand ? Au cours de la deuxième quinzaine de mai 1974 ?

Il entraînait lentement son interlocutrice dans le piège.

— Ils se sont mariés au soir du 9 mai.

— Oh ! ils se sont mariés le soir même du jour où le divorce a été prononcé ?

— C'est exact.

Maggy se tenait plus droite que jamais et fixait le procureur avec un mince sourire.

— Bien. N'est-il pas établi que les deux victimes, M. et Mme Allanson, n'acceptaient pas votre fille ?

— Je ne sais pas. Ils ne la connaissaient pas.

— Je n'ai pas dit ça. J'ai dit qu'ils ne l'acceptaient pas en tant que belle-fille, n'est-ce pas ?

— Il a dit que... il n'avait pas de fils, alors comment pourrait-il avoir une belle-fille ?

— Vraiment ?

— Parfaitement.

Elle posa son regard triomphant sur un Weller quelque peu calmé. Une telle femme était une catastrophe en matière de contre-interrogatoire : elle parlait trop et se montrait hautaine. Néanmoins, le dossier de Garland aurait été meilleur sans son intervention. Finalement, elle avait plutôt aidé l'accusation.

Cette quatrième journée de procès avait été très longue, le juge Wofford libéra le jury à 18 heures. Garland demanda de nouveau un non-lieu qui fut de nouveau refusé. En bon avocat, il savait exactement ce qu'il faisait. Les discussions avec l'accusation se poursuivirent tard dans la nuit dans le bureau du juge.

Le vendredi matin, 18 octobre, le premier témoin à comparaître fut Fred Benson, maréchal-ferrant, vieil ami de Tom Allanson. Garland comptait jeter le doute sur la séance d'identification qui avait eu lieu le 6 juillet, trois jours après le double meurtre. Benson s'était porté volontaire pour y participer. Il expliqua pourquoi.

— Je suis allé voir Tom, et, là, l'inspecteur Thornhill a été très sympa, il m'a conduit jusqu'à la salle... Il y avait tous ces agents alignés, avec aussi deux voleurs de voitures. Mais c'étaient des types assez petits qui faisaient plutôt voyous, avec leurs moustaches...

Plusieurs jurés portaient la moustache.

— Ils ne ressemblaient pas à Tom. Lui, il fait trois mètres de haut, c'est le seul type que je ne peux regarder qu'en levant la tête.

Deux autres participants étaient des pompiers qui avaient tombé la veste pour ne garder que leurs tee-shirts. Aussi Benson s'était-il mêlé au groupe pour laisser une chance à Tom ; il était presque aussi grand et se disait que cela compenserait un peu les « petits mecs » à l'air de voyous.

Il connaissait aussi l'ex-femme de Tom depuis des années et Garland lui demanda ce qu'il en pensait.

— Monsieur Benson, d'après ce que vous savez de Carolyn Allanson, d'Athens, est-ce que les gens l'estiment plutôt honnête et fiable ?

175

— Presque tout le monde à Athens…

— Répondez oui ou non. Elle a bonne ou mauvaise réputation ?

— Très mauvaise.

— Si elle vous jurait quelque chose, est-ce que vous la croiriez ?

— Même pas si elle jurait sur un tas de bibles. J'ai dit à Tom…

Benson commençait à s'agiter.

— Contentez-vous de répondre aux questions, lui intima Garland. Le témoin est à vous.

Weller expédia rapidement le collègue de Tom, ce qui eut pour effet de chagriner ce dernier. Il se tourna vers le juge.

— Votre Honneur, je n'ai pas pu dire tout ce que je voulais…

— Vous avez dit tout ce qu'on vous a laissé dire, rétorqua le juge Wofford.

Toujours dans le but de semer le doute sur la séance d'identification, Garland appela Hugues Maples, un détective privé qui travaillait pour la défense. Il commença par évoquer l'atmosphère de fête foraine qui régnait au poste de police en ce week-end du 4 juillet.

— Vous trouviez-vous, demanda l'avocat, à la prison d'East Point en présence de Tom Allanson quand on a fait déshabiller une hippie ?

Les jurés échangèrent des regards. Chaque jour apportait son lot de surprises dans les témoignages.

— Oui, maître.

— Racontez cet incident au jury.

— C'était le samedi, avant la séance d'identification… Pat était revenue, elle parlait avec

Tom... Le chef Godfrey se trouvait à l'autre bout de la salle en train de parler avec cette hippie... Elle venait de prendre une douche et se plaignait qu'il n'y avait pas de serviette.

— Comment était-elle habillée ?

— Elle n'était pas habillée.

— Cela a-t-il attiré l'attention des policiers ?

Plusieurs jurés sourirent, quelques gloussements s'élevèrent dans l'assistance.

— De plusieurs, oui. L'inspecteur Zellner s'est penché pour appeler quelqu'un et j'ai vu que c'était l'agent McBurnett.

— Et l'agent McBurnett pouvait-il voir l'accusé ?

— Oui.

Garland s'en tint là. Les jurés avaient-ils compris que ce premier coup d'œil ôtait toute crédibilité à la séance d'identification qui allait s'ensuivre ?

Ed Garland savait au fond de lui que Pat avait élaboré toute une histoire qu'elle avait prié Tom de répéter, persuadée que ce serait préférable à tout ce qu'il pourrait raconter. Or, Garland ne voulait pas le faire témoigner, et Pat encore moins, car elle lui semblait trop instable pour qu'il lui accorde la moindre confiance. Dès lors, il ne lui restait qu'à suggérer au jury les réponses aux questions qu'il ne pouvait poser.

Bill Weller ne se gêna pas pour faire des allusions sarcastiques sur le fait que la plupart des témoins en faveur de Tom n'étaient que des « maquignons », comme si cela devait suffire à les inciter à mentir pour lui. Bill Jones, l'employé du caviste, s'était complètement décrédibilisé, si bien que Garland ne pouvait que réduire petit à petit la portée de la séance d'identification et la réputation d'honnêteté de Carolyn Allanson.

Cela ne pouvait guère suffire à combattre une accusation de double meurtre.

Le silence se fit dans le tribunal lorsqu'un vieil homme remonta l'allée centrale. Walter Allanson père, dit Walt, venait témoigner en faveur de son petit-fils dans un procès pour meurtre dont son propre fils et sa belle-fille étaient les victimes. Il aimait Tommy depuis le jour de sa naissance. Il n'avait pas l'air particulièrement sentimental. En fait, il donnait plutôt l'impression d'un gaillard usé par les ans, à l'expression impénétrable.

— Avez-vous eu l'occasion, lui demanda Garland, de parler au téléphone avec Carolyn Allanson ?

— Ouais...

— Quand vous a-t-elle appelé ?

— Il y a six semaines, à peu près.

— Que vous a-t-elle dit, au cours de cette conversation ?

— Elle voulait passer à la maison, mais j'avais du monde. Je lui ai dit d'attendre le dimanche suivant. Après quoi, elle m'a dit qu'elle aimait Tom et je lui ai demandé ce qui s'était passé au moment de la tuerie. Elle a dit : « Mère Allanson a été assassinée. » C'est comme ça qu'elle appelait sa belle-mère, vous voyez, et puis elle a dit : « Mais on ne voulait pas que Walter se fasse tuer... »

Qu'avait-elle voulu dire par là ? Qu'il y avait eu un complot pour supprimer sa belle-mère et que son beau-père était mort par erreur ? Il semblait improbable que la petite Carolyn ait entretenu une liaison avec le père de son mari, comme Maggy l'avait suggéré. Fallait-il alors n'y voir que le témoignage d'un vieillard qui ferait n'importe quoi pour sauver son petit-fils ? C'était très possible. Walt n'avait pas d'autre souvenir se rapportant à Carolyn et le jury ne parut pas prendre garde à ses sous-entendus croustillants.

Weller parut estimer qu'il inventait.

— Monsieur Allanson, commença-t-il durant son contre-interrogatoire, vous êtes prêt à tout pour aider votre petit-fils, j'imagine ?

— Je ne veux dire que la vérité.

— Très bien. Vous voulez l'aider et faire tout ce que vous pouvez pour l'aider ?

— Je ne l'aiderai jamais mieux qu'en disant la vérité.

— Et, franchement, vous considérez surtout que les morts sont partis et que les vivants sont toujours là, n'est-ce pas ?

— Ouais.

— Rien d'autre.

Garland reprit la parole pour cerner l'opinion de Walt sur les tendances à la violence de Tom.

— Je le connais, rétorqua le vieil homme. C'est un garçon gentil et droit.

— Attendez. Je veux juste savoir quelle est sa réputation, s'il passe pour quelqu'un de paisible ou de violent.

— Paisible.

Walt ne s'encombrait pas de formules inutiles.

En l'interrogeant, Weller avait néanmoins, pour la troisième fois au cours de ce procès, réussi à

179

faire dire que Tom avait facilement tendance à dégainer. L'accusation soutiendrait ainsi qu'il s'était une fois tiré dans le pied, alors qu'il était encore étudiant. Et Walt Allanson reconnut que Tom était un « tireur sacrément rapide ».

Nona Allanson, qui pouvait à peine parler à la suite d'une attaque, entra dans la salle en fauteuil roulant. Elle témoigna avoir entendu son fils Walter menacer de tuer leur petit-fils Tom.

— Vous l'avez répété à votre petit-fils ?

— Oui.

Weller n'avait pas de question à lui poser. Un procureur faisait rarement bonne impression en infligeant un contre-interrogatoire à un témoin aussi vulnérable.

La longue semaine des témoignages s'achevait, la suivante s'ouvrirait sur les conclusions. Les membres du jury n'entendraient ni Tom ni Pat Allanson. Ils avaient observé leurs mimiques, s'étaient posé des questions sur eux, sur cette jolie femme qui chuchotait passionnément à l'oreille de son mari, murmurait à l'adresse des avocats, sur cet homme qui la couvait d'un regard amoureux. Ils ne les avaient pas vus s'embrasser entre deux audiences mais n'avaient pu que remarquer la tension sexuelle régnant entre eux. Ils avaient certainement été intrigués et auraient certainement aimé les entendre témoigner, tant de points semblant encore obscurs. Mais les deux parties étaient représentées par des avocats plus qu'habiles, et il était temps maintenant d'entendre les plaidoiries.

Bill Weller soutenait que Tom Allanson avait tué ses parents délibérément.

— Tout le désigne. Il n'y a pas d'autre explication raisonnable ; les seules circonstances raisonnables laissent entendre... que cet homme a tué sa mère et son père de sang-froid. Lui seul avait un mobile. Il n'y a pas de fantôme là-dedans.

Il ne fut pas loin de citer Pat Allanson comme complice, mais il aurait alors enfreint la loi. Elle n'avait été accusée formellement d'aucun crime, car le bureau du procureur ne savait trop où la situer, si toutefois elle y avait participé. Il posa la question que toute son équipe se posait.

— Pourquoi a-t-elle parcouru cette centaine de kilomètres depuis Zebulon jusqu'au quartier des Allanson, si ce n'était pour le déposer afin qu'il fasse ce qu'il avait à faire ? Et si c'était elle le ver dans le fruit ? La femme rejetée que les parents ne voulaient pas accepter parce qu'ils avaient déjà une autre belle-fille et deux petits-enfants ? Et cette façon qu'elle avait d'asticoter son entourage, ses cris, ses pleurs... et ses plaintes contre un certain exhibitionniste. Chaque fois qu'on entend un témoin, « Oui, elle était avec lui »... Cette épouse est partout. Elle est ici à l'attendre, et là-bas. Elle tourne autour de la maison en voiture. Il se rend à pied à Zebulon. Elle est dans la maison voisine, chez la grand-mère, une demi-heure auparavant.

Weller rappela au jury que Tom avait été vu sur Norman Berry Drive.

— Trois témoins directs... Ce policier qui l'a regardé dans les yeux trois ou quatre fois. M. et Mme Duckett qui ont vu la voiture de police descendre la rue avec lui. Ils l'ont décrit, jean, bottes, coiffure à la Tarzan, chemise foncée, ou gris-vert, enfin, du même genre.

Il acheva ses conclusions en appelant le jury à juste additionner les faits avérés. Tout était là.

Son tour venu, Ed Garland exposa qu'aucune certitude n'établissait la culpabilité de Tom.

— Et c'est exactement là-dessus que repose toute l'affaire. Nous ne disposons d'aucune certitude, d'aucune preuve irréfutable sur laquelle vous puissiez vous appuyer pour affirmer que le défendeur a fait feu sur ces deux personnes. Cette preuve n'existe pas. En revanche, on a des suppositions, des spéculations… et la preuve, au contraire, que quelqu'un d'autre a mené cette embuscade du 29 juin. Il n'existe aucune preuve formelle qui place l'accusé dans cette cave, pas une! Et si vous envisagez de donner un verdict de culpabilité, vous devez assumer. Dans cette affaire, vous ne disposez que de présomptions, de fragments de preuves indirectes. La loi se situe à un niveau plus élevé, qui dit que les preuves doivent exclure toute autre théorie raisonnable.

Effectivement, aucune preuve matérielle ne plaçait Tom dans cette cave charnier.

— Il n'y a rien, continuait Garland. Même pas une empreinte de botte sur le sol, dans le sang qui a éclaboussé le sol. Il fallait pourtant bien que quelqu'un soit passé par là. A-t-on trouvé la plus petite trace de sang sur les vêtements du défendeur? Ils sont allés l'arrêter chez lui, sans la moindre preuve, alors qu'il subsiste un doute raisonnable… Si vous voulez vous en tenir à la loi, vous allez donner un verdict d'acquittement parce qu'il subsiste des centaines de doutes raisonnables!

La voix d'Ed Garland baissa d'un ton alors qu'il prononçait ses dernières phrases. Il ne pourrait ensuite plus dire un mot, alors que Bill Weller en avait encore la possibilité : la charge de la preuve incombe toujours au procureur, qui a donc un droit de réfutation après la plaidoirie de la défense.

— Je vous demande de prononcer l'acquittement, acheva-t-il. En l'absence de charges suffisantes, il vous incombe de remplir votre devoir de jurés, et de rendre un verdict d'acquittement… Je vous confie maintenant la vie de Tom Allanson. Faites-en bon usage.

Pas à pas, dans sa réfutation, Weller reprit le fil des événements, affirmant que l'accusé avait forcé la porte de la cave de ses parents puis les avait attendus froidement afin de les abattre. Argument qui tenait fort bien, d'autant que le procureur savait se montrer persuasif.

— Je tiens à rappeler ce verset tiré des Saintes Écritures, du livre des Proverbes, et j'en aurai fini. « Celui qui maudit son père et sa mère, sa lampe s'éteindra dans les ténèbres. »

Le jury pouvait déclarer Tom coupable de meurtre, non coupable de meurtre mais coupable d'homicide volontaire, ou non coupable. Point.

Le jury se retira pour délibérer le vendredi 18 octobre, à 18 heures. À 20 h 27, il demandait à revoir la cour. Le juge Wofford comprit qu'ils avaient une question à poser. Mais ce n'était pas une question. Joseph Thackston, le comptable, avait été élu président du jury et il déclara :

— Nous sommes parvenus à une décision, Votre Honneur.

— Vraiment ?

— Oui.

Le juge Wofford leur fit immédiatement regagner le tribunal puis fit appeler Ed Garland et Bill Weller. Personne ne s'attendait à un verdict si rapide. Tom fut tiré de sa cellule, et le colonel et Maggy entrèrent dans la salle en soutenant Pat.

À 20 h 44, tous étaient rassemblés et Pat observait le jury d'un regard plein d'espoir.

— Monsieur le président, demanda le juge, le jury a-t-il rendu un verdict ?

— Oui, Votre Honneur.

— Monsieur le procureur, pouvez-vous recevoir et publier le verdict et, monsieur Allanson, pouvez-vous vous lever pour l'entendre avec votre avocat et faire face au jury ?

Le procureur adjoint Weller déplia la feuille de papier et se mit à lire.

— À la date du 18 octobre 1974, nous, le jury, nous déclarons en faveur...

Tom souffla et Ed Garland esquissa un sourire... mais cela ne dura que le temps d'un soupir. Weller continuait sa lecture :

— Nous, le jury, nous déclarons en faveur d'un verdict de culpabilité sur les deux chefs d'accusation de meurtre...

Les jurés s'étaient trompés dans la terminologie. Ils déclaraient Tom coupable, mais après s'être déclarés en faveur de son acquittement... La déconvenue n'en fut que plus amère.

— Vous allez regagner la salle des délibérations pour corriger votre verdict, expliqua le juge Wofford. Il faut écrire : « Nous, le jury, déclarons l'accusé coupable. » Vous avez utilisé une formule à contresens.

Ils revinrent après avoir effectué leur correction.

Ed Garland demanda que chaque juré se prononce ouvertement. Tom restait de glace, blême et impassible. Pat considérait ces hommes et ces femmes d'un air incrédule, le menton tremblant, les yeux pleins de larmes. Alors que chacun prononçait le mot « coupable » à haute voix, elle tituba, comme si elle allait s'évanouir.

En Géorgie, la justice était rapide ; inutile d'attendre la sentence, Tom Allanson allait connaître son sort avant de quitter le tribunal. Il pouvait être condamné à mort... deux fois. La chaise électrique.

Weller demanda à s'adresser à la cour. Tous s'attendirent à ce qu'il réclame la peine de mort. Cependant, il commença :

— J'ai parlé à la famille du défunt M. Allanson et... je crois pouvoir affirmer qu'ils ne veulent pas voir la peine de mort appliquée dans cette affaire, en raison des liens affectifs entre le défendeur et ses parents défunts. En fonction des souhaits de la famille, nous allons donc écarter la peine de mort et demander à la cour une double réclusion criminelle à perpétuité.

Quelques instants plus tard, le président Thackston redonnait la sentence du jury à Bill Weller. Suivant les injonctions du juge, il avait hâtivement rédigé de sa main les mots qui allaient déterminer l'avenir de Tom Allanson.

— Votre Honneur, dois-je énoncer la sentence ?

— S'il vous plaît, monsieur le procureur.

— Nous, le jury, fixons la peine du défendeur à la réclusion à perpétuité pour les deux chefs d'accusation.

Tom et Ed Garland entendirent le juge relire la sentence puis lever la séance.

Il était 21 heures; seize minutes seulement s'étaient écoulées depuis qu'on avait rappelé la cour.

Pat se jeta dans les bras de son mari et l'embrassa sur la bouche, s'accrochant désespérément à lui, jusqu'à ce que deux gardes viennent passer les menottes à Tom et l'emmènent.

— Tom! cria-t-elle.

Il s'arrêta, se retourna, lui jeta un regard empli d'une détresse aussi totale que muette.

Elle lui envoya un baiser.

— Je te vois demain? lui demanda-t-elle.

Il hocha la tête.

— Bon, dit-elle avec un large sourire.

Comme pour l'encourager.

Assise au premier rang de la salle, Maggy lui lança :

— Tommy, nous t'aimons!

Il s'était montré tellement reconnaissant quand, alors qu'il commençait sa liaison avec Pat, les Radcliffe lui avaient ouvert grand leur maison et leur cœur. Ils avaient transformé sa vie. Comment les choses avaient-elles pu si mal tourner?

Techniquement, il pourrait demander une mise en liberté conditionnelle au bout de sept ans. Mais qu'importait? Sept années sans Pat, c'était comme mille années sans oxygène. Tirant légèrement sur ses menottes, il se pencha pour mieux la voir. S'il l'avait voulu, il aurait pu se débarrasser d'un coup d'épaule des deux hommes qui le tenaient, mais cela ne lui vint même pas à l'esprit. Il regarda Pat sortir du tribunal, accrochée aux bras de ses parents, puis se laissa emmener.

Il ne savait pas que le juge Wofford en personne était descendu de son estrade pour s'entretenir avec les Radcliffe et la fille de Pat, Susan. Susan Alford avait essuyé ses larmes pour écouter les paroles de réconfort du juge.

— C'est vraiment triste! Ce garçon n'a pas eu de chance. Il se trouvait bien dans cette cave le jour du double meurtre. Il s'est alors passé quelque chose, peut-être une terrible dispute. Mais ce n'était pas prémédité. Pourquoi a-t-il fallu que ça se termine ainsi?

Il ne faisait que dire à haute voix ce que chacun pensait. Comment ce gentil garçon pouvait-il finir en prison pour avoir tué de sang-froid son père et sa mère? Pourquoi ce parfait amour qu'il avait fini par trouver avec Pat devait-il s'achever dans une telle horreur?

TROISIÈME PARTIE

Pat

17

Mary Linda Patricia Vann. C'était le nom qu'on lui avait donné à sa naissance. Mais elle en porterait beaucoup d'autres durant sa vie. Pat était le seul qui lui resterait à jamais. Elle était née dans une famille du Sud, aux racines si profondes qu'aucun scandale ne saurait jamais la désunir.

C'était une Siler. Et les Siler prenaient soin des leurs. En leur honneur existait une Siler City, en Caroline du Nord. Son grand-père paternel était Tasso Wirt Siler, né le 3 novembre 1879 ; il s'était d'abord destiné à devenir pasteur luthérien mais avait changé de religion pour devenir un baptiste passionné, toujours à menacer son auditoire des flammes de l'enfer. Grand et fort, plein d'esprit et de générosité, il avait d'épais cheveux gris qu'il coiffait d'un coup de paume, et portait des lunettes rondes. C'était un homme hautement respecté dans cette communauté très unie. Un homme de bien.

En 1900, à vingt et un ans, il épousa Mary Vallie Phillips, de cinq ans plus jeune que lui, une jeune fille mince, éthérée, très belle, qui semblait trop fragile pour servir son mari et le Seigneur comme femme de pasteur. Mary Siler laissait rarement paraître ses émotions profondes, préférant réciter alors proverbes et poèmes optimistes, rédiger son journal...

« Nous étions si heureux, écrivit-elle pour décrire sa vie de femme mariée. Comment croire que nos existences auraient pu tourner si mal ? Mais il vaut mieux ne pas connaître son avenir. Certains ne pourraient le supporter. »

Soixante ans plus tard, elle se plaignait de voir arriver une année de plus.

« Ce que nous avons fait n'existera bientôt plus que sous la forme d'un livre scellé. Bonnes ou mauvaises actions, nous ne pourrons rien y changer. Il en sera ainsi. C'est triste, car certains d'entre nous auront entaché les pages de notre livre de nombreuses paroles mauvaises à l'adresse d'un autre, à moins que nous ne nous soyons pas donné assez de mal pour rendre heureux notre prochain. »

Le révérend Siler et madame allaient occuper d'innombrables presbytères autour de Wilmington et Warsaw, en Caroline du Nord, au cours des cinquante années qu'ils allaient passer ensemble. Mary était consciencieuse, appliquée et féconde. Elle donna naissance à treize enfants. Par la suite surnommée « les Bonnes Sœurs » par une jeune génération irrévérencieuse, les filles étaient Edna Earl, Swannie Lee, Florence Elizabeth, Alma Mehetibel, Mary Louise, Thelma Blanche, Myrtle Margureitte, dite Maggy, et Agnes Fay. Les garçons furent appelés Mark Hanna, Wade Hampton, Robert Winship et Floyd Frazier. Mark mourut en bas âge, ainsi qu'une fillette qui n'eut pas le temps de se voir attribuer un nom. Comme le salaire d'un pasteur ne pouvait guère nourrir davantage d'enfants, les Siler optèrent pour l'unique contrôle des naissances envisageable dans les années 1920 : Mary et son époux firent chambre à part, et ce fut l'abstinence. Elle n'avait que trente-sept ans, et Tasso quarante-deux.

Maggy était particulièrement attentive à l'histoire de la famille Siler. En 1991, elle dresserait fièrement la liste des 241 descendants de ses parents jusqu'à la sixième génération. Ils avaient eu 13 enfants, 47 petits-enfants, 95 arrière-petits-enfants, 84 arrière-arrière-petits-enfants et 2 arrière-arrière-arrière-petits-enfants. Avec les années, il y eut des tragédies, comme dans toutes les familles : des bébés qui moururent, de jeunes soldats qui ne revinrent jamais de la guerre, des enfants qui succombèrent au cancer, aux rhumatismes articulaires, et l'un d'eux mourut empalé sur une colonne de lit. Une jeune épouse s'éclipsa, laissant ses enfants à qui en voudrait, une autre jeta son bébé à la poubelle (il survécut), et quelques descendants, ou leurs conjoints, firent de la prison pour crimes violents. Cette minutie un rien négative ne fut jamais officiellement reconnue et les mariages ratés furent tout simplement passés sous silence dans l'arbre généalogique.

« Nous avons tous tellement de chance, écrivit Maggy dans une plaquette qu'elle distribua au cours de la vingt-cinquième réunion de la famille Siler, de bénéficier d'un si merveilleux héritage ! Pas un parmi nous ne peut nous reprocher nos fautes de l'enfance… Je me rappelle comment, pendant les orages, mère nous réunissait pour nous faire chanter " Plus près de Toi, mon Dieu ", pendant que papa allait à la fenêtre observer les éléments en furie. Mère disait qu'il défiait le Seigneur de le frapper. »

Peut-être davantage que dans la plupart des familles, les Siler avaient leurs idiosyncrasies, et ils savaient ce qu'ils voulaient. Thelma, fillette en parfaite santé, refusa de marcher jusqu'à ses cinq ans. Lorsque le révérend Tasso Siler mourut subitement, en tombant dans son jardin en 1960, à l'âge de quatre-vingt-un ans, des centaines de personnes assistèrent à ses obsèques et sa veuve fut tellement affectée qu'il lui fallut un fauteuil roulant. Elle n'était pas malade : tout comme Thelma, elle avait tout simplement décidé de ne pas marcher. Elle finit par se remettre debout mais ne se consola jamais de la mort de son mari. Cependant, s'il existait des excentricités, des disputes, des récriminations ou même des bannissements de la famille, personne, à l'extérieur, ne devait être au courant. Envers et contre toutes les pressions possibles, les filles Siler continuaient de considérer le monde avec une inflexible sérénité, de leur « regard de cristal ».

Maggy était parmi les dernières-nées de la progéniture du révérend et de madame, et sans doute la plus jolie de leurs enfants : le visage en forme de cœur, un front haut et bombé, d'immenses yeux bleus et des lèvres charnues. Atteignant sa puberté au cours des sombres années de la Grande Dépression, dans l'austère foyer d'un pasteur baptiste, elle passait pour une rebelle. Cette même rébellion et sa fertilité allaient causer beaucoup de chagrin à sa mère si douce et si loyale.

Selon une mode assez répandue dans la famille, Maggy s'enfuit à Wilmington avec Robert Lee Vann alors qu'elle n'avait que quinze ans et tomba enceinte. Vann n'était encore qu'un gamin d'à peine cinq ans son aîné. Il n'est pas dit qu'ils aient jamais vécu ensemble, mais, le 16 mars 1936, à seize ans, elle donna naissance, dans la maison de ses parents, à son premier enfant, une petite fille mort-née. Elle pleura et la nomma Roberta.

Comme pour se rattraper, Maggy fut vite de nouveau enceinte. Elle se disait que la petite Roberta aurait sans doute vécu si elle avait été mise au monde à l'hôpital. Aussi insista-t-elle pour que ce soit le cas de l'enfant suivant : celui-ci naquit le 22 août 1937, à Wilmington, en Caroline du Nord, une ville au bord de l'océan Atlantique. La fillette vit le jour à 6 h 18 du matin, et sa jeune mère se réjouit de la voir vivante et en bonne santé. C'était Patricia ; d'aucuns dirent qu'elle remplaçait la petite Roberta.

Maggy indiqua son nom de jeune fille sur le certificat de naissance et mit vingt ans, pour son âge. Elle en avait dix-huit. Elle affirma aussi être mariée depuis trois ans à Robert Lee Vann, vingt-trois ans, employé dans un magasin de radio. Pourtant, certains membres de la famille doutaient qu'il soit vraiment le père de Patty.

S'ils ont jamais existé, les documents relatifs au mariage et au divorce de Maggy et Vann ont

195

disparu. L'un des frères de Robert Lee, de dix ans son cadet, n'a gardé aucun souvenir de cette union, pas plus que de l'avoir vu travailler dans un magasin de radio ; pour lui, il était cheminot. Il peut bien sûr se tromper puisqu'il n'avait pas dix ans lorsque son aîné était avec Maggy.

Bien que celle-ci ait affirmé que Vann était son mari et le père de ses enfants, sans doute n'était-il qu'un alibi. Certains membres de la famille croyaient qu'elle était tombée amoureuse d'un homme marié, fermier et charpentier à Warsaw, en Caroline du Nord, un certain John Cam Prigeon, jeune homme blond de haute taille, aux lèvres charnues, aux larges oreilles. Une véritable terreur, aussi révolté que le père de Maggy était pieux, et alcoolique, bagarreur, ne faisant que ce qu'il voulait. Sa femme connaissait la plus belle des filles du pasteur, mais elle ne disait rien. Son mari était un homme violent.

Dans son foyer baptiste, la conduite de Maggy n'avait pas dû être acceptée sans grincements de dents ; cependant, la famille avait fait corps autour d'elle, en espérant qu'elle finirait par exclure Cam du paysage. Après tout, n'était-ce pas une Siler ? La jeune maman revint à Warsaw, en ce brûlant été de 1937, pour vivre chez ses parents avec son bébé. Depuis des mois, les journaux ne rapportaient que des catastrophes : cinq cents écoliers texans morts dans une explosion, Amelia Earhart perdue dans l'océan Pacifique, le dirigeable *Hindenburg* transformé en boule de feu, le roi d'Angleterre qui abdiquait, la star blond platine, Jean Harlow, qui succombait à un empoisonnement urémique à vingt-six ans, et la guerre qui menaçait en Europe et en Asie.

Ce fut également cette année-là que Margaret Mitchell gagna le prix Pulitzer pour son roman *Autant en emporte le vent*, évoquant les douceurs de la vie du vieux Sud et les horreurs de la guerre de Sécession. Sa belle héroïne, femme courageuse et rusée, allait devenir le modèle de Patricia.

Maggy devait travailler, aussi fut-ce Mary Siler qui éleva la fillette durant les cinq premières années de sa vie. Patty l'appelait « Mama » et celle-ci la gâtait outrageusement. L'enfant partageait sa vie et son lit, et se voyait passer ses moindres caprices.

La fillette était ravissante avec ses boucles d'or et ses grands yeux, verts comme les premières feuilles d'avril. Mama Siler l'habillait des plus jolies petites robes à smocks, de bonnets pour la protéger du soleil et de ballerines blanches. Sa tante Edna, tellement plus âgée que Maggy qu'elle lui était presque une seconde mère, confectionnait tous les vêtements de l'enfant. Et chacun de la trouver plus jolie que Shirley Temple.

Elle était la petite reine de la famille.

— Après Dieu, disait souvent sa grand-mère, c'est Patty que j'aime le plus.

Il y avait toujours des fruits dans le verger et des légumes apportés par les paroissiens, mais Patty ne mangeait que des crêpes. On avait renoncé à lui faire avaler autre chose.

De même, elle seule avait droit au Coca-Cola. Quand les autres enfants n'étaient pas sages, ils avaient droit au fouet. Ce ne fut jamais le cas pour

Patty. Si l'enfant faisait une bêtise, sa grand-mère lui murmurait à l'oreille :

— Penche-toi comme si je te donnais une fessée et pleure très fort.

Cependant, sa mère travaillait dur pour les faire vivre, tout en cherchant à faire la carrière qui lui permettrait de mener la vie dont elle rêvait. Intelligente et vive, elle aspirait à entrer dans la société des éleveurs de chevaux, chasser à courre, participer à des concours en jodhpurs et vestes très cintrées. Elle rêvait du grand amour, alors que ses journées s'écoulaient, moroses, au fond d'un bureau. Aussi fertile que sa mère, elle fut de nouveau enceinte pour la troisième fois alors qu'elle n'avait pas vingt ans.

Cette fois, elle ne prétendit pas avoir un mari. Elle avait d'autres décisions beaucoup plus douloureuses à prendre : elle devait travailler et Mama Siler ne pouvait se charger de deux bambins. Maggy allait devoir abandonner celui-ci, le faire adopter. Elle alla donc s'installer au Florence Crittendon Home, à Washington, un foyer dont il lui fallait payer la pension; elle devait aussi faire face aux lourdes dépenses de santé avant l'accouchement. Alors elle accepta de suivre la formation d'infirmière que proposait le centre. C'était beaucoup de travail pour une fille enceinte, mais elle fit face, comme elle l'avait toujours fait et le ferait toujours dans la vie.

— J'ai une formation d'infirmière, assurerait-elle encore cinquante ans plus tard. Je n'ai pas passé le diplôme, vous comprenez, mais j'ai deux ans de formation.

Le 10 octobre 1939, après vingt-quatre heures de travail, elle donnait naissance à un solide garçon de quatre kilos trente-cinq, aux cheveux blonds, qui ne ressemblait en rien à sa délicate sœur aînée. Certaines personnes trouvèrent qu'il ressemblait beaucoup à Cam. Elle l'appela Reginald Kent Vann, mais pour tous il serait bientôt Kent.

Dès qu'elle le prit dans ses bras, elle l'aima trop pour le faire adopter. C'était tout à fait elle : quoi qu'il arrive, elle aimerait toujours ses enfants et les assumerait. Nul ne pouvait l'obliger à abandonner son bébé. Mais elle devait rester à Washington et travailler au centre jusqu'à ce qu'elle ait fini de payer ses dettes. Elle transportait des bassins hygiéniques et changeait les draps jusqu'à en tomber de fatigue. Au moins garda-t-elle son bébé.

Bien que Maggy ait indiqué Vann comme nom de famille sur le certificat de naissance, l'identité du père ne fut pas renseignée. On avait aussi barré la case « Oui » et la case « Inconnu » à la rubrique « Légitime ? », pour ne laisser que le « Non ». Quand elle retourna dans sa famille, à Warsaw, les habitants s'émerveillèrent devant la beauté de l'enfant et nul ne se cacha qu'il ressemblait à John Cam Prigeon, au point qu'en le voyant on s'exclamait :

— Voici le petit Cam !

Maggy ne possédait pas grand-chose et n'avait aucune raison d'espérer que sa vie pourrait s'améliorer à l'avenir, mais elle était jeune, en bonne santé et très jolie. Elle désirait tellement offrir un foyer à Kent et à Patty qu'elle jurait d'« aider » ses enfants toute sa vie, de leur offrir un monde parfait.

Elle s'efforçait de passer le plus de temps possible avec eux, essayant de rattraper les premières années de l'enfance de Pat. Car toutes deux n'avaient pas encore eu vraiment la possibilité de s'attacher l'une à l'autre. Maggy était mortifiée d'avoir dû confier la fillette à sa mère, même si elle adorait Mama. Dans le monde où elle avait grandi, une femme parfaite souffrait en silence et se mettait au service de sa famille. Parfois, elle se demandait comment faisait sa mère ; pourtant, elle se promettait de l'imiter. Par la suite, en y repensant, elle murmurerait :

— On est sur terre pour faire tout ce qu'on peut pour ses enfants.

Elle croyait plus ou moins à la réincarnation.

— Le médecin pour qui j'ai travaillé de si longues années me disait toujours : « Vous êtes revenue pour aider quelqu'un. »

Finalement déçue par sa vie amoureuse, Maggy commençait à regarder ailleurs. La chance tourna presque d'un coup. Tandis que le reste du monde s'enfonçait dans les ténèbres de la Seconde Guerre mondiale, celui de Maggy s'épanouissait soudain.

Dès lors, qu'elle ait rencontré celui qui allait devenir le compagnon de toute une vie de la façon la plus romantique, comme ils l'évoquaient tous deux, ou d'une façon beaucoup plus banale, selon les dires de ses sœurs, au fond, peu importait. Selon Maggy, elle avait fait la connaissance du sous-lieutenant Clifford Brown Radcliffe en 1942, au cours d'un bal à Washington. À l'entendre, cette première entrevue avait de quoi faire rêver n'importe quelle écolière.

— Ça ne s'est pas passé comme ça, rectifierait une de ses sœurs. Maggy travaillait comme serveuse à la maison de l'*Écrevisse* près du Fort Bragg, à Fayetteville, où Clifford est venu dîner. Voilà tout.

Quoi qu'il en soit, leurs regards se croisèrent au milieu d'une salle bondée et ce fut le coup de foudre. Les cheveux et les yeux sombres, ce jeune officier de six ans son aîné était très beau, quoique à peine plus grand qu'elle, avec des traits classiques qui lui donnaient un air de star de cinéma des années 1940. Il venait d'une vieille famille du comté de Westchester, dans l'État de New York, dont les ancêtres étaient arrivés avec le *Mayflower*. Il possédait une voix grave et dévisageait la jeune femme d'un air fasciné.

Il l'était, à vrai dire, et pas découragé le moins du monde d'apprendre qu'elle avait deux enfants en bas âge. Ils se marièrent le 8 janvier 1942, dans la chapelle du Fort Bragg, et Maggy apprit la nouvelle à sa mère en annonçant qu'elle pouvait désormais s'occuper de ses bambins puisqu'elle avait un mari prêt à les emmener là où il serait affecté.

Cela commença par un déménagement vers le Texas ; il était temps pour Maggy de redevenir la vraie mère de Pat. Ses sœurs la supplièrent de leur laisser la fillette.

— Ne cause pas ce chagrin à Mama… Avec son cœur malade, tu vas la tuer si tu lui reprends cette petite.

Mais Maggy ne voulut rien savoir. Il y avait des années qu'elle attendait ce moment. Clifford et elle emmenèrent les deux enfants ; le voyage s'effectua en train jusqu'au camp militaire de Mineral Wells. Patty avait cinq ans et demi, et des idées déjà bien arrêtées. Elle détournait la tête chaque fois qu'on lui proposait de manger autre chose que des crêpes. Maggy la sentait capable de se laisser mourir de faim si elle ne cédait pas, si bien que l'enfant ne se nourrit de rien d'autre pendant tout le voyage et au cours des semaines qui suivirent.

Elle ne cessait de réclamer Mama.

À Siler City, celle-ci était inconsolable. On lui avait pris son bébé. Elle resta alitée des jours durant, à pleurer cette perte. Elle n'en mourut cependant pas et vécut même encore plusieurs décennies. Maggy avait repris sa petite fille et s'étonnait de ce chagrin.

— Ce n'était pas naturel que ma mère s'attache à ce point à Patty.

18

Bien que Patty et Kent n'aient eu que deux ans de différence, ils avaient des tempéraments complètement différents. Têtue et gâtée, la fillette avait l'habitude que tout et tous cèdent devant elle, et cela continuait avec sa mère. Elle était si délicate, si jolie ! Quand elle était contente, son rire tintait comme une clochette. Quand elle pleurait, elle vous brisait le cœur. Impossible de dire non à Patty.

Kent était un garçonnet sensible et appliqué, blond comme un Scandinave, les oreilles décollées.

On ne pouvait le trouver beau, sa structure osseuse était trop forte, mais c'était un gamin adorable au regard franc ; et, s'il passait derrière sa sœur, il semblait trouver cela normal.

Patty manquait singulièrement de patience à son endroit. Sans doute se trouvait-elle mieux dans la peau d'une enfant unique et s'énervait-elle quand toute l'attention ne lui était pas consacrée. Ces cinq premières années en compagnie de Mama Siler l'avaient rendue d'un égoïsme profond. Elle avait besoin de se trouver sous la lumière des projecteurs, sinon, elle avait froid. Elle considérait son frère comme un intrus.

— Elle le détestait, dirait un témoin. Elle a toujours voulu se débarrasser de lui.

Elle fut presque exaucée. Malgré sa bonne santé, Kent contracta une méningite peu après l'arrivée de la famille à Mineral Wells. La base était en effet soumise à une épidémie massive. Sa fièvre monta à plus de quarante pendant plusieurs jours et il faillit mourir. S'il finit par guérir, il en resta presque sourd ; après quoi il dut porter un appareil et apprit à lire sur les lèvres. Les personnes qui n'étaient pas au courant ne pouvaient deviner son état, sauf si elles détournaient la tête tout en lui parlant.

Maggy et Clifford Radcliffe laissèrent Patty et Kent croire que ce dernier était leur père. Il avait si bien accepté les enfants que cela semblait aller de soi. Inutile de jeter le trouble sur cette famille qui s'était si bien reconstituée.

Lorsque « papa Cliff » partait à la guerre, Maggy aimait emmener les enfants dans sa belle-famille à

203

Mamaroneck, dans l'État de New York. Ses beaux-parents l'acceptèrent bon gré, mal gré, pas trop contents que leur fils ait épousé une femme qu'ils estimaient divorcée; mais ils finirent par admettre qu'elle se montrait gracieuse et charmante et s'occupait admirablement de ses enfants. C'était une mère très dévouée. Il est fort possible qu'eux aussi aient cru que Patty et Kent étaient les enfants de Clifford; ils parlaient souvent de ressemblances physiques...

Et puis ces gamins étaient un rêve pour grands-parents. Pat ressemblait toujours à une gravure de mode avec ses petites blouses, ses ballerines vernies, ou son chapeau rond et sa redingote. Kent n'était pas en reste avec sa coupe au carré et sa casquette d'Eton, assortie à son manteau de tweed, ses chaussettes un peu trop hautes. On le voit sur une photo où il n'a pas l'air très à l'aise dans cette tenue, sans doute trop sage à son goût.

Il idolâtrait son beau-père, souvent parti à la guerre; quand Clifford était à la maison, Kent admirait les uniformes toujours impeccables de cet homme un peu froid qui manquait de patience avec les petits garçons. Après tout, celui-ci n'avait-il pas connu la même distance de la part de son propre père?

Clifford aimait les petites filles qu'on pouvait habiller comme des poupées, et il réprimandait sa femme si les vêtements de Patty n'étaient pas parfaitement propres et repassés; il ne voulait pas voir le moindre accroc, le moindre trou sur ses robes ou sur ses culottes. Il se montrait moins exigeant vis-à-vis des petits garçons, naturellement plus turbulents. Pourtant, Kent cherchait à tout prix son approbation. C'était un enfant intense et profond, qui se fixait des buts impossibles à atteindre. Alors même qu'il exigeait tant de lui-même, il paraissait déjà savoir qu'il n'irait pas jusqu'au bout.

La Seconde Guerre mondiale fut une époque de grande solitude pour Maggy Radcliffe, mais sans commune mesure avec ce qu'elle avait connu avant. Quand Clifford était en Allemagne, au moins savait-elle qu'il allait lui revenir… s'il le pouvait. Elle croyait du fond du cœur qu'il lui avait dit la vérité en assurant qu'il l'adorait depuis le premier instant et qu'il en serait toujours de même – ce dont elle se réjouissait.

Jusqu'au jour où Clifford Radcliffe fut porté manquant; elle ne savait plus s'il était vivant ou mort. Elle finit par apprendre qu'il avait été blessé au visage en Allemagne. Elle l'aimerait quoi qu'il arrive, évidemment, mais lui qui était si beau, elle trouvait particulièrement tragique qu'il risque d'être défiguré. On lui dit seulement qu'il avait été envoyé se faire soigner en Angleterre.

Son retour à la maison fut romantique comme une chanson d'amour. Un jour, elle entendit une canne toquer à sa porte. Elle courut ouvrir et c'était Clifford. Sain et sauf! Il avait laissé pousser sa moustache pour cacher ses dernières cicatrices. Finalement, tout allait bien.

Maggy s'était fait une place dans la société : femme mariée, épouse d'officier, elle entrait de plain-pied dans le monde hiérarchisé des femmes de militaires. Elle suivait Clifford dans ses promotions mais aussi dans ses affectations. C'est ainsi qu'après la guerre la famille partit pour l'Allemagne, puis pour le Japon, avant Atlanta, l'Alabama, pour retourner ensuite en Allemagne. Ils n'eurent pas d'enfants, mais Clifford traita toujours Pat et Kent comme s'ils étaient les siens.

Il finit par devenir le colonel Radcliffe. Il travaillait dans les renseignements, la branche d'élite de l'armée, et cela lui convenait à la perfection, avec sa finesse et sa méfiance naturelles. Quand il arpentait les rues de Francfort en imperméable, le vent soufflant légèrement dans ses cheveux grisonnants, le colonel Clifford Radcliffe semblait tout droit sorti d'un film d'Alfred Hitchcock. Et malheur au subalterne incapable d'adhérer à ses notions des règlements militaires !

Maggy était une épouse modèle. Jamais elle ne perdit son accent du Sud ni ses intonations chantantes. Lorsque tous deux se rendaient à une réception officielle, ils avaient une allure folle. Elle possédait la silhouette idéale pour les robes du soir en mousseline et ses jambes superbes n'étaient que mieux mises en valeur dans ses souliers à talons aiguilles ; quant à Clifford, il portait l'uniforme à la perfection.

Par la suite, Maggy raconterait à ses petites-filles que, où qu'ils soient cantonnés, il se trouvait toujours des hommes pour lui faire des avances.

— Votre grand-père était horriblement jaloux. Au mess des officiers, si je dansais avec un autre homme, il s'énervait, au point que je finissais par refuser toutes les invitations, même d'amis proches ! J'aimais trop papa pour avoir envie de l'irriter. Je devais lui prodiguer toutes mes attentions.

Patty semblait apprécier cette vie itinérante. C'était une enfant si délicieuse qu'elle était bien accueillie où qu'ils aillent. Les gens la gâtaient tous autant que sa grand-mère et ses tantes en Caroline du Nord. Maggy ne pouvait se résoudre à couper ses boucles dorées qui finirent par lui arriver à la taille. En général, elle portait des tresses qu'elle réunissait avec des rubans ou des barrettes. Parfois, elle parvenait à convaincre Maggy de laisser flotter ses cheveux en vagues souples. Quand ils vivaient au Japon, les autochtones tendaient une main timide pour caresser cette chevelure éclatante.

Ce fut là que Patty devint partenaire de tennis du jeune prince héritier. Maggy et Clifford furent enchantés de voir leur ravissante fillette fréquenter la famille impériale. Quant à l'enfant, elle n'en fut pas étonnée, elle qui avait toujours été traitée comme une petite princesse ! Au départ des Radcliffe, elle se vit offrir un kimono de cérémonie avec obi et sandales ; la lourde tenue de soie ne quitta jamais ses tiroirs, où qu'elle aille dans le monde. Patty adorait se déguiser.

À la puberté, elle ne prit ni rondeurs ni boutons. Elle fut une gracieuse adolescente et devint encore plus parfaite, si c'était possible. À treize ans, ses traits s'affinèrent et, de petite fille, elle évolua en une authentique beauté. Elle posa pour une photo dans une robe d'organdi blanc à fines bretelles, agrémentée d'une étole.

Elle avait fini par se couper les cheveux à la Jeanne d'Arc et portait un rouge à lèvres scintillant qui soulignait l'éclat de ses yeux verts. Ses dents étaient légèrement en avant, mais cela ne gâchait en rien sa beauté ; au contraire, cela lui donnait une moue sensuelle d'autant plus impressionnante que Patty devint bientôt une superbe jeune fille très typique de ce qu'on appelait les Belles du Sud... à la Scarlett O'Hara.

Elle paraissait dix-huit ans.

Si elle se montrait douce et gentille avec les adultes, il en allait autrement avec les jeunes de son âge qu'elle traitait durement, parfois même cruellement. Elle était de loin la plus jolie des filles du clan Siler et le savait fort bien. Ne le lui avait-on pas assez répété ! Un jour, apercevant un laideron de cousine qui la regardait se coiffer, elle se tourna en murmurant :

— Peut-être qu'un jour tu seras aussi jolie que moi, qui sait ?

Elle fit sa choquée quand elle la vit s'enfuir en pleurant ; pourtant, elle savait très bien trouver le point faible des autres filles, appuyer là où cela faisait mal.

En revanche, elle n'avait pas trop le goût des études bien qu'elle en ait l'intelligence. Elle préférait les travaux manuels et possédait un talent certain. Elle aimait aussi les romans sentimentaux, les poèmes dont elle se voyait devenir l'héroïne ; elle était Scarlett O'Hara, elle était Elizabeth Barrett Browning. Elle était la bien-aimée du bandit de grand chemin qui attendait derrière la fenêtre que son amant vienne l'enlever au clair de lune.

Évidemment, elle était attirée par les garçons. Et elle les attirait comme des mouches. À son âge, les filles étaient godiches et n'avaient pas de poitrine, mais Patty Radcliffe avait l'air d'une star de cinéma. Et, comme toujours, Kent passait inaperçu à côté d'elle. Timide, hésitant, alors qu'il maîtrisait remarquablement sa surdité, il avait régulièrement un temps de retard par rapport à ses camarades. Et Patty le détestait toujours autant. Tout ce qu'il faisait ou disait semblait irriter sa grande sœur.

Patty était en pleine adolescence lorsque le colonel Radcliffe fut nommé au Fort McPherson, à Atlanta. Toute la famille fut contente de l'y suivre ; et, là, l'histoire de la famille Siler se répéta de plus belle. La plupart de ses tantes et de ses cousines avaient eu des enfants avant vingt ans. Elle était âgée de quinze ans, et sa mère seulement de trente-trois ; pourtant, celle-ci s'inquiétait déjà des risques que leur faisait courir une fille aussi jolie qui paraissait plus que son âge. Mais qu'y pouvait Maggy ?

Patty n'avait jamais été soumise à aucune loi, à aucune barrière susceptible de la couper dans ses élans.

Elle rencontra Gilbert Taylor, dix-huit ans, fils de militaire lui aussi, à une soirée sur la base de Fort McPherson ; elle trouva terriblement beau ce jeune homme maigrichon et dégingandé. Elle le para de tous ses rêves romantiques, et lui se laissa charmer sans peine par cette ravissante adolescente. D'un seul coup, elle passa de l'enfance à l'âge adulte. Elle refusait désormais de se laisser appeler Patty : il fallait désormais dire Pat.

Elle tomba enceinte presque immédiatement. Elle s'en fichait, elle n'avait qu'à se marier. Gil était à la fois fier et jaloux. Il voulait croire que c'était son bébé qu'elle portait, mais il savait qu'elle sortait aussi avec un autre garçon, un soldat. En fait, Gil était bien le père, cependant, ses doutes ne le quitteraient jamais. Il avait beau vouloir y croire, Pat semblait tout faire pour entretenir son incertitude.

Les parents de Pat auraient préféré qu'elle épouse un officier. Mike Downing, le beau-père de Gil, était une grande gueule de sergent et Eunice, sa mère, une plantureuse commère – certainement pas le genre de famille que Maggy eût même accepté de fréquenter. Eunice s'attifait sans complexe, comme si elle voulait encore souligner les courbes voluptueuses de sa silhouette. Dans son genre, elle était jolie, et puis elle faisait bien la cuisine, avait le cœur sur la main, tout le contraire de cette digne épouse de colonel qu'était devenue Maggy.

Quant au sergent, il adorait sa femme.

— Je remercie Dieu tous les soirs, disait souvent Mike.

Il la comblait de cadeaux, y compris des diamants et une nouvelle Cadillac tous les quatre ans. Eunice possédait de jolies choses, beaucoup plus de jolies choses que la plupart des épouses d'officiers. Maggy trouvait cela quelque peu vulgaire, mais c'était ainsi. Le colonel et madame furent bien obligés d'accepter l'inévitable. D'autant que ç'aurait pu être pire. Au moins Eunice avait-elle assez bonne réputation pour pouvoir s'occuper de nombreuses associations dépendant de l'armée.

Le mariage hâtivement préparé eut lieu dans la chapelle du Fort McPherson, le 6 septembre 1952.

— La seule chose qu'ils aient eu en commun, c'était l'attirance physique, commenterait plus tard Maggy d'un air contrit. Pat avait un QI très supérieur.

Le colonel aurait voulu l'envoyer dans une école de beaux-arts, elle possédait un tel talent... Il estimait qu'elle se gâchait l'existence avec un mariage aussi malencontreux.

Vêtue d'une robe de satin et mousseline à col bateau, coiffée d'un voile court sur une résille, elle tenait un bouquet d'orchidées à la main. Elle était charmante et paraissait au moins vingt-deux ans. Le marié avait nettement moins fière allure dans un costume trop grand pour lui, un œillet blanc à la boutonnière et des chaussures de golf qu'il avait oublié de changer avant la cérémonie. Il avait l'air d'un gamin dans les vêtements de son père.

Les jeunes mariés ne connurent pas une très longue lune de miel. Pour faire vivre sa famille, Gil, que sa mère appellerait toujours Junior, s'engagea dans l'armée. Il fut presque aussitôt envoyé en Corée et Pat retourna vivre chez ses parents. En fin de compte, rien n'avait vraiment changé. Maggy et Clifford s'occupaient d'elle et la solde de son mari lui servait d'argent de poche.

Certes, il y avait un bébé en route. Et Pat ne voulait surtout pas le mettre au monde dans un hôpital militaire. Pas question de se faire accoucher par un médecin qu'elle ne connaissait même pas. En outre, on disait que les jeunes mamans devaient se lever dès le premier jour, s'occuper de leur bébé et descendre prendre leurs repas à la cafétéria ! Dès lors, elle économisa pour pouvoir entrer dans un bon hôpital civil, le Gregorian Baptist. Malheureusement, deux fois elle crut le bébé arrivé à terme, et fit les deux fois appel à une ambulance : toutes ses économies s'envolèrent et elle dut se résoudre à accoucher à l'hôpital militaire.

Lorsque les véritables contractions commencèrent, le 4 mars 1953, Junior Taylor était loin d'arriver. Maggy et le colonel conduisirent néanmoins leur fille aux urgences. Elle se roulait de douleur à l'arrière de la voiture en gémissant combien Gil était cruel de la faire tant souffrir. Après avoir insisté auprès des médecins, disant qu'elle avait une bonne formation d'infirmière, Maggy fut autorisée à rester avec Pat dans la salle de travail. Ce fut sans doute la première fois qu'elle ne put atténuer les souffrances de sa fille.

L'enfant finit par venir au monde. Une petite fille brune. Susan. Sa mère avait seize ans, sa grand-mère trente-quatre.

— Je l'aimais tant, ce bébé ! se rappellerait celle-ci quarante ans plus tard d'une voix encore étouffée par l'émotion. Je ne sais pas ce qui s'est passé. Cette gamine est devenue un véritable démon. Une diablesse. Jamais je ne le lui pardonnerai.

Cependant, la tendresse des premiers temps devint vite mutuelle. Durant les trente premières années de sa vie, Susan parla de sa grand-mère comme de « la personne la plus adorable, la plus gentille que j'aie jamais connue. Je la trouvais parfaite ».

19

Contrairement à sa sœur, Kent travaillait bien à l'école et fit d'excellentes études. Il avait treize ans quand Pat et son bébé revinrent de l'hôpital. Il adora tout de suite sa nièce, la prenant dans ses bras, s'ébahissant devant cet être minuscule et si fragile. Pat le laissait jouer avec, quoiqu'elle éprouvât un certain agacement quand il se trouvait dans les parages. Certes, c'était une femme mariée, une mère de famille, qui rendait visite à ses parents en attendant le retour de son époux, donc, plus vraiment chez elle. Cependant, elle ne voyait pas les choses de cette façon. Depuis toujours, elle considérait son frère comme un intrus.

Dès lors que leur mère s'occupait de lui, elle ne consacrait pas tout son temps à elle et au bébé. Sans lui, les choses auraient été parfaites. Maggy faisait la cuisine et le ménage, et berçait Susan pour l'empêcher de trop pleurnicher. Pour Pat, c'était comme si elle n'était pas mariée et elle adorait se conduire à nouveau comme une petite fille.

En devenant grand-mère, Maggy changea d'identité. Si Clifford continuait de l'appeler Maggy, la petite Susan l'affubla vite du surnom de « Boppo ».

Quant au colonel, il devint « Papy ». Boppo et Papy entrèrent facilement dans leurs rôles de matriarche et patriarche d'une famille qui ne demandait qu'à s'agrandir. Du jour au lendemain, ils passèrent de la jeunesse à l'âge mûr, même s'ils formaient encore un beau couple. Ils étaient contents de rester basés au Fort McPherson.

Pat adorait leur maison. À chaque déménagement, Maggy trouvait le moyen de décorer leur nouvelle demeure avec goût. Parfois, ils se voyaient attribuer rien de plus qu'une sorte de grange; parfois, ils avaient droit à de magnifiques bâtisses. À force de voyager autour du monde, ils avaient acquis toutes sortes de souvenirs et de bibelots plus exquis les uns que les autres : vases délicats, tableaux, objets d'art, paravents japonais, services à thé en argent, épais tapis et meubles rutilants. Par la suite, lorsque la mère du colonel disparut, ils hériteraient de services en porcelaine et autres objets de famille.

Depuis longtemps Maggy s'était promis de vivre dans le plus grand raffinement; les épouses des jeunes officiers ne songeaient qu'à imiter sa grâce et sa distinction. Pourquoi Pat se contenterait-elle d'un minable appartement ou d'une vulgaire caravane quand elle pouvait se prélasser dans la belle demeure de ses parents? Elle avait joui d'un certain niveau de vie, s'était toujours habillée avec élégance. En outre, on lui avait sans cesse répété qu'elle avait quelque chose de plus que les autres. N'était-elle pas la seule fille d'un colonel?

Kent, lui aussi, se croyait fils de colonel, et il ne souhaitait rien tant qu'entrer un jour à l'armée, à son tour. Il était persuadé que cela ferait plaisir à son père.

Adolescent, il grandit très vite. En quelques jours, le gamin blondinet devint un jeune garçon couvert d'acné. Avec ses épaisses lunettes et sa coupe GI qui faisait ressortir ses oreilles décollées, il n'avait vraiment rien du bel homme qu'il allait devenir. Au lycée, il fit partie de l'équipe de natation, développant ainsi ses muscles et ses épaules. Il était beaucoup plus grand que le colonel, quoiqu'il guettât toujours son approbation en tout. Et l'obtînt rarement.

Un an plus tard, Gil Taylor revint de Corée, sain et sauf, et récupéra sa famille avec laquelle il partit rejoindre sa nouvelle affectation à Shirley, dans le Massachusetts. Malgré le minuscule appartement qui leur fut attribué, Pat semblait s'amuser à jouer les femmes au foyer. Comme la plupart des jeunes couples en garnison, ils ne possédaient pour ainsi dire pas de meubles : un méchant canapé orange et kaki, des tables en Formica et des couverts en plastique.

Gil s'était étoffé. Fort et bronzé, il devait peser une quinzaine de kilos de plus que le gamin maigrichon que Pat avait épousé, et cela lui allait bien. Elle se retrouva bientôt enceinte. Le 14 juin 1955, deux ans exactement après la naissance de Susan, elle mettait au monde une seconde fille, Deborah Dawn.

Boppo et Papy étaient alors en garnison à Gary, dans l'Indiana, et Maggy se faisait un sang d'encre pour sa fille chérie. À seulement dix-sept ans, Pat se retrouvait avec deux enfants sur les bras, ayant subi coup sur coup deux traumatismes. Elle avait toujours eu tendance à dramatiser, ne sachant pas maîtriser ses émotions. Si, avec Gil, ils n'avaient plus de quoi s'acheter de la nourriture à la fin du mois, elle se plaignait de leur misère abjecte et appelait ses parents au secours. Il y eut ainsi beaucoup d'« urgences » de ce genre, par exemple la fois où Pat fut « étouffée » par les émanations de la peinture fraîche qu'elle venait d'appliquer dans une chambre. Elle écrivait à sa mère qu'ils n'avaient pas de quoi manger et qu'il lui arrivait de guetter les pommes tombées à terre dans les vergers.

— Quand on peut s'offrir un peu de viande, ça ne va pas plus loin qu'un bifteck haché ou une côtelette de porc... S'il y a un morceau de pain, il est pour les enfants.

Maggy était bouleversée à l'idée que sa fille et les bébés puissent avoir faim.

Il semble qu'elle n'ait pas cessé de parcourir l'autoroute entre Gary, Indiana, et Shirley, Massachusetts. Elle fut horrifiée la première fois qu'elle entra dans l'appartement de Pat et Gil, d'abord parce qu'elle estimait le voisinage des plus douteux. Elle en parla au colonel.

— Cliff, on dirait qu'ils habitent dans un bordel. Ce n'est pas un endroit convenable pour eux.

Elle n'était rentrée seule chez elle qu'à contrecœur et, lorsque Pat téléphona pour annoncer qu'elle avait failli s'étrangler avec une côte de porc, sans doute servie au cours d'un des dîners « à une seule côte de porc », sa mère avait conduit toute la nuit pour venir la chercher, insistant pour ramener aussi ses enfants en Indiana. Gil laissa faire. Maggy expliqua à son mari qu'il y avait des rats partout dans cette maison, que Pat et les bébés étaient « dans un état épouvantable. C'était absolument pitoyable de les découvrir comme ça ». Susan n'oublierait pas de sitôt combien ils avaient été heureux de voir arriver leur grand-mère, la

« troupe » venue les sauver, même si elle ne comptait qu'une personne.

— Nous l'adorions. Quand Boppo a ouvert la porte, nous avons compris que tout allait s'arranger.

À Gary, Kent laissa sa chambre à sa sœur pour aller dormir sur le canapé du salon. Le pli était pris : désormais, Maggy Radcliffe allait consacrer sa vie à sauver Pat du danger. Grâce à l'appui enthousiaste de sa mère, Pat allait passer les années suivantes à voyager entre la maison de ses parents et les différentes affectations de Gil.

Il fut ainsi envoyé en Islande, en Allemagne et à Washington ; il passait le plus clair de son temps seul, car il y avait pléthore d'alertes et Maggy n'attendait que cela pour se précipiter à la rescousse. Un jour que Pat conduisait, Deborah poussa par inadvertance la poignée de la portière et tomba sur la chaussée. Par chance, il n'y avait pas de véhicule derrière elles.

Dans le journal de bord tenu par sa mère à l'époque, on trouve cette phrase sibylline : « À trois ans, Susan passe sous un camion. En sort indemne. » Susan ne se rappelait pas avoir jamais été touchée par un camion. Curieusement, tous les cadeaux reçus pour sa naissance, toutes ses mesures, ses premiers mots étaient énumérés dans le détail, mais un événement potentiellement aussi tragique que le fait de « passer sous un camion » ne comportait aucune précision.

Alors que Susan avait quatre ans et Deborah deux, Gil fut envoyé aux Philippines et persuada Pat de venir l'y rejoindre avec les filles. Tout s'arrangerait, il saurait les rendre heureuses. Il adorait sa belle jeune femme et fut enchanté d'apprendre qu'elle allait quitter sa mère pour venir avec lui.

Ce fut là que Deborah attrapa une mycose causée par leur chat et que ses cheveux tombèrent. Elle en resta presque chauve trois années durant, mais Pat lui fabriqua de jolis chapeaux pour camoufler sa semi-calvitie. Les deux sœurs en avaient un assorti à chacune de leurs robes, que leur mère cousait avec toujours plus de talent. Elle ne les habillait pas moins bien qu'elle-même ne l'avait été à leur âge, et les prenait en photo pour chaque événement de leurs jeunes vies. Susan et Deborah en manteaux et bonnets de Pâques, en robes de Saint-Valentin ou de Noël, deux fillettes aux yeux noirs ressemblant à des poupées.

— C'était bizarre, se souviendrait Susan. À cette époque, maman ne faisait pas trop attention à ce qu'elle portait... mais elle voulait toujours que nous soyons parfaites.

Pat traversa ainsi une période où elle s'habillait un peu comme une matrone. Finies les robes de princesse de son adolescence. À vingt ans, elle arborait des corsages serrés au cou et des jupes longues aux couleurs ternes, elle se faisait une raie sur le côté et tirait sévèrement en arrière ses boucles. De lourdes lunettes cachaient ses grands yeux verts et elle ne portait plus que des petits talons bien confortables. Cependant, elle avait conservé sa silhouette mince et attirante ; simplement, elle la cachait sous ces vêtements sans grâce, toute sensualité oubliée.

Malgré les ennuis de santé de Deborah, la famille passa de bons moments aux Philippines. Puis la situation se détériora. Pat écrivit à sa mère qu'elle avait fait deux fausses couches et avait besoin de l'aide de Boppo.

— J'étais enceinte de quatre ou cinq mois, j'étais toute seule. Je ne savais pas quoi faire, alors je m'asseyais sur les toilettes et je tirais la chasse.

Pourtant, cette fois, Boppo ne pouvait venir : elle était en Europe avec son mari et il lui fallait choisir. Pour une fois, ce fut Cliff.

Susan se rappelait vaguement avoir subi une légère blessure aux Philippines.

— Je ne sais plus trop comment, j'ai eu la main écrasée, peut-être une portière qui s'était fermée dessus ou je ne sais quoi. Je me souviens seulement que c'était Noël et que je me suis retrouvée à l'hôpital, où j'ai entendu chanter dans les couloirs. Ma mère est venue me voir, mais je ne voulais pas la regarder. C'est drôle ce que les enfants peuvent garder en mémoire. J'entendais ces chants et j'ai tourné la tête vers le mur, jusqu'à ce qu'elle s'en aille.

Pat écrivit de nouveau à sa mère, disant que, selon le médecin, Gil était une brute qui l'épuisait avec ses ardeurs sexuelles. Maggy en fut horrifiée et, lorsque Pat tomba de nouveau enceinte, elle insista pour la faire revenir aux États-Unis. Une fois de plus, Pat et les filles revinrent « dans la famille ». Boppo et Papy étaient toujours en Allemagne, mais Pat et les filles allèrent en Caroline du Nord avec Mama Siler, ravie de voir lui revenir sa Pat chérie. Celle-ci donna naissance à un garçon, cette fois. Ronnie Taylor naquit en novembre 1958.

À vingt et un ans, Pat était immature, gâtée, et apparemment incapable de s'occuper de son mari et de ses enfants sans l'aide de sa famille. Elle avait aussi tendance à broder sur la vérité et de grandes dispositions pour tout tourner au tragique, au point de piquer parfois d'effroyables crises de nerfs. Pourtant, sa famille la trouvait juste un peu anxieuse. Or, dans la haute société sudiste, l'anxiété passait presque pour une qualité chez les dames, un signe de délicatesse. Les Siler avaient engendré nombre de femmes « anxieuses ». Lorsque leurs simagrées devenaient un peu lassantes, le reste de la famille préconisait qu'il fallait les « faire soigner ». Sinon, leurs crises de panique passaient pour ainsi dire inaperçues.

En 1959, Pat et les enfants tentèrent à nouveau de retourner vivre avec Gil, dans le quartier de Magnolia Gardens, à Falls Church, en Virginie.

— Je crois qu'on lui donnait trop de travail, sans ma grand-mère pour l'aider, se souviendrait Susan.

Un nouvel aspect de la personnalité de Pat se faisait jour. Elle passait son temps à se disputer avec une autre femme qui habitait quelques étages plus haut. Maggy, revenue vivre aux États-Unis, fut atterrée, en lui rendant visite, de l'entendre vociférer des injures.

— Tu te conduis comme une poissonnière, la réprimanda-t-elle.

Pat bouclait en permanence sa porte à double tour et faisait peur à ses enfants en les prévenant que, sinon, quelqu'un allait venir les prendre. Susan, qui ne rêvait que de sortir respirer, traînait toujours dans le voisinage avant de rentrer ; elle se sentait plus en sécurité dehors qu'enfermée au milieu des angoisses de sa mère.

Personne, bien sûr, ne cherchait à entrer ni à enlever les enfants ; Pat voulait seulement que Gil revienne l'aider et, grâce à ses histoires, elle obtenait en général ce qu'elle voulait. Quand elle était petite, il lui suffisait de trépigner un peu pour que tout le monde soit à ses pieds. Devenue adulte, elle appliquait la même méthode en piquant ses crises de fureur. En fait, elle rêvait de retourner chez Boppo et Papy, de se voir libérer du poids de ses responsabilités.

Et puis elle voulait être riche.

Elle habillait toujours ses enfants avec un goût exquis, imitant Jackie Kennedy avec John-John, voulant que Ronnie lui ressemble. Elle économisait pour offrir à ses enfants ce qu'il y avait de mieux. Cependant, au moins une fois, elle fut prise à voler dans les boutiques de Falls Church. Elle avait caché dans ses vêtements des tenues Feltman Brothers, ce qui se faisait de mieux en matière de mode enfantine, très au-dessus de son budget. Maggy en fut consternée.

— Cet abominable inspecteur du magasin l'a entraînée dans le bureau et l'a traitée d'une façon inqualifiable. On aurait pu porter plainte contre lui, si on avait voulu.

La vie tournait mal à Falls Church. Ronnie souffrait de convulsions et cela devait durer jusqu'à ses douze ans ; quant à Pat, elle écrivit un jour que personne, dans tout l'État de Virginie, n'était poli avec elle. En recevant cette lettre, Maggy insista pour qu'elle revienne immédiatement à Atlanta.

Des deux enfants de Maggy, c'était son fils qui avait le plus besoin de soutien, mais Kent demandait rarement de l'aide. Devenu un beau jeune homme athlétique, il était rentré d'Europe le cœur brisé. Il s'était pris d'une folle passion pour une jeune Allemande blonde à la taille élancée, avec cette dévotion, cet abandon à l'autre auxquels on ne se laisse aller que lors d'un premier amour. Marianne Krauss aimait Kent en retour, elle était charmante et voulait l'épouser. Mais elle ne pouvait imaginer quitter ses parents pour partir s'installer aux États-Unis. Pas plus que Kent n'imaginait rester à jamais sur le Vieux Continent. Quand il repartit pour l'Amérique, Kent se sentait seul comme jamais.

Les ennuis s'accumulèrent, au point qu'il lui arrivait de trop boire. À jeun, il était gentil comme la plupart des grands gaillards peuvent l'être ; il n'avait rien à prouver, car il possédait une force surprenante. Même légèrement éméché, il restait agréable ; mais s'il dépassait une certaine quantité de bière ou de rhum-Coca et qu'on venait à le contrarier, il entrait dans des fureurs effrayantes, au point de dévaster le bar où il se trouvait.

Pourtant, cela ne lui ressemblait pas. Ces épisodes n'étaient qu'exceptionnels. Quand Kent souffrait, il avait plutôt tendance à se replier sur lui-même, à n'accuser que lui.

20

S'il existait des secrets dans la famille Siler, et ceux-ci ne manquaient pas, elle ne montrait cependant au monde qu'une surface lisse, une irréductible solidarité, faisant montre avant tout de charité et de piété religieuse. Encore petites filles, Susan et Deborah adoraient se balader en voiture avec leurs tantes.

— Elles chantaient, se rappelait Susan, oh, comme elles chantaient ! Elles nous emmenaient dîner dans des restaurants de poissons et elles n'arrêtaient pas, tout le long du chemin. Des cantiques. On adorait ça. Chacune des tantes essayait de faire mieux que l'autre et nous, on se sentait bien et heureuses.

Les « Bonnes Sœurs » faisaient souvent rire aux éclats les fillettes. La préférée de Susan était sa grand-tante Thelma, qui ne se gênait jamais pour dire ce qu'elle pensait, même à de parfaits inconnus. Elle récitait le bénédicité au comptoir d'un restaurant et se fichait bien de celui que cela faisait ricaner. Il lui arrivait aussi d'apostropher des femmes obèses :

— Je sais qu'on ne se connaît pas, mais il faut que je vous dise : vous avez un si beau visage que c'est bien dommage de vous laisser aller comme ça.

Elle était connue dans son Église pour donner son avis sur les questions les plus intimes qui pouvaient toucher un couple, même si on ne le lui demandait pas. Rien ne l'étonnait plus que ces gens qui paraissaient ne pas apprécier sa charité chrétienne.

— Mais je l'aimais tant, répétait Susan. Elle ne se trouvait pas jolie du tout, au contraire de mes autres tantes, mais elle était si bonne !

Les Siler se dépensaient sans compter en visites dans les hôpitaux et en cérémonies funèbres. Le révérend et Mme Siler avaient évidemment élevé leur progéniture dans cette optique : il fallait s'occuper des malades et adresser un dernier adieu à ceux qui partaient.

— Je sais, dit Susan, ça semble terrible, mais je n'ai jamais vu Boppo plus heureuse que lorsqu'elle allait voir les malades. Elle passait la journée auprès de personnes qu'elle connaissait à peine et ne cessait de répéter que c'étaient ses meilleurs amis. Bien sûr, s'ils restaient malades trop longtemps, elle se lassait un peu. Et quand quelqu'un mourait, elle apportait toujours un plat chaud à la maison du défunt. Une fois, je ne savais plus où me mettre parce qu'elle restait là à expliquer la recette des escalopes au maïs à tous ces gens en deuil.

Bien sûr, si les Siler aimaient tant s'occuper des autres, ils se soutenaient fermement les uns les autres. Les parents les plus proches de Pat Taylor, sa mère, son beau-père, ses grands-parents, ses tantes, formaient un véritable mur entre elle et le reste du monde. Dans quelque situation qu'elle se retrouvât, ils venaient toujours à la rescousse.

Cependant, d'autres, dans sa famille plus éloignée, la considéraient avec nettement moins d'enthousiasme, à commencer par ses cousines. Au début d'août 1966, la grande réunion de la famille Siler devait se tenir à White Lake, en Caroline du Nord. C'était un tribut annuel rendu à feu le révérend Siler, autour d'un énorme barbecue, de poulets rôtis, de salade de pommes de terre, de hachis aux légumes, de galettes et de toutes les tartes imaginables. Les femmes se relayaient pour préparer la cuisine, et les membres de la famille apportaient des objets fabriqués par eux pour la vente aux enchères. Les gains serviraient à faire entrer des jeunes gens dans les collèges de la Bible baptiste.

Les œuvres de Pat remportaient toujours les plus fortes mises, et cela ne faisait sans doute qu'augmenter le ressentiment de certains. Avec les années, ses cousines avaient accumulé des anecdotes sur son compte qui entraient peu à peu dans le folklore Siler. La petite Patty Radcliffe, la « belle » cousine, semblait s'attirer la colère et le ressentiment de quelques-unes. En grandissant, Susan et Deborah furent régulièrement accrochées par l'une ou l'autre victime de la langue de vipère de Pat.

— On aurait dit que personne ne voulait passer l'éponge sur ce que maman avait pu leur faire. Elles ne faisaient qu'en parler. Deborah et moi répondions : « Attendez, on n'était même pas nées à cette époque ! » Maman avait le don d'irriter les gens, de leur taper sur les nerfs. Ses tantes l'aimaient toujours autant mais… il faut comprendre les Siler. Ses cousines avaient beau dire qu'elles l'adoraient, elles ne pouvaient pas la voir. Toutefois, personne n'irait jamais prétendre qu'il ne supportait pas un membre de la famille.

Tout le monde aimait Kent; c'était une sorte de chiot saint-bernard, adorable et paisible. Jamais il ne causait d'embarras à personne. À l'université, il faisait des études pour devenir ingénieur et jouait au football. Il subit alors une autre grave déception que tous avaient vue venir, sauf lui. Malgré sa surdité, il s'était accroché à l'espoir d'entrer dans l'armée. Mais lorsqu'il passa les visites médicales de rigueur, il échoua complètement au rigoureux test d'audition. Tous les hommes qui l'entouraient suivaient une carrière militaire, et son handicap lui en interdisait l'accès.

La désillusion s'ajoutait au sentiment de solitude qu'il éprouvait encore après sa séparation d'avec Marianne. Il se consola plus ou moins en nouant une relation platonique avec Cindi Alan. Ni l'un ni l'autre ne s'entendait bien avec leurs pères, tous deux colonels et aussi inflexibles l'un que l'autre. Ces difficultés rapprochèrent Kent et Cindi. Ce n'était pas de l'amour, plutôt une complicité.

Puis Kent recommença à rechercher un peu plus que de l'amitié et sortit avec une autre fille. Cindi ne fut pas contrariée de le voir épouser, le 3 juillet 1961, à presque vingt-deux ans, Meta Raye Crawford, encore la fille d'un colonel, cantonné au Fort McPherson. Meta Raye était une délicate jeune femme brune, très jolie; des deux côtés, les familles se réjouirent de cette union. Kent fut le second des enfants de Maggy et Clifford à se marier dans cette chapelle. Malheureusement pour lui, ce mariage ne dura pas un an. Il n'y eut pas de récriminations : il tomba à l'eau, tout simplement. Kent n'avait jamais oublié Marianne et ne la retrouvait pas dans les autres femmes.

Ses études achevées, il fut engagé comme dessinateur dans une entreprise de construction et se révéla aussi doué avec un crayon que Pat avec du fil et une aiguille : ses larges mains produisaient les croquis les plus délicats. Cependant, alors même que ses parents étaient rentrés aux États-Unis, il se détachait peu à peu de tous. Certes, il aurait aimé les voir plus souvent, mais il avait trop l'impression que sa présence les encombrait. Pat continuait de vivre sous leur toit avec ses enfants. Ses crises de panique la prenaient de plus en plus ; dès qu'elle s'éloignait un peu de la maison familiale, tout allait mal.

Les parents de Gil avaient été mutés à Orlando, en Floride, où ils allaient d'ailleurs finir par prendre leur retraite ; et, bien sûr, ils tenaient eux aussi à recevoir leurs petits-enfants. De temps en temps, Pat cédait aux suppliques d'Eunice Downing et acceptait d'emmener là-bas sa petite famille.

Susan se souvenait de l'atmosphère de ces quelques séjours chez ses autres grands-parents.

— Grand-mère Downing nous aimait beaucoup et faisait admirablement la cuisine. C'est d'elle que je tiens ce talent. Mais on n'allait presque jamais la voir. Il se trouve qu'un jour ma mère s'est vexée de je ne sais quoi, ou s'est fâchée avec ses belles-sœurs. Elle nous a dit de filer dans la voiture parce qu'on s'en allait. On a pleuré, on avait faim et envie de manger, mais on a quand même fait trois ou quatre fois le tour du pâté de maisons jusqu'à ce que grand-mère Downing apparaisse sur le porche en s'excusant et en nous suppliant de revenir.

Au cours d'une de ces visites, Pat appela à la maison pour demander de l'aide et raconta une drôle d'histoire à propos de sa belle-mère.

— Je crois qu'elle a tenté de m'empoisonner !

Quand elle criait ainsi au meurtre, il y avait toujours quelqu'un pour la croire sur parole. À cette époque-là, Maggy et le colonel se trouvaient encore outre-mer ; ce fut donc la tante Lizzie Porter qui conduisit toute la nuit depuis la Caroline du Nord pour venir « sauver » Pat une fois de plus.

La tante Lizzie Porter était une mince jeune femme discrète qui travaillait pour la compagnie du téléphone et élevait seule son fils, Bobby, après que son mari l'eut quittée. Et Bobby de confirmer que, chaque fois que sa cousine venait se plaindre qu'on voulait la tuer, personne n'appelait jamais ni la police, ni un médecin, ni qui que ce soit. C'était toujours soit Maggy, soit une des Bonnes Sœurs qui sautait dans une voiture et roulait des heures pour aller sauver Pat.

Eunice Downing n'en revenait pas, elle ne comprenait pas ce qu'elle avait pu faire pour mettre sa belle-fille dans cet état. Elle tenta néanmoins de garder un lien… et se retrouva souvent avec un repas destiné à refroidir sur la table tandis qu'elle voyait disparaître les visages en larmes de ses petits-enfants à l'arrière de la voiture qui s'éloignait.

En 1963, Gil Taylor fut muté en Allemagne, du côté de Francfort. Pat accepta de l'y suivre. Pendant un certain temps, les choses se passèrent bien, mais Pat eut vite fait de se fâcher avec ses voisins.

À croire qu'elle cherchait la bagarre. Un jour, elle se battit avec d'autres femmes, les griffant, leur arrachant les cheveux. Elle dit à Gil que leurs maris lui faisaient des avances et que certains étaient même allés plus loin, et s'emporta d'autant plus qu'il ne voulait pas la croire.

Une obsession apparaissait, de plus en plus claire : Pat se dépeignait comme une innocente beauté entourée d'hommes obsédés à la main baladeuse. Gil entendait sans cesse sa femme lui rapporter des histoires plus dramatiques les unes que les autres, gonfler en drames des incidents de rien du tout. C'était Pat. Elle faisait des scènes, s'enflammait, explosait sans arrêt. Et il fallait toujours que tout tourne autour d'elle. Lui était un homme plutôt carré, sans arrière-pensée; il ne savait plus que faire et cherchait surtout à se protéger.

Leurs quelques sorties s'achevaient rarement dans le calme et l'harmonie. Quand il l'emmenait en week-end à Lake Kimsey, elle l'accusait de boire, lui qui s'accordait seulement une bière de temps à autre. Un jour, ils se trouvaient au milieu d'un pique-nique dans une fraîche prairie alpestre, lorsqu'elle sanglota, affirmant qu'elle avait mangé des champignons vénéneux et allait mourir. Ce n'était pas là ce qui allait constituer la trame de bons souvenirs pour le couple.

Quand ses parents étaient à proximité, Pat parvenait à conserver un semblant d'équilibre; mais, seule, elle laissait le chaos s'installer dans sa vie quotidienne, au point qu'elle supplia Boppo et Papy de trouver une nomination à Francfort : elle avait besoin d'eux.

Bien sûr, ils vinrent. Clifford Radcliffe demanda aussitôt une nouvelle affectation. Tout continua d'aller mal jusqu'à leur arrivée. Une énorme horloge comtoise tomba sur Susan ; heureusement, la fillette venait juste de se déplacer, elle ne fut donc guère touchée. Sa mère expliqua que c'était à cause des parquets biscornus des appartements de la caserne.

Les Radcliffe arrivèrent rapidement à Francfort. Finalement, ils adoraient se précipiter au secours de Pat, et pour cela tous les moyens étaient bons. Comme si c'était leur principale mission sur terre. Et tant pis si cela contraignait Maggy à oublier toute vie personnelle. Le sacrifice en valait la peine. Sa fille passait avant tout. Cette fois, cependant, elle dut se rendre à l'évidence : Pat perdait la tête et aurait bien besoin d'une bonne évaluation psychiatrique. Mais cela ne dura pas. Indignée, Maggy finit par traiter le médecin de « pire cinglé que j'aie jamais vu ! Il demandait si Pat avait vu des éléphants roses ! Vous vous rendez compte ! »

Avec ses parents à proximité, Pat parut aller beaucoup mieux. Jusqu'au jour où il y eut cette prise de bec avec Gil, après quoi elle et les enfants allèrent s'installer dans la maison de Boppo et Papy à Falkenstein. Elle s'attendait à ce que son mari vienne lui présenter ses excuses et songeait à lui donner alors une seconde chance. À sa grande fureur, il n'en fit rien.

— Votre père est un pauvre type ! dit-elle à Deborah et Susan. Il a perdu votre berger allemand au jeu.

Boppo acheta deux autres chiots aux petites filles, mais tous deux moururent. Leur grand-mère fut tellement navrée de les voir sangloter qu'elle leur en acheta deux autres.

— Je ne peux pas supporter de voir vos frimousses pleines de larmes, dit-elle.

Cette fois, les chiots vécurent.

21

Pat écrivit à Gil pour lui dire de venir la chercher. Il manquait aux enfants et ceux-ci constituaient une trop grosse charge pour elle seule. De plus, les hommes dans le voisinage de la demeure de ses parents lui faisaient peur. Elle laissa ainsi entendre que l'un d'eux voulait la tuer. Elle écrivit aussi qu'elle vivait dans la terreur d'être violée et jura que, s'il l'abandonnait, il le regretterait à jamais.

Certes, cette belle jeune femme de vingt-six ans ne passait pas inaperçue, mais de là à ce que tous les hommes veuillent lui sauter dessus ou, pis, la tuer... Pat avait trop souvent crié au loup.

Susan et Deborah aimaient l'Allemagne. Elles avaient alors dix et huit ans, et les sautes d'humeur de leur mère ne les troublaient guère : elles y étaient habituées depuis leur naissance. Pourtant, un soir, Susan rentra à la maison plus tôt que prévu en compagnie d'une amie allemande, Dorte, elle aussi âgée de dix ans. Celle-ci marchait devant lorsqu'elle s'arrêta brusquement, se retourna, les yeux écarquillés; elle tendit le doigt vers la fenêtre d'une chambre :

— Ta *mutta*… ta *mutta*…

— Quoi, ma mère ?

— Regarde… à la fenêtre…

Les fillettes s'approchèrent et virent Pat, seule, qui se frappait à coups de casserole et de poêle à frire. Violemment. Embarrassée, Susan ne sut quoi dire à Dorte.

Soudain, elles entendirent des sirènes et virent arriver des voitures de police tous phares allumés. Le corps de Pat n'était que plaies et bosses, comme si elle s'était fait renverser par un camion. Elle déclara aux policiers qu'un représentant de commerce était entré de force chez elle, l'avait battue et violée.

— Boppo et Papy l'ont emmenée à l'hôpital puis ont fait avertir mon père. Il a dû croire que des hommes l'avaient attaquée. Il est arrivé le lendemain et on est retournées vivre avec lui.

Cependant, on n'avait trouvé sur Pat aucune trace de viol : ni sperme, ni contusions vaginales, ni ces bleus si spécifiques qui apparaissent sur les cuisses dans ce cas.

Susan ne dit à personne ce qu'elle avait vu. Elle avait honte, sans trop savoir pourquoi.

Pat et Gil était mariés depuis plus de dix ans. Lui n'avait plus rien d'un adolescent amoureux. Il en avait trop vu depuis le temps que Pat faisait son cinéma ; pourtant, il l'aimait, ainsi que leurs trois enfants. Quand elle savait se montrer gentille, aucun homme n'était plus heureux. Elle paraissait alors plus belle que jamais.

Gil avait parfois l'impression que s'il pouvait trouver de quoi la rendre heureuse leur couple durerait. Il savait qu'elle avait besoin de se trouver près de ses parents, et c'était un début. Lorsqu'ils quittèrent l'Allemagne, en 1965, pour Fort Dix, dans le New Jersey, Maggy et Clifford Radcliffe restèrent en Europe pour achever la mission du colonel. Gil se demandait comment Pat allait s'en tirer sans eux. N'étaient-ils pas venus en Allemagne pour se rapprocher d'elle? Et voilà qu'en fin de compte elle repartait pour les États-Unis.

Néanmoins, tout se passa bien. Pat se montra enchantée, car ils furent très vite réaffectés au Fort Bragg, là où habitaient Mama Siler et ses tantes chéries. Si sa mère et son beau-père se trouvaient loin, du moins avait-elle droit à l'équipe de réserve.

Avec Gil, Pat acheta même une petite maison de brique, loin, évidemment, du genre de demeure dont elle pouvait rêver, car elle était de plus en plus obsédée par l'idée de posséder sa propre plantation, ses écuries et une grande maison où elle pourrait recevoir. Jamais elle n'avait su s'occuper d'un simple appartement sans l'aide de sa mère; pourtant, elle savait qu'elle serait heureuse si seulement elle pouvait vivre comme Scarlett O'Hara à Tara avant la guerre de Sécession.

Ce fut en roulant du côté de Warsaw, un jour, qu'elle trouva la propriété de ses rêves : un manoir victorien encerclé d'une grille de fer forgé, le porche orné de quatre colonnes, avec une fontaine devant, et même une grange pour les attelages. Cependant, l'ensemble paraissait quasi abandonné avec sa façade décrépite et sa toiture à demi effondrée. Quant à la roseraie, elle était envahie de mauvaises herbes.

Pat la voulait absolument. Gil commença par la visiter ; malgré son état déplorable, elle dépassait de beaucoup ce que pouvait payer un jeune militaire comme lui. Il eut beau tenter de le lui expliquer, Pat lui fit la tête. Si seulement elle avait cette maison, elle serait heureuse. S'il l'aimait, il devait trouver un moyen de la lui offrir.

Gil avait beau faire, elle en voulait toujours plus.

Par la suite, elle montra la maison à Maggy, qui blêmit.

— Mais tu es folle ?

La propriété se trouvait à un jet de pierre de celle de John Cam Prigeon. À l'époque, Pat l'ignorait sans doute, mais sa mère se montra catégorique : elle n'avait rien à faire à Warsaw, ni en Caroline du Nord.

Il n'existe aucune preuve que Pat ait jamais fréquenté d'autres hommes qu'en imagination. Elle ne racontait ses petites histoires de harcèlement sexuel que pour attirer l'attention de son mari. Toutefois, au Fort Bragg, elle finit par tomber sur son ancien petit ami, désormais capitaine alors que Gil était seulement sergent. Ce dernier s'en était toujours montré jaloux, même s'il avait reçu depuis longtemps la preuve que Susan était bien sa fille.

Ce soir-là, il y eut une scène terrible entre les deux époux, devant toutes les tantes réunies. Celles-ci, apprenant que le capitaine témoignait toujours de l'intérêt à leur nièce, la poussèrent vivement à l'encourager dans ce sens : à la longue, elle aurait un avenir beaucoup plus intéressant avec cet officier plutôt qu'avec un militaire du rang. Apparemment, le fait qu'elle était mariée au père de ses trois enfants n'entrait pas en ligne de compte.

Pat était malheureuse. Elle n'aimait pas être mariée, mais elle n'aimait pas non plus être seule. Elle se fichait éperdument du capitaine. Une seule chose lui faisait envie : retourner à la maison entre Boppo et Papy.

Les Radcliffe quittèrent l'Allemagne et furent mutés au Fort McPherson, dernière affectation du colonel avant la retraite. Ils achetèrent une petite maison près d'Atlanta; mais, lorsqu'ils se rendirent compte que Pat comptait les y rejoindre avec les enfants, ils s'avisèrent qu'elle ne serait pas assez grande.

Alors ils se rabattirent sur une propriété à East Point, bâtisse de brique aux volets blancs dont Maggy tomba amoureuse dès qu'elle la vit. Elle se trouvait assez éloignée de la rue, Dodson Drive, et ses deux mille mètres carrés de terrain étaient plantés de pins et d'érables. Après toutes ces années passées à installer habitation après habitation, Maggy allait enfin posséder sa propre maison. Elle serait heureuse d'y vivre jusqu'à la fin de ses jours, d'autant que le voisinage était plutôt huppé.

Kent vint habiter avec eux, du moins à mi-temps. Bientôt s'établit un nouveau mode de vie : quand Pat et ses enfants voulaient passer quelque temps avec Boppo et Papy, Kent leur cédait la place. Pat passait toujours avant lui.

Il avait beau aimer ses neveu et nièces, Kent faisait son possible pour éviter sa sœur. Elle était déjà connue pour ses sarcasmes envers ses cousines et ne se gênait pas pour atteindre son frère en plein cœur.

— Il tâchait de ne jamais la croiser, se rappellerait Susan. Mais elle le suivait d'une pièce à l'autre et, s'il sortait, elle finissait toujours par le retrouver. Je crois qu'elle cherchait à le faire virer une fois pour toutes de la maison. Il était tellement gentil que toutes mes amies en pinçaient pour lui. Elles n'avaient que douze ans mais le trouvaient très beau, et elles aussi le suivaient... pour d'autres raisons.

Pat n'avait aucune amie féminine. Cela ne lui manquait pas. En fait, elle n'aimait pas les femmes. Elle avait Boppo et Papy et passait beaucoup de temps avec ses filles. Les amies de Susan et Deborah n'arrivaient pas à croire que Pat était leur mère : elle avait l'air d'une adolescente, trop jolie. Pour ces jeunes visiteuses, l'ambiance de la maison des Radcliffe semblait extraordinaire : ce bel oncle, cette jeune maman si ravissante, et ces grands-parents si gentils. Ses deux filles faisaient l'envie de leurs amies.

Susan et Deborah décriraient Pat comme une bonne mère. Elle dirigeait une petite équipe de jeannettes, emmenait ses filles au catéchisme et les ramenait. Elle organisait de magnifiques goûters d'anniversaire et aimait décorer la maison pour les fêtes. Sans parler des robes qu'elle leur confectionnait. Elle leur disait souvent combien elles étaient merveilleuses et qu'elles pourraient faire tout ce qu'elles voudraient au monde.

La seule chose qu'elle ne pouvait supporter, c'était l'intervention d'une tierce personne entre elle et ses trois enfants. Nul n'avait le droit de leur imposer la moindre discipline à part elle, pas même Boppo. Susan, Deborah et Ronnie lui appartenaient, c'était à elle de les élever. D'un autre côté, Boppo lui appartenait également et elle ne laisserait personne s'interposer entre elles. Lentement mais sûrement, Pat finit par écarter jusqu'à Kent lui-même.

— Elle lui tendait sans cesse des pièges, dirait Susan. Si elle voulait qu'il parte de la maison, elle s'arrangeait pour provoquer un accrochage qui ait l'air de venir de lui. Alors Papy intervenait : « Kent, qu'est-ce que tu attends pour t'en aller ? »

Ce dernier ne le savait que trop : sa présence agaçait Pat, et leur mère semblait incapable de s'opposer à elle. Maggy n'aimait pas les confrontations directes. Elle avait d'autres moyens de faire savoir à la famille qu'elle n'était pas contente. Par exemple, elle claquait les portes des placards dans la cuisine ou marmonnait dans son coin. Cela ne troublait en rien sa fille mais mettait Kent terriblement mal à l'aise. Si on la poussait un peu, Maggy pouvait elle aussi donner dans le pathos. Elle tombait à genoux, ouvrait grands les bras en pleurant :

— Et moi ? Pourquoi personne ne me demande ce que je veux, moi ?

Kent prenait tout au pied de la lettre. Il ne demandait qu'à lui donner ce qu'elle voulait... si seulement il le pouvait. Il savait, ainsi qu'il le dit à Susan, que s'il pouvait se montrer aussi gentil que Boppo il deviendrait meilleur, ce que Susan et Deborah croyaient volontiers. Leur grand-mère était la personne la plus désintéressée au monde.

Kent voulait bien croire que son départ arrangeait tout le monde, alors il partait. Il pouvait très bien se suffire à lui-même, tandis que Pat était tellement désemparée. Boppo devait toujours s'occuper d'elle, n'importe qui pouvait en témoigner.

Il en est des choix comme des dominos, l'un chassant l'autre jusqu'à ce que tout l'ensemble s'écroule. Maggy ne pourrait jamais plus mener sa vie comme elle l'entendait, même si elle était loin de se douter qu'elle avait ainsi dressé la scène d'une véritable tragédie. Elle ne savait que pleurer :

— Pourquoi personne ne me demande ce que je veux, moi ?

Personne ne le lui demanderait jamais.

En 1964, Kent avait repris ses relations avec Cindi Alan, et maintenant leur amitié se transformait en amour. À vingt-cinq ans, le jeune homme était sans doute plus heureux qu'il ne l'avait jamais été depuis sa rupture avec Marianne, en Allemagne. Cindi était jolie, blonde, toujours souriante. Ils n'avaient pas de relations physiques, mais Kent pensait que cela n'allait pas tarder. Ils s'entendaient bien et Cindi était fière de se montrer à son bras. Des deux côtés, les parents approuvaient.

Ils ne se voyaient pas aussi souvent qu'ils l'auraient voulu : Cindi travaillait dans l'Alabama et Kent à Atlanta, mais ils s'écrivaient sans cesse, échangeaient des photos. Il lui expédia un portrait de lui, le regard pensivement fixé sur l'horizon. Il écrivit dessus les mots « Amour » et « Avenir ! ».

En novembre 1964, il envoya une autre photo au dos de laquelle il avait écrit :

Cindi
Ton « Écho », si long, si mince, m'appelle sans cesse à ce jour précis! Ce jour où nous commencerons à vivre ensemble. Puisse-t-il venir vite et nous apporter le bonheur.

Je t'aime!
Kent

Une autre fois, il écrivit : *Tu me manque beaucoup, Cindi. Reviens vite, que je puisse encore sourire.*

Un week-end qu'ils étaient ensemble, ils prirent ensemble une série de Photomaton, Cindi perchée sur les genoux de Kent. La dernière photo les montrait s'embrassant tendrement.

Ils commencèrent à parler mariage et décidèrent même d'avoir une petite fille qu'ils appelleraient Jessica. Parfois, Kent joignait à ses lettres un message pour Jessica, leur enfant secret à venir. « Jessica, je sais que tu nous attends quelque part, là-bas... »

Un journal local publia une photo de Kent et de Cindi avec les parents de la jeune fille, dans les pages « Société », accompagnée de ce commentaire :

« Cindi Alan, de Birmingham, Alabama, qui a rendu visite à ses parents, le lieutenant-colonel et Mme Bertram Alan, à Atlanta, a été invitée par notre reporter à poser pour une photo. Elle a tenu à y faire figurer son fiancé, Kent Radcliffe. Au moment où ce cliché a été pris, elle a tendu la main pour montrer une jolie bague.

Et c'est ainsi que les Alan ont appris que leur fille était fiancée! »

C'était le genre de péripétie qui réchauffait le cœur des reporters des sujets de société, mais les choses ne se passaient pas exactement ainsi qu'elles le paraissaient. Cindi ne désirait qu'aimer Kent de tout son cœur, et elle l'aimait, mais pas comme il l'entendait. Elle gardait encore secrète une partie de sa vie. Elle avait cru que leur relation fonctionnerait et tentait encore d'y croire, en vain. Sans expliquer vraiment à Kent ce qu'il en était, elle finit par rompre en douceur. Ils restèrent amis, et lui continua de l'aimer. Il insista, finit même par se fâcher, mais rien n'y fit. Il ne comprenait pas que Cindi puisse ainsi se détourner de tout ce dont ils avaient tant rêvé. Il était anéanti.

Il se rendit à Houston, pour un séjour chez son oncle Frazier, dans l'espoir d'y trouver un emploi qui lui permettrait de s'évader un peu. Comme toujours, il se crut le seul responsable de cet échec et se sentit plus vulnérable que jamais tout en essayant de recoller les morceaux de sa vie brisée, lorsque lui parvinrent deux messages urgents. L'un était un appel téléphonique, une voix de femme qu'il ne put identifier, l'autre une lettre.

Les deux messages disaient la même chose : « Prends le premier car pour remonter sur Atlanta. »

À peine arrivé, il fut assailli de nouvelles plus inquiétantes les unes que les autres. Sa sœur Pat lui rapporta une histoire abominable, incroyable. S'il conservait le moindre espoir de reconquérir Cindi, elle l'anéantit.

— Ta petite amie préfère les femmes, lui annonça-t-elle sans ambages. Je ne comprends même pas qu'elle ait accepté de se fiancer avec toi… peut-être pour cacher ses vrais penchants. C'est une lesbienne.

Elle disait vrai, mais Cindi aurait préféré ne jamais le révéler à Kent. En 1965, ce genre de nouvelle ne pouvait que le bouleverser et elle aurait voulu lui épargner cela.

Kent en éprouva un véritable désespoir. Pour autant, Pat ne chercha pas à le ménager et lui annonça une autre nouvelle, tout aussi effrayante. Lui qui s'était toujours cru le fils naturel de Clifford Radcliffe, qui n'en avait jamais douté et en éprouvait une authentique fierté malgré la froideur du colonel à son endroit, devait se rendre à l'évidence.

C'était encore sa sœur qui posait le doigt sur la plaie de la vérité. Sous le coup d'une colère dont il n'était en rien responsable, elle déversa sur son frère toute son acrimonie.

— Tu n'es pas de notre famille, tu sais! Tu ne sais même pas qui tu es! Tu crois que Papy est ton père, mais ce n'est pas vrai. Tu es un bâtard et tu es tellement bête que tu ne le sais même pas!

Elle-même avait toujours eu du mal à croire que Clifford Radcliffe l'avait vraiment engendrée, d'abord parce qu'elle était plus âgée que Kent. Selon toute vraisemblance, le frère et la sœur partageaient le même père; pourtant, elle s'estimait supérieure à lui, comme si elle venait de l'aristocratie et lui des bas-fonds de la société. Quand elle eut ouvert la boîte de Pandore de l'héritage génétique de Kent, elle ne cessa de lui rappeler ses véritables origines; plusieurs personnes en furent témoins.

Kent ne s'en remit jamais vraiment. Il fréquenta d'autres filles mais il n'avait plus le cœur à ça. Il se mit à boire, incapable de reprendre le dessus. Cindi pleura pour lui, mais elle ne pouvait aller contre sa nature.

L'atmosphère était tendue en ce Noël de 1965, bien que Boppo eût fait son possible pour donner une atmosphère de fête à la maison. Kent était trop déprimé. Il était allé voir Cindi en Alabama et elle le trouva changé, amer.

Quant à Gil, il n'était jamais là. Cela n'avait guère d'importance puisque la petite famille de Dodson Drive se passait très bien de lui ; il en était évincé autant que Kent.

Pourtant, celui-ci était revenu vivre à Dodson Drive, mais seulement à titre temporaire ; il tâchait de se trouver un appartement. Les enfants de Pat ne demandaient pas mieux que de le voir, mais sa sœur ne cessait de se moquer de lui. Quant à Boppo, si elle était déchirée, elle finissait toujours par prendre le parti de Pat, estimant que Kent était plus fort.

À la fin de l'année 1965, le jeune homme sortait avec une hôtesse de l'air très jolie et très attachée à lui, mais lui n'avait plus assez confiance pour se laisser aller à aimer encore. Lorsque la jeune fille tomba enceinte, elle ne lui en dit rien, préférant attendre le moment propice. Il ne vint jamais.

Le 1er février 1966, l'agent M. C. Faulkner de la police d'East Point reçut un appel signalant la présence d'un corps humain. Il s'attendait à trouver un accident de la circulation et, effectivement, il tomba sur un accrochage, une Oldsmobile garée au bord du trottoir, le capot enfoncé, le pneu droit crevé. À côté, il aperçut un break au hayon cabossé.

Sa conductrice, Mary Schroder, dit qu'elle roulait sur Steward Avenue, son mari, avocat, à son côté.

— J'allais tourner dans la rue à droite quand j'ai été heurtée à l'arrière par cette Oldsmobile qui nous a ensuite dépassés pour aller s'encastrer dans le trottoir. Le conducteur nous a jeté un drôle de regard en nous doublant. Je suis sortie pour aller le voir quand je l'ai vu s'effondrer sur son siège.

Le commerçant qui avait appelé la police avait, lui, entendu un claquement énorme, « comme un coup de feu », juste avant l'accident, mais un autre témoin devait assurer avoir vu l'Oldsmobile le dépasser et son conducteur fumer une cigarette.

Au fond, peu importait l'instant exact du coup de feu. Le conducteur de l'Oldsmobile était inanimé, son corps étendu sur la banquette avant, la tête appuyée contre la portière droite, un pied encore bloqué sur l'accélérateur, l'autre sur le frein. À première vue, pas de sang; il avait aussi bien pu s'endormir. Cependant, un 22 long rifle gisait sur le plancher côté passager, sur une pile de journaux. Le canon en était pointé vers le genou du conducteur, mais il avait suffi d'un seul coup.

Pour le cas peu probable où on pourrait encore le sauver, l'homme fut évacué vers l'hôpital Grady Memorial; les médecins ne purent que constater le décès. Son permis de conduire indiquait qu'il s'agissait de Reginald Kent Radcliffe, vingt-six ans, habitant au 2378, Dodson Drive.

Le légiste indiqua qu'il avait succombé à une mort violente consécutive à un suicide « par coup de feu à bout portant au cœur, à travers les vêtements ». Il serait décédé quasi instantanément. Un test révéla un taux d'alcoolémie de 1,3 gramme par litre, alors que dans la plupart des États il suffisait de 0,1 gramme pour être déclaré ivre.

Les enquêteurs récupérèrent ses affaires. Son portefeuille contenait deux dollars quarante. Il y avait aussi un sac de gymnastique, un briquet, des cigarettes, deux stylos à bille, un autre fusil, ses lunettes (sur le siège arrière), ainsi qu'une bouteille de rhum entamée.

Il n'existait pas de moyen scientifique pour déterminer à quelle heure exactement Kent s'était tiré une balle dans le cœur. Était-il mort lorsqu'il heurta l'arrière du break des Schroder ? Sans doute pas, car James, le mari, était certain de l'avoir vu lui jeter un regard après la collision.

Kent avait-il pris sa voiture dans le but de se tuer, en ce premier jour de février ? S'était-il rendu aux alentours d'East Point le canon braqué sur son cœur ? Ou l'accident n'avait-il été que le dernier échec de cette vie qui ne présentait plus aucun attrait pour lui ? À moins qu'il n'ait saisi son arme en cédant à une brusque impulsion ?

Les enquêteurs envisagèrent même la possibilité d'un passager à bord, qui aurait pu tuer Jake. Ses lunettes, sur le siège arrière, n'étaient pas cassées. Or il était tellement myope qu'il n'aurait pu conduire sans. Non, c'était plus vraisemblablement la force de la collision qui les avait envoyées à l'arrière. On abandonna la théorie du meurtre.

Trop de personnes avaient observé la voiture après l'accident, et aucune n'avait trouvé le moindre indice d'une fuite quelconque.

Kent avait mis fin à ses jours.

Le soir venait de tomber lorsqu'un agent frappa à la porte de Dodson Drive. Ce fut Maggy qui ouvrit et elle fut aussitôt assaillie par un pressentiment : jamais aucun inconnu ne se présentait chez elle. Quand elle vit l'uniforme, et avant de laisser à l'homme le temps d'ouvrir la bouche, elle cria :

— Mon Dieu ! Kent s'est suicidé !

Pat l'avait suivie et contemplait la scène dans l'entrée. Elle se précipita pour prendre sa mère dans ses bras, mais Maggy la repoussa, inconsolable. Ce fut le colonel Radcliffe qui se rendit à la morgue pour l'identification.

La mort de Kent ne fit pas les gros titres ; il n'y eut qu'un bref article dans les dernières pages de l'*Atlanta Journal*. Sa nécrologie fut encore plus courte. On ne précisa pas comment il était mort ; le colonel Radcliffe et madame furent annoncés comme ses parents, habitant East Point, suivis de sa sœur, Mme G. H. Taylor, East Point. Le jeudi 3 février 1966, il fut enterré au cimetière d'Onslow, en Caroline du Nord. Au cours de la cérémonie funéraire, Cindi Alan avait glissé un anneau sur son doigt avant la fermeture du cercueil sur lequel était gravé : « Pour Kent, Jessica ».

Il n'y aurait jamais de Jessica, ni aucun autre bébé. L'hôtesse de l'air enceinte de lui finit par se faire avorter. Elle pleura beaucoup mais pas longtemps. Six mois plus tard, elle était la passagère d'un biplace qui s'écrasa, tuant ses deux occupants.

Pat se retrouvait fille unique. Plus de Kent. Le seul vrai souvenir de son existence resta la photo d'un petit garçon timide que Maggy ne perdait jamais de vue. Elle avait mis trois enfants au monde. Deux étaient morts. Elle refusa tout tranquillisant.

— À quoi bon endormir mon chagrin ? dit-elle tristement. Kent est mort. Quand je me réveillerai, il le sera toujours. Ça n'y changera rien.

Pat ne se priva pas de le pleurer à gros sanglots, ni d'accuser Cindi.

— C'est elle qui l'a tué en lui brisant le cœur !

Cependant, Maggy, consciente de la constante rancœur de Pat contre son frère, ne se laissa pas prendre à ce manège.

Cela ne l'empêcherait pas, dorénavant, de consacrer sa vie à Pat et à ses enfants. Plus que Clifford, plus que ses sœurs, c'étaient eux qui lui restaient.

Pat avait désormais sa mère pour elle et elle seule. Jusque-là, ni ses machinations ni ses scènes n'avaient eu de graves conséquences pour personne. Ce n'était qu'une jeune femme mal adaptée à la vie de tous les jours, égocentrique et hystérique, dont les actes semblaient avant tout retomber sur sa propre tête.

Tandis que là, avec le suicide de son frère, son incommensurable égoïsme venait de faire couler le sang.

22

La vie continuait sur Dodson Drive.

On était en 1966 et Pat avait vingt-neuf ans. La guerre du Vietnam faisait rage. Gil Taylor, coupé de sa famille, y passa de longs mois.

— J'avais alors onze, douze ans, se souviendrait Susan, et depuis longtemps nous ne vivions plus que chez mes grands-parents. Mon père passait de temps en temps ou envoyait de l'argent. Il manquait beaucoup à ses enfants.

Avec la solde de son mari, Pat s'achetait ce qu'elle voulait ; elle disait à ses parents qu'il ne contribuait en rien à la vie de la famille. Dès lors, c'était à Boppo et à Papy de les entretenir. La famille Taylor fit bien quelques tentatives pour se rapprocher, mais Pat finissait toujours par retourner en Géorgie. Gil accepta une période supplémentaire au Vietnam. Pour leur quinzième anniversaire de mariage, il envoya à sa femme un portrait le représentant en uniforme devant la tente du mess. Il écrivit au dos de la photo :

6 septembre 1967. Ma chérie, le lieutenant Levine a pris cette photo ce matin. Cadeau ! Ha ! Joyeux anniversaire, mon amour.

Pat n'avait passé avec lui qu'une petite partie de ces quinze années.

Le colonel Radcliffe prit sa retraite et se lança dans l'immobilier. Maggy avait décoré avec soin la maison de Dodson Drive jusque dans ses recoins. Il y avait trois chambres et un bureau. Ronnie, alors âgé de sept ans, dormait avec sa mère ; Susan et

Deborah avaient partagé une chambre jusqu'au départ de Kent, maintenant, Susan avait la sienne. Mais la mort de son oncle lui donnait des cauchemars. Elle le pleura longtemps. Pourtant, personne ne parlait plus de lui, sans doute pour ne pas avoir à se demander ce qui avait causé son suicide. À quoi bon ?

À travers ses petites-filles, Maggy réalisait son rêve d'entrer dans le monde des cavaliers. Elle poussa le colonel à investir dans un modeste cheval qu'ils baptisèrent Sam ; les trois enfants le montèrent régulièrement. Avec son salaire de réceptionniste d'une clinique dentaire, Maggy paya les leçons d'équitation. Pat en prit elle aussi, ravie de rehausser ainsi son image ; elle ne se montra pourtant pas particulièrement douée, même si elle parvint assez vite à se tenir en selle. Ses enfants obtinrent de meilleurs résultats, surtout les filles. Elles finirent par prendre des cours avec les meilleurs professeurs de la région et apprirent ainsi la monte à l'anglaise, le saut et la monte en amazone. Boppo s'extasiait devant les jodhpurs, les vestes cintrées et les bombes de ses petites-filles. Elle ne manquait jamais un concours et n'aimait rien tant que les voir gagner compétition après compétition.

— Mes filles ont toujours visé très haut, se souviendrait-elle, ravie.

Il y avait quelque chose de tellement raffiné dans ce sport ; les plus grandes familles de Géorgie le pratiquaient.

Deborah et Susan s'entendaient aussi bien que la plupart des sœurs de leur âge. Susan tirait quelques avantages de son droit d'aînesse, ce qui mettait Deborah hors d'elle. Ni l'une ni l'autre n'avait hérité les yeux verts de leur mère ; toutes deux les avaient marron, avec d'épais cheveux noirs pour Susan, châtains pour Deborah, et de très jolis traits. Susan se révéla d'un caractère plus calme que Deborah, toute de vivacité.

De nombreuses années plus tard, le colonel s'amuserait au souvenir de Susan et ses amies se glissant en silence sous la véranda pour le voir prendre sa douche. Devenue adulte, Susan en resterait sidérée.

— On n'a jamais fait ça ! Qu'est-ce qu'il raconte ? À la rigueur, mes amies auraient aimé voir Kent tout nu, mais sûrement pas lui !

Les crises de Ronnie le prenaient encore de temps à autre, et souvent ses grands-parents lui glissaient un abaisse-langue entre les dents, l'enveloppaient de couvertures et l'emmenaient à l'hôpital.

— On ne voulait pas nous dire ce qui lui arrivait, avouerait Susan. Mais ça a fini par se calmer.

Les filles passaient leurs week-ends entre leçons et jumping. Sam fut vite mis au pré, car elles possédaient dorénavant leurs propres Morgan, La Petite et Biscayne. Dans certains concours, elles montaient aussi les chevaux d'autres propriétaires. Leurs tenues étaient coupées sur mesure par les meilleurs tailleurs spécialisés ; Boppo et Papy réglaient tous les frais.

— À quatorze ans, j'étais la championne junior de Géorgie, se souviendrait Deborah. Puis je suis devenue championne du monde, sur une autre monture, Lippit Moro Alert, propriété de Ronald Blackman.

Cependant, Biscayne la jeta à terre et elle se cassa un bras. Malgré l'insistance de sa famille, elle refusa de remonter. Quant à Susan, le saut d'obstacles lui faisait un peu peur.

— Un jour, j'ai triché. Si maman l'avait appris, elle m'aurait tuée parce que c'était un des concours les plus sélects d'Atlanta. Avec Biscayne, on avait déjà réussi les premiers sauts, mais on allait aborder un mur de brique et je savais que ma jument ne pourrait pas le franchir. Je mourais de peur, alors j'ai serré les genoux pour simuler un refus. Tout le monde a dit que c'était sa faute, alors que c'était moi qui avais eu peur. Je m'en suis ensuite beaucoup voulu.

Le temps aidant, Maggy se remit un peu du chagrin causé par la mort de Kent. Au moins avait-elle toujours Pat et le colonel, qui considérait ses petits-enfants comme les siens. Il appelait Susan « Poogie », Deborah « Diddle » et Ronnie « Sam Houston Texas Taylor ». Quant à Pat, elle était beaucoup plus sereine depuis qu'elle vivait de nouveau chez ses parents. Elle continuait de confectionner les robes de ses filles, des pièces extraordinaires qui auraient valu des fortunes dans le commerce, et les encourageait à poursuivre leurs efforts.

— Elle me disait toujours que je parviendrais aussi haut que je le voudrais, préciserait Susan. Elle était si fière de nous quand on réussissait !

Pourtant, il arrivait que les talents maternels de Pat ne soient pas aussi délicats. Susan se rappelait ce jour en voiture, alors qu'elle devait avoir douze, treize ans : elle avait abordé la question de la maternité.

— On avait parlé à l'école de l'explosion démographique et j'avais dit : « On ne devrait jamais s'en prendre à quelqu'un sous prétexte que Dieu a mis un bébé dans son ventre. » Ma mère s'est esclaffée : « Tu ne sais donc rien ? C'est l'homme qui met sa verge dans le trou de la femme et qui laboure de haut en bas. » Et elle m'a ainsi décrit des scènes de sexe dans les termes les plus crus. Il n'était pas question d'amour, de cigognes ou de petites graines, juste une description triviale de ce que les hommes faisaient aux femmes. J'étais stupéfaite. Je ne sais toujours pas pourquoi elle m'a parlé comme ça. Quelques années plus tard, je l'ai raconté à Boppo et on en a bien ri, toutes les deux.

Dans l'ensemble, cette période passée auprès des grands-parents fut plutôt épanouissante. Ni Deborah ni Susan n'y trouvèrent rien à redire. Elles adoraient Boppo et celle-ci ne cessait de leur répéter combien elle les aimait. Elle-même était très heureuse. Sa fille et ses petits-enfants vivaient avec elle. Ses sœurs habitaient à quelques tours de roues et elle les voyait souvent. À quatre-vingt-six ans, Mama Siler devenait fragile, mais elle était toujours là. La famille continuait de se réunir tous les ans en août à White Lake, en Caroline du Nord. Si ce n'était que Kent lui manquait, Boppo avait tout ce dont elle pouvait rêver. Elle n'avait jamais occupé de maison qui lui plaise autant que celle de Dodson Drive. Elle ne voulait plus la quitter... et, apparemment, Pat non plus.

Le sergent Gilbert Taylor n'était rien tant qu'obstiné. Il aimait toujours Pat et, dans son esprit, il allait bientôt pouvoir retrouver sa famille. En regagnant le Fort McPherson en 1969, il était prêt à donner à Pat ce qu'elle voudrait. Elle avait toujours rêvé d'une maison plus belle que toutes celles qu'avaient jamais possédées les Siler; elle désirait toujours sa Tara, et il savait que ce serait le seul moyen de l'arracher à l'emprise de sa mère.

Tous deux se mirent à parcourir la région, à visiter des propriétés. Finalement, ils trouvèrent un terrain à vendre sur Tell Road. Ils auraient aussi bien pu ne pas le voir, au fin fond d'East Point, à l'extrême limite d'Atlanta. On ne se serait plus cru en ville tant les arbres y poussaient parmi les marécages. Le terrain s'étirait derrière un pavillon habité par une vieille demoiselle sans âge, du nom de Fanny Kate Cash, qui y avait passé toute sa vie. C'était elle qui vendait une partie de ses terres.

Pas de maison, pas de rue, rien que des arbres. Mais Pat voulait ce terrain. C'était là qu'ils bâtiraient leur demeure et pourraient créer une magnifique carrière pour les concours hippiques. Elle y donnerait des leçons d'équitation, afin de gagner de l'argent. Elle promit à son mari que le 4189, Tell Road serait bientôt connu comme une place équestre de choix dans tout le Sud.

Gil dut occuper trois emplois pour pouvoir payer le terrain : outre son métier à l'armée, bien sûr, il chargea des repas dans les avions et travailla aussi pour J. C. Penney. Lui qui avait toujours eu des cernes sous les yeux, maintenant ils devenaient presque noirs. Craignant de se tuer à la tâche, il tenta de s'expliquer avec Pat.

— Ma chérie, je n'y arriverai pas. Il me reste à peine quatre heures de sommeil par nuit.

Elle secoua impatiemment la tête.

— Mais si! Tu n'as qu'à te donner un peu plus de mal.

Ce qu'il fit… et ils achetèrent la propriété de Tell Road. Ils installèrent une carrière, posèrent des clôtures, des gradins, des projecteurs. Cependant, la demeure dont rêvait Pat dépassait de loin leurs moyens; il leur faudrait attendre. En même temps, ils trouvèrent deux maisons à vendre pour une bouchée de pain, car elles allaient devoir être abattues : l'une blanche, l'autre de brique rouge. Ils les démontèrent, les chargèrent sur des camions, passèrent devant le pavillon de Fanny Kate Cash pour gagner un monticule au milieu des bois.

Ils durent alors se rendre compte qu'il leur en coûterait beaucoup plus de remonter ces deux maisons ensemble que d'en construire une. Qui plus est, Pat insista pour commander les meilleurs appareils d'éclairage, les meilleurs parquets et de belles moulures. Quand elle voulut faire paver l'allée couverte des plus beaux graviers, même Boppo se récria :

— Seigneur! Tu perds la tête? Tu as idée de ce que ça va coûter?

L'allée resta donc en gravillons. Cependant, Gil fit installer des fondations de brique rouge avant de se lancer dans l'édification d'une sorte de ranch, et il bâtit de ses propres mains une longue véranda devant la carrière. Ils plantèrent des buis, accrochèrent des volets noirs comme ceux qu'on voyait sur les plus belles demeures d'Atlanta. Malheureusement, quand tout cela fut terminé, ils durent se rendre à l'évidence : on était loin des fastes dont rêvait Pat. Ils n'avaient fabriqué qu'un méli-mélo de deux maisons agglutinées l'une à l'autre. Pis, ils avaient contracté deux prêts dont ils ne pouvaient honorer les remboursements et se trouvaient sur le point de tout perdre.

Ce fut une Pat en larmes qui alla trouver sa mère et son beau-père. Ils devaient absolument l'aider. Comme d'habitude, elle accusa Gil de tous leurs malheurs; il n'y connaissait rien en matière de bâtiment, elle aurait dû s'en rendre compte avant, maintenant, c'était trop tard. Elle promit à Boppo et à Papy de s'occuper d'eux dans leur « âge d'or » s'ils acceptaient seulement de l'aider à sauver Tell Road.

Bien sûr, ils promirent, comme toujours, et l'argent se mit à leur couler entre les doigts, à flots, de sorte qu'à la fin il ne leur resta qu'une solution : vendre Dodson Drive et déménager à Tell Road avec eux. Ce serait un profond déchirement pour Maggy. Elle ne voulait pas quitter son élégante demeure pour aller s'installer dans ce gourbi inachevé, si loin des quartiers résidentiels. Il leur fallait presque une heure de voiture pour trouver une épicerie.

— J'ai envie d'habiter chez moi, gémit-elle, et de recevoir la visite de mes petits-enfants, comme les autres grands-mères.

Pourtant, elle finit par céder à sa fille. Elle voulait que Pat soit heureuse. Comment lui refuser de réaliser son rêve?

— Ma mère savait très bien la culpabiliser, raconterait Susan. Elle commençait toujours leurs conversations par des : « Maman, pourquoi tu es partie en me laissant seule avec Mama Siler? Qui était mon père? Tu ne m'aimais pas? Pourquoi tu m'as abandonnée? » Et Boppo répondait : « Je n'avais pas le choix. » Mais elle en souffrait. Je l'entends encore répéter, même lorsque j'avais moi-même grandi : « Pourquoi ta mère ne peut-elle pas être heureuse? »

La maison de Dodson Drive fut vendue dès que les Radcliffe la mirent sur le marché. Au point qu'ils se demandèrent s'ils n'auraient pas dû fixer un prix plus élevé. Boppo et Papy vinrent s'installer à Tell Road, dans la chambre de Ronnie, partageant le reste du ranch inachevé avec Pat, Gil, Susan, Deborah et son petit ami, Gary Cole, ainsi que Ronnie. C'était archicomble et peu confortable. Une fois de plus, Pat vivait avec ses parents, bien qu'elle estimât qu'il était temps pour ses deux filles de se prendre en main. Elle avait hâte de les voir partir.

Deborah participa à son dernier concours hippique à Hickory, en Caroline du Nord, à la fin de l'été 1970. À quinze ans, elle était enceinte de quatre mois.

— J'ai gagné, se souviendrait-elle, et ce serait mon dernier jumping.

Elle épousa Gary, un ouvrier blond et costaud de dix-sept ans, et ils se trouvèrent un appartement de leur côté.

Susan avait la ferme intention de terminer ses études secondaires; elle voulait être la première fille de la famille à pouvoir le faire. Plus réservée, elle n'en avait pas moins pris quelques décisions que nul ne saurait lui ôter de la tête. Entre autres, qu'elle ne se marierait pas avant sa sortie du lycée, et encore moins ne tomberait enceinte. Elle comptait même rester célibataire au moins jusqu'à son dix-huitième anniversaire, en mars 1971.

Après avoir suivi des cours d'été, elle passa son diplôme en octobre 1970 et partit ensuite travailler à l'intendance du Fort Mac pour aider un peu la famille. Un soir, elle se rendit avec une amie, Sonja Salo, à une fête donnée par les militaires.

— Et là j'ai rencontré un type que j'ai d'abord pris pour un fou, se souviendrait-elle en souriant. Il n'était pas mal, mais il dansait avec une autre fille et n'arrêtait pas de la faire tournoyer tout en m'adressant des clins d'œil et des grimaces dans son dos. J'ai fini par demander à Sonja ce qu'il fabriquait et elle a éclaté de rire en m'expliquant : « Ne t'inquiète pas, c'est Bill Alford. Il est toujours comme ça. »

Alford, alors lieutenant, déposa un message sur la voiture de Susan quelques jours plus tard et tous deux se retrouvèrent chez Sonja qui habitait dans le même immeuble que lui. À contrecœur, Susan accepta de sortir avec lui. Il avait six ans de plus qu'elle et un caractère beaucoup trop extraverti pour cette jeune fille réservée. Pourtant, son exubérance était contagieuse et, malgré elle, elle fut vite charmée par ce fougueux lieutenant.

De même pour sa mère. Il suffit d'un regard à Pat pour décider qu'il conviendrait parfaitement à Susan.

— Ma mère aimait jouer les entremetteuses. Elle disait que, si elle avait été plus jeune, elle l'aurait pris pour elle. Je veux bien le croire, mais je crois aussi qu'elle cherchait à presser le mouvement. Alors qu'il me ramenait après notre premier rendez-vous, j'ai été mortifiée d'entendre maman demander à Bill s'il m'avait donné une bague de fiançailles! Elle voulait qu'on quitte la maison, qu'on aille vivre ailleurs le plus vite possible. Elle avait une idée derrière la tête.

Le 6 novembre 1970, les photographes du Fort McPherson firent le portrait de Susan Taylor et du colonel John H. Calloway, le commandant de la base, accrochant les insignes du dernier grade de Bill Alford sur son uniforme; il devenait le capitaine Alford. Pat était enchantée. Un capitaine de moins de vingt-cinq ans, voilà qui ferait un excellent époux pour Susan.

Le mariage eut lieu le 27 mars 1971, dans la chapelle du Fort McPherson, celle-là même où s'étaient unis le père et la mère de Susan, dix-huit ans et demi plus tôt; Pat était alors enceinte de Susan.

Ce fut une belle cérémonie, les hommes en grand uniforme, la mariée en blanc, avec un voile de dentelle et un bouquet de roses blanches autour d'une grande orchidée. Tout le monde souriait, sauf Maggy, l'expression figée, le regard de cristal des sœurs Siler; peut-être savait-elle déjà ce qui allait s'ensuivre.

— La réception a été un désastre, se souviendrait Susan des années plus tard. Ma mère a choisi ce moment-là pour annoncer qu'elle quittait mon père! Elle s'était fait délivrer une injonction et le priait de s'en aller sur-le-champ. Il tombait des nues. Vingt ans après, je crois qu'il se demandait encore ce qu'il avait fait de mal. Il m'a dit au revoir et il est parti. Répudié. Ma mère avait organisé sa nouvelle vie et il n'en faisait pas partie.

Ce coup de théâtre au beau milieu du mariage de sa fille était signé Pat. Elle détestait laisser le premier rôle à quelqu'un d'autre. Quelques mois après le déménagement de la famille à Tell Road, il semblait qu'elle ait compris que Gil ne saurait jamais lui apporter ce qu'elle désirait. Il avait assumé trois emplois à la fois, sans cesser de se plaindre, cet abruti. Il s'était emballé sur leur propriété qui n'était jamais qu'un modeste ranch perdu au milieu des bois. Aucune ambition. Et il buvait trop de bière à son goût. Pat en conclut qu'il devait être alcoolique, lui qui restait très modéré. Cependant, lorsqu'elle découvrit une cachette pour ses canettes, elle y vit la confirmation de ses doutes.

Ses deux filles étaient mariées et elle n'avait que trente-deux ans. Elle pouvait viser beaucoup plus haut.

23

Pat devint une très jeune grand-mère deux jours seulement après que Susan eut épousé Bill Alford. Au mariage de sa sœur, Deborah était apparue enceinte jusqu'aux yeux et les contractions commencèrent le lendemain. Chez les Siler, toutes les générations de femmes avaient connu des mamans de quinze ans ; la dernière ne ferait donc pas exception. Sa mère lui conseilla de rester à la maison aussi longtemps que possible, mais, après une complication, Deborah dut accoucher par césarienne de sa première fille, Dawn.

Par la suite, cinq générations de femmes Siler posèrent sur la même photo : Marna Siler, quatre-vingt-six ans, Boppo, cinquante-deux, Pat, trente-trois, Deborah, quinze, et Dawn, un mois. Curieusement, aucune ne souriait.

Pat fut de nouveau grand-mère lorsque Susan mit au monde son fils Sean, l'année suivante, au mois d'avril.

— Maman ne voulait pas me laisser aller à l'hôpital quand j'ai commencé à perdre les eaux. Elle exigeait que je mange d'abord un bon steak et me détende. Boppo faisait les cent pas en fumant et en disant à maman que je devais y aller. J'ai fini par partir, trois heures avant la naissance de Sean.

Le ranch de Tell Road était beaucoup moins encombré, maintenant que Gil, Susan, Deborah et Gary étaient partis. Il ne restait que Ronnie, douze ans, qui aurait été enchanté d'aller habiter chez son père, mais Pat ne voulait rien savoir. À cause de Gil, elle ne possédait pas la belle maison dont elle avait rêvé, il ne méritait pas de voir son fils. En revanche, elle accordait à Ronnie tout ce qu'il voulait. Elle lui acheta un scooter et, quand il eut quatorze ans, le laissa truquer un faux permis pour qu'il puisse conduire dans Atlanta.

C'était maintenant au colonel qu'incombait la responsabilité de l'entretien de la « plantation » de Pat. Quant à Maggy, elle gardait plaqué sur le visage son sourire glacé, comme si tout se déroulait exactement selon ses vœux. Jamais elle n'émettait la moindre critique sur Pat, pas plus qu'elle ne se plaignait de la baisse de son niveau de vie, si ce n'était à Deborah ou à Susan. Toutes deux savaient que Boppo regrettait amèrement la belle demeure à laquelle il lui avait fallu renoncer, mais rien ne comptait davantage que les apparences et Maggy laissait entendre à tout un chacun qu'elle adorait vivre à l'orée d'un bois, même si son inaltérable sourire se figeait un peu.

Le divorce de Pat et Gil fut promptement prononcé, mais ce ne fut pas le seul changement dans la vie de Pat. On était au début des années 1970 et les jupes ternes n'avaient plus cours, ni les corsages bouffants, encore moins les coupes au carré de ses vingt ans. Elle abandonna ses lunettes pour des lentilles de contact. Elle avait arboré au mariage de Susan une magnifique robe manteau de brocart vert qui soulignait ses yeux émeraude et semblait s'épanouir plus que jamais, maintenant qu'elle avait reconquis sa liberté. Elle crêpait ses cheveux châtains au point de se grandir de quelques centimètres et se maquillait pour souligner ses yeux et sa bouche charnue.

Jamais on ne l'aurait prise pour une grand-mère. Elle était superbe et, dans le monde sélect des éleveurs de chevaux, ne passait pas inaperçue. À la façon un rien nonchalante des filles du Sud, elle flirtait outrageusement, mais aucun homme ne se vantait pour autant d'avoir couché avec elle. Ils étaient tous mariés.

La métamorphose de Pat se poursuivit. À mesure que sa coiffure se rehaussait, ses jupes raccourcissaient. Elle se confectionnait des débardeurs qu'elle portait sans soutien-gorge, afin de laisser sa poitrine se balancer au gré de sa démarche, les pieds chaussés d'étroites bottes de vinyle qui attiraient l'attention sur ses jambes minces. Elle se dessinait des robes si courtes et si décolletées que les hommes sursautaient sur leurs chevaux en passant devant elle. Elle aimait Tom Jones et Engelbert Humperdinck, écoutait des chansons d'amour avec l'avidité d'une adolescente. Elle appréciait particulièrement *Please Release Me* et *What's New, Pussycat?* Pas de doute, elle faisait savoir autour d'elle qu'elle était disponible.

Elle eut beaucoup d'aventures avec de nombreux hommes. Boppo et Papy faisaient comme s'ils n'étaient pas au courant. Susan et Deborah savaient, et cela les gênait beaucoup. Mais leur mère s'en moquait. Elle venait de se restreindre vingt années durant, de se dessécher dans un mariage sans amour, elle voulait vivre. Cette métamorphose n'alla pas sans causer quelque remue-ménage dans la famille Siler au cours de la réunion de 1971. Les Bonnes Sœurs, qui avaient toujours adoré Pat, furent choquées par son minuscule Bikini et ses minijupes. La belle petite Patty Radcliffe était maintenant la belle Pat Taylor. Elle savait qu'elle ne passait pas inaperçue et restait persuadée qu'il lui fallait chercher du côté des hommes, du moins l'un d'entre eux, la seule réponse aux appels de son cœur.

Un de ses amants le remarquerait plus tard :

— On ne pouvait lui échapper, même si on le voulait, ce qui n'était pas mon cas. Quand elle avait

261

décidé d'entrer dans votre lit, vous étiez perdu. Elle aimait trop faire l'amour.

Pat cherchait un homme. Elle n'avait aucun métier, n'avait jamais travaillé. C'était une femme d'une autre époque, elle le reconnaissait elle-même, se contentant de coudre et de décorer. Elle avait interrompu ses études et ne lisait que des romans d'amour, des récits pseudo-historiques basés sur la vie de Jeanne d'Arc ou de Robin des bois, des poèmes victoriens. Elle savait joliment se tenir à cheval mais ne montait pas aussi bien qu'elle le prétendait.

Pour une fille du Sud, elle n'était pas très bonne cuisinière. Ses goûts allaient du hot-dog au sandwich au thon, de la soupe de tomate aux plats chinois tout préparés. Si sa mère ne préparait pas les repas, Pat avalait des tartines au fromage ou au beurre de cacahuète, ou mangeait un sandwich tomate-mayonnaise en guise de dîner.

Elle ne touchait plus d'argent de son ex-mari et, sans Boppo et Papy, n'aurait pas eu de quoi vivre. Son rêve de plantation s'éloignait à grands pas; elle devait trouver un emploi.

— Je vais vendre des gaufres, lançait-elle souvent à sa mère en pleurant. Je ne sais rien faire d'autre.

Quoi de plus dégradant que de travailler dans un fast-food?

Et, soudain, la question passa au second plan. En avril 1972, Pat tomba de cheval et l'animal, qu'ils gardaient encore à Tell Road, la piétina. Ses blessures formèrent un embole, une concrétion de sang, qui se déplaça dans le système artériel, pou-

262

vant à tout moment provoquer une embolie pulmonaire fatale car susceptible de bloquer la circulation sanguine entre le cœur et les poumons. La douleur fut si intense qu'il fallut lui administrer de la morphine pour la calmer. Ses médecins les prévinrent, elle et Boppo, de se méfier, car le risque d'embolie resterait présent au cours des années à venir, voire jusqu'à la fin de sa vie.

L'invalidité seyait à Pat. Elle paraissait particulièrement charmante lorsqu'elle se reposait avec langueur sur la véranda, la chaleur ou une pointe de fièvre faisant briller ses yeux, son front et sa lèvre supérieure. Nul ne la poussait à se lever, à reprendre sa vie, alors qu'elle risquait à tout moment de voir sa fin arriver suite à un caillot de sang inopportun. Boppo se tenait plus que jamais aux côtés de sa fille, prête à répondre à ses moindres désirs.

Finalement, Pat fut opérée à l'hôpital universitaire d'Emory. Au cours de l'intervention, des plus délicates, les chirurgiens insérèrent une minuscule valve parapluie à travers sa veine jugulaire, afin de bloquer tout caillot avant qu'il pénètre dans l'artère pulmonaire. Pat passa un certain temps en soins intensifs, mais son état finit par s'améliorer.

Une autre catastrophe frappa la famille en août 1972. Après la réunion annuelle de la famille Siler, les Radcliffe, Pat et Ronnie, les Alford et les Cole rentraient à plusieurs voitures de White Lake, lorsque le véhicule qui transportait les Cole et Ronnie eut un terrible accident.

— C'est arrivé juste après la frontière de la Caroline du Nord, se souviendrait Deborah. On venait de déjeuner et on avait changé de chauffeur, c'était moi qui conduisais... Tout le monde s'est endormi... La dernière chose que je me rappelle, c'est mon volant qui se bloque au milieu d'un virage. Je ne pouvais plus rien faire. Je roulais à cent à l'heure. Je me suis réveillée sur le capot, les jambes rentrées dans la voiture à travers le pare-brise, ma ceinture de sécurité encore bouclée. Mon frère avait été éjecté, son crâne avait explosé le pare-brise et il se retrouvait dehors. Dawn était sous le tableau de bord et mon mari était passé du siège arrière à l'avant... Finalement, un conducteur a vu mon frère errant au bord de la route, mais il a fallu six heures avant qu'on nous sorte tous de là. On a été emmenés dans deux hôpitaux différents... Je m'étais brisé le dos, Gary la nuque, et Dawn avait une fracture du crâne. J'ai passé quatre semaines en soins intensifs, puis trois mois dans un établissement près de chez moi, après trois opérations au cours desquelles on m'a remboîté la colonne en cinq endroits et posé une plaque.

Susan et Bill arrivèrent les premiers chez eux. Ils ouvraient leur porte quand le téléphone sonna.

— J'ai dû prévenir ma mère de l'accident. Je lui ai dit que Deborah avait sans doute le dos brisé et elle m'a rétorqué : « Je me fiche de Deborah ! Dis-moi pour Ronnie... » Elle était comme ça. Chacun de nous trois lui était indispensable, mais tour à tour. À l'époque de l'accident, elle ne s'intéressait qu'à Ronnie. Je ne sais absolument pas pourquoi.

Personne n'aurait su dire qui conduisait réellement la voiture. Certains membres de la famille affirmèrent que c'était Ronnie et que Deborah avait menti pour le protéger. Tous deux avaient eu de la chance de survivre à un tel choc.

Après ces épreuves, l'existence de Pat parut prendre un nouveau tournant. Grâce à ses contacts dans le monde du cheval, elle rencontra, à l'automne 1972, l'homme qu'elle cherchait : l'amoureux parfait. Sans doute n'était-ce pas celui qu'auraient choisi toutes les jeunes femmes de son âge. Il était aussi vieux que Papy, mais pas aussi beau, avec des cheveux blancs, un teint rougeaud et un bon petit ventre. Mais il avait les moyens d'offrir à Pat tout ce qu'elle désirait.

Hap Brown était un membre du cabinet du gouverneur Jimmy Carter, à la tête d'une des administrations les plus importantes de l'État de Géorgie. Il avait son nom partout dans les journaux et siégeait à la droite du gouverneur. Il possédait une belle maison de fonction dans le centre-ville d'Atlanta et tout le monde se bousculait pour obtenir ses faveurs.

Lorsque le regard de cet homme de cinquante-huit ans tomba sur cette femme de trente-cinq ans, il fut aussitôt captivé par sa beauté et sa classe. Elle s'exprimait avec une petite voix aux intonations mélodieuses et savait le regarder droit dans les yeux, de ses iris verts, avant de, soudain, baisser les paupières ; il adorait sa franchise et sa réserve.

À l'évidence, elle l'aimait bien. Il comprit qu'il pourrait la posséder s'il le désirait. Néanmoins, il devait se montrer discret ; en effet, non seulement il appartenait au cabinet du gouverneur, mais, en plus, ce dernier ne tolérerait pas de le voir faire des galipettes. Par-dessus tout, l'argent de la famille Brown provenait de madame. Certes, Hap avait son salaire et ses avantages, mais Cordelia contrôlait leur véritable fortune. Elle ne considérerait certainement pas une liaison entre Pat Taylor et son mari d'un œil plus favorable que le gouverneur.

Hap Brown se laissa vite fasciner par Pat. Elle lui donnait l'impression d'avoir rajeuni de vingt ans ; c'était la femme la plus romantique qu'il eût jamais rencontrée et, en même temps, la plus sensuelle. Elle lui envoyait des poèmes tendres et symboliques et lui faisait l'amour comme une traînée.

Comme tous ceux qui aimaient Pat, Hap s'inquiétait de son bien-être. Elle semblait trop délicate, trop raffinée pour devoir aller travailler tous les matins ; cependant, elle en avait besoin, alors il créa pour elle un petit poste de relations publiques. Elle manqua souvent, elle était sans cesse malade, parfois hospitalisée ; il venait alors rendre visite à sa maîtresse pâle et hâve, lui prenait la main en promettant qu'il s'occuperait d'elle, tout en insistant pour que leur liaison reste secrète.

Elle comprenait et Hap se sentait chaque fois mieux, ravi de s'être trouvé une femme à la fois sensuelle et sensée. Grâce à leurs emplois, ils pouvaient être ensemble à peu près en permanence. Il avait des réunions, des fonctions politiques, qui l'empêchaient de rentrer chez lui le soir ou le week-end. Dès lors, il dînait souvent avec Pat. Sa femme habitant à une bonne heure du centre-ville, ils ne risquaient pas de se rencontrer le soir, ni aucun de leurs amis.

Étant donné que Pat n'avait pas beaucoup de travail, elle l'accompagnait partout ; ils déjeunaient longuement, se promenaient à la campagne pour y admirer la nature passer du vert de l'été aux ors de l'automne.

Hap envoyait à Pat des fleurs, des roses. Elle adorait les roses. Il lui acheta un camée en pendentif et elle commença à les collectionner. Elle conservait précieusement chacun de ses cadeaux.

— Elle me disait qu'ils allaient parfois piqueniquer au bord d'un ruisseau, se souviendrait Susan. Il posait la tête sur ses genoux et elle lui lisait des poèmes. Je crois qu'elle l'aimait vraiment, elle me disait qu'un jour il viendrait la chercher et qu'elle l'attendait. À croire qu'elle espérait le voir surgir sur son blanc destrier pour l'enlever.

Pat semblait vraiment éprise. Si ce n'était pas un chevalier dans son armure étincelante, sans doute voyait-elle en Hap Brown un substitut de père qui veillerait toujours sur elle. Elle désirait tellement être la seule femme de sa vie – ce qu'elle paraissait être, parfois. Hap la contemplait avec des yeux noyés d'amour. Il avait beau tenir à une totale discrétion, elle soupçonnait que de nombreuses personnes étaient au courant de leur liaison. Elle voyait bien les regards désapprobateurs quand elle s'esquivait du bureau pour aller le rejoindre. Elle s'en fichait. Plus vite l'épouse serait au courant, mieux ce serait. Hap aurait alors toute latitude de se consacrer à elle seule.

En revanche, l'amant se rendit vite compte qu'il n'aurait jamais droit qu'à un accueil des plus glacials à Tell Road. Maggy désapprouvait ouvertement cette liaison, mais les Radcliffe étaient des gens trop convenables pour dire en face à Hap

Brown leur façon de penser. Et si cela s'était produit, Pat leur aurait fait une scène comme jamais. Néanmoins, le message était clair : « Nous n'approuvons pas. »

Pat préférait donc emmener son amant marié chez Susan et Bill. Elle avait déjà utilisé cet appartement pour y amener d'autres hommes, mais elle persuada sa fille de servir l'apéritif et de se montrer « gentille avec Hap ». La jeune femme avait bien compris que ce monsieur faisait la cour à sa mère, à l'ancienne, avec ses manières galantes, gentilles et généreuses ; cela ne l'empêchait pas d'être marié et apparemment pas trop pressé d'y remédier.

Pat ne se gênait pourtant pas pour afficher ses intentions. Susan n'avait pas oublié comment elle s'écriait :

— Ramène-moi à la maison, Hap. En Caroline du Nord.

Elle voulait retourner là où vivaient ses tantes et sa grand-mère Siler. Seulement, il ne pouvait pas s'en aller comme ça, alors ils se disputaient et elle pleurait.

Pat comptait sur sa fille pour l'aider à mettre le grappin sur Hap, en lui suggérant de l'appeler « papa ». Susan se rebiffa, mais Pat rétorqua :

— Au moins demande-lui : « Quand allez-vous épouser ma mère et devenir mon père ? »

Susan avait déjà un père. Pourtant, un soir, elle se leva et lança :

— J'ai cru comprendre que… euh… vous alliez vous marier ?

Hap, qui allait saisir un amuse-gueule, s'arrêta net dans son élan et baissa la tête, visiblement gêné. Pour une fois, le volubile politicien ne trouvait plus ses mots. Les instants qui suivirent furent des plus inconfortables. Pat détourna la tête, se mordit la lèvre, déçue, dépitée. Susan fut mortifiée : elle voyait bien que Hap Brown n'avait aucune intention d'épouser sa mère.

Malgré tout son pouvoir, il commençait à s'inquiéter de la possessivité grandissante de Pat. Il voulut la détourner de son idée fixe de le faire divorcer pour ensuite se remarier avec elle; en même temps, il se pliait en quatre pour elle et pour sa famille. Il fit de son mieux pour aider Bill Alford à rester dans l'armée quand une réduction radicale des effectifs fut imposée au Fort McPherson. Mais Bill n'était pas officier d'active, et même les amis sénateurs de Hap ne purent rien y changer. Bill quitta l'armée en août 1973 et reprit ses études universitaires pendant que Susan dirigeait le haras du colonel Alan à Riverdale, ce même colonel Alan qui avait une fois posé si fièrement pour une photo illustrant un article sur les fiançailles de sa fille avec l'oncle de Susan, Kent Radcliffe.

Malgré les objections de Maggy, Hap emmena Pat en voyage d'affaires à Dallas et ils y passèrent d'excellents moments. Mais Pat rentra bredouille : Hap ne s'engageait pas plus qu'auparavant. Parfois, beaucoup trop souvent au goût de Pat, il ne pouvait la retrouver. Malgré son art consommé de la manipulation, elle se montrait soit naïve, soit aveugle devant les tristes réalités d'une liaison clandestine avec un homme marié. Il lui arrivait de passer des heures seule sur la véranda que son ex-mari avait construite pour elle, comme s'il lui suffisait de se concentrer pour voir Hap se matérialiser soudain à l'horizon.

Mais elle ne percevait que la pluie en hiver et les cigales en été, ou Fanny Kate Cash appelant ses chats.

Pat s'accrocha désespérément à Hap de Noël 1972 jusqu'à la fin de l'été 1973. En sa compagnie, elle était contente ; mais, dès qu'il partait, elle craignait qu'il ne revienne jamais. Elle l'implorait de demander le divorce à sa femme. Il se dérobait, lui expliquait pourquoi il devait reporter cette démarche.

De plus en plus malheureuse, Pat sentait sa vie se refermer de nouveau sur elle comme un piège. Elle n'avait même plus les concours hippiques pour se changer les idées : Deborah ne risquait plus de faire du jumping avec une plaque dans le dos.

En revanche, Pat avait toujours réussi à forcer Susan à monter en toute occasion.

— Elle m'a même convaincue de continuer alors que j'étais enceinte de cinq mois. C'était une démonstration en costume et elle avait dû lâcher la taille de sa longue tenue d'amazone en velours, et la faire tenir sur moi avec des épingles. Je tremblais tellement, j'avais tellement la nausée que j'ai cru tomber à la renverse. C'était elle qui aimait se déguiser, pas nous.

Mais, en 1973, les deux filles de Pat étaient mariées et mères de famille, elles n'avaient plus le temps de participer à des concours hippiques. À son tour, Pat porta la robe qui avait failli faire trébucher Susan, en velours orange avec un jabot et des poignets de dentelle, coiffée d'un chapeau de dressage orné d'une plume d'autruche. Elle garda précieusement une photo datant de cette époque et qui la montrait souriant dans toute sa gloire, en voiture attelée d'un Morgan, au côté du gouverneur Jimmy Carter, à proximité du capitole d'Atlanta. C'était pour elle la preuve qu'elle pouvait bien faire partie de la plus haute société de Géorgie.

Hap Brown allait lui en ouvrir les portes, et elle voulait conquérir cet homme comme rarement elle avait désiré quelque chose. Elle le conjura, le querella, l'implora, le harcela, alla jusqu'à le menacer. S'il ne divorçait pas de Cordelia, elle ne savait pas ce dont elle était capable. Alors que tous deux pourraient connaître une si belle vie ! Pourquoi ne comprenait-il pas ça ?

Elle ne se comportait certes pas non plus en grand-mère modèle, trop préoccupée par son aventure avec Hap. C'était Boppo qui tenait ce rôle, ravie de pouvoir gâter Dawn et Sean. Deborah et Sean venaient de temps à autre vivre avec les Radcliffe, car le couple se disputait fréquemment. On disait que Pat aurait employé les grands moyens pour retenir son gendre ; âgé de dix-neuf ans, Gary Cole fut sérieusement secoué lorsque la meilleure amie de sa femme le prévint de « surveiller ses arrières », que sa belle-mère aurait mis un contrat sur lui pour le faire exécuter. Il eut peur des mois durant, mais rien ne se produisit. Puis il se réconcilia avec Deborah et le couple reprit sa vie cahin-caha. À la fin, il se dit que ces rumeurs n'étaient dues qu'aux inventions d'une famille qui aimait un peu trop le pathos.

De son côté, Ronnie semblait passé aux oubliettes. Il n'avait plus le droit de voir son père, et sa mère, qu'il adorait, n'avait pas le temps de s'occuper de lui. Ses études en pâtirent, il eut même quelques menus accrochages avec la police. Il ne s'était jamais fait remarquer jusque-là, c'étaient ses sœurs qui brillaient grâce à leurs talents en équitation; elles étaient très jolies, alors que lui n'était rien que très ordinaire.

Le printemps revint sur la Géorgie, les bois se teintèrent de fleurs roses et blanches. Lasse d'attendre Hap Brown, Pat décida de lui forcer la main. Mis au pied du mur, celui-ci fit alors un choix qui sonna le glas des rêves de Pat. Elle ne répéta jamais à personne ce qu'il lui dit : manifestement, il avait répondu non.

Soir après soir, elle traîna son chagrin sur la véranda, son mouchoir de dentelle trempé de larmes. Elle ne mangeait plus, ne dormait plus.

— Il ne viendra pas me chercher, sanglota-t-elle devant Susan.

Celle-ci attacha le cheval sur lequel elle s'entraînait et regarda sa mère sans comprendre comment une aussi belle jeune femme pouvait se mettre dans une telle détresse pour un vieux.

— Tu as toute la vie devant toi, objecta-t-elle. Hap est fini, tandis que toi tu peux avoir qui tu veux.

Mais sa mère parut ne rien entendre.

— Il ne viendra pas me chercher, répéta-t-elle. Plus jamais. C'est fini !

Il ne vint effectivement plus. Pat dut s'aliter puis il fallut l'hospitaliser. Boppo et Papy la veillaient, craignant qu'elle ne meure d'une embolie pulmonaire si elle n'arrêtait pas de se désoler ainsi.

Elle reçut d'autres visites, entre autres, celles d'un homme qui passait tous les jours avec une rose rouge et qu'elle décrivit comme « un millionnaire qui veut m'emmener en Californie dans son jet privé ». Mais ce n'était pas Hap.

Elle finit par se lever et lui envoya un message via son secrétariat.

— Dites-lui que s'il ne change pas d'avis et ne quitte pas Cordelia et ses enfants pour venir avec moi, j'épouserai Tom Allanson dans quinze jours. Dites-lui juste ça.

Hap ne répondit pas. Alors elle le harcela de coups de téléphone, aussi bien chez lui qu'à son bureau. Et n'obtint à nouveau que le silence.

Elle avait menacé d'épouser Tom Allanson. Qui, se demandèrent Susan et Deborah, était ce Tom Allanson ? Pour elles, il s'agissait du maréchal-ferrant qui apportait les granulés de leurs chevaux. Rien de plus. Elles ne s'étaient même pas rendu compte que leur mère connaissait son nom de famille. Qu'allait-elle chercher là ? Croyait-elle pouvoir menacer Hap avec ce type ? Elle devait plaisanter...

Mais non. Selon Pat, il n'existait pas de meilleur moyen de récupérer Hap Brown que de sortir avec Tom. Hap accumulait les années et les kilos en trop, alors que Tom était un magnifique spécimen. Elle était certaine de l'attirer d'un simple claquement de doigts. Elle ne tenait pas spécialement à lui... du moins pas au début. Il ne lui servait qu'à rendre Hap jaloux. Elle ne voyait en lui qu'un

artifice utile, un symbole viril des plus convain-
cants, plein de jeunesse et d'énergie. Pourtant,
quand elle eut compris que Hap ne reviendrait
jamais, Pat regarda Tom d'un autre œil et reconsi-
déra ses choix.

QUATRIÈME PARTIE

La prison

24

En moins de deux ans, Pat avait connu les sommets les plus romantiques dont une femme puisse rêver, pour ensuite plonger dans des abysses de désolation. Avec Hap, elle avait été si près d'obtenir tout ce qu'elle voulait que ses larmes de rupture n'en furent que plus amères. Et puis elle avait trouvé Tom, et compris qu'il ne la quitterait jamais. Il lui offrit non seulement le Haras Kentwood, mais aussi un véritable amour ; et voici que, soudain, tout cela disparaissait comme un nuage de fumée dans un ciel obscur.

Pat dut se croire marquée par le destin, qui ne cessait de lacérer ses rares lambeaux de bonheur. C'était injuste. Boppo lui avait toujours dit qu'elle était exceptionnelle, or les gens exceptionnels méritaient d'être heureux. Pourtant, chaque fois qu'elle obtenait ce dont elle avait eu si longtemps envie, son contentement ne durait pas plus qu'une bouchée de barbe à papa. Il y avait toujours quelqu'un pour lui gâcher le plaisir, quelque chose pour la faire pleurer. Elle ne comprenait pas pourquoi.

Après sa condamnation, Tom suivit la « chaîne » (tous les détenus du comté de Fulton menottés et enchaînés ensemble dans un car) en direction du Centre de diagnostic et de classification de Géorgie, au centre pénitentiaire de Jackson.

Il n'y resta pas longtemps. Le 25 octobre 1974, Ed Garland déposa une motion d'appel en se fondant sur vingt-neuf erreurs commises par l'instruction. C'était une manœuvre courante qu'un bon avocat se devait de tenter, mais Tom mit tous ses espoirs dans ce deuxième procès. Cela signifiait qu'il pourrait être transféré de sa centrale à la maison d'arrêt du comté de Fulton. Pat insista pour que ce soit fait immédiatement, quand bien même les installations de Jackson étaient beaucoup plus modernes et confortables que les cellules surchargées afférentes au vieux tribunal ; elle voulait voir son mari se rapprocher. Le shérif Le Roy N. Stynchcombe fut chargé d'aller chercher Tom Allanson.

Passé le contrecoup de sa condamnation, celui-ci s'accrocha au rêve impossible d'une libération conditionnelle pour Noël, en attendant son appel. Mais la saison des fêtes approchait, ce qui n'arrangerait rien. Après avoir croupi cent trois jours dans la maison d'arrêt du comté de Fulton, il apprit que sa demande avait été rejetée.

Pat avait très mal supporté que son mari soit déclaré coupable. Son état de choc au soir du verdict n'était pas feint. Elle vivait une sorte de mélo grandeur nature, et toutes ses perceptions s'adaptaient aux couleurs de ses lectures et des feuilletons qu'elle regardait à la télévision. Elle avait toujours aimé les séries genre *Perry Mason* et *L'Homme à la Rolls*, où les procès s'achevaient sur

278

l'arrivée d'un témoin surprise qui permettait à l'accusé innocent de retrouver sa famille ou son conjoint. Malheureusement, cela ne s'était pas passé ainsi pour eux. On lui avait enlevé son Tom.

De plus, elle risquait de perdre Kentwood, la plantation de ses rêves. Elle ne pouvait supporter l'idée que d'autres personnes habitent les pièces que Tom avait installées rien que pour elle ou profitent de ses rosiers. Elle se tourna vers Susan et Bill qu'elle supplia de racheter Kentwood, de l'aider à sauver le haras. Bill avait repris ses études. L'emploi de Susan chez le colonel Alan lui permettrait juste de faire face aux échéances mensuelles de six cents dollars, sans compter le refinancement de la caution. Ils allèrent néanmoins à la banque pour tenter d'obtenir un autre prêt mais se le virent refuser et durent annoncer à Pat qu'ils ne pouvaient rien pour elle.

— Alors, cracha-t-elle, je préférerais le voir brûler que de laisser quelqu'un d'autre s'y installer !

En novembre, Tom écrivit presque tous les jours à ses grands-parents en les implorant d'aider Pat. Il n'avait pas d'argent pour payer un avocat qui le soutienne lors de son appel. Tout ce qu'ils avaient construit avec Pat allait être vendu : les chevaux, les selles, les bogheis, les écuries, les outils, les équipements et les machines, les armes de Tom. Les Radcliffe avaient hypothéqué deux fois le ranch de Tell Road et vendaient tout ce qu'ils pouvaient. Le Haras Kentwood retournerait à Hoyt Waller s'ils ne réglaient pas des milliers de dollars avant décembre. Ils avaient déjà trois mois de retard.

— Tu es notre dernière chance, plaida Tom auprès du vieux Walt Allanson.

Tom croyait vraiment que sa femme allait mourir s'il ne sortait pas pour s'occuper d'elle. Il l'avait toujours connue maladive, et la tension du procès puis la condamnation semblaient l'avoir anéantie. Pat avait beau assurer qu'elle allait prendre un emploi, il la suppliait de n'en rien faire. Elle ne pouvait travailler, elle était beaucoup trop malade.

Nous n'avons pas le choix, écrivit-il à Walt. *Ça devient une question de vie ou de mort. Je vous aime tous les deux. Aidez-moi, je vous en prie, Tom.*

Walt comptait ses sous depuis longtemps, les cachant çà et là dans sa propriété, ce qui ne l'avait pas empêché d'aider Tom. Mais il lui était difficile de lâcher les sommes dont Pat et Tom avaient maintenant besoin, tant pour payer les avocats que les frais de pharmacie et de médecins pour Pat. Tom réclamait au moins vingt-cinq mille dollars pour assurer sa défense, sans compter tout ce qu'il lui faudrait pour soutenir Pat.

Il inondait ses grands-parents de missives, portant sa femme aux nues et maudissant sa tante Jean Boggs qu'il traitait de « vautour », les prévenant que personne ne s'occuperait d'eux si elle venait à prendre le contrôle de leurs biens. Cependant, il ne faisait que répéter ce qu'il prenait pour la vérité, du moins selon les dires de Pat, qui le poussait à insister encore.

Et cela marcha. Walt et Nona considéraient Tom comme un fils, davantage encore que celui qu'ils avaient perdu. À contrecœur, le vieux couple finit

par réunir une somme suffisante pour régler médecins et avocats. Mais il n'était pas question d'hypo-
théquer leur ferme pour sauver Kentwood.

La situation était déjà désastreuse, pourtant, les
Radcliffe eurent encore à supporter une nouvelle
épreuve : les feux de l'automne.

À croire que quelque « incendiaire » mal-
veillant, façon Faulkner, sévissait en Géorgie. Cela
commença à Tell Road, la dernière semaine de
novembre. Le colonel Radcliffe fut réveillé un
matin à l'aube par une odeur de fumée. Enfilant
une robe de chambre, il se précipita dans la
chambre de Pat et la vit à la fenêtre, en déshabillé,
qui fixait l'horizon, au-delà de la carrière. Alors il
aperçut la fumée qui montait de l'écurie. Il semblait que Pat ait eu trop peur pour bouger ou seulement crier.

L'écurie se trouvait à plus de deux cents mètres,
à mi-chemin en direction du pavillon de Fanny
Kate Cash ; déjà le colonel distinguait des flammes
orange s'échappant de la bâtisse. Bien qu'âgé de
plus de soixante ans, il était resté en forme et parvint à sauver les chevaux terrorisés ; mais l'écurie
était perdue. Pat rendit visite à Tom et lui raconta
le dernier désastre qui venait de les frapper. Elle
ajouta qu'elle s'était blessée en aidant Papy à
sauver les chevaux. C'était faux : elle n'avait pas
quitté sa chambre de la nuit.

La même semaine, l'étable de Kentwood brûla
aussi, complètement. Heureusement, il n'y restait
qu'une vache solitaire qui avait trouvé le moyen
de s'en aller brouter dehors, du côté des vergers.

Mais, pour achever d'anéantir Tom, il apprit que sa grand-mère maternelle, Mae Mama Lawrence, était décédée. Elle aussi l'avait déshérité.

La demeure que Pat et Tom avaient tant aimée fut elle aussi victime des flammes, juste avant Noël. Pat récupéra les assurances qu'ils avaient prises dessus ainsi que celle de l'étable, et déposa l'argent sur son compte en banque sans tenir compte du fait que la signature du coemprunteur était également requise. Après quoi, elle rédigea à l'adresse d'Ed Garland un chèque de cinq mille dollars, qui fut rejeté. Entre-temps, les assurances avaient appris que le plus gros du montant des garanties ne lui revenait pas à elle mais à Hoyt Waller. Quant aux autres polices, elles étaient non seulement à son nom mais aussi à ceux de Tom et de Walt dans la mesure où celui-ci avait tant aidé son petit-fils pour acheter Kentwood. Les démarches pour toucher les sommes dues furent longues et compliquées, de telle sorte que la part revenant à Pat et à Tom était depuis longtemps dépensée lorsqu'ils la reçurent.

Le panneau de Kentwood disparut du portail et il ne resta de la plantation que des poutres calcinées achevant de refroidir dans la brume de décembre. Seuls les buissons de houx et la clôture blanche étaient restés intacts. Le terrain revint à Hoyt Waller ; le rêve de Pat était parti en fumée. Il ne lui restait désormais que Tom, et elle s'accrochait désespérément à lui, craignant que lui aussi ne l'abandonne.

Elle allait le voir aussi souvent que possible, surtout le mercredi. Elle arrivait épuisée après avoir dû grimper l'interminable côte menant à la vieille maison d'arrêt. Ils n'avaient pas le droit de se toucher et ne pouvaient se parler qu'au moyen de téléphones. Elle levait sa petite main pour la plaquer sur la vitre, contre la paume de son mari. Elle se montrait aussi tendre qu'aux premiers jours, le dévisageant comme si son cœur allait exploser.

— Ça me rendait fou, se souviendrait Tom. Elle portait toujours des vêtements très provocants.

Il lui avait appris à aimer la musique country et tous deux partageaient une dizaine de chansons préférées qui parlaient toutes d'amour cruel, disant : « Par pitié, n'arrête jamais de m'aimer parce que je ne pourrais vivre sans toi. » Cela leur rappelait tellement leur propre histoire... Le soir, elle appelait des stations de radio pour leur demander de dédicacer telle ou telle chanson « à mon Tom ». Et lui, allongé sur sa banquette, les écoutait sur son minuscule transistor.

Ils n'avaient pas oublié leur devise : « Tout vient à point à qui sait attendre. » Chacun la reprenait sur les messages qu'ils s'envoyaient sans cesse. Et sans cesse Tom jurait à Pat que leur amour serait le plus fort.

Malgré cela, une certaine tension accompagnait leurs rencontres : d'abord parce que Pat passait rarement la sécurité sans insulter les autres visiteurs; même les codétenus de Tom se rappelaient sa femme : elle se fichait de leurs conventions et ne se gênait pas pour le montrer. Elle accusait les gardiens de perdre délibérément certaines de ses lettres à Tom et se mit à les numéroter pour s'assurer qu'il les recevait toutes. Elle avait ainsi trouvé le moyen d'attirer l'attention sur elle autant que sur Tom, se montrait impatiente et irascible quand il l'implorait de se soumettre aux règlements de la prison. Même lorsqu'elle lui proclamait son amour éternel, elle contrariait les agents chargés de contrôler la vie quotidienne de Tom.

Quant à lui, il ne savait jamais trop dans quelle humeur il la trouverait. Parfois, elle se montrait enjouée, pleine d'enthousiasme parce qu'elle venait de lui trouver une carte amusante ou qu'elle lui avait fait un joli dessin. Elle aimait représenter des amoureux romantiques, qui s'embrassaient entourés de cœurs. Il en tapissait les murs de sa cellule. Pour Noël, elle lui offrit un caleçon qu'elle avait brodé de ses mains et il le porta malgré les railleries de ses codétenus.

D'autres fois, elle passait son temps de visite à écumer de colère. Il lui promettait que tous deux seraient réunis dès que la défense aurait obtenu un nouveau procès, mais Pat ne pouvait plus supporter Ed Garland. Elle le trouvait irrespectueux envers elle et ne le gardait que parce qu'il passait pour le meilleur avocat d'Atlanta.

— Chérie, plaidait Tom, ne te laisse pas ronger par la haine.

Entre deux visites, ils se téléphonaient. Tous les soirs, les gardiens passaient des appareils de cellule en cellule et chaque prisonnier se voyait attribuer un certain temps de communication. Pour pouvoir acheter des minutes supplémentaires, Tom vendait à ses codétenus tout ce qui lui tombait sous la main. Il ne fumait pas mais se procurait des cartouches de cigarettes afin de les troquer contre du temps. Aux repas, il leur laissait les meilleurs morceaux, les desserts et tout ce qui pouvait les tenter. Il accomplissait quelques corvées supplémentaire, lisait leurs dossiers légaux aux analphabètes et chargeait même Pat de messages pour leurs épouses et leurs compagnes, mission qu'elle remplissait à contrecœur.

Cependant, tous deux tenaient à leurs discussions quotidiennes qui tournaient souvent autour de la stratégie qu'ils devraient adopter en vue du procès, ainsi que de leurs projets d'avenir. Pat le prévint qu'elle enregistrait leurs conversations pour réécouter sa voix plus tard, afin de se sentir moins seule. Jamais elle n'admettait qu'il ne disposait que d'un temps limité, qui lui revenait très cher, et lui reprochait de vouloir raccrocher trop vite.

Chaque revers juridique la rendait un peu plus amère. Elle ne cessait de lui rappeler qu'il en avait pour au moins douze ans de détention et qu'elle serait « vieille » quand il sortirait. Elle parlait d'une voix parfois douce, entre deux sanglots, parfois sèche et pleine de reproches, alors que lui la suppliait de tâcher de comprendre. Mais le moyen de la convaincre par téléphone ? Dès qu'il l'entendait, il espérait que la conversation serait douce et chaleureuse ; pourtant, Pat déformait ses paroles, trouvait à redire à tout ce qu'il disait et l'accusait de cruauté. Il n'en revenait pas. Elle savait qu'il ne se dresserait jamais contre elle. Que devait-il faire de plus pour lui prouver son amour ?

Désormais, elle voulait être sa seule visiteuse et décourageait jusqu'aux membres de sa famille d'aller le voir; par exemple, elle lui assura que Walt et Nona se plaignaient du froid, des gardiens, de la pente à gravir, de l'interminable traversée des corridors, et qu'il ferait mieux de ne pas leur demander de venir. Il lui arriva même de se plaindre de Boppo. Les rares fois où elle acceptait que quelqu'un vienne voir Tom, elle rédigeait les questions que ses visiteurs devaient lui poser. Dès que Susan ou Deborah le quittaient, elle se précipitait pour obtenir leur compte-rendu, voulant savoir tout ce qui s'était dit entre eux.

Plus que tous, elle détestait Matthew Rawley, un ami que Tom gardait de l'université. Désormais pasteur, celui-ci le soutenait avec une inaltérable conviction et tentait de lui communiquer un peu de sa force. Au début, Pat parut le trouver sympathique, même si elle ne cessait de s'opposer à ses idées religieuses.

— Montrez-moi, disait-elle, montrez-moi où c'est écrit dans la Bible. S'il existe un Dieu, montrez-le-moi dans la Bible.

Il écoutait patiemment ses arguments puis indiquait ses sources, tant et si bien qu'elle en vint à le détester, d'autant que Tom lui demandait de plus en plus de conseils.

Dès lors, chaque fois qu'elle apprenait que Matthew était venu le voir en prison, elle piquait sa crise. Elle passa beaucoup de leur précieux temps au téléphone à accuser Tom de la trahir en le laissant venir lui rendre visite. Finalement, elle lui intima de choisir entre elle et le révérend Rawley.

Bien entendu, Tom choisit sa femme.

Boppo et Papy, qui avaient tant économisé pour assurer leur retraite, se débattaient maintenant avec les créanciers. La maison de Dodson Drive leur avait échappé depuis longtemps et ils allaient sans doute perdre aussi le ranch de Tell Road. Pat et Ronnie vivaient toujours avec eux, et le jeune garçon fut envoyé dans l'école militaire que Tom avait autrefois fréquentée. Boppo protégeait de toutes ses forces ce jeune homme fluet et tranquille; elle tenait à ce qu'il fasse de bonnes études malgré leurs maigres ressources. Mais Ronnie n'aimait pas les études et ne put tenir la moyenne exigée par l'établissement; il abandonna en troisième.

Susan et Deborah traversaient toutes deux une période difficile dans leur ménage. Bill Alford venait d'annoncer à l'aînée qu'il voulait divorcer. Avec son amie Sonja Salo, celle-ci fut admise à préparer l'école d'hôtesses de l'air sur Eastern Airlines. Susan et Bill divorcèrent donc, mais se remarièrent dans les six mois qui suivirent. Bill s'occupa de Sean, le temps qu'elle s'installe à Newark pour y suivre sa formation de six mois. Cependant, tout cela n'était que broutilles comparé à la situation extrême de Pat. Et elle s'assurait que personne ne l'oublie.

Comme pour confirmer le mal qu'avec Maggy elles pensaient de l'ex-femme de Tom, la garde de leurs enfants, Sherry et Russ, fut enlevée à la petite Carolyn; elle pourrait éventuellement obtenir un droit de visite si elle mettait de l'ordre dans sa vie et se trouvait un lieu de résidence permanent. En attendant, le frère de la grande Carolyn, Seaborn

Lawrence, en aurait la charge, malgré les demandes réitérées de Tom pour qu'ils soient confiés à Pat.

L'examen de la demande d'une révision du procès fut repoussé au 20 février. Cette mauvaise nouvelle s'ajoutant aux autres, les lettres de Tom se multipliaient, exhortant ses grands-parents à ne pas faire confiance à Jean Boggs, jurant qu'elle n'en voulait qu'à leur argent, qu'il fallait les croire, lui et Pat, l'unique personne susceptible de prendre soin d'eux dans leurs vieux jours. Pat prévint Tom que leur testament pourrait facilement être invalidé s'ils se laissaient influencer par une personne peu scrupuleuse, ce qui serait catastrophique puisqu'il était en prison. Pour le moment, c'était lui leur légataire, pas elle, dont le nom n'apparaissait pas dans leurs dernières volontés. Or, il était enfermé et si l'un de ses grands-parents venait à mourir et qu'elle n'était pas citée comme exécuteur testamentaire, qu'arriverait-il? Qui s'occuperait du survivant?

De plus, il fallait se montrer réaliste. L'argent et les biens de ses grands-parents pouvaient tout à fait lui passer sous le nez. N'avait-il pas déjà perdu ses droits sur la succession de ses propres parents? Pat insistait pour qu'il prenne garde : Walt et Nona étaient vieux, ils ne comprenaient pas toujours ce qui se passait autour d'eux. Si cela se produisait, Tom n'aurait jamais de quoi payer une défense susceptible de le sortir de prison.

Pat savait se montrer très persuasive et Tom saisissait fort bien la logique de ses arguments. Il écrivit une autre lettre. Entre-temps, tranquillement, subtilement, sans trop de tapage, Pat se glissait dans la vie des grands-parents de Tom. Grâce à ses courriers, il leur donnait l'impression qu'elle avait toujours fait partie de la famille; elle leur rendait visite aussi souvent que possible, faisait leurs courses, s'asseyait auprès de Nona, leur mitonnait des petits plats. Même quand elle ne se sentait pas très bien, elle leur téléphonait chaque jour. Ces personnes âgées vivaient une rude épreuve; leur fils et leur belle-fille étaient morts, assassinés, leur petit-fils en prison. Ils ne voyaient pour ainsi dire plus leur fille, Jean, depuis que Walt avait vendu une partie de son terrain à Walter. Leur vie était vide et Pat se faisait fort de la remplir. Elle jouait les messagers entre eux et Tom. Parfois, elle amenait Deborah avec elle pour l'aider à entretenir la ferme, et Boppo venait souvent leur rendre visite.

Chaque jour qui passait voyait Pat révéler une nouvelle facette de son caractère versatile. Avec Tom, elle pouvait aussi bien se montrer accusatrice qu'amoureuse, sa Pat qui ne saurait vivre sans lui. Avec les avocats, elle était impérieuse, exigeante, et sa voix prenait une intonation métallique. Quand elle était avec Walt et Nona, elle leur donnait son avis et prenait leur vie en charge. Avec ses parents, comme toujours, elle était dépendante, une enfant gâtée qui piquait des crises de larmes et de colère. Elle provoquait de terribles angoisses chez Boppo quand, sous le coup de la fureur, elle filait dans la Cougar rouge qu'ils lui avaient offerte et dévalait Tell Road en trombe, conduisant comme une folle, dans un nuage de poussière. Régulièrement, elle allait se garer plus bas, derrière la grange qui la cachait de la maison. Si Boppo et Papy l'y surprenaient et venaient tenter de la raisonner, elle rallumait ses feux et démarrait sur les chapeaux de roues.

— Je t'aime, ma chérie, murmura un soir Tom au téléphone. Tu me manques plus que tout. Tu es ma Pat et tu le seras toujours. On s'en sortira, chaton. J'ai besoin de toi plus que de tout au monde. Tu es ma femme, ma vie tourne autour de toi, d'accord?…

— D'accord, murmura-t-elle sans plus de fioritures.

Au moins cet appel allait-il s'achever sur une note positive. Encore quelques minutes.

— Je vais t'envoyer une lettre ce soir, chaton, et j'essaierai de te rappeler.

— On se parlera lundi, dit-elle, sans l'encourager davantage.

— Je vais essayer de te rappeler. Je t'aime.

— D'accord. On se parle lundi…

Apparemment, elle lui en voulait. Elle pouvait changer si vite d'humeur qu'il ne savait en général pas ce qui avait causé son revirement. Il s'allongea sur sa couchette, alluma sa radio. Pas de dédicace, ce soir, de Pat pour Tom.

Mais, comme toujours après un coup de téléphone, il finit par se rasseoir et rédigea une autre lettre pour ses grands-parents, les suppliant d'aimer Pat, de l'aider, ce qui ne pourrait que l'aider, lui, à sortir de prison. Il s'inquiétait davantage pour elle que de ce qui pourrait lui arriver en appel.

Pat avait une espèce d'infection à la hanche et devait recourir à une béquille. Elle s'était déjà plainte à Tom d'une fièvre constante, ainsi, il avait encore un autre sujet d'inquiétude.

— Comment te sens-tu? demanda-t-il au cours d'une autre conversation.

— Maintenant que tu m'as appelée, beaucoup mieux... Enfin, j'ai toujours de la fièvre... et j'ai passé une mauvaise nuit.

— Quand vas-tu voir le médecin?

— Lundi.

— Sûr?

— Sûr, chéri.

— J'ai l'impression de vivre dans un rêve depuis qu'on s'est rencontrés, insista-t-il pour lui remonter le moral.

En vain...

— On ne peut pas vivre comme des gens normaux, ni faire des projets d'avenir. On ne vit qu'au jour le jour. Quand les choses ont mal tourné, au moins, on pouvait se toucher.

— On peut toujours.

— Je ne peux pas te toucher, Tom. Tu es en bonne santé, tu as vraisemblablement de nombreuses années à vivre encore. Donc, tu tiendras le coup, même si tu dois faire onze ou douze ans. Mais soyons réalistes. C'est merveilleux de rêver, merveilleux pour moi de te dire : « Tom, je t'attendrai toujours », parce que tu sais dans ton cœur que si j'étais forte et si j'allais bien, je pourrais t'attendre toujours, Tom.

— Tu ne vas pas mourir de sitôt...

— Je pourrais mourir de chagrin, de me sentir trop seule... Je n'ai plus personne pour m'aider, maintenant.

— Tu m'as toujours. Si tu ne crois pas que je suis là avec toi, que je veille sur toi... regarde toutes mes lettres.

— Je sais bien, Tom... Les lettres, les fleurs, les cartes, les statues, les tableaux. Toutes ces choses que je ne peux pas prendre dans mes bras quand je suis malade. Elles ne peuvent rien pour moi quand j'ai besoin d'aide. Elles ne paieront pas les factures. Elles ne viendront pas me chercher. Elles ne peuvent pas me protéger. Elles ne peuvent pas me mettre à l'abri, ni m'assurer aucune protection.

Silence. Que pouvait-il répondre ?

— Pat, tu sais que ce n'est pas une partie de plaisir pour moi.

— Tu n'as pas l'air de comprendre qu'avant, quand j'ai compris que je n'allais pas vivre longtemps, au moins, je n'avais pas à me soucier de tout ça. Et puis tu es arrivé et j'ai eu envie de toi parce que tu étais là et, dès que je sentais la mort rôder, tu étais là pour me retenir, tandis que maintenant...

Il insista pour qu'elle le laisse lui donner envie de vivre.

— Pour quoi faire ?

— Pour moi. Pour nous !

— Il n'y a pas de nous, Tom... On n'existe que parce qu'on s'aime mais on n'est pas ensemble.

Cette conversation dura encore vingt minutes. Quand elle eut raccroché, Tom était persuadé que sa femme allait mourir.

25

Pat était malade. Elle avait des plaies sur la cuisse et une lésion plus large sur la fesse droite, qui tournait à l'abcès. Toutes étaient apparues subitement et ses médecins ne savaient qu'en penser. En outre, la jeune femme semblait de plus en plus souvent sujette à des crises d'hystérie. Elle voulait que sa mère ne la quitte plus, ce qui était impossible. Boppo devait travailler, maintenant plus que jamais, car les finances des Radcliffe devenaient très serrées. C'était une excellente réceptionniste, très appréciée par les dentistes et le personnel de la clinique. Mais elle avait perdu trop d'emplois dans sa vie pour ne pas savoir à quel point il était dangereux que sa famille fasse sans cesse appel à elle.

Pat avait trente-sept ans et ses ennuis continuaient de monopoliser toute l'attention de son entourage. Boppo, Papy, Ronnie, Susan, Deborah, Tom et ses tantes étaient les chevaux de bois d'un manège qui ne tournait qu'autour d'elle, des miroirs qui ne lui renvoyaient que son image, des projecteurs qui n'éclairaient qu'elle, comme toujours. Et elle tour à tour de se rengorger, de sangloter, de vitupérer ou de sourire béatement.

Boppo et le colonel étaient tellement occupés à la sauver de ses déboires qu'ils n'avaient plus le temps d'évaluer ce qu'ils avaient perdu dans la bagarre. Et quand bien même, ce ne serait sans doute pas entré en ligne de compte. Tout ce qu'ils possédaient était parti pour sauver Pat – maisons, chevaux, argent, réputation, meubles, bibelots et, s'il l'avait fallu, vies humaines. Ils avaient atteint un tel point qu'ils ne pensaient même plus à leur propre sécurité.

Tom avait toujours cru sa femme fragile, alors qu'en fait elle était plutôt robuste. Elle pouvait soulever les lourdes selles de cow-boys et sa main se refermait comme un étau sur votre poignet. Boppo était la seule à oser lui tenir tête quand elle s'emportait, les autres en avaient une peur bleue. Cependant, Walt et Nona ne virent jamais cet aspect de son caractère. Face à eux, elle restait si attentionnée, si tendre qu'ils en arrivaient à la considérer comme leur propre fille, au même titre qu'ils voyaient Tom comme leur fils.

Le 11 septembre 1974, deux mois après les meurtres, ils avaient chacun rédigé un testament en se basant sur la « déduction maritale » qui, en Géorgie, divise une propriété en deux parts pour une question d'impôts, et se faisaient mutuellement leur légataire. Néanmoins, au cas où les deux mourraient, leurs biens seraient partagés entre Tom et les deux enfants de Jean Boggs ; ainsi, Tom recevrait une moitié et ses cousins chacun un quart. Tom et sa tante Jean seraient les coexécuteurs testamentaires de cet héritage.

Le 4 mars 1975, ils ajoutèrent un codicille. Aidés de Pat, ils reprirent contact avec leur avocat afin qu'elle soit nommée exécuteur à la place de Tom si celui-ci rencontrait un empêchement. Jean Boggs restait coexécutrice.

Ils attendaient tous avec impatience l'arrivée de ce printemps 1975 pour savoir si l'appel de Tom aboutirait. Celui-ci était reconnaissant à sa femme quand il la voyait parcourir ce chemin escarpé avec ses béquilles pour venir encore le voir. Le 10 mars, quand l'appel fut à nouveau reporté, Pat s'en montra désolée. Son état mental autant que physique ne faisait qu'empirer et elle ne semblait plus s'occuper d'elle-même, au point que Maggy commençait à s'inquiéter.

Au soir du mercredi 9 avril, un de ces soirs où les visites étaient autorisées, Pat apprit que Tom s'était entretenu avec l'un de ses avocats en dehors de sa présence. Folle de rage, elle s'en prit à son mari. Comment osait-il faire une chose pareille? Apparemment, il aurait donné à Ed Garland une version des faits et elle une autre, soulevant ainsi des questions auxquelles elle ne tenait aucunement à répondre.

— Ce n'est qu'un connard de menteur! explosa-t-elle en faisant allusion à Ed Garland.

— C'est bon, Pat, murmura Tom pour la calmer.

— De toute façon, expliqua-t-elle comme si elle s'adressait à un retardé mental, je te demande juste de leur dire : « Désolé, je ne peux pas vous recevoir seul. C'est une règle entre nous et votre cabinet le sait très bien… » Et puis, ça ne serait pas arrivé si tu ne les avais pas vus tout seul… Maintenant tu as une version de l'histoire et moi une autre.

C'était bien cela la difficulté. Tom ne pouvait parler à ses avocats des meurtres – avait-elle assez insisté sur ce point! Elle avait l'impression d'être obligée de censurer chacune des paroles de son mari. Elle vivait dans la peur de ce qu'il pourrait raconter, redoutant qu'il ne les emmène un peu trop loin dans le récit de ce qui était arrivé à ses parents. Il faisait trop confiance aux gens. Il ne savait pas se protéger et n'avait pas non plus les moyens de la protéger.

Après avoir passé la moitié du temps de la visite à se répandre en imprécations, elle fit promettre à Tom de « ne jamais recommencer ».

— Promis. Juré.

Comme si cela ne suffisait pas, elle avait trouvé le moyen d'oublier dans une salle d'attente une revue interdite qu'elle comptait lui passer en douce, si bien que des gardiens surgirent pour interrompre leur entretien. Elle en blêmit de colère. Boppo et Papy, qui l'avaient accompagnée, tentèrent de la calmer alors qu'elle demandait à voir leur chef, sous le regard impuissant de Tom. Plus elle faisait de scandale dans la maison d'arrêt, plus il risquait d'en être expulsé.

Cependant, elle était complètement déchaînée et, alors qu'ils descendaient les longs corridors sous ses hurlements, le colonel Radcliffe, perdant pour une fois patience, se retourna et lui flanqua une gifle magistrale. En plein sur l'œil.

Sous l'effet de la surprise, Pat resta un instant sans voix puis éclata en sanglots. Pendant le trajet du retour jusqu'à la maison, elle ne cessa de menacer de déménager chez Walt et Nona et d'emmener Ronnie avec elle. Lorsque Tom téléphona, elle se plaignit d'avoir été battue.

— Il m'a frappée de toutes ses forces alors qu'on n'était même pas encore sortis de la prison, hoqueta-t-elle. Il a dit que j'étais effroyable avec toi, que tout était ma faute. Alors je me suis mise à pleurer et je lui ai dit de me lâcher. Il a répondu qu'il allait me faire interner dans un asile de fous. J'ai dit qu'il faudrait d'abord me tuer.

— Je suis désolé, chaton.

— Je m'étais donné tellement de mal pour être jolie et te plaire.

— Pardon, chaton. N'oublie pas, ça s'arrangera. « Tout vient à point à qui sait attendre. »

Elle sanglota encore un peu mais raccrocha en souriant, un sourire que Tom ne pouvait évidemment voir.

Pat faillit convaincre Tom de renvoyer Ed Garland. Celui-ci était rarement disponible quand elle téléphonait, il ne voulait pas écouter ses suggestions. Elle le détestait. Elle appela un autre avocat, lui demanda un rendez-vous pour lui expliquer que Tom était toujours représenté par Garland mais qu'elle ne voyait pas pourquoi elle ne pourrait engager un second avocat qui la conseillerait, elle.

— Je suis l'avis de mon père, qui a fait du contre-espionnage.

L'avocat expliqua qu'il pourrait représenter Tom dès que celui-ci aurait renvoyé Garland mais qu'il ne pourrait en aucun cas le poursuivre pour l'obliger à rendre les 15 000 dollars qu'elle lui avait déjà versés. Il suggéra également que Tom, ayant un diplôme de maréchal-ferrant, pourrait enseigner son art dans le cadre de la réinsertion des jeunes délinquants : cela lui permettrait de sortir souvent en attendant son appel. Ce serait beaucoup plus agréable pour lui que de croupir dans une des cellules bondées de la maison d'arrêt de Fulton.

— Ça se passerait à la maison correctionnelle de Buford, ajouta-t-il, un lycée pour jeunes détenus, à une demi-heure d'ici.

— J'ai une santé précaire et, tant qu'il est à la prison du comté de Fulton, je peux le voir au moins une fois par semaine et lui parler au téléphone quatre fois.

L'avocat expliqua que Tom aurait un droit de visite et d'appels téléphoniques quasi illimité à Buford.

— L'important pour lui, c'est de rester en contact avec moi, le contra-t-elle. S'il va là-bas, il y passera six semaines et ne pourra plus me voir... Je peux partir à chaque instant.

Soudain, l'avocat comprit qu'elle faisait allusion à sa mort... Elle paraissait pourtant en bonne santé. Cela semblait à peine croyable.

Pat ne dirait jamais à Tom qu'il avait la possibilité d'aller enseigner à Buford. Elle n'indiqua pas à l'avocat qui étaient ses médecins. Mais elle en avait beaucoup. Des « spécialistes ».

L'atmosphère à Tell Road n'était pas des meilleures. S'il y avait une chose que le colonel Radcliffe ne pouvait supporter, c'était qu'on critique sa femme. Maggy était la plus belle, la plus aimable, la mieux élevée d'entre toutes, et il l'aimait. En règle générale, il acceptait tout ce qu'elle voulait; or, rien ne comptait davantage pour Maggy que le bien-être de sa fille. Mais les éclats de Pat l'épuisaient : une fois, elle avait poursuivi Boppo et Papy avec un couteau, une autre fois avec un parapluie, parce qu'elle n'obtenait pas ce qu'elle demandait. Et son attitude à la prison lui avait paru inexcusable.

Le colonel partit faire un voyage dans un autre État, bien qu'il estimât que ce n'était pas vraiment le moment. Pat menaçait toujours d'aller s'installer chez Walt et Nona, et Boppo la suppliait de se montrer raisonnable. Le 10 avril, elle s'enferma dans sa chambre en claquant la porte et la soirée parut tout d'un coup plus calme.

Elle reparut alors, en nuisette rouge transparente, pieds nus, les poignets tailladés et sanguinolents. Avant que Boppo puisse intervenir, et malgré ses béquilles, elle sortit de la maison pour filer vers le bois, sous un crachin glacial. Il y avait une centrale électrique derrière les arbres, dont les pylônes perçaient l'obscurité. Pat courait dans cette direction, trop vite pour sa mère qui la suppliait de s'arrêter.

Boppo rentra pour appeler les secours et alerter les voisins. Plusieurs hommes sautèrent dans leurs voitures. Passé la centrale, Pat pouvait longer la voie ferrée jusqu'à une clinique vétérinaire, déserte à cette heure-là.

Après de longues recherches, ils trouvèrent enfin Pat, courant toujours, boitant de plus en plus, les poignets en sang.

On la fit admettre sur-le-champ au centre psychiatrique Metropolitan d'Atlanta, afin de déterminer à quel point elle pouvait représenter un danger pour elle-même. Ils avaient choisi cet établissement de luxe, qui ressemblait davantage à un hôtel, car elle ne voulait pas mettre les pieds dans un « asile de fous ». Le moindre séjour y coûtait un prix exorbitant. Elle y entra, toujours en nuisette, nerveuse, angoissée et si bavarde qu'on ne pouvait plus l'arrêter.

Elle se plaignit de ne plus rien voir de l'œil gauche, car son père l'avait frappée; mais ce qui déconcerta davantage le médecin fut son abcès sur la fesse droite.

En réponse aux questions qui lui furent posées, elle raconta toute sa vie, se dit une éternelle victime, maltraitée par l'existence et par l'insensibilité de son entourage. Son mari était en prison, condamné pour deux meurtres qu'il n'avait pas commis, alors qu'ils n'étaient pas mariés depuis onze mois. Juste après le mariage, elle avait eu un terrible accident.

— J'ai versé 45 000 dollars à mes avocats, je leur ai donné des propriétés qui en valaient plus de 35 000, afin que mon mari soit bien défendu.

Maggy expliqua au médecin que sa fille ne se soignait plus tant elle était obsédée par l'idée de faire sortir son mari. Pendant ce temps, Pat exigea de téléphoner à ses filles.

— Ils veulent m'assassiner, souffla-t-elle à son aînée. J'ai été violée quand j'étais petite.

Elle ajouta que si Susan ne venait pas immédiatement la chercher, elle en mourrait. Les médecins qui entendirent la conversation dirent qu'elle exagérait considérablement la gravité de ses blessures.

Quant à son abcès, elle expliqua qu'il provenait, ainsi que ses autres plaies, d'injections à la pénicilline administrées par son médecin, le Dr Taylor. Il fut facile de vérifier auprès de l'intéressé qu'elle n'avait reçu aucun traitement à la pénicilline ; en revanche, ses mystérieuses plaies la faisant beaucoup souffrir, il lui avait donné du Demerol.

Pat fut admise sous le diagnostic de « dépression agitée avec possible désordre de la pensée ». Ce n'était pas très conforme d'un point de vue éthique, mais les médecins voulaient la garder en observation, car ils craignaient qu'elle ne soit « pas capable de se soigner elle-même ».

Un examen physique leur permit de faire ce diagnostic : « La patiente n'a pas de fièvre et ne présente pas d'infections graves. On observe des formations d'abcès sous-cutanés chroniques ainsi que d'abcès musculaires froids sous traitement par incision et drainage ainsi que par couverture antibiotique... Pas de signe de thrombophlébite... ni de processus pathologique impliquant l'œil gauche. »

La gifle de Papy n'avait pas causé grand dommage. Pat voyait très bien et, même si elle avait convaincu Tom qu'il lui restait seulement quelques années, si ce n'étaient quelques mois, à vivre, un examen physique complet montra que son cœur, son sang, ses reins et tous ses organes étaient normaux. Elle ne présentait pas de caillots. Ces abcès mis à part, elle était en bonne santé.

Elle eut droit à quelques séances de psychothérapie individuelle et de groupe. Durant son séjour, elle demanda à plusieurs reprises à se rendre à la maison d'arrêt du comté de Fulton pour y voir son mari. Au bout d'une semaine, elle put y aller, avec Boppo, et « supporta bien cette courte absence ».

301

Après douze jours de clinique, elle fut autorisée à sortir avec une ordonnance de cinquante milligrammes de Mellari quatre fois par jour, le dosage initial habituel pour des patients quasi psychotiques. Elle devrait être suivie en tant que patiente en consultations externes et ses médecins estimèrent qu'elle avait de grandes chances de « revenir à un retour à la normale significatif ».

Pat ne prit son Mellaril que pendant une courte période mais doubla les autres traitements. Si les médecins avaient constaté sa dépendance grandissante aux sédatifs et aux antidouleurs, ils ne le notèrent pas dans leur rapport.

26

Après sa sortie du centre psychiatrique Metropolitan, Pat estimait avoir recouvré toutes ses facultés et ne voulut pas poursuivre sa thérapie. Ses abcès avaient commencé à guérir, et pendant un certain temps elle parut en meilleure forme, même s'il lui était encore difficile de gravir la longue côte pour rendre visite à Tom ; aussi s'arrangèrent-ils pour se « retrouver » au téléphone.

Outre les chansons qu'ils partageaient à la radio, ils choisissaient les émissions qu'ils regarderaient à la télévision. Ainsi, expliqua-t-elle, ce serait comme s'ils passaient la soirée ensemble. Ensuite, elle l'interrogeait pour s'assurer qu'il avait bien suivi le programme prévu ; de temps à autre, il se défilait un peu parce qu'il ne pouvait pas toujours imposer aux autres détenus les choix de sa femme. Une fois, il commit l'erreur de s'extasier sur la beauté de Farah Fawcett Major qui avait fait une apparition dans la série de son mari, *L'homme qui valait trois milliards*.

— Tom ! bouda-t-elle. Je n'ai aucune envie de parler d'elle. C'est de nous qu'il s'agit.

L'été revint sur Atlanta. Tom était toujours enfermé dans la maison d'arrêt du comté de Fulton. Le 8 juillet 1975, un an exactement après son arrivée dans cet établissement, son appel, si souvent repoussé, fut finalement rejeté. Ainsi que sa demande de remise en liberté conditionnelle.

Pat n'avait en fin de compte pas engagé d'autre avocat. À son grand déplaisir, Ed Garland lui annonça qu'il n'allait pas lâcher prise. Cette demande de révision du procès devenait un « combat personnel », dont les rapports avec la femme de Tom ne constituaient pas la plus mince épreuve.

Ce dernier écrivit à ses grands-parents :

Je sais que cette nouvelle vous aura bouleversés, mais ne vous en faites pas. Je rentrerai bientôt à la maison et je peux vous assurer que les deux femmes qui se sont tant occupées de moi, ainsi que toi, Walt, m'y attendrez. Je félicite Pat et Nona d'être si fortes. Tout cela est tellement difficile pour elles ! Et je crois que l'épreuve est aussi morale que physique. Je suis heureux que Nona et toi aimiez tant Pat, et elle vous aime tous les deux. Je sais que son soutien vous a fait beaucoup de bien. Chaque fois que Nona s'angoisse, Pat semble trouver quelque part la force de l'apaiser. J'aime tellement cette femme ! Elle est merveilleuse.

À la fin de juillet 1975, Pat appela Bill Hamner, l'avocat de Walt Allanson, pour lui annoncer que les grands-parents de Tom voulaient ajouter un deuxième codicille à leur testament. Celui-ci, daté du 1er août, écartait Jean Boggs en tant que coexécutrice testamentaire, laissant cette charge à Pat et à Tom. Si ce dernier était toujours incarcéré au moment de leur mort, Pat resterait la seule à pouvoir distribuer leurs biens.

Nona et Walt furent déclarés sains d'esprit et en pleine possession de leurs moyens. Nona passait le plus clair de son temps au lit, s'exprimait difficilement et avait quasiment perdu l'usage d'une main ; Walt s'occupait merveilleusement d'elle, la redressant doucement sur ses oreillers, veillant toujours à ce qu'elle ait tout le nécessaire. Il faisait la cuisine et se portait relativement bien pour un homme de soixante-dix-huit ans. Tous deux auraient pu se débrouiller, pourtant, ils devenaient de plus en plus dépendants de Pat. Sa présence les réconfortait. Elle venait souvent leur rendre visite avec Deborah ou avec Maggy, ce qu'ils appréciaient fort, car il y avait toujours des courses à faire, des services à rendre qui allégeaient un peu la tâche de Walt. Et c'était difficile pour Pat, dont l'abcès avait soudain empiré.

Elle avait depuis longtemps cessé de prendre le Mellaril, bien qu'elle reçoive cinquante milligrammes de Demerol quatre fois par jour pour surmonter la douleur provoquée par son abcès. Le Demerol est un narcotique ; deux cents milligrammes par jour constituent déjà une forte dose, surtout si on le prend régulièrement ; et il ne doit pas être pris plus de dix jours d'affilée.

Au grand étonnement de ses médecins, son abcès ne fit pourtant qu'empirer durant tout l'été. Ils n'y virent aucune explication, si ce n'était qu'elle « guérissait mal ». Pat devait maintenant rendre visite à Tom en fauteuil roulant et les autorités ne purent leur accorder d'entrevue que dans les salles réservées aux avocats, pour lui épargner les souffrances du parloir.

En septembre, son abcès prit une tournure effrayante, gros comme le poing, lui mangeant presque toute la fesse, dégageant une puanteur insupportable. Elle était en danger constant, à la merci d'un choc septique.

Le 12 septembre, Pat fut admise à l'hôpital de Bolton Road, à Atlanta. Elle se plaignait de violentes douleurs irradiantes et ne pouvait plus marcher. Lorsque les médecins soulevèrent le pansement, ils restèrent sans voix. La plaie semblait avoir une vie propre. Comment une femme si menue pouvait-elle supporter la souffrance que devait provoquer une si vilaine lésion envahie par le pus ? Il fut décidé de l'opérer sous quinze jours, c'était une question de vie ou de mort. Pat ne soutenait-elle pas depuis des années qu'elle était malade, qu'elle n'en avait plus pour longtemps ?

Et voilà qu'elle pouvait bien avoir raison. Impossible de comprendre pourquoi l'infection résistait à une prise quotidienne d'antibiotiques. Durant la période qui précéda l'intervention, Pat sembla s'abandonner à la religion. Elle ne quittait plus le lit, dans ses nuisettes vaporeuses, mais il lui arrivait de se redresser brusquement, tendant le doigt vers qui lui rendait visite en criant :

— Que le Seigneur ait pitié de ton âme !

À part cela, elle paraissait dans un état mental à peu près stable. Mais Susan et Deborah, qui venaient souvent à son chevet, comparaient sans vergogne leur mère à Regan, l'héroïne de *L'Exorciste*.

Pat avait harcelé Eastern Airlines afin que sa fille aînée soit mutée de Newark, dans le New Jersey, pour « raisons de famille ». Elle voulait tout son monde autour d'elle. Un soir de ce même mois de septembre, Susan était d'astreinte et comptait passer la nuit au ranch de Tell Road, beaucoup plus proche de l'aéroport que sa maison de Marietta. Elle arriva dans un uniforme d'hôtesse de l'air, jupe bleue, chemise à carreaux bleus et blancs, veste rouge cintrée à boutons dorés, avec des ailes brodées sur la poche de poitrine.

— On m'avait appelée dans l'après-midi pour un vol, mais maman a brusquement décidé qu'elle ne voulait pas que je m'en aille. Alors que je m'apprêtais à partir, elle a surgi derrière moi avec sa béquille. On ne le croirait pas, pourtant, elle était très forte. Elle vous fonçait dessus comme si elle allait vous écraser. Là, elle m'avait coincée dans un angle en m'enfonçant sa canne dans le ventre, quand Boppo est arrivée, à l'appel de Papy. Elle qui ne se mettait pour ainsi dire jamais en colère, ça lui a pris, pour une fois. Maman a bien dû finir par me lâcher, en revanche, elle avait obtenu ce qu'elle voulait : que Boppo quitte son travail pour revenir auprès d'elle. J'ai raté mon vol, mais j'ai pu prendre le suivant ct je n'ai pas eu d'ennuis.

L'été durant, sa mère s'était montrée de plus en plus agressive, s'en prenant souvent au colonel, faisant régner la terreur autour d'elle. La seule personne susceptible de la contrôler était Boppo : d'un simple regard, Maggy pouvait l'immobiliser. Sans doute parce que Pat savait de quelles crises elle aussi était capable.

— Si tu continues, Pat, je vais me tuer, lui arrivait-il de crier.

L'argument suprême, mais il fonctionnait toujours. L'ambiance devenait tellement chaotique que les menaces de suicide étaient monnaie courante chez les femmes Radcliffe.

On prescrivit à Pat de la Thorazine, puissant anti-psychotique. Pendant quelque temps, elle parut aller mieux.

Tom et Pat se disputèrent à la fin du mois de septembre. Elle intervenait dans son dossier, passant de nouveau par-dessus ses avocats. Elle avait essayé d'accéder aux casiers judiciaires des villes d'Athens et d'Atlanta pour y trouver celui de la petite Carolyn, démarche absolument illégale. Lorsque Tom le lui fit remarquer, elle lui vola dans les plumes.

Comme toujours, il se montra tout contrit lorsqu'il la rappela le soir suivant.

— Il t'arrive de commettre des erreurs, ma chérie, essaya-t-il de plaider. Tu ne croyais tout de même pas que j'allais t'approuver quand je savais que tu n'avais pas le droit de faire ça ? Je ne peux pas te reprendre un peu ? Ça n'a rien à voir avec notre amour, tu le sais bien… J'essaie seulement de t'éviter de commettre une erreur.

— L'autre jour, tu as dit que tu étais si fier de moi. Ce n'est pas vrai, sinon, tu ne m'aurais pas traitée comme ça hier !

Elle lui annonça qu'elle allait encore à l'hôpital mais aussi qu'elle voulait lui envoyer une photo.

— Je pose dessus sans mes béquilles. J'ai l'air triste… Tu es resté réveillé assez longtemps pour entendre toutes les chansons que je t'ai fait dédicacer, hier soir ?

Pour lui faire encore plus honte, elle ajouta qu'elle avait eu un nouveau caillot de sang après leur dispute et qu'elle avait perdu l'usage d'un bras – ce qui était complètement faux.

— Tom, si je mourais, tu crois que tu saurais ce qui se passe vraiment ?… Je n'en ai plus pour longtemps.

— Je ne comprends pas… Les médecins s'en fichent ou quoi ?

— Je lutte comme une folle quand ils me disent que c'est sans espoir.

— Je n'y crois pas, murmura-t-il, accablé.

— Je t'ai déjà dit que tu n'étais pas prêt à affronter la réalité… Je ne fais que te répéter ce que disent les médecins. Ils ne peuvent plus rien faire pour moi.

— Combien de temps te donnent-ils encore ?

— Tout dépend du temps que cette saleté mettra à bouffer les tissus.

— Et on ne peut rien faire pour l'arrêter?

— Rien. Et inutile d'envisager une transfusion parce que c'est une blessure ouverte qui ne veut pas se refermer et qui me ronge petit à petit... Alors tu comprends la pression que je subis. Il n'y a plus que toi pour donner un sens à ma vie. Si je fais quelque chose qui te blesse, ça me met en larmes. Je suis restée tout l'après-midi à geindre, mais je souris, maintenant, chaton, même si je souffre tant.

L'abcès ne faisait effectivement que grossir. De retour à l'hôpital le 1er octobre, Pat subit une nouvelle batterie d'examens. Elle avait besoin de sang et vomissait continuellement, fit une grave réaction anaphylactique à la gammaglobuline, suivie d'une crise de nerfs. Étant donné qu'un tel choc, souvent éprouvé par les personnes allergiques aux piqûres d'abeille et à la pénicilline, peut rapidement aboutir à la mort par suffocation, la panique de Pat n'avait rien d'étonnant.

Le 17 octobre, quand elle fut assez forte pour supporter une opération, son abcès fut excisé ainsi que le tissu granuleux et les tissus cicatrisés qui l'entouraient, laissant une massive indentation permanente sur la fesse droite.

Le juge Wofford signa un ordre judiciaire permettant à Tom de se rendre à l'hôpital Bolton Road sous bonne garde, afin d'y donner du sang; Pat avait eu besoin de nombreuses transfusions et devrait rester hospitalisée plus d'un mois.

Pat quitta finalement l'hôpital le 21 novembre. Elle devrait y retourner toutes les semaines pour faire contrôler son état et changer ses pansements.

À sa demande, le médecin rédigea une lettre adressée au directeur de la maison d'arrêt du comté de Fulton.

À QUI DE DROIT

Cette patiente… a une profonde (8,9 centimètres) lésion ulcérative de la fesse droite qui la met en danger de mort… de sorte qu'elle est dans un état critique et risque d'y rester un certain temps.

Son mari est retenu dans la maison d'arrêt du comté de Fulton où elle pourrait au moins s'entretenir avec lui par téléphone. Il serait extrêmement positif pour elle qu'il puisse y rester le plus longtemps possible et qu'elle puisse lui rendre visite, ce qui deviendra impossible s'il se trouve trop éloigné d'elle. Le bouleversement émotionnel qui a accompagné le procès et les difficultés de son mari ont affecté sa santé… Elle a besoin de sédation et de médicaments antidouleur… Si ces difficultés devaient s'accompagner d'un éloignement de son époux, l'effet pourrait se révéler désastreux pour sa santé physique et sa stabilité émotionnelle… Je pense qu'il y a là un cas de vie ou de mort qui pourrait grandement affecter l'état mental et physique de Mme Allanson… Ces circonstances sont des plus inhabituelles, de même que sa maladie…

Tous les médecins de Pat étaient fascinés par cette belle femme aux yeux verts qui subissait de si terribles épreuves. Nul ne put jamais déterminer ce qui avait causé une telle infection. En guise de diagnostic, ils inscrivirent dans leurs dossiers : « Abcès chronique incurable, consécutif à une injection de pénicilline ».

Après le retour de Pat, et sur le conseil de son médecin, Maggy s'efforça de diminuer sa dose de narcotiques. Elle lui administrait plusieurs injections quotidiennes d'antidouleur mais diluait peu à peu le Demerol dans l'eau. Pat remarqua une fois la différence, ce qui la rendit furieuse.

Elle engagea un détective privé sans consulter Ed Garland, afin de faire suivre l'ex-femme de Tom, non sans suggérer à cet homme de séduire Carolyn pour mieux mener son enquête. Elle se croyait encore dans *Perry Mason*, mais le détective promit de tenter le coup.

Lorsqu'elle en informa Ed Garland, celui-ci la prévint que le meilleur moyen d'aider Tom consistait plutôt à découvrir d'autres indices, à prouver que Carolyn s'était parjurée, ou encore que la séance d'identification qui l'avait confondu avait été contaminée par la présence de deux pompiers que « tout le monde connaissait ».

Malgré toutes les lettres assurant qu'un départ de Tom pour Jackson tuerait sa femme, il fut rapidement renvoyé là-bas. Pour la première fois, Pat se demanda si elle n'avait pas joué la mauvaise carte dans la défense de Tom ; c'était déjà un grand pas de sa part, dans la mesure où elle ne reconnaissait jamais ses torts.

— Expliquez-moi, demanda-t-elle finalement à Ed Garland. Est-ce qu'on s'en serait mieux tirés si on avait dit que Tom s'était rendu là-bas sans arme pour s'entretenir avec son père ?

— Je peux vous parler franchement ?

— Faites.

— Oui. On s'en serait mieux tirés... C'est ce que je crois depuis le début... On aurait pu obtenir un homicide par imprudence et dix ans, si seulement on avait tourné autour de cette défense.

Avec le système de libération pour bonne conduite, il en aurait fait beaucoup moins et serait sorti avant le début des années 1980. Pat avait gâché la défense de son mari et Garland se demandait bien pourquoi. Elle n'était pas idiote, loin de là, pas plus que folle. Volontaire, certes, et étonnamment secrète. Quoi qu'il en soit, c'était beaucoup trop tard. Tom allait rester enfermé longtemps.

Elle supplia l'avocat de trouver au moins un moyen de faire revenir Tom dans une prison d'Atlanta.

— Je ne pourrai jamais parcourir un si long chemin pour aller le voir... autant m'achever tout de suite. Désormais, je ne pourrai lui parler que dix minutes tous les quatre ou cinq jours.

27

Walt Allanson eut une crise cardiaque le 15 janvier 1976. Pat en prévint Tom.

— Il est hospitalisé à South Fulton. Les médecins pensent qu'il va s'en sortir. Il n'est pas paralysé, n'a pas eu d'attaque ni rien. Ce sont juste les parois cardiaques qui sont touchées. Quand il rentrera à la maison, il ne devra pas faire d'efforts... Nona m'a téléphoné hier matin pour me prévenir. Elle était dans tous ses états, elle n'arrivait plus à parler... Je lui ai dit de se calmer.

Pat restait dans son lit ou en fauteuil roulant, mais cette nouvelle parvint à la faire se lever. Dans un réflexe quasi miraculeux, elle put se remettre à conduire. Elle avait besoin d'une canne pour marcher, mais elle alla voir Walt à l'hôpital puis s'occupa de faire admettre Nona temporairement dans une maison de repos, refusant de laisser leur propre fille, Jean Boggs, se mêler de leurs affaires.

Le 4 février 1976, il y eut un troisième et dernier codicille au testament des Allanson. Il paraissait beaucoup plus alambiqué mais, en creusant un peu, on comprenait que leur fille, Jean, était purement et simplement déshéritée, et que Tom devenait leur principal légataire. S'il venait à mourir avant Pat, celle-ci, en tant que son épouse, hériterait d'à peu près tous les biens des Allanson.

Lorsqu'il fut décidé que Walt pouvait rentrer à la maison, Pat insista pour s'occuper quotidiennement des deux vieillards. Elle servait aussi de lien avec leur avocat. Elle seule parvenait à traduire les bredouillages de Nona.

Pat Allanson s'était rendue indispensable.

Tom allait être transféré au centre pénitentiaire de Jackson et il semblait que rien ne puisse l'empêcher. Même si son cas faisait l'objet d'un appel à la Cour suprême, il allait devoir attendre la décision des juges en prison. Pat l'avait prévenu qu'il pourrait même aller à celle de Reidsville « où des hommes mouraient tous les jours ». En comparaison, la centrale de Jackson était nettement préférable.

Pat affectait désormais une attitude de soumission amère aux événements. Elle bombardait Tom de pensées négatives. Tous deux feraient mieux de mourir. Dès qu'il essayait de lui donner un peu d'espoir dans leurs conversations téléphoniques, elle le brisait.

— Je n'arrive pas à t'expliquer que je n'ai plus rien qui me retienne à la vie.

— Ah bon ?

— Tu ne veux pas comprendre.

— Tu sais très bien que c'est faux, chaton.

— Tu viens de dire qu'il fallait que je trouve quelque chose d'intéressant pour m'occuper, mais tu ne comprends pas que la seule chose qui m'intéresse, c'est toi ?

— Je sais, chérie, mais je ne peux pas rentrer maintenant. Alors que veux-tu que je fasse en attendant ?

— Tu ne peux pas rentrer. Point.

— Tu sais que c'est vrai, au moins ?

— Tout ce que je sais, c'est que tu as été condamné deux fois à perpétuité, la voilà, la réalité !

— … Ça ne sert à rien de dire des choses pareilles…

— Je n'ai plus rien qui me retienne à la vie. Tu as dit toi-même que l'important dans la vie, c'était de s'accrocher à des choses qu'on pouvait voir et toucher. On ne peut ni se voir ni se toucher, tous les deux.

— Pat, tu sais très bien ce que je voulais dire.

— Ça fait plaisir de t'entendre parler de choses qu'on ne pourra jamais faire. Genre voyages dans d'autres pays, dans d'autres régions… J'ai quand même le droit de te dire ce que je ressens !

— Dans toutes tes conversations, dans toutes tes lettres tu dis la même chose : tu ne veux pas aller mieux, tu ne veux pas vivre.

La voix de Tom n'exprimait aucune colère ; il essayait plutôt de la convaincre. Mais Pat éclata en sanglots.

— Quoi ? Tu vas encore dire que tu t'occupes de moi, que tu veilles sur moi et tout ? On n'a plus aucun contact et pourtant toi tu fais comme si, seulement moi je ne peux pas. Je sais que tu m'aimes et que c'est tout ce qui compte. Tu parles de notre vie plus tard, mais tu sais que ça n'arrivera jamais.

— Tu es d'accord quand je te dis que tu es jeune et toujours vivante ?

— Tu crois que tu diras la même chose dans quinze ans ?

— Pat, tu seras encore là dans trente ans.

— Pas sans toi. Je ne peux pas. Je suis capable de n'importe quoi avec toi, mais je n'existe pas sans toi. Comment veux-tu que je fasse pour vivre ?

Il baissa les bras.

— Je ne sais pas.

Il évoqua sans conviction la passion de la jeune femme pour les chevaux. Elle avait ses parents derrière elle : à trente-neuf ans, c'était un atout.

Mais il paraissait désormais clair que lui allait partir dans une autre ville et qu'elle ne le supporterait pas. Il devait se faire à l'idée que, à sa sortie de prison, elle ne serait plus là pour l'accueillir. Ensemble, ils pourraient se retrouver dans la mort, mais autant oublier toute idée d'avenir à deux.

— Chaton, avança-t-il, on ne sait pas ce qui nous attend après la mort, ni toi ni moi.

— Tu ne comprends pas combien je m'en veux pour ce qui t'arrive. C'est ma faute.

C'était la première fois qu'elle faisait allusion à une quelconque responsabilité de sa part dans les présumés crimes de Tom. Cependant, il ne voulut pas la laisser s'embarquer sur ce sujet. Il ne l'accusait de rien et continuait à espérer obtenir un procès en appel.

— Nos vies nous échappent, pleurait Pat.

Elle lui raconta comment elle devait lutter contre les avocats pour tenter de le garder auprès d'elle.

— Pat, tu n'as pas la force physique pour te mettre ça sur les épaules.

— C'est ce que nous avons de plus important dans la vie, Tom. Qu'est-ce que nous allons devenir si tu t'en vas ?

— Mais je reviendrai. Je te le promets... On recommencera et tout ira bien.

— Je ne marcherai même plus quand tu reviendras. Je ne serai plus bonne à rien, qu'à te tenir compagnie.

— Tu seras parfaite, tu es ma femme, ma Pat, mon amoureuse. L'âge n'a rien à y voir... Pas plus que de te retrouver dans un fauteuil roulant ou en train de gambader.

— Tu crois que tu diras encore ça dans douze ans ?

— J'en suis sûr.

— Je ne vivrai pas si longtemps en fauteuil.

Elle ne venait plus lui rendre visite qu'ainsi, alors qu'elle aurait très bien pu se contenter d'une canne. Mais cela leur permettait de se voir dans la salle des avocats, où ils pouvaient avoir quelques contacts. Cependant, Tom ne se rendait pas compte qu'elle pouvait marcher, et même conduire.

Durant leurs entrevues, elle sapait systématiquement tous ses projets d'avenir, répétant sans cesse qu'elle allait bientôt mourir, que le parfait amour ne pouvait s'épanouir à travers les barreaux d'une prison. Elle ne connaissait qu'un moyen de le retrouver vraiment : qu'ils meurent tous les deux. Car ni la vie ni la justice ne les aideraient jamais à se retrouver.

Tom ne la prenait pas vraiment au sérieux ; il ne voyait dans ses paroles que le reflet de sa dépression.

Pat avait toujours été d'une curiosité quasi malsaine pour tout ce qui touchait à la vie de Tom en prison. Elle l'interrogeait sans cesse sur ce qu'il pensait de ses compagnons de cellule, sur leurs conversations, et insistait sur les humiliations qu'il pouvait avoir subies comme pour remuer le couteau dans la plaie. Même enfermé loin d'elle, il ne pouvait garder un minimum d'intimité ; elle alla jusqu'à lui demander s'il se masturbait, s'il subissait des fouilles au corps, comme pour l'abattre un peu plus.

Cela aussi, il le mit sur le compte du malheur. Elle n'avait aucune idée de ce qu'elle lui faisait.

En revanche, il accepta aussitôt quand elle lui demanda de signer une procuration afin qu'elle puisse diriger leurs affaires et récupérer le peu d'argent qui leur restait sans devoir se rendre à

Jackson dès qu'elle aurait besoin d'une signature. Ainsi, elle pourrait prendre des décisions pour les enfants qu'il avait eus de Carolyn.

Avant la floraison des cornouillers, au printemps 1976, Tom partait pour Jackson, menotté à un autre prisonnier, selon le système de la « chaîne ». Pat s'assura que, même là-bas, elle resterait sa principale source d'informations. Elle répéta donc à tout le monde que seuls les « membres de la famille immédiate » avaient le droit de lui écrire. Personne d'autre ne lui envoyait dès lors plus de lettres, croyant que c'était interdit. Tom ne recevait de nouvelles qu'à travers sa femme qui contrôlait sa vie privée aussi sûrement que l'État de Géorgie contrôlait sa vie quotidienne.

Bien que les médecins lui aient recommandé de ne pas entreprendre le trajet de quatre-vingts kilomètres qui la séparaient de Jackson, Pat s'en tira sans difficulté. Durant les six semaines qu'il passa dans l'« aquarium » du Centre de diagnostic et de classification de Géorgie, Tom ne put recevoir de visites; mais, par la suite, il se vit attribuer une cellule et eut droit aux parloirs, dans des installations où Pat et lui pouvaient au moins se toucher. Ce fut là qu'elle lui dévoila un projet qu'elle mettait au point. Puisqu'il allait passer tant de temps enfermé, elle en avait tiré la conclusion que le seul moyen pour eux de vraiment se retrouver serait de se suicider.

Au début, il ne la prit pas au sérieux.

Depuis qu'il avait achevé sa période de probation, on lui avait attribué le poste de commis aux écritures des détenus et il s'en tirait bien. Finalement, la vie au centre pénitentiaire de Jackson semblait nettement moins rébarbative que dans la maison d'arrêt du comté de Fulton.

Pourtant, à chacun de ses contacts avec Pat, soit pendant sa visite, soit au téléphone, elle revenait sur son idée de suicide. Quant à lui, il refusait d'en parler.

— Chaton, lui murmurait-il dans le combiné, cesse de dire que nous ne serons jamais réunis. Ce n'est pas comme si on avait fermé sur nous une porte d'acier, comme si je n'allais jamais rentrer, jamais faire ceci ou cela... J'ai besoin d'espoir, chaton. Je suis prêt à tout faire pour toi...

— Presque tout, chaton, corrigea-t-elle d'une voix inaudible.

— Pardon?

— Presque. Presque tout.

Il voyait ce qu'elle voulait dire et comprit alors qu'elle l'avait pris au piège.

— Tu pourrais me rendre un service? continuait-elle. Dis que tu m'aimes plus que n'importe qui, mais pas plus que n'importe quoi.

— Pourquoi?

— Je sais que tu m'aimes plus que n'importe qui, mais tu aimes avant tout la vie.

Doucement mais sûrement, elle lui rappela qu'il l'avait trahie, au sens propre du terme. Il eut alors l'impression que le sol se dérobait sous ses pieds. Elle se plaignait qu'il refusât de se suicider pour la retrouver dans l'éternité, en quoi il n'était qu'un égoïste et ne l'aimait pas vraiment. Il regagna sa cellule, démoralisé.

Néanmoins, il fut content dès qu'elle revint. Il avait toujours hâte de revoir sa femme et de recevoir ses lettres. Même si elle semait autant la pagaille dans cet établissement qu'à Fulton, ne se privant jamais de faire une scène dès que l'occasion s'en présentait, de préférence aux gardiens et à tous ceux qui avaient autorité sur la vie de Tom.

Tous les courriers étaient censurés. Les lettres de Tom se voyaient donc passées au crible et celles qu'il recevait étaient lues avant de lui être remises. Or, les missives de Pat contenaient d'innombrables récriminations contre les dirigeants des diverses prisons qu'avait fréquentées Tom. À croire qu'elle s'amusait à les provoquer.

— Moi qui faisais de mon mieux pour être un détenu modèle, dirait-il plus tard, elle accusait sans cesse ces gens de tous les maux.

Pourtant, il ne se couchait jamais sans écouter leurs chansons à la radio, et, là, son cœur se brisait à l'idée d'être ainsi séparé d'elle, alors qu'elle s'occupait tant de Walt et de Nona, elle qui insistait toujours pour qu'il ne parle à personne, qu'il ne se fie à personne, pas même à ses avocats. Parfois, il se demandait où elle voulait en venir. Il était en prison et risquait d'y rester très longtemps. Tous ses appels semblaient presque épuisés.

Les mois passant, Pat se montrait de plus en plus précise sur la façon dont tous deux devraient se suicider.

— Un jour, elle m'a dit que ce serait pour la semaine suivante. Elle a même essayé de m'apporter ce qu'il fallait pour ça, des pilules de je ne sais trop quoi. Elle voulait qu'on le fasse ensemble sur place. Je lui ai répondu que je n'étais pas prêt à mourir. Elle m'a demandé de les prendre quand même et affirmé qu'en sortant elle ferait de même et que nous serions tous les deux morts. Mais je ne pouvais pas. Ça n'avait aucun sens.

Elle lui demandait le sacrifice suprême au nom de leur amour, de mourir pour elle, tout en promettant d'en faire autant de son côté. S'il refusa, ce fut sans doute parce que, pour la première fois, il commençait à nourrir de sérieux doutes sur sa femme.

CINQUIÈME PARTIE

Nona et Walt

28

Le cabinet du Dr R. Lanier Jones, spécialisé en médecine interne, se trouvait sur Church Street, à East Point. Nona et Walt Allanson faisaient partie de ses patients depuis près de dix ans. Ils y tenaient, car c'était un médecin à l'ancienne, qui faisait encore des visites à domicile. La nuit du double meurtre, il avait quitté son lit pour aller réconforter les parents de Walter.

Le vieux Walt était une force de la nature. Il avait commencé à travailler dans l'acier en 1926, et tenait une ferme dans ses moments de loisirs. Il ne prit sa retraite qu'à soixante-cinq ans. Plus jeune de sept ans, Nona ne jouissait pas d'une santé aussi solide. Le Dr Jones l'avait soignée pour deux attaques foudroyantes, en 1968 et en 1974. La vieille dame s'en était sortie avec le bras droit et les deux jambes paralysés ; elle n'avait plus qu'un usage restreint du bras gauche et avalait difficilement. En outre, elle s'exprimait avec tant de difficulté que seuls ses proches pouvaient décrypter ses paroles. Elle qui avait été si active et si fière ne pouvait pour ainsi dire plus rien faire seule.

Walt et Nona étaient mariés depuis quarante-neuf ans. Bien que peu démonstratifs, ils s'aimaient tendrement, et le Dr Jones était impressionné par toutes les attentions que Walt prodiguait à sa femme.

— Il était encore très fort... Il la soulevait, la tournait fréquemment la nuit, l'aidait à prendre place dans son fauteuil.

Il s'assurait qu'elle restât toujours impeccable et se nourrît bien, lui offrant à satiété les pains de maïs et les gâteaux de patate douce qu'elle aimait. La plupart des patients dans son état avaient des escarres, mais pas Nona.

Walt ne fumait ni ne buvait et prenait peu de médicaments.

— Il n'en voulait pas et n'en avait pas besoin, se souviendrait son médecin.

Le vieil homme avait stoïquement affronté la perte de son fils unique et de sa belle-fille, la condamnation de son petit-fils dont il avait payé la défense à peu près à lui tout seul. Mais, à soixante-dix-neuf ans, ces tourments le minaient. À la mi-janvier 1976, Walt se plaignit de douleurs dans la poitrine, d'une sensation de serrement, et le Dr Jones lui envoya sa propre infirmière pour l'amener à son cabinet. Le vieil homme assura qu'il se sentait déjà mieux, mais le médecin diagnostiqua une crise cardiaque et l'expédia immédiatement à l'hôpital. Un caillot sanguin avait obstrué une artère coronaire, causant la nécrose d'une partie du muscle cardiaque.

En même temps, le Dr Jones fit admettre Nona à titre temporaire dans une maison de repos, mais elle était tellement malheureuse, loin de Walt, qu'on finit par l'hospitaliser dans la chambre voisine de celle de son mari.

Jean Boggs ne fut mise au courant que plus tard de l'état de son père, grâce au pasteur qui allait souvent voir ses parents et lui donnait régulièrement des nouvelles. Elle se précipita à l'hôpital, vit son père, puis se rendit ensuite à la ferme où elle trouva les portes cadenassées. Quand elle demanda à Maggy Radcliffe ce que cela signifiait, elle s'entendit répondre que Walt ne voulait pas qu'on entre chez lui, pas même Jean. Pat s'occupait de tout...

La jeune femme fut choquée de constater qu'il plaçait une quasi-étrangère au-dessus de sa propre fille. Elle avait pourtant averti son père de ne pas se laisser influencer par des personnes extérieures à la famille, mais il ne prêtait aucune attention à ce qu'elle disait. Au moins, il était clair à présent que son père et sa mère étaient tombés sous la coupe de la femme de Tom et de ses parents.

Walt était un dur à cuire et le Dr Jones le laissa sortir le 13 février, soit quatre semaines après son admission. Walt voulait aussi ramener Nona. Il emporta une ordonnance pour se procurer un sédatif antistress, du Vistaril, qu'il prenait de temps à autre. Mais sachant qu'il n'était plus aussi fort qu'auparavant, il appréciait que la femme de Tom puisse lui prêter main-forte, même si Pat passait son temps à lui rappeler qu'elle n'allait pas bien ; il n'en fut que plus impressionné de la voir arriver avec sa canne, souriante malgré son état.

Jean Boggs se voyait effectivement exclue de la vie de ses parents ; il semblait que les lettres de Tom, autant que les avertissements continuels de Pat, avaient fini par les convaincre de sa cupidité et du peu d'intérêt qu'elle leur portait.

Lorsque Nona fut hospitalisée en mars pour une pneumonie, Jean rendit visite à sa mère mais trouva sur la porte un message bannissant tous les visiteurs à part « la petite-fille et M. Allanson ». Jean en fut d'abord blessée, puis elle s'inquiéta. Elle sentait venir le désastre sans rien pouvoir prouver. Elle demanda au pasteur d'aller voir ses parents, puis alla se plaindre auprès du Dr Jones; celui-ci était au courant des dissensions familiales.

— Je n'allais pas mener l'enquête pour savoir ce qui se passait, déclarerait-il plus tard.

Il savait seulement que Walt avait insisté à plusieurs reprises pour que le médecin n'avertisse pas Jean Boggs des urgences qui pouvaient frapper ses parents.

— Je devais juste prévenir Pat Allanson.

Jean n'était pas la bienvenue à la ferme de Washington Road. Elle leur rendit néanmoins visite pour la fête des Mères, en mai 1976, avec un cadeau. Nona y jeta à peine un regard et marmonna :

— J'en ai déjà un.

— Eh bien, ça t'en fera deux, rétorqua Jean en souriant.

Elle put au moins remarquer que son père se portait très bien, qu'il était alerte et parfaitement au courant de ce qui se passait dans le pays. Sinon, il restait toujours un vieux grincheux, replié sur lui-même; pourtant, ce n'était pas lui qui s'opposait ainsi à Jean, mais Nona, qui ne voulait absolument pas la voir. Leur fille n'était pas trop au courant de l'état de leurs finances mais se doutait que Tom et Pat y opéraient des coupes claires avec leur besoin constant d'argent pour payer les avocats, les assignations et les appels.

Néanmoins, elle n'y pouvait rien.

Au printemps 1976, Pat passait presque toutes ses journées à la ferme, souvent accompagnée de Deborah avec sa fille de cinq ans, Dawn, ainsi que de Boppo et Papy. À croire que le vieux couple avait subi une « transplantation familiale », tout comme Tom, deux ans et demi auparavant. Maggy Radcliffe, avec ses bonnes manières, avait l'air d'une femme chaleureuse et généreuse ; elle passait son temps à mettre de l'ordre dans la ferme, exécutant des tâches dont Pat ne pouvait se charger à cause de ses béquilles. Quant à Pat... elle faisait partie de la famille, au fond.

Le jeudi 10 juin 1976, le Dr Jones reçut un appel de Pat, inquiète parce que le grand-père de son mari vomissait presque tous les soirs... Cela n'avait pas l'air très grave en soi, mais elle tenait à le prévenir. Jones prescrivit un antivomitif léger qu'il lui fit livrer à la maison.

Le lendemain matin, Pat rappela pour dire que Walt ne vomissait plus mais qu'elle s'inquiétait encore.

— Il ne mange pas bien. Et, aussi, je préfère vous avertir, il boit beaucoup d'une espèce de whiskey fait maison. Et puis tous les deux mélangent leurs pilules, les répartissent dans différents flacons et les oublient dans des coins. Vous savez ce que c'est, avec les personnes âgées.

Le médecin s'étonna : selon lui, Walt Allanson était tout sauf étourdi ; de plus, il avait horreur de prendre des médicaments, il fallait insister pour qu'il suive son traitement du cœur.

— Que boit M. Allanson? demanda-t-il.

— Du bourbon… avec du sucre.

Le médecin n'en revenait pas. M. Allanson n'avait rien d'un buveur. À croire qu'il venait de s'y mettre sans vergogne.

— Il a recommencé, murmura Pat d'un ton navré.

On ne pouvait certes empêcher le vieil homme, mais Jones pria son interlocutrice d'au moins vérifier qu'il ne mélangeait pas alcool et médicaments.

Le samedi matin, Pat rappelait pour dire qu'elle s'était précipitée avec ses parents chez Walt et Nona à l'appel de cette dernière. Personne n'avait répondu lorsqu'ils avaient frappé à la porte.

— On a fait le tour de la maison et, là, on a aperçu Walt par la fenêtre de derrière, nu comme un ver, en train de soliloquer, et il a refusé de nous ouvrir. Mon père a dû se glisser à l'intérieur en brisant un carreau.

Selon Pat, il avait encore abusé de la bouteille. Il n'était pas malade, juste fin saoul. Le Dr Jones voulut faire admettre Walt à l'hôpital, mais le samedi on n'acceptait en principe que les urgences. Il demanda si, au moins, le vieil homme s'alimentait et Pat assura l'avoir fait manger un peu, mais surtout boire de la soupe et d'autres liquides.

— Bien, dans ce cas, si quelqu'un peut rester auprès de lui, afin de s'assurer qu'il n'ait pas accès à ses médicaments ni à davantage d'alcool, il devrait se sentir mieux dans deux heures.

Pat assura qu'elle et sa famille seraient heureux de veiller sur Walt et Nona. Elle allait personnellement fouiller la maison et mettre tous les médicaments hors de sa portée, ainsi que le bourbon.

— Qu'il se repose. Faites-lui boire beaucoup d'eau. Je rappellerai plus tard pour voir où il en est.

Le Dr Jones rappela effectivement dans l'après-midi et Pat dit que Walt allait mieux. Il avait fait la sieste, mangé un peu et bu beaucoup d'eau. Elle promit de passer la nuit auprès du vieux couple. Si l'un des deux ne se sentait pas bien, elle rappellerait aussitôt le médecin.

À 21 heures, et bien qu'il se soit promis de ne pas se mêler des histoires de famille des Allanson, le Dr Jones prit l'initiative de téléphoner à Jean Boggs. Il lui dit que son père avait trop bu et cuvait son alcool. Elle n'en revint pas.

— C'est impossible ! Mon père ne boit pas.

Elle proposa d'aller vérifier elle-même, laissant entendre que Pat devait être derrière tout ça. Le Dr Jones le lui déconseilla vivement. Si Walt dormait, ce n'était pas le moment de lui infliger un affrontement entre sa fille et sa petite-fille « adoptée ».

Le dimanche matin, vers 9 h 30, le Dr Jones et sa famille s'apprêtaient à partir à l'église quand le téléphone sonna.

C'était Pat.

— Je suis allée réveiller Walt, mais il m'a l'air inconscient. Je n'arrive pas à lui faire ouvrir les yeux.

Par la suite, le médecin raconterait :

— Il m'a fallu dix minutes pour arriver chez eux. Je suis allé directement dans la chambre de Walt, que j'ai trouvé plongé dans un coma profond.

Il s'étonna de ce que personne n'était auprès de lui et eut beau faire, crier, le secouer, le pincer, il ne put le ramener à la conscience. Des sécrétions encombraient la gorge de Walt, pourtant, il était allongé sur le dos et risquait d'étouffer. Le médecin eut toutes les peines du monde à le retourner.

Il voulut demander à Pat d'appeler une ambulance pour le faire hospitaliser, mais elle n'était pas dans les parages et il dut s'en charger. Après quoi, il eut la surprise de la trouver occupée à donner un bain à Nona.

— On aurait dit que tout était normal dans cette maison, alors qu'à côté un homme râlait en essayant de respirer.

Walt était dans un état alarmant. Comme le Dr Jones essayait de lui dégager les voies respiratoires, Pat entra en racontant :

— Vous savez qu'il a tenté de tuer Nona il y a deux ou trois nuits? Il a voulu l'étouffer sous un oreiller. Regardez ces égratignures sur ses coudes, elle les lui a faites en se débattant.

Le médecin en resta coi. Jamais la vieille dame n'aurait pu repousser son mari avec un bras complètement paralysé et l'autre gravement affaibli par ses attaques. Cela aurait produit à peu près autant d'effet qu'un papillon battant des ailes devant un bison. Mais, avant tout, il connaissait trop bien le vieux couple pour croire que Walt aurait pu seulement songer à nuire à sa femme. Il l'aimait et s'occupait d'elle depuis des années.

Les marques sur les coudes du vieil homme n'étaient pas des égratignures mais de ces petites abrasions provoquées sur les peaux âgées par le frottement des draps. Le Dr Jones comprit qu'il se passait quelque chose d'anormal, mais il n'avait guère le temps d'y réfléchir tandis qu'il s'efforçait de stabiliser son patient. Cependant, il n'était pas près d'oublier les accusations que Pat Allanson portait contre Walt.

Peut-être, après tout, était-ce une question de surdosage.

— Pourriez-vous me donner un de ses flacons de pilules ? demanda-t-il à Pat.

Elle le conduisit vers un coin-repas et lui désigna les dizaines de fioles alignées sur une étagère. Il eut tôt fait de prendre celles contenant du sédatif et les jeta dans un sac en papier pour les emporter à l'hôpital. Ce serait un point de départ quand on chercherait une trace d'overdose dans l'organisme de Walt.

Pat lui tendit une capsule jaune.

— Je l'ai trouvée par terre dans la cuisine. Quand on est entrés, samedi matin, il était en train d'en avaler par poignées. Je crois que ça en fait partie.

On aurait dit du Nembutal, un sédatif hypnotique.

Cela allait à l'encontre de tout ce que le médecin savait du vieil homme depuis dix ans. Jamais Walt Allanson n'aurait pris de somnifère alors qu'il devait veiller sur Nona, la retourner plusieurs fois par nuit. Cependant, le Walt Allanson qu'il connaissait n'aurait pas davantage touché au bourbon. Trop de choses, soudain, ne collaient pas chez cet homme de presque quatre-vingts ans. À moins qu'outre son infarctus il n'ait également subi une attaque cérébrale.

Néanmoins, le médecin restait perplexe. Pourquoi Walt aurait-il tenté d'assassiner Nona ? Et pourquoi, en outre, Pat avait-elle laissé le vieil homme seul, inconscient, luttant contre l'étouffement, pour donner tranquillement un bain à Nona ? Ces ablutions ne revêtaient aucun caractère d'urgence, alors qu'il était vital de s'occuper de Walt.

— En tant que médecin, je me méfiais, commenterait-il par la suite.

Ils entendirent la sirène de l'ambulance et Jones alla ouvrir la porte d'entrée. Pat lui tendit alors une vieille bouteille de bourbon aux trois quarts vide.

— C'est à celle-là que Walt buvait hier, expliqua-t-elle. Je l'ai trouvée cachée dans le garage.

Il la glissa dans sa valise médicale. Il avait déjà décidé d'avertir la police, même s'il ne savait pas encore trop quoi lui dire ; à elle de vérifier, après tout, ce qu'elle ferait de son information.

À 10 h 30, l'ambulance filait vers l'hôpital, emmenant le médecin et son patient dans un état si critique qu'il pouvait très bien mourir en route, tandis qu'à Washington Road Pat tentait d'apaiser Nona en lui promettant que Walt allait bientôt rentrer et que, d'ici là, elle resterait avec elle. Quant à Boppo et au colonel, ils avaient eux aussi filé vers l'hôpital pour s'assurer que Walt allait être bien pris en main.

29

Presque deux ans jour pour jour après le double meurtre de Walter et Carolyn Allanson, la police d'East Point recevait un nouvel appel à l'aide concernant un autre Walter Allanson. Un rien désorienté, le réceptionniste passa la communication à l'agent G. W. Pirkle qui se précipita aux urgences de l'hôpital South Fulton. Quand il apprit que le patient semblait avoir absorbé une dose massive de sédatifs, il prévint le sergent William R. Tedford pour qu'on ouvre une enquête.

Bob Tedford rencontra le colonel et Mme Radcliffe dans la salle d'attente et s'entretint avec eux le temps que le Dr Jones se libère. Le couple semblait très préoccupé par l'état du vieil homme. Mme Radcliffe reconstitua son surprenant week-end.

— Nona nous a appelés hier matin, samedi, pour dire que Walt se comportait d'une façon bizarre et pour nous demander de venir à son aide.

Elle ajouta que Pat et elle avaient entendu la communication sur le poste annexe. Ils s'étaient tous trois habillés en hâte pour filer à la ferme de Washington Road. Ils eurent beau frapper à la porte, personne ne répondit ; alors ils firent le tour de la maison et le colonel Radcliffe tenta de distinguer à travers les fenêtres ce qui se passait à l'intérieur.

À son tour, celui-ci prit la parole pour souligner que, heureusement, c'était lui qui avait regardé et non les dames.

— Walt ne portait qu'un tee-shirt et un bandage à la cheville.

Pour éloigner Pat, il avait crié que le vieil homme était nu comme un ver. Boppo hocha la tête.

— Quand on a ouvert la porte, il était nu, en effet, la main pleine de médicaments.

Tous trois s'étaient précipités dans la cuisine, mais Walt s'était éloigné en fourrant les pilules dans sa bouche et en buvant du jus d'orange pour mieux les avaler.

— Il en avait pris tellement que ça débordait et qu'il en a laissé tomber par terre, reprit le colonel. Je lui ai dit que le Dr Jones ne serait sûrement pas d'accord, enfin, j'essayais de le raisonner, quoi… Il a répondu : « Qu'il aille au diable ! » et il a continué à en avaler.

Les Radcliffe ajoutèrent que c'était leur fille qui s'occupait du vieux couple.

— Est-ce qu'ils ont un autre parent que je puisse appeler au sujet de l'overdose de M. Allanson ? demanda Tedford.

— Oui. Enfin, je ne suis pas sûre, répondit Maggy. Ils ont une fille, Jean Boggs. Mais ils ne s'entendent pas. C'est Pat qui fait leurs courses et veille sur eux depuis plusieurs années.

L'inspecteur Tedford en retira l'impression que c'étaient ces personnes-là qui formaient la famille du patient, du moins ce qui s'en rapprochait le plus.

Une heure et demie plus tard, le Dr Jones vint annoncer que l'état de Walt Allanson était stable et qu'on pouvait espérer le garder en vie. Malgré sa crise cardiaque récente, il semblait lutter de toutes ses forces pour tenir le choc.

— Que lui avez-vous prescrit ? s'enquit Tedford.

— Du Vistaril, un sédatif léger, du Nembutal, un barbiturique, du Librax pour l'estomac. Mais je crains qu'il n'ait pris autre chose, car j'ai trouvé trop de flacons vides chez eux.

L'état de Walt pouvait être dû à un accident somme toute assez banal. Un vieil homme désorienté, peut-être un peu sénile, qui avait trop bu et pris trop de médicaments. Néanmoins, Tedford était enclin à le classer dans les tentatives de suicide. Il arrivait souvent que les personnes âgées soient déprimées par suite de la diminution de leurs capacités.

Le Dr Jones rappela Jean Boggs pour l'informer qu'il avait fait admettre son père à l'hôpital et que celui-ci était dans le coma.

— Mais pourquoi ?

Il lui expliqua qu'il avait trop bu et tenté d'assassiner sa femme.

Jean en resta un instant sans voix.

— C'est complètement insensé ! finit-elle par s'exclamer. Ça ne tient pas debout.

Le Dr Jones était bien de son avis et lui conseilla d'en référer à la police, ce qu'elle fit aussitôt.

— Nous avons déjà un inspecteur sur l'affaire, lui fut-il répondu.

Le temps qu'elle se rende à l'hôpital, son père avait été installé dans une chambre. Il était toujours inconscient, bardé de perfusions et de sondes.

— Walt, souffla-t-elle. Walt, c'est Jean. Tu m'entends ?

Il n'émit aucun signe de reconnaissance.

Jean remarqua que les Radcliffe semblaient toujours croiser son chemin. Elle se demanda où se trouvait Pat… sans doute à la ferme, avec sa mère. Cette pensée lui donna des sueurs froides.

Quand elle était inquiète, Jean pouvait se montrer virulente. Voilà des mois que ses parents lui fermaient leur porte, et d'un seul coup son père était mourant. Elle s'approcha de l'inspecteur, qui prenait des notes, et lui demanda de mener une enquête des plus serrées. Un rien froissé, Tedford assura que c'était bien ce qu'il faisait. Alors elle lui conseilla de s'informer sur la mort de son frère et de sa belle-sœur puis, sans plus s'embarrasser de circonvolutions, elle accusa carrément Pat Allanson d'être pour quelque chose dans le coma de son père.

— Il ne boit pas et ne prend pas de médicaments, affirma-t-elle. S'il est dans cet état, elle y est pour quelque chose. Elle est pratiquement installée chez eux, je crois qu'elle en veut à leurs biens.

En avait-il vu, des disputes et des rivalités familiales ! En avait-il entendu, des accusations lancées en tous sens ! Pourtant, quelque chose dans les paroles de Jean Boggs lui fit froid dans le dos. Après lui avoir promis de ne pas lâcher l'affaire tant qu'il n'aurait pas trouvé à quoi était dû le coma de son père, Tedford fila dans la salle des urgences pour demander qu'on lui garde le contenu de l'estomac de Walt Allanson afin de le faire analyser.

Trop tard. Tout avait déjà été jeté.

Au matin du lundi 14 juin, Walt paraissait hors de danger mais restait très malade. Bob Tedford et l'inspecteur H. R. Turner se rendirent au 4137,

Washington Road pour s'entretenir avec Nona Allanson. Ils ne s'attendaient pas à la trouver dans un tel état. Deborah Cole, la fille cadette de Pat, leur ouvrit et les fit entrer dans le living. Du fond de la maison, ils entendirent des râles et des gémissements.

— C'est Mme Allanson, expliqua Deborah. Elle est complètement déboussolée. Si vous voulez bien attendre, je vais essayer de vous l'amener. Ma mère est avec elle.

Quelques minutes plus tard, une jolie femme épanouie entra, séduisante bien qu'elle boitât beaucoup; elle poussait le fauteuil roulant de la vieille dame et se présenta comme Mme Tom Allanson, petite-fille des Allanson.

Tedford eut vite l'occasion de se rendre compte à quel point il était difficile de comprendre Nona. En fait, il ne décrypta pas un mot de ce qu'elle articulait.

— Je vais traduire, proposa Pat. Elle a dit que Walt avait pris des médicaments, trop de médicaments. Non, elle ne l'a pas vu faire, mais elle dit qu'il avait bu plus que d'habitude alors qu'il ne mangeait plus rien. Elle nous a téléphoné samedi matin pour nous dire que Big Allanson, c'est comme ça qu'elle appelle Walt, avait tenté de la tuer. Alors, bien, sûr, on s'est précipités.

La vieille dame semblait de plus en plus bouleversée, aussi Tedford préféra-t-il arrêter là l'interrogatoire. Pat les reconduisit et, sur le porche, leur répéta presque mot pour mot l'histoire que les Radcliffe avaient racontée la veille à Tedford. Il remarqua qu'elle était au bord des larmes en évoquant la déchéance de Walt.

— Vous savez qu'il a essayé de m'envoyer dans le décor ?

— Pardon ?

Tedford avait déjà du mal à imaginer ce vieillard décati au volant d'une voiture, encore plus tentant d'emboutir un autre véhicule.

— Pourquoi aurait-il fait ça ? demanda-t-il.

Pat leva sur lui ses yeux verts et soupira.

— Quand il était hospitalisé, suite à sa crise cardiaque, il a cru qu'il allait mourir. Il m'a demandé de faire venir ses avocats, Me Hammer et Me Reeves. Il leur a parlé d'un double meurtre en 1974 et il a reconnu que c'était lui qui l'avait commis, pas mon mari. Moi, je n'avais jamais été aussi choquée de ma vie. Je n'en revenais pas qu'il dise ça à ses avocats. Je me suis assise dans un coin et j'ai pris des notes… alors il a compris que je savais. Depuis, son attitude envers moi a complètement changé.

Tedford avait lu le dossier de l'affaire Allanson. Fallait-il comprendre que le vieux Walt avait tué son propre fils et sa belle-fille ? Dans ce cas, c'était une révélation incroyable.

— C'est terrible, ajouta-t-elle, d'être au courant d'une chose qui va tirer quelqu'un de ses ennuis mais y plonger une autre personne.

Elle paraissait tellement désolée qu'il eut presque pitié d'elle ; elle ne voulait pas lui confier ces secrets, en même temps, il le fallait.

Enfin, elle laissa tout jaillir.

— Quand Walt est sorti de l'hôpital, après son infarctus, j'ai enfin pu l'interroger et lui demander de me répéter ce qu'il avait dit à ses avocats.

Voyez-vous, je devais lui faire signer un papier... pour le cas où... pour le cas où quelque chose lui arriverait.

Les inspecteurs buvaient ses paroles. Qu'avait donc fini par avouer le vieux M. Allanson? Pourtant, elle n'alla pas plus loin. Elle se tamponna les yeux avec son petit mouchoir de dentelle et s'arracha un large sourire.

— Oh, laissez tomber! conclut-elle. Je ne faisais que réfléchir à haute voix. J'ai tellement peur que Walt rentre chez lui! Je suis désolée de dire que je ne voudrais pas le revoir ici, avec Nona. J'ai une peur bleue qu'il lui fasse vraiment du mal, la prochaine fois...

Pat Allanson était certainement une belle femme; la canne lui ajoutait une certaine fragilité, mais elle avait toujours une silhouette parfaite, avec une belle poitrine qu'elle ne se privait pas de mettre en valeur. Elle portait ses épais cheveux auburn en chignon banane. Les inspecteurs savaient que son mari était en prison pour meurtre. Pas étonnant qu'elle fonde en larmes aussi facilement. Elle devait avoir connu l'enfer.

Il était plus facile, au début du moins, de parler avec Pat Allanson avec ses jolies manières tristes, que de traiter avec Jean Boggs. Celle-ci était aussi une jolie femme, une brune grande et mince aux longs ongles écarlates. Mais elle s'emportait vite et ne semblait pas accorder grande confiance à la justice. Elle connaissait les patrons du poste de police d'East Point et n'hésitait pas à passer par-dessus les enquêteurs ordinaires pour demander une résolution rapide de l'enquête sur la maladie de son père.

Elle entra dans une grande fureur quand elle apprit que le contenu de son estomac avait été jeté. Comment allait-on prouver maintenant ce dont elle se doutait, que Pat lui avait donné quelque chose pour le rendre malade ? Elle aussi avait vu l'ancienne bouteille de bourbon qu'il était censé avoir vidée. Impossible. Quelques années plus tôt, il avait fabriqué du vin de mûres mais l'avait à peine goûté, préférant le distribuer autour de lui. Pourquoi commencerait-il à boire à presque quatre-vingts ans ?

Le dimanche après-midi, après avoir quitté l'hôpital, Jean et sa voisine, Sherry Allen, passèrent à la ferme pour voir Nona. Elles y trouvèrent Pat, qui nourrissait la vieille dame en la houspillant ; celle-ci demanda à Jean comment se portait Walt et sa fille répondit qu'il était toujours inconscient, mais, à moins qu'il ne fasse une pneumonie ou une autre crise cardiaque, il devrait s'en tirer.

Pat secoua la tête en signe de dénégation.

— Je n'en ai pas l'impression.

— En fait, personne n'en sait rien, rétorqua Jean.

Pat la fixa de ses yeux verts en affirmant qu'elle n'avait pas idée du sale bonhomme qu'était devenu Walt.

— Vous ne le connaissez pas. Il a fait des choses que vous ne croiriez pas. Il n'est pas gentil comme vous avez l'air de le penser.

Et Nona, impavide, de laisser cette femme délirer sur son mari. Même si elle ne pouvait pas parler, elle restait assez fine ; Jean avait l'impression qu'elle avait déjà entendu ce genre d'accusation, comme si elle croyait ce que disait Pat.

Mais la jeune femme ne pouvait admettre qu'on attaque ainsi ce père qui s'était toujours montré si bon avec elle, d'autant qu'il était mourant.

Pat se plaignait d'avoir dû se relever en pleine nuit quelques heures avant qu'il tombe malade.

— Il était 2 h 30 du matin et il voulait boire du soda. Je lui en ai donné, eh bien, il n'en a plus voulu! Monsieur avait changé d'avis. Il voulait du lait. Alors je lui en ai apporté.

Tout d'un coup, Pat changea de sujet de conversation.

— Tous les deux on a parlé de la mort, vous savez, les arrangements pour l'enterrement et tout. Il a dit qu'il voulait être enterré dans un cercueil tapissé de satin rose. Il a choisi les vêtements qu'il porterait. Votre fils sera l'un des porteurs.

Rien de tout cela ne ressemble à Walt, se disait Jean. *Du satin rose… n'importe quoi!*

Alors que Jean et Sherry descendaient les marches du perron, Pat reparut soudain derrière elles et s'appuya sur la balustrade.

— J'espère qu'il va mourir, lâcha-t-elle sans ambages.

— Je vous demande pardon?

— J'ai dit : j'espère qu'il va mourir.

Jean regagna sa voiture, estomaquée.

Le mardi, la tension de Walt Allanson tomba tellement qu'elle devint imperceptible. Il resta une semaine dans un coma profond, mais il était solide, et Jean le veillait lorsqu'il reprit conscience le samedi.

— Tu me reconnais ? demanda-t-elle.

— Bien sûr, marmonna-t-il.

— Alors, je suis qui ?

Il prit un air excédé, comme si la réponse allait de soi.

— Jean.

— Comment te sens-tu, papa ?

— Je pense que j'irai mieux quand j'aurai surmonté cette attaque.

— Tu crois que c'est ce qui t'est arrivé ?

— Oui... avec un coup de grippe, aussi. Et puis j'ai mal aux jambes...

Pat maintint que Walt Allanson était dangereux, octogénaire ou non. Elle insista : il avait bel et bien tenté de tuer sa femme et il était capable de tout. Elle avait engagé un nouvel avocat, Dunham McAllister, pour représenter Tom lors de son dernier appel. Elle avait aussi demandé aux avocats de Walt, Fred Reeves et Bill Hamner, de s'opposer à toute tentative de la part de Jean Boggs de devenir la tutrice de ses parents.

Pat déclara à McAllister craindre pour sa vie ; elle avait en sa possession un document qui la rendait très vulnérable. McAllister prit contact avec la police d'East Point pour informer les enquêteurs que Pat avait entendu Walt avouer à ses avocats les meurtres de son fils et de sa belle-fille. À l'époque, disait-elle, Walt pensait ne pas survivre à sa crise cardiaque.

McAllister s'inquiétait pour Pat. Si Walt se rappelait tout ce qu'elle savait et se remettait de sa maladie actuelle, alors, elle courait un sérieux risque. Sans parler de la sécurité de Nona. N'avait-il pas tenté de l'étouffer sous un oreiller? Pat avait redit que, depuis son retour de l'hôpital, en février, le vieil homme se montrait d'une extrême froideur, quand il n'essayait pas de l'envoyer, elle et sa voiture, dans le décor. Elle ajouta qu'elle avait été harcelée au téléphone et que le vieil homme ne cessait de la surveiller pour vérifier qu'elle ne parlait à personne de son aveu. Sinon, il la tuerait sans lui laisser une chance.

Après quoi, McAllister rencontra Bill Weller, le procureur adjoint qui avait fait condamner Tom Allanson. Si les aveux de Walt étaient réels, alors, il y avait erreur judiciaire. Dunham McAllister lui remit ce que Pat avait présenté comme une transcription de la « confession » telle qu'elle l'avait entendue, la vraie devant être en la possession des avocats de Walt Allanson.

Si on voyait souvent ce genre de chose à la télévision, il n'en était pas de même dans la réalité. Néanmoins, cela pouvait se produire. Tom Allanson n'était-il pas en train de purger une peine pour un crime qu'il n'avait pas commis ? Cela dit, comment accuser Walt d'assassinat? Si le vieil homme était coupable, ce serait certainement l'un des meurtriers les plus improbables de l'histoire de la Géorgie.

30

Le 21 juin, l'enquêteur R. A. Harris, du bureau du procureur du comté de Fulton, se rendait à la banque First Palmetto d'East Point. Selon Pat, des employés de cette banque avaient été témoins à la signature de Walt d'un résumé dactylographié des notes qu'elle avait prises des aveux du vieil homme.

Un vice-président adjoint de l'établissement, A. V. « Gus » Yosue, gardait le souvenir d'une scène remontant à quelques mois. Un vendredi, vers 18 heures, une femme était entrée en demandant si elle pouvait faire authentifier quelques papiers. Elle avait expliqué que les autres banques étaient fermées et que « Daddy », son grand-père, ne tenait pas à ce que tout le monde soit au courant de ses affaires. Yosue ne l'avait encore jamais vue, et ne la revit plus par la suite. « Daddy » attendait dehors, dans la voiture, et Yosue avait dû expliquer qu'il faudrait le faire venir pour authentifier ces papiers.

Joyce Tichenor, la trésorière, notaire assermentée, dit que M. Yosue avait aidé un vieux monsieur au guichet. Avec sa petite-fille, ils avaient apporté une liasse de papiers qui semblaient traiter d'immobilier, sans doute des actes de propriété.

La femme avait entre trente et quarante ans et elle était très jolie ; elle semblait très attentionnée envers le vieux monsieur, lui disant : « Signez ce papier, Daddy », « Daddy, signez là, sur cette ligne ».

Tichenor avait enregistré les signatures sans trop savoir à quoi correspondaient ces papiers; ce n'était pas son travail de lire les documents qu'on lui apportait. Pas plus que celui de Yosue, d'ailleurs. Le vieux monsieur avait signé sans poser de questions.

Pat avait dit à Bob Tedford que les avocats de Walt détenaient une enveloppe blanche qui contenait des informations vitales, mais elle avait hésité, au bord des larmes, à en dire davantage. L'inspecteur d'East Point appela Hamner et Reeves pour leur demander s'ils l'avaient conservée. Ils confirmèrent et promirent de l'apporter à l'hôpital, dans la chambre de Walt Allanson.

Bill Hamner s'était interrogé sur l'opportunité de révéler ou non l'existence de cette enveloppe. Il expliqua que c'était Pat Allanson qui l'avait apportée à son cabinet. Sur le recto, elle présentait cette simple inscription, d'une écriture tremblante :

M. Walter Allanson

À n'ouvrir qu'après mon décès

— J'ai trouvé ça un peu bizarre, expliqua-t-il, mais elle était scellée. Alors je l'ai ajoutée au dossier... Je l'ai peut-être conservée six ou huit semaines... Pat est venue au cabinet ce jour-là, en disant qu'elle avait amené « Daddy » et qu'il avait tenté d'envoyer la voiture contre un arbre. Il conduisait, elle était assise à côté de lui, et il avait voulu crasher le véhicule alors qu'elle se trouvait à la place du mort... Elle avait attrapé le volant pour le redresser en se disant qu'il avait tenté de la tuer. Elle pensait que c'était lié au contenu de l'enveloppe.

Hamner était avocat au civil, pas au criminel, et il l'avait poussée à transmettre cette information à Dunham McAllister, qui saurait sans doute quoi faire. Bill Hamner et Fred Reeves avaient des raisons de s'attendre à de saisissantes révélations mais s'étaient conformés aux instructions.

Le 24 juin, l'enquêteur Harris, le sergent Bob Tedford et George Boggs, le mari de Jean, entrèrent dans la chambre d'hôpital de Walt Allanson pour l'interroger sur sa « confession ». Apparemment, celui-ci n'était pas au courant. Sorti de son coma depuis dix jours seulement, il allait devoir lire ce document afin de le confirmer ou de l'infirmer.

Walt reprenait rapidement ses esprits et la mémoire lui revenait avec acuité. Avec son autorisation, Hamner donna au sergent Tedford l'enveloppe blanche ouverte. Il la montra à Walt en lui demandant s'il se rappelait avoir écrit quelque chose dessus. Celui-ci hocha la tête.

— Oui. C'était un soir, je préparais le dîner ; Pat est entrée dans la cuisine en me disant que les avocats voulaient que j'écrive ça dessus.

— Il y avait quelque chose à l'intérieur ?

— Non.

À présent s'y trouvaient cinq feuillets sur lesquels on avait tapé, mal et avec beaucoup de fautes d'orthographe, ce qui ressemblait à des aveux. Bob Tedford les lut sans rien dire puis les tendit au vieil homme.

— C'est vous qui avez écrit ceci ?

Walt y jeta un coup d'œil et secoua presque aussitôt la tête.

Je m'appelle Walter Allanson et je dicte ceci à ma petite-fille, la femme de Tommy, Pat Allanson, qui le tape à la machine parce que je n'écris plus très bien depuis mon infarctus. Cela afin que, pour le cas où j'en aurais un autre avant le décès de Nona, Tommy ne reste pas en prison pour un crime qu'il n'a pas commis. Si Nona meurt avant moi, je dirai alors ce que j'ai fait. J'ai tout raconté à Pat, la femme de Tommy, à l'hôpital... Je pensais alors que j'allais mourir et je sais que personne ne croirait Tommy s'il leur disait la vérité. Et puis je me suis remis et Pat n'a rien dit, alors moi non plus... mais je lui ai dit que si Jean ne cessait pas d'ennuyer Nona je l'abattrais comme je l'ai fait avec Walter... Pat s'est mise à pleurer et m'a dit de ne pas parler comme ça... J'ai dit que c'était la vérité, mais elle ne voulait pas me croire...

L'auteur de la confession continuait sur ce ton en laissant entendre que « Tommy » connaissait la vérité depuis le début mais avait accepté de protéger son grand-père en ne disant rien à personne. Il s'en prenait également aux avocats en général et à Ed Garland en particulier

Je n'aurais jamais cru qu'ils puissent laisser emprisonner Tommy.

Pourtant, c'était le cas.

Quant à la petite Carolyn et à Walter Allanson, ils en prenaient pour leur grade page après page.

Je lui ai dit qu'il n'avait jamais donné sa chance à Tommy, même quand il était petit... Mais Walter, ça le

*faisait rire et il disait qu'il réparerait ce gâchis avant le
week-end et qu'ensuite il s'occuperait de Nona et moi…
Elle m'a dit que Walter avait juré de la tuer s'il découvrait qu'elle aidait Tommy, et qu'il allait nous mettre
tous les deux dans un asile de vieillards, dès qu'il se serait
occupé de Tommy… Si j'avais entendu Walter menacer
Nona, il n'aurait même pas vécu jusqu'au mardi suivant. Je l'aurais abattu sur place…*

Dans son genre, cette confession était un chef-
d'œuvre malgré les maladresses du style. Toutes
les questions qu'aurait pu poser un enquêteur y
étaient soulevées. L'auteur expliquait les motifs du
meurtre, comment il avait pu s'éloigner de la
maison sans susciter de soupçons le jour où Walter
et la grande Carolyn étaient morts, combien Pat et
Nona avaient eu peur, après quoi, il poursuivait
sur le déroulement des faits.

*Je me suis d'abord occupé de Nona, ensuite, je me suis
rendu chez Walter… Je suis monté chez lui à pied, j'ai
coupé le fil du téléphone avec mon canif. Après, j'ai forcé
la porte de la cave et puis je suis monté pour prendre la
carabine de Walter et des cartouches ; je ne savais pas
qu'il venait d'acheter un autre fusil, sinon, je l'aurais
pris aussi. Le pistolet de Jake n'était pas là, d'où j'ai
conclu que c'était Walter qui l'avait. Je suis ensuite descendu à la cave, j'ai coupé le courant et j'ai attendu
Walter.*

L'auteur avait entendu des voitures arriver, des
gens parler, Walter descendre l'escalier de la cave
et avait soudain compris, mais trop tard, qu'il était
accompagné de Tommy.

350

Je n'avais pas vu que Tommy était là. Il disait à son papa qu'il voulait qu'on lui fiche la paix... il disait qu'il n'en voulait à personne... Tommy a dit à son papa que Pat était chez le médecin...

Le document dépeignait Walter Allanson comme un homme foncièrement mauvais; Tommy avait voulu s'en aller, puisqu'il avait dit ce qu'il avait sur le cœur, mais Walter n'avait pas voulu le laisser partir et l'avait prié de l'attendre à la cave pendant qu'il calmait les femmes.

J'espérais que Tommy allait enfin s'en aller, par l'escalier de la cuisine, mais il faisait ce qu'il avait fait toute sa vie. Il attendait que Walter revienne pour lui dire que ça allait. Il faisait toujours ce que son papa disait, et Walter le savait très bien... J'avais déjà compris que Walter n'allait pas laisser Tommy repartir vivant. Il allait le tuer comme il allait nous tuer, Nona et moi...

Selon cette longue confession, Walt était parvenu à se faufiler dans la niche et à s'y cacher avant que son petit-fils n'y entre à son tour.

Je croyais qu'il allait crier de me trouver là, qu'il avait trop peur... Tommy a dit : « Viens, on s'en va, Walt... papa va nous descendre tous les deux... »

Ils entendirent alors Walter parler avec le policier et lui interdire de fouiller la maison; après quoi, les événements tragiques s'étaient précipités. L'auteur racontait comment Walter était redescendu dans la cave obscure pour venir directement vers la niche en criant qu'il allait tuer Tom et que celui-ci ferait mieux de sortir.

Alors Walter a crié à Carolyn d'apporter le fusil : « Je l'ai coincé... il ne sortira jamais d'ici... Je t'avais dit que c'était un lâche... » Tom est sorti de la niche et je me suis montré à mon tour. La grande Carolyn est descendue en criant : « Je vais le tuer », et elle a tiré au fusil dans notre direction. J'ai répliqué et je l'ai touchée, alors elle est tombée. J'ai reculé pour recharger et c'est là que Walter a vidé le pistolet dans la niche tout autour de Tommy... Alors j'ai encore tiré et j'ai touché Walter, mais il n'est pas tombé comme Carolyn. Tommy répétait : « Oh, mon Dieu ! Oh, mon Dieu ! » et je lui ai dit de dégager et il se prenait les pieds dans tout ce qui traînait par terre jusqu'à la porte du fond... je ne voulais pas tuer la grande Carolyn ni la petite Carolyn, je ne voulais tuer personne, mais Walter était mauvais, cupide, haineux... il fallait que je l'abatte en premier, avant qu'il s'en prenne à Nona et moi, nous tue ou nous expédie chez les vieux...

L'auteur de la confession semblait au courant de détails que seule une personne qui se serait effectivement trouvée dans la cave aurait pu connaître. Régulièrement, il rappelait à son lecteur que Tom était innocent, que Pat était innocente et avait essayé de protéger Tom, Walt et Nona, qu'il s'agissait quasiment de légitime défense. Il précisait même que Tommy lui avait téléphoné depuis le magasin du caviste après la fusillade pour dire qu'il rentrait à Zebulon en auto-stop.

Walt, du moins celui cité dans la confession, n'était pas venu s'accuser pour innocenter Tommy

352

parce qu'il ne pouvait aller en prison, abandonnant ainsi sa femme – ce qu'il ne cessait de répéter.

Nona ne sait pas ce que j'ai fait. Ça lui causerait une attaque. Voilà comment tout est arrivé et comment j'ai agi...

Les ennuis de son petit-fils, l'idée qu'il se trouvait en prison pour un crime qu'il n'avait pas commis rongeaient l'auteur.

Tout ça me bouffait le cerveau, ça doit être pour ça que j'ai fait cette crise cardiaque. Je ne voulais pas que Tommy reste en prison mais je ne vais pas y aller pour avoir tué Walter, alors que j'étais obligé de le faire pour l'empêcher de nous tuer ou de se débarrasser de nous. Si je raconte tout ça maintenant, on pourra toujours me boucler, mais je suis trop vieux et ça tuerait Nona, alors je ne peux pas le faire maintenant. Mais je raconte tout ça pour que quand je mourrai au moins on croie Tommy quand il dit la vérité. Quand je serai mort, Nona comprendra pourquoi j'ai fait ce que j'ai fait ; je vais signer ceci devant un témoin qui va le mettre sous enveloppe et le déposer chez mes avocats. Ils ne pourront l'ouvrir qu'après ma mort... C'est tout ce que j'ai à dire.

Sous cette volumineuse confession, on avait ajouté maladroitement : *Juré et signé devant moi ce 16ᵉ jour d'avril 1976. Joyce Tichenor, clerc.* Il n'y avait pas de sceau mais son tampon officiel qu'elle reconnut comme authentique. En revanche, la formule ne l'était en rien.

La signature de Walt Allanson se trouvait en dessous. C'était bien la sienne, il en était certain. Mais il n'avait aucun souvenir d'avoir écrit ou approuvé une seule de ces lignes. Il semblait complètement abasourdi. Harris insista : y avait-il quoi que ce soit de vrai dans cette confession ?

— Non ! grommela Walt.

S'il n'avait pas écrit ça, alors qui ? Sans aucun doute un témoin oculaire des événements tragiques du 3 juillet 1974. Mais Walt ? Ce robuste vieillard aurait-il été capable de toutes les actions décrites dans cette confession ? Tedford estimait la chose invraisemblable. Walt était aussi stupéfait que les enquêteurs. Dire que s'il était mort d'une overdose il n'aurait pu réfuter cette confession…

Si le bureau du procureur croyait que Walt était le véritable meurtrier, alors Tom obtiendrait un nouveau procès et serait probablement libéré ; et qui, se demandait Tedford, avait le plus à y gagner ? Tom Allanson, certainement. Celui-ci avait envoyé de nombreux courriers à ses grands-parents, jusqu'en mai dernier, les suppliant de faire confiance à Pat. Mais il n'avait pas eu le moyen matériel d'empoisonner Walt puisqu'il se trouvait en prison depuis des mois.

— Vous rappelez-vous avoir signé un quelconque papier pour Pat ? s'enquit-il alors.

Walt se gratta la tête puis expliqua qu'avec sa femme ils s'étaient fiés à Pat, qu'elle s'était montrée bonne avec eux depuis que Tom était en prison.

— Vous êtes-vous rendu dans une banque de Washington Road avec elle ? demanda Harris.

Walt essaya de rassembler ses souvenirs.

— Oui, il me semble que oui. Elle voulait me faire signer des papiers... devant une dame notaire de la banque.

Il ne se revoyait pas précisément pénétrer dans la banque mais revoyait très bien Pat lui demandant de signer des papiers officiels qu'il ne s'était pas donné la peine de lire.

Le sergent Tedford se tourna vers Hamner et Reeves.

— Quand avez-vous reçu cette enveloppe ?

— Mme Allanson, Pat Allanson Taylor, s'est présentée à nos bureaux en avril. Je ne saurais vous indiquer la date exacte. Elle nous a dit que M. Allanson voulait nous remettre ceci.

Cela ne concordait pas avec ses déclarations quand elle avait pleuré à l'ombre de la glycine, sur le porche de Walt Allanson.

À l'époque, ils avaient été impressionnés par sa sincérité, sa douleur et sa fragilité.

Et Tedford de noter par la suite :

Au cours d'une précédente conversation, elle nous a raconté que les avocats de M. Allanson se trouvaient dans sa chambre d'hôpital comme il se remettait de son infarctus. C'est alors que M. Allanson aurait fait sa déclaration. Pat dit avoir pris des notes pendant cette conversation et, lorsque M. Allanson est rentré chez lui, elle lui a présenté un autre document tapé de ses mains à partir de ses notes, et M. Allanson l'a signé. La copie de la déclaration, remise par Dunham McAllister, l'avocat de Pat, est exactement la même que l'original remis par Hamner et Reeves, ce qui n'aurait pas dû être le cas si elle avait tiré sa version de ses propres notes. Hamner et Reeves sont certains de n'avoir jamais recueilli de déclaration de la part de M. Allanson à l'hôpital, ni nulle part ailleurs... En fonction de cette information, cette déclaration devient dès lors un faux...

Tedford en conclut qu'il devait y en avoir d'autres ici et là. Il décida de vérifier les testaments du couple Allanson. Walt n'était pas en danger immédiat de mort, même s'il devait encore rester quelque temps à l'hôpital. Les médecins ne pouvaient déterminer avec exactitude ce qui avait causé son malaise et ce coma d'une semaine.

31

Jean Boggs ne se laissait pas marcher sur les pieds. Elle n'était pas encore au courant de la confession mais n'avait pas cru un instant que son père ait tenté de tuer sa mère ni qu'il ait voulu se suicider. Walt était trop buté pour renoncer à la vie et il avait trop bien veillé sur leur mère pendant dix ans. Jamais il ne l'abandonnerait en chemin, jamais il ne toucherait à un cheveu de sa tête.

Walt semblait aussi surpris que Jean de se retrouver dans cet état. Il était persuadé d'avoir subi un deuxième infarctus et secouait la tête d'un air abasourdi à l'idée qu'il ait pu faire une overdose. Il avait autant envie que Jean de savoir ce qui lui était arrivé, exactement.

Deux spécialistes, des neurologues, furent appelés en consultation. Ni l'un ni l'autre ne put déterminer la cause du coma. Ils conseillèrent de faire passer à Walt un scanner du crâne et de son appareil gastro-intestinal. Le laboratoire se trouvait juste en face, aussi Jean et son fils David y emmenèrent-ils Walt en fauteuil roulant. L'examen dura une demi-heure mais ne donna pas de résultats concluants.

Un sentiment d'horreur s'emparait de Jean Boggs. Elle se doutait déjà que Pat Allanson cherchait à hériter des biens de ses parents. À présent, elle en venait à se demander si sa nièce par alliance n'avait pas tenté de précipiter la fin de son père ; et si elle lui avait administré de trop grosses quantités de médicaments ? Jean avait entendu dire que, deux années auparavant, quelqu'un s'était glissé dans l'appartement de la petite Carolyn pour verser quelque chose dans le biberon du bébé de Tommy. On avait prétendu, à tort, que la substance en question était de l'arsenic. En fait, il s'agissait de formaldéhyde.

Jean allait devenir experte en poisons, du moins l'un d'entre eux, l'arsenic. Walt en avait utilisé des années auparavant à la ferme, pour les animaux, non pas à titre de poison mais de traitement. À vrai dire, c'était le seul dont Jean ait entendu parler. Elle appela le laboratoire criminel de l'État de Géorgie et demanda à parler à quelqu'un qui puisse la renseigner sur les symptômes provoqués par ce poison. Elle avait de la chance : le Dr Everett Solomons, l'un des plus grands experts du Sud, se trouvait justement dans les lieux ce jour-là.

— Pourriez-vous me décrire les symptômes de l'empoisonnement à l'arsenic ? demanda-t-elle sans préambule.

— En fait, ils sont multiples, commença Solomons. Désordre gastro-intestinal, vomissements, sensation de grippe, douleurs dans les extrémités, les pieds, les jambes, les bras.

— Mon père présente trois de ces symptômes. Existe-t-il un moyen de vérifier s'il y a eu empoisonnement à l'arsenic après que l'organisme de la personne a été nourri par intraveineuse... je veux dire, après un certain temps ?

Solomons marqua une pause, s'éclaircit la gorge.

— Ce monsieur est-il... encore vivant ?

— Oh oui !

— Dans ce cas, la réponse est oui. Je peux m'en charger si vous accomplissez quelques démarches pour moi. Demandez à votre médecin de se procurer un échantillon d'urine sur vingt-quatre heures. Ensuite, coupez une mèche de cheveux de votre père.

— Quelle quantité ?

— Oh, à peu près l'équivalent d'un quart de tasse.

À quelle quantité de cheveux correspond un quart de tasse ? se demanda Jean. Fallait-il les comprimer comme un morceau de sucre ou les laisser relâchés comme de la noix de coco en miettes ? Solomons expliqua qu'ils devaient être récents, donc, provenir de préférence de la nuque du sujet. Troisièmement, elle devait couper les ongles de son père et les recueillir dans un sachet en plastique.

Jean se précipita vers le poste de police d'East Point où elle rencontra l'adjoint Lieb et le sergent

Tedford. Elle les informa de l'opinion de Solomons. Ils avaient désormais toutes les raisons de la prendre au sérieux. Tedford appela immédiatement le Dr Jones et lui demanda s'il était possible que Walt Allanson se soit vu administrer de l'arsenic.

— C'est possible, dit Jones d'un ton soudain préoccupé. Les symptômes se rapprochent de bien d'autres maladies... du moins au début.

Quand on ingère de l'arsenic, le poison cherche un endroit où se « cacher » dans le corps humain. Il gagne de préférence les régions qui stockent le phosphore et le remplace. L'être humain a besoin de phosphore pour son énergie. Après une longue exposition au poison, les extrémités deviennent douloureuses, la circulation se dégrade et, finalement, surviennent la paralysie puis la mort. Au début, l'empoisonnement par l'arsenic peut ressembler à une forte grippe accompagnée de vomissements. Ensuite, il évoque la sclérose en plaques et d'autres graves maladies chroniques.

— On va avoir besoin d'analyses en laboratoire, reprit Tedford.

Jones promit de leur procurer l'urine nécessaire. Tedford raccrocha puis appela le bureau du procureur du comté de Fulton pour les informer des doutes suscités par l'état de Walt Allanson.

Le 26 juin, Tedford accompagna Jean Boggs dans la chambre d'hôpital de son père. Le vieil homme se laissa patiemment faire tandis qu'elle lui coupait les ongles et l'équivalent d'un quart de tasse de cheveux. Le policier dit qu'il reviendrait le lendemain chercher l'urine.

À 8 heures du matin, ce lundi 28 juin 1976, le Dr H. Horton McGurdy, du laboratoire criminel de l'État de Géorgie, entrait en possession d'un bocal contenant mille centimètres cubes d'urine, d'un sac de plastique contenant des cheveux et des bulbes de cheveux, et d'un autre contenant des ongles. Les analyses commencèrent immédiatement.

Jean Boggs était anxieuse. Maintenant que le processus était enclenché, elle s'inquiétait de savoir sa mère seule avec Pat à la ferme. Elle avait beau s'attendre à un accueil des plus froids, elle s'y rendit néanmoins et trouva Nona Allanson assise dans la cuisine en compagnie d'une aide-soignante embauchée par Pat.

— Mme Allanson est rentrée chez elle parce qu'elle avait des choses à y faire, expliqua la femme d'un ton glacial.

À l'évidence, elle avait été prévenue de se méfier de Jean. Celle-ci, voyant des larmes sur les joues de sa mère, s'agenouilla, lui prit la main.

— Qu'est-ce qui se passe, maman ?

— Tout va bien, se hâta de répondre l'aide-soignante.

— Certainement pas. Regardez, elle a pleuré.

— Elle ne pleure que quand vous venez.

— Maman, qu'est-ce qu'il y a ?

— Peux pas dire, marmonna Nona.

— Maman, je ne pourrai pas t'aider si tu ne me dis pas ce qui se passe.

Enfin, Nona poussa un soupir et demanda tristement :

— Pourquoi ton père a tué Walter et Carolyn ?

— Seigneur, mais qui t'a dit ça ?

— Mme Radcliffe.

Jean crut que sa mère se trompait.

— Mme Radcliffe ? Elle et personne d'autre ?

— Pat aussi me l'a dit, et le colonel Radcliffe...

Nona Allanson était si bouleversée que sa fille ne put la calmer.

Jean téléphona à Bob Tedford qui proposa de venir tout expliquer à la vieille dame. D'ailleurs, Jean avait d'autres questions à lui poser. Dès qu'il arriva, le jeune policier assura à Nona que son mari n'était pas un assassin, que personne ne croyait une chose pareille, qu'on le soignait et qu'il allait bientôt revenir. Nona ne parut que partiellement soulagée et garda les yeux pleins de larmes.

L'air de rien, Tedford posa une autre question.

— Vous n'auriez pas signé des papiers, pendant que votre mari était à l'hôpital ?

Sans trop pouvoir l'assurer, il crut l'entendre répondre :

— Oui.

— Seigneur ! souffla-t-il.

Jean leva sur lui un regard affolé. Elle n'avait même plus besoin de poser ses propres questions. Elle avait compris.

À 15 heures, le même jour, le laboratoire appela Gus Thornhill.

— Le test de dépistage des urines est terminé. Nous avons trouvé de l'arsenic...

Le toxicologue ajouta qu'il faudrait davantage de temps pour analyser les cheveux et les ongles, mais ces premiers résultats étaient tout à fait suffisants pour Thornhill et Tedford qui filèrent chez le procureur. Andy Weathers allait se charger de l'affaire. Le procureur adjoint avait l'esprit vif et combatif, avec une bonne dose d'humour, mais aucune mansuétude pour qui lui semblait coupable.

Jusque-là, ce dossier ne comportait que quelques feuillets et la plainte mentionnait seulement une overdose. Il allait prendre de l'importance et, d'abord, changer d'intitulé : « Tentative de meurtre criminelle ». Et le suspect principal en était Patricia Radcliffe Taylor Allanson.

Le laboratoire criminel de l'État de Géorgie précisa que si certains métiers, dont celui de fermier, impliquaient un léger dosage d'arsenic dans l'organisme, celui de Walt en contenait dix fois plus ! Il s'était accumulé dans les ongles et à la racine des cheveux, processus irrévocable indiquant un « calendrier » d'ingestion. Les cheveux de Walt Allanson en présentaient 1 milligramme pour 100 millimètres, et ses ongles, 5,5 milligrammes.

Les enquêteurs d'East Point se mirent au travail. Ils appelèrent le Dr Jones pour lui communiquer les derniers résultats et celui-ci convint qu'il fallait immédiatement retirer Nona Allanson à la femme de son petit-fils et l'hospitaliser. Les accusations de Jean Boggs avaient longtemps paru suspectes, en premier lieu parce qu'elle semblait détester Pat pour avoir pris sa place dans le cœur de ses parents, alors que les policiers avaient commencé par trouver celle-ci plutôt sympathique et très attentionnée envers le vieux couple, malgré ses béquilles et sa mauvaise santé. La semaine précédente encore, Nona avait attrapé une grosse bronchite doublée d'une pneumonie et Pat avait fidèlement suivi les prescriptions du Dr Jones. La fièvre avait chuté et tout semblait rentré dans l'ordre.

D'un seul coup, le Dr Jones commençait à douter de son aptitude à juger le genre humain. Apparemment, Pat Allanson n'était en rien la douce personne qu'elle prétendait être ; autrement dit, Jean Boggs avait raison depuis le début. Bob Tedford lui fit savoir qu'il allait rencontrer le procureur en personne pour lui demander une ordonnance permettant de retirer Nona Allanson de sa maison. Chaque heure pouvait compter, et il faudrait d'ores et déjà envoyer quelqu'un au chevet de la vieille dame.

— Surtout, veillez à ce qu'elle ne mange ni ne boive rien.

Jean et son fils partirent immédiatement pour la ferme. Ce fut une Pat livide qui leur ouvrit. Elle venait de recevoir un coup de fil du Dr Jones.

— Il dit qu'on a besoin d'elle pour lui faire des analyses et je pense que ce serait terrible pour elle.

Elle ne voyait vraiment pas pourquoi il fallait hospitaliser Nona.

— Écoutez, rétorqua Jean, s'il estime que c'est nécessaire, faisons ce qu'il dit.

Pat ne voulait même pas en entendre parler. Elle avait déjà appelé un avocat qui lui avait répondu que le Dr Jones n'avait pas compétence à faire hospitaliser Mme Allanson. Elle ne se doutait pas qu'une enquête de police battait son plein et croyait seulement que Jean tentait de faire déclarer Nona inapte pour pouvoir la prendre sous sa coupe… et contrôler les biens de ses parents.

Pat caressa la tête de Nona pour la rassurer.

— Personne ne vous obligera à aller où vous ne voulez pas. Je ne les laisserai pas faire.

Jean eut peur. Elle commençait à se demander pourquoi l'ambulance et la police tardaient tant. Son angoisse ne fit que redoubler à l'arrivée du colonel Clifford Radcliffe. C'était un homme impressionnant et il ne se gêna pas pour lui dire qu'elle n'avait rien à faire là. Même l'aide-soignante se mit de la partie. Le seul moyen qui lui restât pour s'imposer consistait à convaincre sa mère, à lui faire comprendre qu'elle venait lui sauver la vie. Mais comment ? Nona avait l'air de croire que Pat pouvait marcher sur les eaux. Comme celle-ci quittait la chambre, Jean murmura à l'oreille de sa mère :

— Maman, écoute-moi bien. Ne répète à personne ce que je vais te dire, même pas à Pat... Papa a été empoisonné.

Sans doute avait-elle tort de prendre une telle initiative. Sa mère était très faible et cela faisait des mois qu'elles ne se parlaient presque plus. Nona Allanson leva sur Jean un regard éteint.

— Quoi?

— On vient de le découvrir. Il faut qu'on t'emmène à l'hôpital pour voir si tu vas bien. Pour faire des analyses.

Serrant les dents, Nona maugréa :

— N'y vais pas.

Sa fille l'implora de la croire, de se calmer. Cette attente tournait au cauchemar. Malgré ses objections, l'aide-soignante lui apporta un soda et Jean ne put le lui prendre des mains.

Le téléphone sonna et elle décrocha en hâte. Elle mentit à sa mère en lui disant que c'était son mari, alors qu'il s'agissait de Bob Tedford.

— Comment vous sentez-vous ? lui demanda-t-il.

— Mal.

— Accrochez-vous. J'arrive.

Le procureur Lewis Slaton avait donné carte blanche au jeune policier. Il était 16 heures et Jean dut encore patienter une demi-heure dans une angoisse grandissante. Enfin, elle entendit de lourds coups frappés à la porte et, à son immense soulagement, vit entrer Bob Tedford suivi d'un inspecteur.

Il ne prit pas de gants avec Pat.

— On a trouvé de l'arsenic dans l'organisme de M. Allanson et nous venons chercher son épouse pour lui faire subir des examens à l'hôpital.

L'air impassible, Pat se retourna pour aller dans la chambre de Nona, Tedford sur ses talons.

Une sorte de chaos envahit la ferme. Incapable de comprendre ce qui se passait, la vieille dame était au bord de la panique. Lorsque Tedford l'informa qu'une ambulance arrivait pour l'emmener, Pat poussa des cris de fureur, incendiant Walt d'accusations qui achevèrent d'affoler Nona.

Alors qu'elle essayait d'articuler une phrase, la jeune femme lui cria à la figure.

— Ils veulent vous emmener à l'hôpital passer des analyses à la noix ! Ils vont vous faire un tas de piqûres. Vous ne devez pas les laisser faire. Votre assurance ne voudra pas payer ; vous êtes déjà couverte de dettes. Je ne pourrai pas venir vous voir. Vous n'aurez droit à aucune visite.

Tedford crut que la vieille dame allait avoir une nouvelle attaque. Elle suppliait qu'on la laisse chez elle. Et Pat continuait en prédisant toutes sortes de désastres si Nona se laissait emmener dans l'ambulance. Jusqu'au moment où, excédé, Tedford l'écarta en grinçant entre ses dents :

— J'en ai assez entendu ! Si vous continuez, je vous demanderai de partir.

En tant que parente la plus proche, Jean Boggs avait la loi de son côté, expliqua-t-il, et ce serait à elle de décider si sa mère devait ou non aller à l'hôpital. Pat écumait de colère.

Cependant, le colonel Radcliffe appelait son avocat et tendait le téléphone au policier qui se vit menacer de poursuites. À quoi il répondit que ce n'était pas son problème, qu'il fallait s'adresser au procureur du comté de Fulton.

Il faudrait être fou pour attaquer en justice Lewis Slaton.

— Colonel, continua Tedford, puisque vous êtes là, pourriez-vous m'indiquer l'endroit où vous avez vu M. Allanson prendre tous ces médicaments, l'autre samedi ?

Les deux hommes se faisaient face dans l'entrée, devant la cuisine.

— Quels médicaments ? répliqua Radcliffe.

— Pardon ?

— Je ne vois pas de quoi vous voulez parler.

— Écoutez, c'est ce qui a provoqué cette overdose, selon vos déclarations et celles de Pat Allanson ; votre femme était aussi à l'hôpital quand vous m'avez dit ça. À l'époque, vous étiez tous les trois d'accord sur ce point. Maintenant, vous prétendez ne pas l'avoir vu prendre ces médicaments ?

— Parfaitement.

— Pourtant, c'est vous qui m'en avez parlé. Vous avez même décrit son geste quand il a englouti ces pilules.

— Vous faites erreur, sergent. Vous mentez.

— Très bien.

Tedford savait bien ce qu'il avait entendu et trouvait intéressant que le beau-père de Pat souffre de tels trous de mémoire.

Heureusement, l'ambulance venait d'arriver et on y emporta Nona sur une civière, malgré ses faibles protestations. Pat s'installa d'office à côté d'elle. Exaspéré par son attitude, Bob Tedford lui lança :

— Je ne peux pas vous empêcher de l'accompagner, mais je vous interdis de lui parler pendant le trajet, c'est compris ?

Il ne restait à Jean qu'à s'asseoir à l'avant, près du chauffeur. Elle pria les policiers d'apposer les scellés sur la ferme dès que les Radcliffe en seraient sortis. Pat fit remarquer qu'il était de son devoir d'y vivre, que cela rassurait Nona, mais Jean ne voulut rien savoir. Elle ignorait comment ses parents avaient pu se laisser quasi hypnotiser par la femme de Tommy ; mais elle allait le découvrir, en même temps qu'elle allait faire son possible pour protéger les quelques biens qui leur restaient.

Durant le court trajet vers l'hôpital, Pat ne cessa de parler à Nona ; mais, dès son arrivée, la vieille dame fut emmenée au service des urgences où nul ne put l'accompagner excepté le personnel de l'hôpital.

Cependant, Jean se précipitait dans la chambre de son père pour l'informer que son épouse chérie se trouvait maintenant en sécurité à quelques pas de lui. Son avocat, Bill Hamner, était justement là. Jean lui demanda aussitôt que la procuration de Pat soit annulée.

— Elle continue à l'utiliser.

Hamner promit de s'en occuper. Tout comme le Dr Jones et son associé, Fred Reeves, il s'était laissé impressionner par les airs de martyre dévouée que se donnait Pat. Chaque fois qu'elle était venue à leur cabinet, c'était pour régler des affaires prétendument initiées par Walt Allanson. Elle-même paraissait si malade, si fragile, sans pourtant jamais se plaindre, usant ce qu'il lui restait de forces au service du vieux couple... Cette fois encore, alors que Jean venait juste de le mettre en garde, ils la virent entrer dans la chambre en traînant la patte et faire signe à l'avocat de s'approcher, qu'elle désirait s'entretenir en privé avec lui.

Au début, Bill Hamner se crut pris entre le marteau et l'enclume. Les bras croisés, l'air mauvais, Jean le regardait parler à Pat. D'un côté, il y avait la fille qui considérait sa rivale comme une usurpatrice malintentionnée ; de l'autre, il y avait la femme du petit-fils qui voyait en elle une fille ingrate et intéressée.

En fin de compte, les avocats n'eurent aucun mal à prendre une décision. Hamner et Reeves représentaient les grands-parents Allanson et ils verraient ce qui allait dans le sens de leurs intérêts.

32

Le 29 juin, Walt Allanson remettait à Bob Tedford une autorisation écrite de fouiller sa maison. Accompagné par W. L. Jackson et Jean Boggs, il passa au crible la ferme et ses dépendances. Ils récupérèrent six bouteilles de vin et d'alcool, certaines vides, d'autres pas encore entamées. Jean identifia plusieurs whiskeys de prix offerts pour Noël, ainsi que le vin de mûres fabriqué des dizaines d'années auparavant. D'habitude, les alcools étaient conservés dans la remise, mais ces bouteilles furent retrouvées dans la cuisine et même dans la chambre.

Les enquêteurs prélevèrent également tous les liquides contenus dans le réfrigérateur, thé glacé, eau, jus de pruneau. Une seringue fut trouvée dans la salle de bains.

Aucun ne contenait de l'arsenic.

Le 1ᵉʳ juillet, le colonel Radcliffe se présentait au poste de police d'East Point à la demande de Bob Tedford.

— Vous êtes suspecté de tentative d'assassinat, lui annonça posément celui-ci.

Après quoi il lui lut ses droits.

L'officier à la retraite blêmit, incrédule et quelque peu alarmé. Tedford ne connaissait pas encore assez Pat Allanson pour avoir conscience de l'extraordinaire bâche de tendresse que sa famille avait dressée autour d'elle pour la protéger.

En revanche, il avait vu cette jolie femme émouvante et fragile qui savait si bien susciter l'instinct de protection masculin se changer subitement en harpie, au point d'épouvanter la vieille dame qu'elle était censée assister; d'un autre côté, elle s'était montrée des plus convaincantes lorsqu'elle avait fondu en larmes devant Turner et lui, en racontant quels dangers la menaçaient sans cesse. Si bien qu'il ne savait plus trop à quelle femme il avait affaire. Plus il la connaissait, plus elle lui échappait.

Le colonel Radcliffe ne le renseigna pas davantage sur ce point, fixant le policier d'un œil glacial lorsque celui-ci l'interrogea sur les événements du samedi 12 juin, ce matin où, avec Pat, ils s'étaient précipités pour sauver Nona de son mari devenu « fou furieux ». Apparemment, ses souvenirs n'en étaient plus précis du tout.

— Dites-moi, colonel, êtes-vous allé avec votre fille et Nona Allanson voir un avocat, ou avez-vous été présent lorsque l'un des deux grands-parents Allanson a signé des papiers?

— Pas à ma connaissance.

— Pat a-t-elle reçu une procuration de Walt et Nona Allanson?

— Oui, je crois. Il faudrait lui poser la question. Je ne suis pas concerné.

— Avez-vous vu Pat, ces derniers temps?

— Pas depuis deux ou trois jours.

— Où est-elle?

— Vous feriez mieux de demander à son avocat. Écoutez, sergent, j'ai du travail, il faut que j'y retourne.

Il avait pris un poste de travail de bureau au Fort Mac pour amortir un peu les dépenses occasionnées par les ennuis de santé de Pat.

— Suis-je en état d'arrestation ou non ?

— Non, vous pouvez y aller.

Le lendemain, 2 juillet, arrivaient les résultats des examens pratiqués sur Nona Allanson. Ses urines présentaient des traces d'arsenic bien que la concentration n'en soit que le sixième de celle trouvée dans le corps de son mari. Ses cheveux aussi révélaient la présence du poison mortel, ses urines en avaient 100 µg par milligramme et ses cheveux, 3,5 µg par milligramme.

Nona était grabataire, incapable de préparer ses repas et encore plus de sortir de sa ferme. Tout ce qu'elle avait ingéré lui avait été donné par Pat ou par l'aide-soignante engagée par celle-ci. Ses autres visiteurs réguliers étaient Maggy et Clifford Radcliffe, la fille de Pat, Deborah Taylor Cole, et la voisine, Fanny Kate Cash. Nona avait perdu tout contact avec les membres de sa propre famille.

George Boggs passa au poste de police d'East Point ce même après-midi. Il apportait un chèque tiré sur le compte des Allanson à la First National Bank, d'un montant de 1 000 dollars, signé par Pat Allanson grâce à sa procuration et immédiatement déposé sur son nouveau compte. Elle n'en avait pas le droit, sa procuration sur la fortune des Allanson spécifiant qu'elle ne devait utiliser leur argent que pour prendre soin d'eux ou avec une autorisation spéciale.

Lorsque Tedford l'interrogea ensuite, Walt Allanson assura qu'il n'avait pas donné son accord. Il s'était rendu en compagnie de Pat à la banque C & S fin mai ou début juin pour y souscrire un prêt de 1 000 dollars en faveur de Pat afin d'aider Tommy.

Ce chèque-là portait au dos son objectif : « Pour la vie de Tom ». Le second, en revanche, ne lui évoquait rien.

Tom avait besoin de cette somme, car il lui restait un dernier appel en route et Dunham McAllister s'efforçait de le lui obtenir. Voilà presque deux ans que Walter et Carolyn Allanson étaient morts. Pour les inspecteurs d'East Point chargés de cette affaire, ce serait le deuxième 4 juillet qu'ils passeraient à travailler pendant que tout Atlanta célébrerait la fête nationale.

Quelques jours plus tard, le lieutenant Jackson et le sergent Tedford étudiaient pour la vingtième fois la confession. Soudain, ils s'intéressèrent aux ratures de la dernière page. En lisant soigneusement à travers les *xxx* tapés sur plusieurs mots, ils purent reconstituer la phrase « Dixie Cup Morgan Classic, Stone Mountain ». Les sept premières lignes semblaient avoir été écrites à un autre moment que le reste du texte, plus foncées, avec une marge différente.

— En fait, expliqua le graphologue du laboratoire, quand le premier paragraphe a été tapé, le papier a été rajusté sur le chariot.

Cela se tenait, car si la notaire avait regardé le haut de la page sur lequel elle apposait un coup de tampon, elle n'aurait lu que des phrases disant : « ... Si Nona meurt avant moi », et rien sur les armes ni les meurtres.

À présent, les policiers devaient trouver qui pouvait faire allusion à des Morgan. Et, cela, ils le savaient déjà.

Walt et Nona Allanson avaient tous deux ingéré de l'arsenic qui leur avait été administré de telle façon qu'ils ne pouvaient s'en apercevoir. Les policiers d'East Point et les enquêteurs du bureau du procureur espéraient bien en trouver l'origine. Ils commencèrent par examiner les myriades d'ordonnances que le Dr Jones avait prescrites. Il y avait, chez les Allanson, plus de cinquante flacons, paquets, boîtes et bouteilles. Certains remontaient à août 1950, d'autres étaient tout récents. Apparemment, le vieux couple ne jetait jamais un médicament.

Enfin, ils parvinrent à tout identifier. Il y avait des antalgiques, des tranquillisants, des diurétiques, des antivertigineux, des somnifères, des antiacides et des antibiotiques. Après analyse, aucun ne se révéla contenir d'arsenic.

Une nouvelle perquisition de la ferme permit de mettre la main sur un sac brun contenant une poudre blanche, un bocal au couvercle vert renfermant des granulés bruns, un autre au couvercle rouge, avec le même contenu, ainsi qu'une bouteille à capsule blanche pleine de poudre blanche.

Aucune de ces substances ne contenait d'arsenic.

En revanche, la bouteille à laquelle Walt avait prétendument bu le matin où Pat et ses parents s'étaient précipités au « secours » de Nona en contenait. En fait, selon les toxicologues, les Drs Solomons et McGurdy, elle en était encore tellement pleine que si le vieil homme y avait vraiment bu au goulot il aurait suffi d'une rasade ou deux pour le tuer net.

Bien entendu, le Dr Jones n'avait pas vu ce vieux bourbon chez Walt ; c'est Pat qui le lui avait donné.

Si l'arsenic est un poison des plus prisés par les auteurs de romans policiers, vers 1974, il n'était pas aussi facile de s'en procurer qu'auparavant. De plus, ce n'est pas forcément le meilleur choix pour commettre un crime. D'autant qu'il a des effets extrêmement douloureux. Et on ne trouve guère de suicides à l'arsenic, tant il serait lent et pénible. Si Walt Allanson avait prévu de se supprimer ainsi que sa femme, il aurait sûrement choisi une méthode plus radicale et qui ne les fasse pas souffrir.

Bob Tedford se lança dans une fastidieuse série d'interrogatoires auprès des vétérinaires de la région qui auraient pu soigner les animaux des Allanson ou des Radcliffe. Il finit par trouver celui qui avait traité les chevaux des Radcliffe. Quand il lui demanda s'il utilisait de l'arsenic, celui-ci lui répondit :

— Non. Autrefois, on s'en servait pour tuer les vers chez les chevaux, mais je ne vois personne qui le fasse encore aujourd'hui. J'utilise une préparation chimique qui donne les mêmes résultats. C'est un peu plus long mais plus facile.

Il mentionna aussi une drogue qui servait à stimuler l'appétit des chevaux, l'Appitone. À sa connaissance, elle n'était plus sur le marché depuis deux ans.

— Elle contient de l'arsenic, mais je doute qu'il y en ait assez pour tuer quelqu'un. J'ai dû en acheter la dernière dose à un confrère, à la demande d'un de mes clients.

— Mme Allanson ? demanda vivement Tedford.

— Non. Quelqu'un d'autre.

Une autre drogue, appelée Caco Copper, était utilisée pour stimuler la moelle osseuse afin de produire des globules rouges.

— Les gens disent qu'elle contient de l'arsenic, mais c'est faux.

— Quand avez-vous soigné les chevaux de Mme Allanson pour la dernière fois ?

— Voyons, dit le médecin en ouvrant son agenda. C'était le 29 janvier 1974. J'ai traité les chevaux d'une de ses filles pour une carence vitaminique. Je n'ai jamais donné à Pat... Mme Allanson... aucun médicament. Et les seuls que j'utilise contenant de l'arsenic s'administrent sous forme d'injection ; je ne les donne jamais à personne sous cette forme.

— Connaissez-vous un vétérinaire qui se serve régulièrement d'arsenic ?

— Non. C'est un traitement obsolète.

Quand le policier lui demanda jusqu'à quel point il connaissait Pat Allanson, le médecin détourna les yeux.

— Je ne suis jamais sorti avec elle, même si elle m'a clairement fait comprendre qu'elle était disponible. Elle n'était pas nette. Tous les vétérinaires le savent. Il y a quelques années, avant que j'épouse ma femme actuelle, mais nous nous fréquentions déjà, Pat lui a téléphoné et lui a dit des choses qui m'ont créé toutes sortes d'ennuis.

Tedford obtint la même information de nombre de médecins locaux. L'un d'eux, qui n'aimait visiblement pas Tom et Pat, lâcha :

— C'est une véritable allumeuse. Elle se jette au cou de tous les hommes qu'elle rencontre.

Un autre vétérinaire parut mal à l'aise en affirmant qu'il ne connaissait personne du nom d'Allanson. Tedford apprit par la suite qu'en fait il connaissait très bien Pat. Il était sorti avec elle, mais, comme il était marié, on comprenait qu'il ne veuille rien dire.

L'enquête auprès des pharmaciens et droguistes de la région ne donna pas davantage de résultats.

— Ça ne se vend plus du tout sous forme de poudre ; on s'en sert parfois pour traiter la gale des chiens et les vers des chevaux ; sa seule utilisation reste la mort-aux-rats, dit l'un d'eux.

Ce produit n'existait que sous forme liquide. En outre, il n'y avait pas de vieux médicaments dans la grange de Walt Allanson. S'il s'était jamais servi de préparations à l'ancienne contenant de l'arsenic pour soigner ses animaux, elles n'étaient plus là.

La presse avait eu vent d'« empoisonnements » à East Point. Le 8 juillet, le sergent Tedford resta bouche cousue, laissant juste entendre que « quatre personnes pourraient être arrêtées ». Il refusa de donner leurs noms, manquant encore d'éléments pour en révéler davantage.

L'enquête avança d'un grand pas lorsque les enquêteurs apprirent des avocats de Walt Allanson, Fred Reeves et Bill Hamner, qu'on avait ajouté pas moins de trois codicilles aux testaments des grands-parents de Tom en un temps relativement court. Chaque fois, ils avaient vérifié que les deux intéressés avaient bien lu ce qu'ils signaient. Si Pat Allanson se trouvait à la ferme à cette époque, elle n'était jamais présente dans la pièce au moment de la signature.

Désormais, leurs biens seraient distribués comme suit.

(1) Cinquante pour cent du fidéicommis, ou tous les biens immobiliers, animaux de la ferme, bijoux, vêtements, meubles et bibelots de la maison, tableaux, argenterie, objets d'art et automobiles... seront remis à mon petit-fils, Tom Allanson, s'il est en vie. Sinon, si mon petit-fils était toujours marié à Patricia R. Allanson au moment de sa mort [clause à laquelle tenaient Hamner et Reeves], les biens énumérés ci-dessus iront à Patricia R. Allanson.

(2) Le reste de mes biens sera divisé à parts égales entre mon petit-fils, Tom Allanson, mon petit-fils, David Byron Boggs, et ma petite-fille, Nona Lisa Boggs.

(3) J'ai spécifiquement exclu ma fille, Jean Elizabeth Boggs, car son avenir est déjà assuré et j'ai ainsi décidé que les récents changements et événements concernant la situation de la famille Allanson imposent que mes biens soient mieux utilisés et plus bénéfiques aux personnes nommées ci-dessus.

Certes, Tom Allanson était « en vie », mais condamné « à vie ». Cela signifiait que, si ses grands-parents mouraient, Pat recevrait 66,66 pour 100 d'un riche héritage. De plus, elle en serait l'exécutrice testamentaire. Autrement dit, tout ce qui allait au-delà du fidéicommis lui reviendrait. Tant que Tom serait en prison.

Et Tom était coupé de sa famille ; toutes ses informations lui parvenaient via sa femme. Les lettres et les rares visites constituaient sa seule ouverture au monde extérieur, et Pat n'allait pas l'ennuyer avec ces assommantes histoires de codicilles. Elle lui assurait qu'elle continuait de se battre pour le sortir de prison. Sa dernière chance se présenterait en novembre.

Tom ne se doutait pas de la tournure que prenaient les événements à la maison.

33

Durant le brûlant été 1976, Pat et les Radcliffe attendaient la suite des événements. Cette fichue police d'East Point fourrait son nez dans tous les détails de la vie de Pat, posant des questions, déménageant petit à petit la ferme de Walt et Nona pour en examiner le moindre recoin. Ils étaient d'une incroyable grossièreté, manquaient totalement d'éducation, tant envers elle qu'envers sa mère et le colonel. Rien de plus irritant que de lire dans les journaux les déclarations de Bob Tedford disant que « quatre personnes pourraient être arrêtées ».

Il avait interrogé l'une des aides-soignantes de Nona Allanson, Juanita Jackson, qui s'était occupée de la vieille dame quand Pat était à l'hôpital. Juanita l'avait trouvée anormalement somnolente et Pat lui avait expliqué qu'il fallait lui administrer à cet effet certaine pilule gris et vert toutes les vingt-quatre heures. Mais la vieille dame dormait tellement que l'aide-soignante avait proposé d'arrêter ce médicament. Elle ignorait si Pat avait suivi son avis. Mme Allanson restait très diminuée.

Le sédatif Vistaril se présentait sous la forme de capsules gris et vert avec un dosage de vingt-cinq milligrammes et on l'administrait en général trois ou quatre fois par jour. Il avait été prescrit pour Walt et devait être géré avec précaution, car il produisait un effet dépressif, particulièrement si on le combinait avec d'autres remèdes.

— Qui faisait la cuisine? demanda Tedford à Juanita.

— Quelquefois Pat, d'autres fois elle apportait des plats tout préparés. J'en faisais un peu moi aussi, ainsi que l'infirmière de nuit.

Les seules visites dont elle ait été témoin entre le 15 et le 28 juin étaient celles d'une gentille dame un peu enrobée du nom de Fanny Kate Cash. Pourtant, une autre personne était venue, Mme Amelia Estes, la voisine de Nona et Walt depuis dix-neuf ans. Elle fut suffoquée en voyant dans quel état se trouvait son amie.

— Jamais je ne l'avais vue comme ça, dit-elle à Tedford. Elle m'avait l'air... droguée. Elle ne reconnaissait personne, ne savait pas ce qu'elle faisait ni disait... Pat lui a demandé si elle voulait sortir sur la véranda et on a roulé son fauteuil jusque-là. Pendant que Pat allait vérifier le contenu de la boîte aux lettres, je suis restée pour la surveiller. C'est à peine si elle pouvait relever la tête... et alors ses yeux roulaient dans tous les sens. Je ne sais pas ce qui se passait, mais c'était affreux.

Mme Estes avait aussi été informée des prétendus aveux de Walt.

— J'allais partir quand Pat m'a demandé si j'avais quelques minutes... Elle voulait me parler d'une confession qu'aurait signée M. Allanson à propos du meurtre de Walter et de Carolyn! Bien sûr, ce fut un choc terrible d'imaginer qu'il ait pu commettre un acte pareil... Elle disait avoir eu beaucoup de mal à la lui faire signer parce qu'il prétendait que, s'il s'en sortait, on ne pourrait rien lui mettre sur le dos. Elle disait qu'il lui avait fait cet aveu alors qu'il était hospitalisé... Elle pleurait... et elle disait qu'elle allait devoir vivre avec ce terrible secret pendant longtemps, et personne ne saurait ce qu'elle avait enduré.

Le 20 juillet, Tedford pria le colonel Radcliffe de venir répondre à un nouvel interrogatoire.

— Quoi? demanda celui-ci. Vous allez encore me dire mes droits?

— Exactement.

— Dans ce cas, je ne viens pas.

— Vous pouvez venir avec votre avocat.

— Je n'ai pas les moyens de me payer un avocat. Il faudrait m'en commettre un d'office. Non, je ne crois pas que je vais accepter de venir.

Le 26 juillet, le colonel Radcliffe changea d'avis et arriva, accompagné de sa femme et de leur avocat; les deux époux firent une déposition officielle devant Tedford et l'enquêteur Richard Daniell. Comme toujours, les Radcliffe surent se montrer nets et précis, tout en gardant un air digne et excédé, comme s'il était invraisemblable que la police ennuie des gens de leur qualité. Maggy Radcliffe fut la plus bavarde, comme toujours, tandis que son mari commençait chacune de ses phrases par « Pour autant que je sache... » et « Pas à ma connaissance ».

Tout, absolument tout ce qu'ils dirent concordait avec les déclarations de Pat Allanson. Oui, Nona avait été terrifiée par « le gros Allanson » et les avait suppliés de venir la sauver de ses griffes. Ils s'étaient juste conduits en bons chrétiens.

Maggy rappela que ce pénible week-end avait en fait commencé dès l'après-midi du mercredi 9 juin. Nona avait appelé les Radcliffe pour leur dire qu'elle n'avait rien à manger, qu'elle s'était mouillée et avait besoin d'aide.

— J'ai répondu que je n'avais pas de moyen de transport pour le moment mais que le premier qui arriverait à la maison se rendrait aussitôt chez elle. On a fini par y aller avec mon mari, on lui a donné à boire... Je l'ai nettoyée... M. Allanson a dit qu'il ne se sentait pas bien, que ses jambes étaient un peu faibles et qu'il n'avait rien pu faire pour elle.

Maggy et Pat avaient passé la nuit à la ferme. Et puis les choses avaient empiré le samedi suivant, au matin, quand le colonel avait dû casser un carreau pour entrer. Aucun d'entre eux n'avait vraiment vu Walt avaler ces pilules. Le colonel Radcliffe pensait qu'il avait pu boire du Tang et non du jus d'orange. Ils avaient tous les deux aperçu la vieille bouteille de whiskey.

— Je n'avais aucune idée de ce qu'elle contenait, poursuivit Maggy. Il y a une espèce d'essoreuse près du congélateur... la bouteille était là… Le médecin avait dit : « Mettez tout ça hors de sa portée. » Pat Allanson a dit : « Videz-la », et mon mari s'est empressé d'aller la remettre dans la salle de bains. J'ai dit : « On n'aurait peut-être pas dû la vider… parce que le Dr Jones aurait peut-être voulu l'examiner. »

Le colonel Radcliffe et madame insistèrent sur le fait que c'était le Dr Jones qui avait suggéré l'idée d'une « overdose ». Néanmoins, Maggy ajouta quelques détails sur l'attitude plutôt agressive de Walt.

— Nona a dit à un moment que Walt lui avait ouvert la bouche en disant : « Bois ce café ! » mais que ce n'était pas du café. Après quoi, il lui a tiré les cheveux puis il a tenté de l'étouffer avec un oreiller. Il avait aussi essayé de l'envelopper dans les draps !

— Étiez-vous au courant, demanda soudain Richard Daniell, qu'au cas où l'un des deux grands-parents viendrait à mourir Tom Allanson et votre fille, Pat, allaient hériter d'à peu près tous leurs biens ?

Maggy poussa un profond soupir.

— Je sais que Nona m'a dit qu'elle voulait changer son testament. J'ignore ce que leur fille et ses enfants en pensent et, franchement, j'aurais préféré ne pas en avoir entendu parler. Pour être tout à fait honnête avec vous, je dois dire qu'ils ne s'aiment pas, dans cette famille ; en fait, ils ne peuvent pas se sentir.

Les policiers buvaient chacune de leurs paroles, les laissant donner mille détails sur le moindre événement. Ces gens qui voulaient jouer les personnes élégantes et dignes en faisaient trop.

Les Radcliffe annoncèrent avoir un témoin extérieur à la famille qui pourrait confirmer l'attitude agressive du vieux Walt Allanson : Fanny Kate Cash, leur brave voisine de Tell Road. D'ailleurs, elle les avait accompagnés au poste de police. Cependant, elle connaissait trop ses droits pour seulement battre un cil. Bien qu'elle n'ait pas vu les Allanson depuis un mois, Pat et les Radcliffe avaient insisté pour qu'elle passe la nuit du samedi à la ferme, afin que Pat ne s'y retrouve pas seule. Elle avait accepté, du moment qu'elle pouvait se rendre à l'église le dimanche matin.

La ferme ne comptait que deux chambres : Nona occupait la sienne, et Walt la chambre d'amis. Pat dit avoir dormi dans le même lit que Nona. Quant à Fanny Kate, elle dut se contenter d'un canapé et précisa avoir entendu que Walt avait pris « quelque chose pour dormir ».

Interrogée sur les bouteilles d'alcool, elle dit ne s'en rappeler qu'une.

— C'était une vieille bouteille de whiskey ordinaire, sans étiquette, mais le liquide qu'elle contenait sentait assez fort, de quoi assommer un bœuf. J'ai dit : « Si quelqu'un a bu de ce truc, il doit être dans un bel état ! »

— Qui vous a dit que Walt avait bu à cette bouteille ? demanda Tedford.

— Mme Allanson, Nona… Je lui avais posé la question tout net. Elle a dit qu'elle croyait qu'il avait arrêté de boire ; il le lui avait promis. Et elle semblait très secouée de voir qu'il avait replongé derrière son dos…

— Autrement dit, ni les Radcliffe ni Pat Allanson ne vous en ont parlé ?

383

— Non.

— Où avez-vous vu cette bouteille ?

— Dans la buanderie.

Fanny Kate Cash ajouta qu'elle connaissait les Radcliffe depuis près de dix ans.

— Je ne connais personne d'aussi gentil qu'eux, ajouta-t-elle.

Juillet à Atlanta était parfois si chaud que même le kudzu en souffrait. Au milieu des après-midi étouffants, on n'entendait guère que les cigales et les mouches. La grande nouvelle, en Géorgie, était la nomination de Jimmy Carter, ce 14 juillet, comme candidat démocrate à la présidence, avec Walter Mondale à la vice-présidence. Carter serait le premier candidat d'un grand parti du Sud profond depuis le malheureux Zachary Taylor en 1848. Cette information éclipsait toutes les autres dans les journaux d'Atlanta. Cependant, pour ceux que l'affaire Allanson concernait directement, ou qui craignaient de s'y voir impliqués, rien d'autre n'existait.

Tout le monde était sur les dents. Martha Foster, l'une des aides-soignantes, restait seule à la ferme pour le cas où l'un des Allanson rentrerait. À la fin juillet, elle se rendit aux urgences de l'hôpital South Fulton, se plaignant de vomissements et de terribles douleurs abdominales. Elle fut transférée à l'hôpital Grady où Bob Tedford vint la voir. Il lui demanda combien de temps elle avait passé chez les Allanson.

— J'y suis depuis mercredi dernier, le 21.

— Quand êtes-vous tombée malade ?

— Hier dimanche.

— Qu'y avez-vous mangé ?

— Juste des hot-dogs congelés. Et j'ai bu du café et du Pream, le lait en poudre.

L'urine de Mme Foster fut analysée; on y chercha des traces d'arsenic. Le résultat fut négatif. Il ne restait plus de hot-dogs. Le café et le Pream furent analysés. L'arsenic en poudre peut être blanc, brunâtre, jaune... ou même rouge. Les échantillons ne révélèrent que du café et du lait tels qu'annoncés. En revanche, un autre flacon de pilules fut découvert, qui portait sur son étiquette le nom de Mme Allanson. À l'intérieur se trouvait une capsule, différente des autres, contenant une pilule.

L'analyse démontra qu'il s'agissait de mercure. Sous certaines formes, le mercure peut se révéler un poison mortel. Liquide, il n'est pas létal. Les enquêteurs apprirent qu'il avait fait partie des traitements de la constipation durant les années 1920 et 1930. Comme le vieux couple conservait des médicaments de plus de vingt-cinq ans, il semblait possible que certains remontent à plus longtemps. Toutefois, la pilule dans sa capsule ne contenait pas de liquide mais de la poudre compressée. Mortelle. Que faisait une capsule contenant du mercure dans le flacon d'un médicament récemment prescrit ?

Le 26 juillet, Nona Allanson quitta l'hôpital et regagna la ferme de Washington Road. Sa fille Jean serait désormais chargée de veiller sur elle. Walt Allanson resta à South Fulton où il se remettait peu à peu.

Dunham McAllister fondait sur la confession du vieux Walt Allanson sa stratégie en vue de libérer Tom. Le 30 juillet, il demandait une audience à la cour d'appel du comté de Fulton pour établir la nécessité de faire un autre procès à Walter Thomas Allanson puisqu'un autre s'était accusé des crimes pour lesquels il avait été condamné. Le procureur rétorqua que ces aveux étaient sans valeur car Walt avait déposé une déclaration pour les dénoncer.

Cependant, Tom voyait naître un nouvel espoir, comme il n'en avait plus connu depuis longtemps. L'ironie du sort voulait que, s'il s'en sortait, il n'était pas assuré de revoir sa femme. Il semblait qu'elle dût connaître la prison à son tour.

Il était temps de se décider. Andy Weathers, du bureau du procureur, croyait pouvoir obtenir des condamnations. Au moins, cela valait la peine d'essayer; il serait tout simplement inadmissible d'écarter une affaire où deux personnes âgées avaient failli mourir. Combien de noms seraient portés sur l'acte d'accusation? Trois? Quatre? Plus de quatre?

Le 6 août 1976, Bob Tedford se présentait devant le grand jury pour produire les pièces à conviction que son équipe d'inspecteurs avait rassemblées sur l'empoisonnement à l'arsenic de Walt et Nona Allanson. Il s'agissait surtout de présomptions, et ce serait un peu à pile ou face. Il devait fournir un mobile, une méthode de la part d'une personne ayant eu des intentions de meurtre.

Pat Allanson avait le mobile, ou même deux: elle était à la fois héritière et exécutrice testamentaire des grands-parents de son mari, et elle avait besoin d'argent pour vivre la vie dont elle rêvait et pour faire sortir « son Tom » de prison. Elle en avait eu l'occasion puisque les victimes lui accordaient une totale confiance. Quant aux moyens, rien de plus facile pour elle. L'arsenic dans ce vieux whiskey avait, sans doute, été mis de côté dans la grange des dizaines d'années auparavant, alors que Walt était encore un fermier en activité. À moins qu'il n'ait été acheté récemment, sans doute pour éliminer des rats. L'accusation ne pouvait rien prouver sur ce point, elle n'avait pas trouvé d'où provenait l'arsenic. Quant à ce qui s'était produit à la ferme, quatre déclarations concordaient trop bien – celles de Pat, de Maggy, du colonel Radcliffe et de Fanny Kate Cash –, tandis que celles d'Amelia Estes, de Jean Boggs et de son amie Sherry Allen étaient diamétralement opposées.

Nul ne savait ce qui pouvait se passer derrière les portes closes du grand jury, mais ce jour-là, dès la première semaine d'août, il revenait avec un acte d'accusation.

Un seul.

Le bureau du procureur du comté de Fulton émit aussitôt un mandat d'arrêt contre Patricia Radcliffe Taylor Allanson sur le chef de deux tentatives de meurtre. À 16 h 15, Bob Tedford et Richard Daniell se rendirent au ranch de Tell Road pour l'arrêter. Elle ne s'y trouvait pas; ils revinrent à 17 heures, elle n'était toujours pas là.

Aurait-elle pris la fuite? Avait-elle déjà quitté la région d'Atlanta? Elle devait savoir qu'elle était la principale suspecte de leur enquête, qu'il allait lui arriver quelque chose. Néanmoins, les inspecteurs se rappelèrent que son monde se limitait à la Géorgie et à la Caroline du Nord. Elle y avait sa mère et son beau-père, ses tantes, ses trois enfants, ses petits-enfants et, bien sûr, son mari, Tom. Non, elle ne partirait pas.

Ils avaient tout à fait raison. Pat ne saurait pas vivre seule. Il lui fallait rester à proximité de ses parents; alors même qu'elle allait sur ses quarante ans, elle avait besoin d'eux pour redresser la situation. Seulement maintenant sa vie était bouleversée, et sa machination ne serait pas facile à nier ou à ignorer.

À 19 heures, Tedford et Daniell descendaient lentement Tell Road et tournèrent à droite sur l'allée défoncée, passèrent devant le pavillon de Fanny Kate Cash, devant les écuries désertes sur la gauche puis devant la carrière, en direction des deux maisons que Gil Taylor avait autrefois essayé d'assembler afin d'en faire une grande plantation pour Pat.

Maggy et Clifford Radcliffe se tenaient devant l'entrée, l'air sombres; ils prirent le mandat que leur tendit Tedford.

— Nous sommes venus arrêter votre fille accusée d'une double tentative de meurtre. Est-elle là?

Le colonel les laissa entrer et désigna la chambre de Pat. Elle était rentrée. Elle écouta d'un air renfrogné les charges retenues contre elle.

— Est-ce que je peux appeler mon avocat? demanda-t-elle.

— Certainement.

Les cheveux toujours crêpés autour de la tête, le maquillage soigné, elle portait une robe bain de soleil rose et noir, un collier et des anneaux aux oreilles.

Tandis que Tedford appelait par radio une femme policier pour les accompagner vers la prison, Pat téléphonait à Dunham McAllister. Elle s'entretint avec lui une vingtaine de minutes, après quoi elle quitta la maison en compagnie de son escorte. Il était 19 h 35.

À la maison d'arrêt du comté de Fulton, on prit ses empreintes digitales, puis elle fut photographiée, fouillée et enregistrée.

Elle commença par regarder fixement l'objectif, comme si elle le défiait, mais, lorsqu'il lui fallut présenter son profil, elle baissa la tête, apparemment au bord des larmes. Cette femme qui avait toujours désiré tant de choses, qui avait rêvé de parfait amour, de luxe, d'argent, d'un statut social élevé, devenait, au moins pour le moment, la détenue numéro 10747.

Elle ne resterait pas longtemps incarcérée. Déjà sa mère et son beau-père rassemblaient le montant de la caution réclamée pour faire sortir leur fille chérie, leur raison de vivre. Comment une personne aussi extraordinaire pouvait-elle se trouver mêlée aux femmes de mauvaise vie qui échouaient en prison ?

Elle n'y passa même pas la nuit et fut libérée contre 20 000 dollars. Boppo et le colonel Radcliffe avaient trouvé quelque part les 2 000 dollars nécessaires à la garantie de ce montant.

34

L'arrestation de sa femme causa un choc énorme à Tom. Elle constituait son unique source d'information sur le monde extérieur et avait encore récemment promis de continuer à remuer ciel et terre pour le faire libérer. Il avait été infiniment soulagé lorsqu'elle s'était chargée de ses grands-parents et, à la croire, tout se passait bien. Il avait pourtant été mis au courant de la prétendue overdose de Walt mais pas de ce que le laboratoire avait découvert, et Pat l'avait convaincu qu'il était habituel, chez un vieil homme déprimé, de voir ses forces ainsi décliner après une crise cardiaque, qu'il se rabatte sur l'alcool et les médicaments.

Tom aimait ses grands-parents, ce qui ne l'empêchait pas de compter sur eux pour assumer ses frais de justice. Étant donné la maladie de Pat, son incapacité à travailler et la quasi-banqueroute des Radcliffe, il n'avait aucune autre ressource. Cependant, il avait bien l'intention de les rembourser.

Pat avait juré qu'elle éprouvait les mêmes sentiments.

Tom s'était bien adapté à la vie en prison. Tout le monde l'aimait bien et son emploi de commis l'occupait beaucoup. Intelligent, diplômé de l'université, il ne se plaignait jamais d'avoir trop de travail. En fait, il en avait besoin car il avait à peu près tout perdu dans la vie, à part ses grands-parents et Pat.

S'il venait à croire que les charges retenues contre elle étaient fondées, ce serait la fin de tous ses rêves. Il devait découvrir pour quelle raison, exactement, elle se retrouvait dans une telle situation. La démarche s'annonçait compliquée.

Il avait écrit à son oncle Seaborn en suppliant qu'on la laisse au moins voir ses enfants, Russ et Sherry, chaque fois qu'elle le pourrait ; elle restait son seul lien avec eux. Il ne savait pas qu'il les avait déjà perdus, peut-être à jamais. Seaborn avait pris conscience qu'il était trop vieux pour les élever, la petite Carolyn refusait de se conformer aux conditions posées par l'État pour en avoir la garde, et Pat ne voulait pas les prendre en charge – d'ailleurs, elle avait déjà utilisé la procuration que lui avait signée Tom pour renoncer en son nom à toute autorité sur eux. Elle lui avait assuré qu'ils seraient placés à titre temporaire dans un bon foyer chrétien... « pour leur bien ». En fait, elle les avait purement et simplement livrés à l'adoption.

Tom n'avait plus que Pat, mais, en cet été 1976, la façade parfaite qu'elle lui présentait commençait à s'éroder. Tout d'abord, il s'efforça de chasser ses doutes. Si elle n'était pas son seul véritable amour, alors il devrait reconnaître qu'il avait gâché sa vie pour rien.

Très vite, il s'était rendu compte que personne, à Jackson, des gardiens aux employés administratifs, n'aimait cette femme. Mais il parvenait encore à passer par-dessus les remarques acides et les ricanements quand il recevait ses lettres quotidiennes. Il prenait entre ses larges mains les enveloppes délicatement décorées pour aller en lire le contenu tranquillement dans son coin. Bientôt, il constaterait à quel point elles pouvaient lui être nocives.

— On avait le droit de recevoir des courriers de nos avocats qui ne passent pas par la censure, aussi Pat s'était-elle arrangée pour récupérer des enveloppes à en-tête juridique dans lesquelles elle glissait ses propres messages. Ils ont vite compris et m'ont appelé en disant : « On ouvre ceci devant vous. » Je me suis fait passer un savon.

Les visites de Pat avaient des répercussions encore plus lourdes. Elle portait toujours ses jupes ultracourtes et les hommes ne pouvaient s'empêcher de se retourner sur son passage. Tom souffrait assez d'être enfermé loin d'elle pour qu'elle ne s'amuse pas, en plus, à le rendre fou avec ses tenues et ses parfums, d'autant qu'elle passait son temps à lui raconter comment les hommes la sollicitaient. Il suggérait qu'une femme aussi belle qu'elle devrait se montrer plus prudente, ne pas laisser croire ainsi qu'elle était disponible – ce qui avait le don de la mettre en colère. Comment pouvait-il seulement imaginer qu'elle ait envie d'aller voir ailleurs ? Il la prenait pour une pute ?

Elle n'avait décidément pas le sens de la retenue ; elle voyait tout en noir et blanc, surtout en noir, et prenait souvent la mouche.

Impossible de croire qu'elle ait délibérément voulu faire du mal à Walt et Nona. La police avait trop vite tiré des conclusions sur lui, et il ne savait que trop comment l'on pouvait passer du jour au lendemain de l'état d'homme libre à celui de prisonnier. Il savait ce qui s'était vraiment passé cette nuit de juillet, deux ans auparavant – du moins le croyait-il. La justice pouvait altérer les choses, les faire paraître plus menaçantes qu'elles n'étaient. Pat n'était qu'une petite femme fragile ; certes, elle avait du tempérament et n'était pas des plus raisonnables, mais il n'arrivait pas à l'imaginer faisant du mal à quelqu'un. Il ne voulait pas penser qu'elle ait pu verser du poison dans la nourriture de ses grands-parents. Il avait assez de mal à garder son équilibre, alors l'effroyable sentiment de culpabilité qui s'emparait de lui à cette idée l'abattait.

Dans l'attente de son propre procès, Pat, en liberté sous caution, se montrait de plus en plus irritable et agressive. Tom en venait à redouter ses visites à la prison, bien qu'elle continuât à lui manquer. En tout cas, elle ne lui rendait pas service. Le directeur lui-même commençait à s'intéresser à son cas, à cause de cette femme incorrigible.

— Un jour, il est venu me dire : « Tom, vous faites du bon travail mais votre épouse sème une sacrée pagaille. Elle ne vous aide pas. Vous ne pourriez pas essayer de la calmer un peu ? »

Plus facile à dire qu'à faire.

Elle se plaignait toujours des mêmes choses : personne ne s'occupait d'elle, elle l'aimait tant, elle faisait de son mieux alors qu'elle était souffrante, et morte de peur à l'idée qu'on veuille l'envoyer en prison elle aussi. Si cela se produisait, qui prendrait soin de lui ?

Cela allait de mal en pis.

— Elle prétendait que certains gardiens l'avaient violée, en tout cas au moins l'un d'eux. Elle disait qu'ils l'avaient suivie dans une voiture de fonction... jusqu'à l'autoroute, qu'ils l'avaient menottée et violée... Elle est même revenue dire que l'un d'eux l'avait tailladée au couteau.

Tom avait vu les traces. Elle présentait effectivement des bleus qui faisaient songer à des marques de menottes, et plusieurs coupures dans le dos, sur les jambes et sur les seins. Superficielles. Tom était sans doute fou d'amour mais pas complètement idiot. Il ne pouvait croire à cette histoire navrante et se demandait combien de tribulations pouvait ainsi subir une femme dans sa vie. En regardant les blessures qu'elle lui montrait, il se posa encore plus de questions.

— Elle aurait très bien pu se les infliger elle-même, ça se voyait à leur orientation et à leur faible profondeur. Même à cette époque-là, je ne l'ai pas crue parce que je connaissais ces gardiens et que c'étaient de braves types. Jamais ils n'auraient fait une chose pareille. Mais j'ai mis ça sur le compte des « aventures de Pat ».

Au début, ces péripéties l'amusaient, l'excitaient plus ou moins. Elle s'évanouissait comme les dames du Sud autrefois, se laissant glisser au sol avec grâce. Il avait aimé apporter une rose solitaire à cette petite personne si pâle dans son lit, souffrant de quelque mal mystérieux, si féminin...

Mais les « aventures de Pat » ne l'amusaient plus. Ni lui ni personne. Elle avait toujours aimé attirer l'attention en faisant croire qu'elle avait subi des sévices sexuels. Elle criait au viol à la première provocation, et ce depuis vingt ans et plus. Elle avait dit à Susan et Deborah avoir été violentée quand elle était enfant. Et puis il y avait eu tous ces viols en Allemagne. Cette obsession commençait à sentir le rance ; pourtant, après son arrestation, cela ne fit qu'empirer.

Un soir, alors que Deborah et Susan avaient emmené Dawn au service des urgences après que l'enfant se fut coincée entre la portière et l'auvent de la voiture, Pat apparut soudain dans la salle d'attente, son collant sur les chevilles, sanglotant qu'on l'avait violée. Cette fois, elle accusait les inspecteurs de la police d'East Point, disant qu'ils avaient fait mine de vouloir l'interroger alors qu'il l'avaient menottée et agressée.

— Comment peux-tu faire ça ? avait crié Deborah. Va-t'en !

Boppo sur ses talons, Pat avait filé dans sa Cougar rouge, laissant ses deux filles hors d'elles. Plus personne ne prenait au sérieux ses cris d'orfraie.

Pas même Tom.

Il l'aimait toujours, mais ses idées devenaient de plus en plus claires. Sa femme chérie ne lui apportait décidément que des ennuis ; chaque fois qu'elle lui rendait visite ou lui téléphonait, il en sortait plus navré. Son conseiller écoutait les communications, ce que Tom savait, et se demandait comment il pouvait supporter ces mystifications ; il lui recommanda de ne plus prendre ses appels et, à sa propre surprise, Tom en éprouva plutôt du soulagement.

Les lettres ne cessèrent pas d'arriver pour autant ; à l'automne 1976, Pat entretenait une correspondance toujours aussi volumineuse avec Tom et voulait qu'il reçoive ses lettres aussi vite que possible. Presque tous les soirs, elle quittait le ranch pour aller s'installer dans un restaurant de routiers ouvert toute la nuit, et là elle passait des heures à siroter un Coca ou un café tout en rédigeant des lettres d'amour sur la table en Formica, sans se préoccuper du bruit qui l'entourait; elle n'entendait que la musique country en bruit de fond et levait la tête lorsque passait une de leurs chansons fétiches, surtout le duo Dolly Parton-Porter Wagoner dans *Is Forever Longer than Always?* (« Jamais est-il plus long que toujours? »). Parfois, elle allait jusqu'à Jackson pour y poster son courrier. Ainsi, Tom le recevrait dès le lendemain matin.

Sans doute ces soirées aidèrent-elles Pat à oublier la menace qui pesait sur elle, à ne plus penser que, cette fois, il s'agissait de son procès... Incroyable comme le temps passa, jusqu'à ce qu'elle apprenne que son tour était venu. La première semaine de novembre 1976.

Susan Taylor Alford revenait en avion, avec son bambin de fils, de merveilleuses vacances à Key Biscayne, lorsque sa mère fut arrêtée. L'hôtesse de l'air, alors âgée de vingt-trois ans, apprit la terrible nouvelle; plus qu'aucun autre membre de la famille, elle savait que sa mère avait un grave problème d'addiction aux médicaments. Personne d'autre ne voulait en parler ouvertement; mais, au cours des dernières années, elle l'avait vue plus d'une fois perdre tout contrôle. Néanmoins, c'était une chose de la voir vous poursuivre avec ses béquilles, ou s'enfuir la nuit en chemise de nuit, ou hurler comme une malade à la tête des gens, c'en était une autre de l'accuser de tentative de meurtre.

— Je crois que si ma mère a fait ce dont on l'accusait, c'est juste parce qu'elle était très perturbée ; elle n'aurait jamais commis une telle chose de sang-froid. C'étaient les drogues qui la dominaient, je n'y reconnaissais pas ma mère. Je n'arrêtais pas de penser à l'époque où elle m'appelait son amie, où elle se disait si fière de moi, où je pouvais faire tout à ma guise. Ma mère pouvait être la personne la plus géniale du monde quand elle le voulait.

Susan alla trouver Dunham McAllister pour l'implorer d'aider Pat ; on ne pouvait la juger alors qu'elle ne savait sans doute pas ce qu'elle faisait. Il faudrait plutôt la faire entrer dans un hôpital psychiatrique afin de la soigner.

— Je pensais qu'elle était malade et j'en voulais à M^e McAllister de ne pas m'écouter, de ne pas utiliser la maladie de ma mère comme défense. Personne au monde n'aurait pu me convaincre qu'elle avait sciemment nui à quelqu'un.

Le 28 octobre 1976, Tom voyait enfin se présenter une chance de voir évoluer son statut. Le juge Wofford reçut de McAllister la requête d'un mandat d'erreur ainsi que d'une audience dans le but d'obtenir un nouveau procès. Ayant pris connaissance de la confession de Walt Allanson et de sa déclaration sous serment, selon laquelle cette confession était un faux et qu'il ne l'avait signée que « par la tromperie de Patricia R. Allanson », Wofford rejeta la demande de McAllister.

Tom avait maintenant épuisé toutes ses possibilités d'appel. La Cour suprême avait refusé d'entendre les arguments de la défense. Anéanti, il s'attendait désormais à « purger au moins quatorze ans pour chacune de [ses] deux condamnations ».

Les Allanson n'étaient plus relégués aux pages intérieures des journaux d'Atlanta. Leur saga faisait maintenant les gros titres. Le moindre article sur Tom reprenait un résumé du procès à venir de Pat. Et chaque article sur Pat retraçait les péripéties judiciaires de Tom.

C'est alors que le, 15 décembre 1976, le *South Fulton Today* publia un article sur Pat ne faisant aucune allusion à son procès différé (à janvier 1977), pas plus qu'à Tom ni à l'arsenic, aux meurtres ni à quelque dénonciation que ce soit. Tout cela sans doute parce que Pat avait fini par abandonner son nom de femme mariée. Elle était redevenue Pat Radcliffe, et une photo montrait une jolie femme de profil regardant les deux petits bouquets de fleurs en papier qu'elle tenait en main. Dans un dernier rejet de la réalité, Pat Radcliffe n'était plus que le sujet d'un papier de fond.

La bonne carte
Une résidente locale envoie des vœux romantiques

Cette habitante de South Fulton, Pat Radcliffe, a trouvé la solution pour les personnes à la recherche d'une carte appropriée à leurs correspondants. Mme Radcliffe dessine et fabrique des cartes de vœux dans le style du XIXᵉ siècle, si raffinées qu'elles surpassent de loin tout ce qu'on peut trouver dans le commerce.

Ancienne éleveuse de chevaux et monitrice à la Woodward Academy, Mme Radcliffe a toujours aimé les « objets romantiques » et possède un talent d'artiste. En convalescence d'une maladie qui l'a empêchée de se consacrer davantage à sa passion, les chevaux, elle s'est lancée dans la fabrication de ces cartes qu'elle réserve à ses amis et à des associations charitables.

L'article expliquait que Pat avait d'abord été portraitiste et qu'elle venait de se lancer dans cette nouvelle activité. Apparemment, elle croulait sous les commandes, et l'auteur de l'article s'émerveillait qu'elle trouve le temps de créer aussi des marque-pages et des mouchoirs peints à la main.

Cette résidente, ancienne employée de Hallmark Card, dépose un message ou un mouchoir dans la pochette arrière de la carte d'un fan. Elle compose également ses propres vers destinés aux cartes de vœux.

Ses petits-enfants, Sean, quatre ans, et Dawn, cinq ans, l'aident en faisant des découpages ou « les collages quand ils sont simples »…

« Il n'existe pas deux cartes semblables. Les gens veulent toujours quelque chose de particulier. Je personnalise en fonction de leurs demandes. »

Pat avait toujours aimé le style romantique, même si elle n'avait pas travaillé pour Hallmark Card, contrairement à ce qu'elle avait déclaré au reporter. De même qu'elle n'avait pas jugé bon de préciser que son artisanat risquait de s'interrompre assez vite dans la mesure où elle allait bientôt comparaître devant le tribunal du comté de Fulton pour tentative de meurtre.

Cette perspective la hantait. Elle passait son temps à dessiner, à coudre les robes qu'elle allait porter pendant le procès, à téléphoner à ses chères tantes de Caroline du Nord, les suppliant de venir à Atlanta pour la soutenir. Boppo et Papy assisteraient bien sûr à chaque séance, ainsi que Susan et Deborah. Mais elle avait besoin de toute sa famille autour d'elle.

Bien qu'elle n'ait pu convaincre l'avocat de sa mère de plaider la folie, Susan faisait tout ce qu'elle pouvait pour aider Pat. Elle livrait les cartes à ses clients, lui en trouvait d'autres parmi ses collègues d'Eastern Airlines et l'écoutait lui parler au téléphone de ses angoisses jusque tard dans la nuit.

La saison des fêtes 1976 ne fut pas gaie malgré les efforts de tout un chacun pour détendre l'atmosphère, ne serait-ce que pour les petits Sean et Dawn. Boppo et Papy, qui avaient toujours attaché tant d'importance à cette période de l'année, firent ce qu'ils pouvaient, allant jusqu'à se déguiser en Père et Mère Noël. Mais ils ne parvenaient pas à chasser de leur esprit la perspective du procès, ni le spectre d'une ruine prochaine.

Néanmoins, personne ne s'en prenait à Pat, l'estimant, comme toujours, victime de circonstances cruelles.

À cause d'elle, les Radcliffe s'étaient couverts de dettes auxquelles ils ne pouvaient plus faire face. Le ranch de Tell Road allait devoir être vendu aux enchères publiques, humiliation qu'ils évitèrent de justesse lorsqu'un homme qui avait travaillé sur leurs chevaux se présenta la veille de la vente pour acheter la propriété. L'impeccable demeure de Dodson Drive n'était déjà plus qu'un souvenir lointain ; ils ne seraient désormais plus propriétaires de rien. Maggy et le colonel louèrent une maison au 6438, Peacock Boulevard, à Morrow, hameau au sud d'Atlanta, sur l'I-85. Plus d'écuries, ni de verger, ni de roseraie. Juste une maison toute simple.

Bien entendu, Pat s'installa avec eux.

SIXIÈME PARTIE

Le procès de Pat

35

Dunham McAllister avait été tout d'abord choisi pour représenter Tom Allanson lors de son dernier appel. Maintenant qu'il ne lui restait aucun recours, c'était Pat qui avait besoin de tous les avocats possibles. Barbu, échevelé, la trentaine, McAllister partageait un cabinet avec sa femme, Margo, à Jonesboro. Dans la mesure où le dossier de Pat était inextricablement mêlé à celui de Tom, où sa vie à elle était parcourue d'événements extraordinaires, McAllister dut s'immerger dans cette affaire jusqu'au cou pour préparer le procès. Il se retrouvait avec des quantités de transcriptions judiciaires et autres rapports médicaux à lire, ainsi que des dizaines de personnes à interroger. Si bien qu'il dut demander à plusieurs reprises des reports. Le procès de Pat ne s'ouvrit ni en novembre ni en janvier. En fait, elle devrait attendre le 2 mai 1977 pour entrer dans le tribunal du juge Elmo Holt.

Andy Weathers, procureur adjoint du comté de Fulton, avait apprécié ces reports, car ils lui avaient donné le temps de se pencher davantage sur une affaire qui n'allait pas de soi. Tout comme son adversaire de la défense, il avait une trentaine d'années, d'épais cheveux noirs, un regard aussi sombre que perçant et une voix grave qui n'en soulignait que mieux la vivacité de son esprit. Le juge Holt pesait d'un poids écrasant sur les procès qu'il présidait. Quand il était lancé, plus personne n'osait demander de report. Le tribunal du comté de Fulton était déjà assez surchargé ; les procès, pour meurtre ou autres, commençaient habituellement le vendredi pour s'achever au plus tard le vendredi suivant, même s'il lui fallait pour cela siéger bien au-delà du coucher du soleil. Le juge Elmo Holt pouvait se montrer bilieux quand on ne se conformait pas à son emploi du temps plutôt serré.

— Ce procès, se souviendrait Andy Weathers, s'annonçait de la façon la plus bizarre, disons, insaisissable. Pour commencer, on y avait réuni tous les membres des familles concernées : les Boggs, les Radcliffe. Tout le monde. Je m'attendais à entendre des arguments du style : « Comment aurait-on pu commettre un acte pareil ? Comment osez-vous croire qu'elle aurait pu faire ça à des personnes âgées qui avaient confiance en elle ? »

Weathers estimait que des gens normaux trouveraient l'accusation tellement effroyable qu'elle provoquerait l'effet contraire et profiterait plutôt à la défense.

— Mais ce n'était pas leur tactique. Ils voulaient avant tout prouver que Pat Allanson n'avait rien fait de ce dont on l'accusait. Point.

Cette décision le surprenait encore, des années plus tard. Déjà, Pat avait voulu utiliser la même approche pour Tom. Nier en bloc.

— Dès lors, il nous restait à pointer du doigt certaines incohérences. Nous n'avions pas de références à des crimes passés en ce qui la concernait, il fallait donc insister sur de petits détails pour élaborer la base d'investigations plus poussées. Toutefois, il n'était pas question d'écarter la première affaire, le double meurtre des parents de Tom. Cela remettait les choses dans le contexte. Personne ne savait vraiment quel rôle elle y avait joué, mais avec sa personnalité on la voyait assez bien tirer les ficelles.

« Toutefois, cette histoire d'arsenic s'éloignait beaucoup des cas habituellement traités dans la région d'Atlanta. Ici, on a surtout affaire à des crimes passionnels. Tandis que là, il était question d'assassinat, donc, d'une machination qui excluait tout témoin visuel. À moi de bâtir mon accusation comme on bâtit une maison, avec des fondations sur lesquelles reposerait le reste.

« Pat Allanson avait deux objectifs, à mon sens. D'abord se débarrasser du vieux M. Allanson en le faisant passer pour le véritable meurtrier... S'il était mort, ils auraient obtenu non seulement son argent mais aussi la libération de Tom. Ce devait être là l'idée maîtresse.

Après avoir étudié le dossier que Bob Tedford, ses enquêteurs d'East Point et ceux du bureau du procureur avaient réuni, Weathers en conclut que le plan élaboré par l'accusée tenait de la perfection.

— Les experts m'ont dit qu'il existait beaucoup de similarités entre un empoisonnement à l'arsenic et un processus normal de vieillissement. C'est Jean Boggs qui, la première, a souligné des indices que seul un familier pouvait repérer. Tant qu'on n'avait pas l'œil fixé dessus, on pouvait ne rien remarquer. À partir de ces indices, Tedford a pu enquêter plus précisément et il nous a fallu un très long travail pour arriver à un début de résultat. On a fait appel à Joe Burton, aujourd'hui médecin légiste du comté de DeKalb, qui en savait long sur l'arsenic, ainsi qu'à un toxicologue du nom de McGurdy, et leurs témoignages se sont révélés cruciaux.

Néanmoins, un procureur lambda n'aurait sans doute pas accepté une telle affaire, car elle risquait de ne pas aboutir à autre chose qu'à abaisser sa moyenne de condamnations.

— Évidemment, dirait-il par la suite, j'étais intimement convaincu de la culpabilité de Pat Allanson, sinon, je n'aurais jamais pris ce dossier… Mais au moment du procès, je cherchais encore une preuve tangible. J'ai dû revenir sur la vieille bouteille d'alcool, le lien qu'elle pouvait avoir avec d'autres éléments, par exemple, le fait que les testaments avaient été changés…

Maintenant qu'il en savait davantage sur le processus d'empoisonnement à l'arsenic, il espérait pouvoir insister sur les « petites erreurs » commises par l'accusée. Si toutefois elle en avait commis.

Contrairement à Tom, incarcéré dès son inculpation, Pat se présenta libre au tribunal du comté de Fulton, ce lundi 2 mai 1977. L'été promettait d'être chaud, tant il faisait déjà lourd. À l'étage dominant Pryor Street, le juge Elmo Holt présidait le tribunal 808.

Pat Allanson était magnifique. Elle avait repris du poids et s'était fait une quantité de robes neuves. Pour le premier jour, elle avait choisi une robe droite grenat, moulante, à bretelles ainsi qu'un gros camée qu'elle portait en pendentif avec la bague et les boucles d'oreilles assorties. Sa coiffure était parfaite, son maquillage léger mais élégant. Sa canne ne faisait qu'ajouter une touche de fragilité, et elle portait de temps à autre son mouchoir à son front ou à ses lèvres, comme si elle ne se sentait pas bien. Bien que ses tantes n'aient pu toutes se libérer, Boppo et Papy étaient là, ainsi que Susan.

Le premier jour, on amena Tom depuis Jackson. Dans une semaine exactement, Pat et lui allaient fêter, pour autant que le mot convienne à ces circonstances, leur troisième anniversaire de mariage. Ils avaient vécu ensemble sept semaines et six jours. Depuis, tous leurs anniversaires avaient été plutôt marqués par le désastre que par de bons souvenirs.

Le jury n'était pas encore sélectionné et la présence de Tom était requise pour répondre à d'éventuelles questions durant ces quelques séances de clarification des détails légaux. On disait qu'il allait peut-être témoigner. Dans la salle d'attente, il jeta un coup d'œil vers Pat, qui soutint son regard, jusqu'à ce que Dunham McAllister fasse signe à celle-ci de le suivre. Elle put ainsi rencontrer son mari et ils s'entretinrent pendant deux heures.

Ces retrouvailles ne ressemblèrent pas aux précédentes, et rien ne serait jamais plus comme avant.

Malgré la publicité qui avait entouré le procès de Tom quelque deux ans auparavant, on parvint à réunir un jury peu informé de l'affaire, cinq hommes et sept femmes, neuf Blancs et trois Noirs, cols blancs et cols bleus.

La liste des témoins était facile à prévoir. Pour l'accusation, on trouverait des enquêteurs, des médecins légistes, des toxicologues, Jean Boggs, les avocats de Walt Allanson, les banquiers qui avaient enregistré la confession de Walt, ainsi que Walt et Nona eux-mêmes. Pour la défense comparaîtraient ceux qui avaient toujours défendu Pat : Mme Clifford Radcliffe, le colonel Clifford Radcliffe, Deborah Taylor Cole et Mlle Fanny Kate Cash – qui avait repoussé une intervention chirurgicale pour être présente. On laissait également entendre que Patricia Radcliffe Taylor Allanson viendrait à la barre elle aussi. Avec la perspective d'un tel événement, le tribunal 808 fut toujours plein. Sans doute n'avait-on pas affaire à un crime passionnel, mais nombreux étaient ceux qui se rappelaient l'attitude de Pat au procès de son mari deux ans auparavant. Ils s'étaient alors demandé à quel genre de femme ils avaient affaire ; ils allaient peut-être le découvrir maintenant.

Elle apparut encore plus belle le deuxième matin, pour l'ouverture des débats, dans une robe vert émeraude, de la couleur de ses yeux. Elle passait son temps à écrire et à dessiner sur un bloc-notes tandis qu'Andy Weathers soumettait ses arguments pour l'accusation ; elle ne manifestait que rarement son ennui.

Weathers avait obtenu d'informer le jury de la condamnation de Tom Allanson et marquait là un

410

point décisif. Il décrivit ensuite l'attitude de Pat envers le vieux couple, alors que son mari purgeait une peine de double perpétuité.

— Nous allons présenter à la cour... divers documents qui ont donné à Pat Allanson une procuration totale sur les comptes en banque et les affaires de M. et Mme Allanson, aussi valable que si c'étaient eux qui signaient chaque papier, et lui donnaient accès à leurs comptes en banque...

« Arsenic ». Quand il prononça ce mot, un frisson parcourut la salle. Andy Weathers promit d'apporter la preuve scientifique que le vieux couple en portait des traces mortelles dans leurs fluides corporels, dans leurs cheveux et dans leurs ongles.

Les déclarations de Dunham McAllister apportèrent d'abord l'engagement que cette preuve aboutirait à tout autre chose. La confession dictée par M. Allanson était assez concluante sur ce point.

— Elle ne prend pas en sténo, elle a noté en écriture courante une déclaration qui sera, nous l'espérons, présentée par l'accusation, déclaration dûment enregistrée et signée par M. Walt Allanson.

Ainsi, la défense et l'accusation allaient se servir de la même pièce à conviction avec des objectifs opposés. Oui, concéda McAllister, il y avait bel et bien de l'arsenic, une bouteille d'arsenic, mais l'alcool trouvé dans la maison de Walt et Nona Allanson provenait de chez Jean et George Boggs.

— Nous pensons que l'accusation ne peut fournir la preuve susceptible de causer un doute bien fondé que Pat Allanson est coupable de quoi que ce soit.

Weathers fut constamment surpris des assauts d'amabilité échangés par les protagonistes de ce procès. Le colonel et Mme Radcliffe se montraient amènes, si ce n'était réservés.

— Ils étaient là tous les jours et venaient me parler. Je les croyais sincères, ils la pensaient vraiment innocente... Du moins, je croyais le colonel. Pat devait bien présenter un problème psychologique, mais la défense ne savait pas l'utiliser. Peut-être qu'ils n'auraient su qu'en faire... Ça ne marche pas vraiment quand il est question d'assassinat à but lucratif, surtout avec de telles doses chroniques d'arsenic...

Parfois, le procès prenait des allures de réception mondaine.

Maggy Radcliffe était avant tout une dame, et le colonel toujours aussi courtois. En public, ils ne montraient jamais leurs sentiments. Par-dessus tout, ils n'étaient jamais grossiers. Plus d'un spectateur s'étonna de ce que leur fille se trouvât ainsi accusée d'un terrible crime. Pat aussi était une femme bien, mais, à mesure que l'accusation présentait ses témoins, l'image du contrôle total qu'elle avait exercé sur la fortune du couple Allanson se faisait de plus en plus dévastatrice.

Lorsque le Dr Lanier Jones vint à la barre, Nona et Walt Allanson furent amenés en fauteuil roulant dans le tribunal afin qu'il puisse les identifier. Si Nona était habituée à se faire ainsi pousser, c'était une véritable humiliation pour le vieil homme. Mais ses pieds et la partie inférieure de ses jambes ne fonctionnaient plus, les nerfs en avaient été détériorés à tout jamais par l'empoisonnement à l'arsenic. Nona adressa un signe à son médecin de sa main valide, souriante quoiqu'un peu déroutée par cette salle remplie de gens. En quittant le tribunal, le Dr Jones compara le robuste vieillard au patient comateux qu'il avait examiné le 13 juin 1976. Il répéta à plusieurs reprises :

— En tant que médecin, je me méfiais.

Le Dr Everett Solomons décrivit l'action corrosive de l'arsenic sur le corps humain, et Weathers en vint à évoquer le contenu de la bouteille de whiskey que Pat avait remise au Dr Jones.

— Pourriez-vous énoncer devant le jury les résultats des analyses sur ce point?

— Quand nous avons reçu la bouteille, elle contenait à peu près un demi-millimètre de liquide... 3,63 milligrammes.

— Arsenic?

— Arsenic.

Ensuite, Weathers appela l'adjoint du légiste en chef du comté de Fulton, le Dr Joseph Burton, pour lui demander son avis sur ce qui était arrivé à Walt et à Nona Allanson à l'époque de leur hospitalisation, en juin 1976.

— Une intoxication à l'arsenic. L'arsenic... introduit dans le corps, qu'il s'agisse d'un accident, d'un suicide ou d'un meurtre, donne certaines réactions précises... Il est rapidement absorbé par le système gastro-intestinal et apparaît vingt-quatre heures plus tard dans le sang; quarante-huit ou cinquante-deux heures après, on commence à en trouver dans les sécrétions urinaires, et, quand il y a une seule dose, il faut compter de sept à dix jours pour qu'il disparaisse complètement de l'organisme. En vingt-quatre à soixante-douze heures, il apparaît aussi dans les cheveux et les ongles de l'individu.

« Considérons que les cheveux poussent à peu près d'un demi-centimètre par mois et les ongles d'un dixième de millimètre. C'est dans la lunule de l'ongle que l'arsenic va se déposer... Si on en trouve au bout de l'ongle, cela signifie que le poison se trouve dans le corps depuis assez longtemps pour qu'il en ait parcouru toute la longueur.

Le Dr Burton expliqua que la même progression pouvait être observée dans les cheveux humains.

— On en a introduit deux fois dans l'organisme de M. Allanson... Il est très rare d'en découvrir une telle concentration à moins qu'il n'ait été administré à dessein... Même chose pour Mme Allanson, qui en présentait elle aussi un très haut degré. Il est impossible que de telles quantités apparaissent dans les ongles et les cheveux en temps normal.

Selon le Dr Burton, qui se fondait sur le passé médical des Allanson, quelqu'un avait donné cet arsenic au vieux couple environ six mois avant leur hospitalisation en juin et juillet, puis quelques jours avant.

— Cela correspond à une intoxication chronique à l'arsenic...

— Expliquez-moi, reprit Weathers : si on introduisait de l'arsenic dans leur organisme, étant donné leur âge, cela aurait-il un quelconque effet sur leur stabilité mentale ?

— C'est possible. Il a été prouvé que l'arsenic pouvait provoquer des changements dans l'attitude mentale d'un individu, influer sur son aptitude à réfléchir et à raisonner. Il peut aussi causer des dommages neurologiques et des désordres gastro-intestinaux, des maux de tête, des douleurs musculaires, des faiblesses, affecter les nerfs périphériques et les sensations des jambes et des pieds.

— D'après vos observations, peut-on dire que cet arsenic a été absorbé dans du lait, du jus d'orange, des plats préparés ?

— Il peut être absorbé au moyen de nombreux mécanismes. Sous presque toutes ses formes, il est inodore, incolore et sans saveur, si bien qu'on ignore en avoir pris.

Comme on lui demandait s'il avait jamais vu un cas de suicide par ingestion chronique d'arsenic, Burton répondit que non.

— Jamais ? insista Weathers.

— Non, jamais… à ma connaissance. Il est vrai que quelques personnes se sont suicidées par absorption massive d'arsenic, mais la sensibilité à l'arsenic peut varier selon chaque individu. Il serait difficile de prédire, pour un empoisonnement chronique, combien il faudrait en prendre pour obtenir un malaise ou la mort… Souvent, on tombe vite malade et c'est très désagréable… Un individu malade peut être hospitalisé, traité et s'en sortir… c'est imprévisible.

— La douleur n'est-elle pas une manifestation de l'ingestion chronique d'arsenic ?

— Si, monsieur. Mais, ajouta Burton, celui qui déciderait de se suicider en avalant une grosse quantité d'arsenic ressentirait d'intenses douleurs, insupportables ; et l'agonie serait longue si on l'absorbait lentement.

Lors de son contre-interrogatoire, Dunham McAllister tenta de déstabiliser le Dr Burton en montrant que l'arsenic était présent partout, facile à ingérer par accident, facilement sujet à une erreur de diagnostic. Il insista également sur le fait que de nombreuses maladies pouvaient présenter les mêmes symptômes qu'un empoisonnement à l'arsenic. Burton ne le contesta pas.

— Ainsi, continua McAllister, il est possible qu'un empoisonnement à l'arsenic puisse être confondu avec diverses affections ?

— Oui, maître.

— Plus d'une dizaine ?

— Sans doute, oui.

— Par exemple, une attaque vasculaire ? Pourrait-on prendre cet empoisonnement pour une attaque ?

— Oui...

On amena ensuite Walt à la barre.

— Monsieur Allanson, commença Weathers, je ne vais vous poser que quelques questions. Est-ce que vous me comprenez ?

— Oui.

— Vous êtes-vous administré de l'arsenic ?

— Non.

— En avez-vous donné à votre femme ?

— Non.

— Savez-vous comment il est parvenu dans votre organisme ?

— Non.

— Pas d'autre question.

— Jamais vu ça, marmonna Walt.

Durant le contre-interrogatoire, McAllister tenta de relier le long passé de fermier de Walt à l'idée qu'il avait pu y avoir du poison dans sa propriété.

416

Mais il n'eut pas le cœur d'insister et Walt Allanson ne laissa finalement que l'impression d'un homme qui avait travaillé dur soixante années de sa vie et ne se rappelait pas avoir jamais eu recours à des préparations à l'arsenic.

— Pas d'autre question.

Ce fut alors à Jean Boggs de venir témoigner. Qu'elle éprouvât un certain sentiment de triomphe à se retrouver dans un tribunal où Pat Allanson était jugée, on pouvait le comprendre. Plus d'une fois, elle laissa son regard flotter vers la table de la défense.

Andy Weathers se servit de ses réponses pour rappeler au jury le passé de violences dans la famille Allanson.

— Vous connaissez, bien sûr, M. et Mme Walt Allanson ?

— Oui, ce sont mon père et ma mère.

— Je crois que vous aviez également un frère ?

— Oui... Walter O'Neal Allanson.

— Et il a été tué dans le comté de Fulton ?

— Oui, monsieur.

— Le procès a eu lieu au tribunal du comté de Fulton ?

— Oui, monsieur.

Dunham McAllister émit une objection :

— C'est sans rapport avec le procès qui nous occupe aujourd'hui.

— J'ai l'intention d'y lier le mobile.

— Il n'y a eu absolument aucun témoignage sur le mobile jusqu'ici, argua McAllister.

— Ça va venir. C'est pour ça que je commence par là.

L'objection de la défense fut rejetée, et Jean autorisée à dire que Pat était la troisième épouse de l'homme condamné pour le meurtre de ses parents, Tom Allanson.

Jean relata ensuite ses soupçons grandissants sur ce qui se passait à la ferme. Le Dr Jones l'avait avertie que son père buvait du whiskey fait maison.

— Mon père ne boit pas, souligna-t-elle.

Elle reprit également sa conversation avec Pat sur le perron de la ferme.

— Elle a dit qu'elle savait quel enterrement il voulait et qu'il désirait un intérieur de satin rose dans son cercueil, ce qui ne ressemblait pas à mon père. Elle savait quels habits il voulait et aussi que mon fils serait parmi les porteurs. Pour moi, ça ne tenait pas debout... Alors que je partais... elle s'est penchée sur la rampe pour me dire : « J'espère qu'il va mourir. »

Le procureur put aussi lui faire témoigner de l'extraordinaire dévouement de Walt envers Nona, le désordre qu'avait provoqué Pat dans la maisonnée, et le fait que le vieil homme ne buvait jamais ni ne prenait de médicaments.

— Avez-vous déjà vu votre père... a-t-il déjà battu votre mère ?

— Oh, grand Dieu, non !

Durant le contre-interrogatoire, McAllister laissa entendre que Jean avait négligé ses parents, qu'elle ne leur rendait pas souvent visite. Elle expliqua qu'elle aussi avait été malade en 1973 et incapable de conduire. Non, elle ne leur avait pas souvent rendu visite après sa guérison. Elle reconnaissait n'y prendre aucun plaisir, car il y avait eu un « froid » après le procès de Tom, en 1974. Non, elle n'avait jamais été proche de son frère Walter, même pas pendant leur enfance.

— Nous avions deux personnalités très différentes.

Alors que Weathers émettait une objection sur la tournure prise par ces questions, McAllister expliqua qu'il cherchait des éléments probants.

— C'est une famille très complexe... J'essaie d'obtenir de ce témoin un éclairage, une explication.

Le ton monta et le juge Holt finit par trancher : les relations de Jean avec son frère, mort depuis deux ans, étaient hors de propos, et il retint l'objection de Weathers. McAllister sauta sur l'occasion. S'il se fondait sur la décision du juge, il ne fallait donc pas faire allusion au double meurtre ni à Tom Allanson dans ce procès.

Le juge Holt statua contre lui.

McAllister garda longtemps Jean Boggs à la barre, l'amenant à dire que c'étaient désormais elle et son mari qui veillaient sur ses parents, payaient leurs factures et engageaient les infirmières. Il termina sur cette phrase :

— Vous avez demandé à la police ou, plutôt, vous avez chargé la police de mener une enquête poussée et de faire appel aux experts scientifiques, n'est-ce pas ?

Jean se redressa sur son siège.

— En effet.

En réponse, Andy Weathers ne posa que trois questions.

— Depuis que Pat Allanson a quitté cette maison – répondez par oui ou par non –, votre père a-t-il eu des problèmes d'abus d'alcool ?

— Non.

— Des problèmes d'overdose de médicaments ?

— Non.

— Des problèmes d'arsenic ?

— Non.

— Pas d'autre question.

Jean s'en était bien tirée, mais ce procès allait finir par lui causer du tort. Elle serait sans cesse présentée comme une fille indifférente. Si les liens familiaux n'avaient pas été aussi tendus, peut-être tout cela ne se serait-il jamais produit.

La séance fut suspendue à 18 h 45, pour reprendre le mercredi matin, 4 mai, à 9 h 30. Pat portait une robe couleur lilas. Elle écouta Bill Hamner décrire la succession de documents qui devaient finalement aboutir à déshériter à peu près tout le monde sauf Tom et elle. Le vieux couple n'avait pas dit grand-chose sur l'étendue de ses biens, mais l'avocat savait qu'ils dépassaient les 200 000 dollars à l'époque de leurs premiers testaments. Nul ne savait ce qu'il en restait. La part des enfants de Jean Boggs s'était réduite à un sixième qui, là aussi, restait sous le contrôle de Pat.

Si les spectateurs s'attendaient à des révélations croustillantes, ils furent déçus par cette troisième journée. Les témoins n'apportèrent que des détails techniques. Hamner et son associé, Fred Reeves, détaillèrent les nombreux changements apportés par les codicilles. Joyce Tichenor, qui avait enregistré la prétendue confession de Walt, et son directeur de banque, Gus Yosue, témoignèrent sur l'unique fois où ils avaient rencontré l'accusée et le grand-père de son mari.

Le soir du 16 avril ne restait pas très précis dans leurs souvenirs. Yosue se rappelait la jeune femme aidant le vieil homme à entrer dans la banque et l'insistance de celui-ci pour que personne ne mette son nez dans ses affaires. Tichenor revoyait le papier au sommet de la liasse qu'elle avait enregistrée ; pour elle, il s'agissait d'actes de propriété pleins de mesures et de descriptions. Il y avait six ou sept feuillets.

— Pat a juste retourné le dernier, ensuite, elle a tiré le bas de chaque feuillet et dit : « Signez là, Walt. »

Joyce Tichenor n'avait pas utilisé son sceau mais seulement donné un coup de tampon.

— J'ai daté et signé, sans plus.

Après quoi, elle avait enregistré la transaction de dix minutes dans ses dossiers et oublié le tout... jusqu'à la réception d'une convocation pour venir témoigner. Elle ignorait avoir enregistré l'aveu d'un double meurtre.

À contrecœur, Andy Weathers envoya une ambulance chercher à nouveau le vieux Walt Allanson, quatre-vingts ans. Celui-ci nia être pour quoi que ce soit dans les meurtres de son fils et de sa belle-fille. Il se rappelait très bien la soirée du 3 juillet 1974. En revanche, il ne se souvenait pas trop d'avoir signé les papiers à la banque ou, plutôt, il en gardait un souvenir tronqué. S'il avait bien « signé des papiers pour Pat », il était certain de ne jamais être entré dans cette banque.

— Je n'ai jamais parlé à une dame, c'est juste un homme qui est venu m'apporter les papiers dans la voiture.

Jim Kelly, graphologue pour la police de l'État de Géorgie, fut appelé à la barre par l'accusation pour expliquer les particularités de cette confession. Seules les cinq dernières pages avaient été signées et la dernière n'avait pas été tapée dans la continuité des autres. Le document regorgeait de fautes grammaticales et typographiques, même si on en avait corrigé quelques-unes au stylo à bille bleu. Kelly fit remarquer, entre autres, que si la date du clerc sur la dernière page indiquait le 16 avril, c'était le 19 avril qu'on avait tapé au début.

Étrange. Et suspect.

McAllister ne posa qu'une question :

— Combien de pages contenait cette confession ?

La réponse fut : « Cinq. »

Sagement, l'avocat de la défense ne releva pas. Weathers rappela alors le Dr Everett Solomons pour l'interroger sur le liquide trouvé dans la vieille bouteille de whiskey.

— Supposons que là, devant le jury, j'avale quelques gorgées d'arsenic... Vous me suivez ?

— Oui, monsieur.

— Que se passerait-il ?

— Il faudrait sans doute vous hospitaliser pour vous garder en vie.

— Combien de gorgées faudrait-il pour me tuer... en temps normal ?

— Je dirais deux.

Weathers était tellement pris par sa démonstration qu'il ne vit pas l'incongruité du mot « normal » associé à des gorgées d'arsenic. Solomons fut catégorique : deux gorgées constituaient une dose mortelle. Aucun être humain ne survivrait six mois, ni quatre, ni même quatre minutes à cette dose.

Pat s'affaissait comme une rose fanée alors que la séance se prolongeait ce soir-là au-delà de 17 heures. Pendant une suspension d'audience, McAllister demanda s'ils pouvaient s'en tenir là pour la journée.

— Je voudrais rappeler à la cour que ma cliente souffre de plusieurs affections. Hier soir, elle a eu des vertiges et sa vision s'est troublée. Elle m'a dit aujourd'hui qu'elle était sujette aux caillots sanguins et je sais qu'elle a le cœur fragile. Elle a été hospitalisée trois fois depuis le début de l'année. Elle n'est pas en état de poursuivre ce soir. Je pense qu'elle sera d'attaque demain matin.

Le juge Holt considéra Pat d'un œil torve.

— De quoi souffre au juste votre cliente pour ne pas pouvoir poursuivre alors qu'il n'est que 17 heures ?

McAllister ne sut que répondre. Il n'avait pas de détails précis sur les ennuis de santé de Pat.

— Votre Honneur... il m'est impossible... de vraiment en discuter avec elle.

— Vous avez pourtant eu tout le temps de discuter avec elle.

McAllister revint sur les maux qui frappaient sans cesse Pat à en croire le colonel Radcliffe, à commencer par un « important caillot sanguin ».

— N'importe qui, à sa place, serait éprouvé, observa le juge. On peut faire venir un médecin pour elle.

McAllister battit en retraite. Sa cliente avait son propre médecin.

Holt n'avait pas l'intention de ralentir le mouvement. D'autres procès l'attendaient la semaine suivante. Mais, peu après cet incident, l'accusation indiquait qu'elle n'avait rien à ajouter. Il était presque 18 heures, en ce mercredi 4 mai. À contrecœur, Holt suspendit la séance. Le lendemain s'annonçait très chargé, à moins que la défenderesse ne soit vraiment malade. Ce serait à elle de le lui faire savoir.

Pat parut surprise. Jusque-là, nul n'avait mis en doute la fragilité de sa santé.

36

Dunham McAllister se leva pour la défense.

— Votre Honneur, j'appelle Pat Allanson à la barre.

Un murmure parcourut la salle. Son malaise de la veille ne semblait pas avoir grandement affecté Pat. Miraculeusement épanouie, elle arborait de nouveau sa robe émeraude, un peu serrée depuis qu'elle avait grossi, au décolleté généreux et aux petites manches ouvertes sur des bras dodus. Elle semblait calme et parfaitement maîtresse d'elle-même.

Sa mère et son beau-père la suivirent des yeux avec fierté ; Maggy haussa le menton, le colonel se tenait plus altier que jamais. Seule Susan paraissait un peu nerveuse.

Pat répondit sans ambages aux questions de son avocat, donnant son adresse à Morrow et l'ancienne à Tell Road.

— Avez-vous vécu dans la résidence de Walt et Nona Allanson ?

— Non, maître... En général, je m'y rendais lorsque Mme Allanson m'appelait.

— Cela se produisait souvent ?

— Au début, pas plus de trois fois par mois parce que j'avais du mal à me déplacer. Quand je me suis sentie mieux, elle m'appelait en moyenne quatre ou cinq fois par semaine pour me demander de venir.

Pat s'attendait – tenait – à parler de sa santé précaire, mais Andy Weathers émit une objection. Il ne voyait pas le rapport avec cette histoire. Le juge Holt approuva.

McAllister revint à l'époque de la crise cardiaque de Walt Allanson en janvier 1976. En évoquant sa première visite à l'hôpital, Pat déglutit, s'humecta les lèvres.

— Il avait demandé à une infirmière de me téléphoner, pour dire qu'il avait une importante information à me communiquer... Quand je suis arrivée, il m'a immédiatement priée d'appeler l'infirmière. Ma mère était avec moi... il a dit à l'infirmière qu'il avait obtenu l'approbation du médecin pour un entretien privé, il voulait qu'on ferme les rideaux et tout... C'est alors que Walt...

M. Allanson… Excusez-moi, je ne peux pas m'empêcher de dire encore Walt, je l'ai si longtemps appelé ainsi…

McAllister l'encouragea à poursuivre d'un signe de tête.

— Il croyait qu'il allait mourir et il avait quelque chose à dire… Il m'a dit que Tommy – il appelle mon mari Tommy –, que Tommy n'avait pas commis ce pour quoi il était en prison. Il a dit : « C'est moi le coupable. » Il n'est pas allé plus loin parce que je l'ai tout de suite arrêté. D'abord, je ne le croyais pas, ensuite, le médecin m'avait dit d'éviter tout sujet qui puisse le troubler ou l'énerver.

Malgré son immense désir de voir libérer son mari au plus vite, elle avait d'abord pensé à la santé du grand-père et préféré que l'aveu du meurtre – qui aurait sauvé Tom – reste du domaine des non-dits. De temps à autre, au cours de son témoignage, elle avait baissé modestement la tête, mais là, soudain, elle levait ses grands yeux verts sur l'avocat.

Elle raconta comment, dès son retour à la maison, Walt s'était inquiété des médicaments que l'infirmière administrait à Nona. Pat était revenue les aider et ils avaient eu cette conversation :

— Il était dans une grande colère contre M. et Mme Boggs… Il a dit qu'ils embêtaient Nona… Il disait : « Je voudrais que Jean et les autres ne reviennent plus. » Il disait : « S'ils ne la laissent pas tranquille, je vais lui faire sauter la cervelle, comme je l'ai fait avec Walter et Carolyn »… Et ce soir-là, il m'a raconté tout ce qu'il a fait, dans les moindres détails.

Pat mettait beaucoup de bonne volonté à décrire combien elle se sentait déchirée entre la santé de Walt et son besoin de connaître la vérité. Elle ne l'avait laissé lui donner ces précisions qu'une fois « relâché » par les médecins, alors qu'elle avait constaté qu'il allait bien.

Comme elle l'avait déjà dit, elle avait consigné les déclarations du vieil homme sur papier environ trois semaines avant de les faire enregistrer.

— M. Allanson voulait que j'apporte la machine à écrire pour tout taper devant lui, mais d'abord je ne suis pas dactylo, ensuite cette machine était trop lourde pour moi parce que je me servais encore de béquilles.

Elle déclara avoir expliqué cela au vieux monsieur qui avait alors accepté qu'elle note à la main ce qu'il lui disait.

— Il a dit : « Je ne vais pas me dénoncer à la police. Ce serait terrible pour Nona, ça lui donnerait une crise cardiaque. » Il a longtemps utilisé cet argument pour m'empêcher d'aller moi-même au poste le dénoncer. Il a dit : « Maintenant, je vais vous raconter ce qui s'est vraiment passé. »

— Et il l'a fait ?

Pat leva les yeux au ciel, comme si elle cherchait l'inspiration, déglutit de nouveau.

— Oui, maître, lança-t-elle avec emphase. Il l'a fait… Je ne sais pas comment vous décrire la chose… Plus il m'en racontait, plus j'écrivais, plus il avait envie d'en raconter… Je lui ai posé beaucoup de questions… vous savez, du genre : « Comment pouvez-vous avoir fait ça, Walt ? »… Je notais textuellement chacune de ses paroles… Il voulait que je les tape ensuite à la machine parce qu'il n'arrivait pas à déchiffrer l'écriture manuscrite…

— Les avez-vous tapées ?

— Oui, maître… Enfin, c'est ma mère qui les a tapées, parce que je ne sais pas le faire, sauf d'un doigt.

— Maintenant, continua McAllister, entre l'époque indiquée et le 13 juin dernier, avez-vous effectué beaucoup de visites à la maison des Allanson ?

— Entre le moment où il a signé ça et le 13 ?

— Oui.

— Elles ont été rares parce que j'avais peur d'y retourner. Je dirais environ quatre ou cinq fois tout au plus. Au lieu d'y aller tous les jours, je n'y allais que quand Nona me téléphonait pour me supplier de venir. J'emmenais chaque fois quelqu'un avec moi… En fait, je n'y suis jamais retournée toute seule.

Frissonnante, elle décrivit les événements du week-end mouvementé des 12 et 13 juin, avec des expressions et des gestes dramatiques.

— Nona nous avait appelés, ce matin-là. Elle était complètement affolée. Elle disait que Walt avait tenté de la tuer, qu'il buvait, qu'il était devenu fou… Elle ne savait pas quoi faire, elle avait peur.

Pat et ses parents vinrent à la rescousse, évidemment. Une fois entrés dans la maison, ils avaient appelé le Dr Jones et – précisa Pat – « malgré ma désapprobation », on ne l'avait pas hospitalisé. Elle avait alors demandé à son amie, Fanny Kate Cash, de venir dormir pour la protéger, comme si une femme de soixante ans pouvait se dresser contre le meurtrier hors de lui que décrivait Pat.

Le dimanche matin, elle avait dû rappeler le Dr Jones.

— Que faisiez-vous quand il est arrivé ?

— Quand il est arrivé, ce dimanche matin ?

— Oui.

— Oh, je me rappelle ! Je donnais un bain à Nona et comme je savais que je l'avais laissée à moitié habillée dans la salle de bains, je devais me dépêcher d'y retourner. Alors j'ai couru ouvrir la porte au Dr Jones et je lui ai montré la chambre de Walt.

McAllister tenait à démontrer au jury un point des plus importants à travers ce témoignage : qu'elle n'avait rien à gagner, et beaucoup à perdre, si Walt Allanson mourait. Car alors, suggérait-il, elle ne pourrait jamais se servir de sa confession pour faire libérer Tom.

Weathers ne le laissa pas poser directement la question. Objection après objection, il maintenait que l'avocat orientait les réponses. Chaque fois que ce dernier tentait une autre tactique, Weathers faisait une nouvelle objection. À la fin, le juge Holt autorisa McAllister à contourner le sujet.

— Vous ai-je donné un certain conseil concernant le dossier de votre mari ?

— Oui, maître.

— Pourriez-vous le répéter au jury ?

— Eh bien, vous m'avez dit que le pire qui puisse arriver serait que M. Allanson meure d'une crise cardiaque ou de quoi que ce soit d'autre, parce qu'il était important qu'il reste vivant et puisse témoigner sur ce qu'il m'avait dit...

— Savez-vous par quel moyen l'arsenic est entré dans le corps de Nona Allanson ou de Walt Allanson ?

— Non.

Elle dit n'avoir jamais entendu parler d'empoisonnement à l'arsenic jusqu'au 28 juin, lorsqu'une ambulance était venue chercher Nona.

— Il régnait un énorme désordre et je ne sais pas si je l'ai entendu par hasard ou si on me l'a dit. Il me semble que c'est M. Tedford qui me l'a dit...

— Savez-vous quoi que ce soit sur la présence d'arsenic dans la propriété de M. Allanson ?

— Non. Il ne laissait jamais personne se balader dans sa maison.

— Qui préparait les repas ?

— Oh, c'était Walt... Il ne voulait pas que quelqu'un d'autre touche à la nourriture.

— Absolument jamais ?

— Du moins jusqu'à ce qu'il aille à l'hôpital. Après, bien sûr, il y a eu plusieurs infirmières qui ont fait la cuisine et tout.

— Merci.

Andy Weathers se leva pour son contre-interrogatoire. Questionner une accusée si jolie, intelligente et fragile, avec sa canne accrochée à son siège, ne serait pas la chose la plus facile du monde. Il savait que même Bob Tedford avait commencé par la plaindre. Le procureur n'avait cessé de la contempler pendant ce procès, d'observer les émotions qui marquaient sa physionomie. Inquiétude. Ennui. Douleur. Peur. Confiance. Et, parfois, une sorte de contrariété hautaine, même avec son propre avocat. Pat s'efforçait, semblait-il, d'apparaître comme un personnage royal qui, pour Dieu sait quelle raison, se retrouvait dans une situation momentanément intenable et désagréable.

— Vous venez de déclarer, commença Weathers sans préambule, que M^e McAllister vous avait donné un conseil juridique en tant qu'avocat. Je suppose que vous vouliez dire par là qu'il était déjà votre avocat à l'époque et qu'il vous a montré que ce document ne servirait à rien. C'est bien cela ?

Pat cligna des paupières.

— Pardon ? Je n'ai pas entendu.

— Vous venez de déclarer au jury, n'est-ce pas, que maître McAllister vous avait donné un conseil juridique concernant la validité… de la pièce à conviction numéro 1… ?

— Oui, monsieur… je ne comprends pas très bien la question.

Weathers la répéta. Pat expliqua que le document n'existait pas quand elle s'était rendue pour la première fois chez McAllister, en mars. À cette époque, Walt ne lui avait confié que verbalement être le véritable meurtrier de son fils et de sa belle-fille.

Répondant à une question sur son couple, Pat déclara prudemment que Tom et elle étaient « très proches… très, très proches ».

— Vous affirmez au jury que Tom Allanson ne vous a jamais dit un mot pour expliquer son innocence dans cette affaire.

— Oui… Il m'a juste dit qu'il était innocent et je savais que s'il le disait c'est qu'il l'était.

— En fait, vous en saviez beaucoup plus. N'est-il pas établi que, le soir où M. et Mme Allanson ont été tués, la police vous a vue à l'extérieur de la maison quand Tom Allanson s'enfuyait en courant?

Elle rougit et considéra Weathers avec méfiance.

— Non, pas du tout.

— Vous n'étiez pas dans la voiture? insista-t-il.

— J'étais dans une voiture loin de là. Pas une voiture, excusez-moi... dans une jeep.

— Pas loin de la scène du meurtre? Elle semblait se reprendre peu à peu.

— Ça dépend de ce que vous appelez loin.

— Bon, dites-moi à quelle distance.

— À un ou deux pâtés de maisons, là où se trouvait le cabinet de mon médecin. Je revenais de chez le médecin.

— Au moment où Walter et Carolyn Allanson ont été tués, vous vous teniez à peu près à un pâté de maisons de chez eux?

— Plutôt à deux.

— Avez-vous vu Tom Allanson courir dans la rue après que ces deux personnes ont été tuées?

— Non.

— Saviez-vous qu'on l'avait vu courir dans cette rue?

— Je l'ai appris ensuite.

— Ce qui vous place chacun dans les deux pâtés de maisons proches des meurtres.

— Ce qui me place dans le cabinet du médecin à deux pâtés de maisons et demi de là, oui.

— Je croyais vous avoir entendu dire, il y a une minute, que vous étiez dans une jeep?

— Oui.

Weathers la faisait trébucher sur les détails, sur la minutie qu'il se forçait à observer, sur les petits mensonges, sur les exagérations, sur les minimisations.

— À présent, je crois que vous avez déclaré avoir noté la confession « textuellement », il me semble que c'est le mot que vous avez utilisé, donc, exactement ce que Walt Allanson vous a dit sur la façon dont il s'y est pris pour tuer son fils et la femme de son fils ? C'est cela ?

— Oui.

— Et je crois que vous avez attesté devant le jury que votre mère l'avait dactylographié parce que vous ne saviez pas taper ?

— C'est ça.

— Dans ce cas, pourquoi cette première phrase : « Je m'appelle Walt Allanson et je dicte ceci à ma petite-fille, la femme de Tommy, Pat Allanson, qui le tape à la machine parce que je n'écris plus très bien » ?

Pat dévisagea le procureur comme s'il était complètement bouché. Elle expliqua que Walt avait dit ça mot pour mot... qu'il avait supposé que ce serait elle qui taperait ensuite à la machine.

Weathers passa au troisième codicille apporté au testament des Allanson et daté du 4 février 1976.

— Vous avez entendu Mes Hamner et Reeves témoigner que si Walt Allanson mourait d'abord, puis Nona Allanson, tout ce qu'ils possédaient vous reviendrait, à vous et à Tom ?

— J'ai entendu dire ça... mais je n'en étais pas consciente à l'époque.

— En même temps, vous n'avez pas entendu déclarer aussi que vous étiez présente lorsque cette explication a été donnée ?

Elle secoua lentement la tête, l'air quelque peu irritée.

— J'étais présente une partie du temps. Je n'étais pas présente tout le temps dans la chambre d'hôpital parce que le procureur y est entré avant moi et qu'il expliquait le document à Walt.

— Avez-vous entendu Me Hamner dire que vous étiez présente dans la pièce quand il a expliqué ça ?

— Permettez-moi de contredire Me Hamner, rétorqua-t-elle.

Alors qu'elle prétendait posséder une meilleure mémoire que l'avocat, elle resta très vague sur les éléments qui composaient le testament des Allanson, sachant seulement que des « pourcentages » devaient être divisés entre son mari et les autres petits-enfants. Elle souligna qu'à peu près tout ce qu'elle avait appris sur ce testament ne remontait qu'au procès actuel.

— Vous ne l'avez pas entendu dire qu'il y avait une clause générale disant que les biens dépassant le fidéicommis, tous ces biens, selon Me Hamner, iraient à Tom Allanson ? Que s'il était marié avec vous à ce moment-là et si quelque chose lui arrivait ou qu'il n'était pas apte à hériter, tous ces biens vous reviendraient ? Avez-vous entendu ce témoignage ?

— Oui, je l'ai entendu. J'étais assise ici.

À l'évidence, elle tenait à convaincre le jury qu'elle n'avait pas idée du débours final des biens considérables de Walt et Nona. En fait, elle prétendait ne rien savoir de ces testaments, codicilles et tout le tralala.

Weathers lui demanda si elle se rappelait avoir utilisé sa procuration.

— Vous ne vous rappelez pas avoir retiré quoi que ce soit sur les comptes de ces personnes?

— On n'en a pas eu besoin.

— Vous rappelez-vous avoir retiré... de l'argent au Crédit fédéral de Fulton par chèque payable à Walt et Nona Allanson, daté du 23 juin 1976, pour un montant de 1 000 dollars?

Pat ne se souvenait pas d'avoir déposé cet argent sur son compte le lendemain, en signant Walter Allanson et Patricia Allanson au dos; néanmoins, elle dut reconnaître que l'endossement était de son écriture.

— Très bien, finit-elle par dire. D'accord, je le reconnais.

Mais, ajouta-t-elle, elle l'avait fait pour Nona qui avait besoin de liquide. Elle refusa d'admettre qu'elle avait utilisé cet argent pour payer les frais de justice de Tom.

Weathers changea de tactique et revint sur la façon dont la confession de Walt Allanson avait été enregistrée.

— Est-ce une transcription exacte de ce que Walt Allanson vous a dit?

— Aussi exacte que possible. Je ne crois pas avoir oublié trop de mots. C'est juste que... j'écris lentement.

— Ne pensez-vous pas, reprit Weathers de sa voix caverneuse, qu'il est assez inhabituel que... alors que vous connaissez personnellement Fred et tous ces avocats... que pour une chose d'une telle importance, vous emportiez ces papiers dans une banque, auprès de gens que vous n'avez jamais vus, pour les faire enregistrer à la fin d'une longue journée de courses ? Vous faites juste un saut pour enregistrer les aveux d'un double meurtre ? Est-ce que ça n'est pas un peu exagéré ?

— Ce n'était pas une longue journée, soupira Pat, parce qu'on a commencé tard dans l'après-midi et juste pour faire un marché et passer enregistrer tout ça.

— Et pour cet enregistrement, vous vous tournez vers des gens que vous ne connaissez ni l'un ni l'autre et vous dites seulement : « Signez, Walt. Signez, Walt » ?

— Je n'ai pas dit ça.

— Alors Mme Tichenor a des trous de mémoire ?

— On dirait bien, oui.

Depuis le début de son témoignage, Pat tombait sur nombre de témoins à la mémoire défaillante, dont Bill Hamner, Fred Reeves et Bob Tedford. À présent, elle en venait tout simplement à contester le témoignage de la notaire Joyce Tichenor. Tout le monde déraillait, sauf elle.

Weathers passa au 28 juin, le jour où Nona Allanson avait été transportée à l'hôpital en raison d'un éventuel empoisonnement à l'arsenic. Pat ne se rappelait pas que Bob Tedford lui ait jamais dit que l'organisme de Walt Allanson contenait de l'arsenic.

— À l'époque, M. Tedford n'a pas fait mention d'arsenic.

Elle venait de contredire son propre témoignage initial, sans s'en rendre compte.

— Vous diriez donc que les souvenirs de M. Tedford sont encore inexacts ?

— J'ignore quels étaient les souvenirs de M. Tedford... C'était faux parce que je l'avais déjà découvert à l'hôpital.

Autre contradiction dans ses propres souvenirs. Weathers nota mais ne s'attarda pas.

— Bien... Si vous saviez que cet homme avait de l'arsenic dans l'organisme, si vous aimiez cette femme, la première chose que vous auriez souhaitée... aurait été de l'emmener quelque part où on puisse lui sauver la vie, car il était possible qu'elle ait été empoisonnée à l'arsenic.

De nouveau, Pat nia que quiconque lui ait dit que Nona ait pu courir ce danger.

Dunham McAllister émit une objection, affirmant que Tedford n'avait jamais mentionné l'arsenic dans son témoignage, sur quoi il demanda un verdict immédiat d'acquittement dans la mesure où le procureur n'avait pas apporté la preuve de ses accusations.

À quoi Weathers répondit :

— Nous pensons être en présence d'une machination soigneusement préparée... Elle en avait l'occasion. Elle a déclaré à Tedford qu'elle était seule à s'occuper d'eux. C'était elle qui avait l'arsenic. Elle aussi qui avait le plus à y gagner. La confession, ou prétendue telle, a été complètement réfutée par M. Allanson. Il dit qu'il n'en a jamais rien écrit. Il n'a rien fait à son propre enfant ni à la femme de son enfant. Nous estimons être loin, très loin d'un verdict recommandé, Votre Honneur.

Le juge Holt lui donna raison et le procès se poursuivit. Weathers demanda au greffier de lire les précédentes déclarations de Bob Tedford. Le sergent avait bel et bien dit à Pat, le 28 juin, que le vieil homme avait été empoisonné à l'arsenic et que la vieille dame pouvait avoir elle aussi été empoisonnée.

Toujours à la barre, Pat écoutait le procureur saper son témoignage. Elle n'avait pas l'air particulièrement contrariée.

— Vous souvenez-vous qu'il vous ait dit ça? insista Weathers.

— Non, monsieur.

— Quel intérêt aviez-vous... à dire à cette femme de près de quatre-vingts ans que l'assurance ne couvrirait pas son séjour à l'hôpital?

— Je n'ai jamais dit ça.

Pat ne voyait pas non plus en quoi le bien-être de Nona concernait la police. Elle supposait qu'il y avait là une lutte de tutelle.

— Vous déclarez donc que Tedford s'est juste pointé au beau milieu de la journée et a dit : « Nous l'emmenons à l'hôpital » ? Ni plus ni moins ? Juste : « On y va » ?

— C'est un bon résumé de ce qui s'est passé, oui.

Elle ne semblait pas gênée par les discordances évidentes entre son témoignage et ceux de plusieurs témoins de l'accusation. L'air irritée, elle jetait de temps à autre des regards vers ses parents pour obtenir leur soutien mais gardait son calme.

Weathers avait jeté les « fondations » de sa « maison » et commençait à en édifier les étages. Il dévoilait un mode de comportement : même quand il prenait Pat en pleine contradiction, elle niait l'évidence. De plus en plus détachée, elle ne présentait que des souvenirs pleins de vide.

Weathers la poussait dans ses derniers retranchements. Elle finit par raconter en soupirant qu'elle avait reçu trois fois les aveux de Walt : dans le garage de Washington Road, dans la chambre d'hôpital du vieil homme, et chez lui. Elle les avait transcrits de sa propre main.

— Vous avez apporté ce document ?

— Oh, que non ! Pas du tout.

— Vous ne l'avez pas ?

— Non.

— Où est-il ?

— J'ai dû le jeter. Je ne me rappelle pas. Je ne garde pas des trucs que j'ai écrits comme ça.

— Les aveux d'un meurtre transcrits de votre main sous la dictée d'un homme, vous les avez jetés ?

Pat n'en savait trop rien.

— Il n'arrivait pas à relire mon écriture, c'est pour ça qu'on a dû le taper. Jusque-là, je n'ai pas vu la différence entre un truc que j'ai écrit comme ci ou comme ça, du moins s'il a été ensuite tapé. Ça servait juste de brouillon au papier que vous avez dans la main.

— La dernière page de ce document porte la signature « Walter Allanson ». Pourquoi l'avez-vous enlevée de la machine pour l'y replacer ensuite ?

— Je vous ai déjà dit que ce n'était pas moi qui l'avais tapé.

Elle nia avoir été là quand Maggy avait effectué cette dactylographie, du moins « pas tout le

439

temps ». La dernière page avait été tapée sur un vieux papier à lettres qui datait de l'époque où sa mère était secrétaire, mais Pat ignorait pourquoi cette dernière page avait été datée et enregistrée trois jours avant la première. À la question : pensait-elle que Walt avait tenté de se suicider, elle répondit que c'était fort possible. Pourtant, s'il avait été suicidaire, comme elle le laissait entendre, elle ne pouvait expliquer pourquoi un homme qui possédait tant d'armes à feu ne s'en était pas servi pour se supprimer.

— Vous ne trouvez pas bizarre qu'on se suicide par ingestion d'arsenic sur une période de plus de six mois ?

— Rien ne me paraît plus bizarre avec lui.

Pat semblait de moins en moins à l'aise à la barre. Elle considéra Weathers d'un œil glacial et dit qu'elle ignorait pourquoi Walt aurait également décidé de tuer sa femme bien-aimée d'une mort lente à l'arsenic. En fait, elle ne savait pas grand-chose sur ce poison.

Weathers s'éloigna d'elle avant de se retourner brusquement.

— J'ai failli oublier de vous demander une chose, madame. C'est bien vous qui avez dit au sergent Tedford que le problème, avec M. Allanson, c'était qu'il ait avalé toutes ces pilules par poignées ?

— Je lui ai peut-être répété ce que le Dr Jones m'avait dit.

— L'avez-vous dit au sergent Taylor ?

— Je ne sais plus.

— Madame, demanda Weathers d'un ton exaspéré, comment voulez-vous que le Dr Jones ait pu

440

dire ça alors qu'il n'était pas là ? Vous ne vous rappelez pas que son témoignage était basé sur ce que vous tous lui avez dit à l'hôpital ? Il a déclaré avoir toujours eu du mal à faire prendre ses médicaments à cet homme. Vous ne vous en souvenez pas ?

— Je me souviens que dans un témoignage... peut-être que je n'avais pas compris votre question.

— Avez-vous dit au sergent Tedford que cet homme, M. Walter Allanson, prenait des médicaments par poignées et buvait du whiskey ?

— Dans ce sens... oui, je lui ai dit ça une fois.

— Et vous souvenez-vous avoir dit à Jean Boggs, le 14 juin, devant cette maison, que vous espériez que cet homme meure ?

— Non, monsieur, je n'ai jamais dit ça !

Pas plus qu'elle n'avait dit à Tedford, le jour où le personnel de l'hôpital croyait que Walt allait mourir, que le grand-père de son mari avait tenté de l'envoyer dans le décor et qu'elle s'était mise à craindre pour sa vie.

— Pas « m'envoyer dans le décor », marmonnat-elle. J'ai utilisé une autre expression, mais pas « m'envoyer dans le décor ».

— Et... en ce qui concerne la mort de Walter et Carolyn... n'est-il pas vrai que, peu avant la mort de Walter Allanson, vous avez porté plainte contre lui pour exhibitionnisme ?

— Oui, je m'en souviens.

— Nous parlons de celui qui est mort. Vous vous en souvenez ?

— Oui, je crois.

— Vous croyez… Vous portez plainte et votre mari a dit : « Je vais le tuer, ce salaud ! »

— Non… Il n'a rien dit du tout, sauf qu'on pouvait régler ça dans la légalité.

— Et on peut bien dire, finalement, et ce sera ma dernière question, qu'à l'époque où ces deux personnes ont été tuées, en 1974, vous étiez dans une jeep à deux pâtés de maisons des lieux du crime ?

— J'étais soit dans une jeep, soit dans le cabinet d'un médecin.

Weathers se retourna.

— Pas d'autre question.

37

Maggy Radcliffe prit la suite de sa fille à la barre. Partout où allait Pat, sa mère était sur ses talons, la soutenant, rectifiant, arrangeant. Si Pat avait un maintien royal, Maggy était impériale ; sereine, maîtresse d'elle-même, elle considérait l'avocat de sa fille d'un regard presque bienveillant.

Elle reconnaissait très bien la confession de cinq pages, dit-elle à McAllister. C'était elle qui l'avait tapée, à peu près un an auparavant, alors qu'avec le colonel ils rentraient de l'enterrement de son beau-frère dans l'État de New York. Ils se préparaient à repartir pour une réunion plus agréable, le cinquantième anniversaire d'un des frères de Maggy. Les Radcliffe étaient très famille.

Pas un point, pas une virgule du témoignage de Pat qui ne fût confirmé par sa mère. Elle s'en rappelait chaque détail avec une totale acuité. Bien sûr que Nona Allanson les avait appelés dans un moment de panique le 12 juin 1976. Absolument. Nona avait dit que Walt avait tenté de l'étouffer et aussi de la forcer à boire quelque chose... quelque chose qui n'était pas du café.

Maggy en avait été elle-même témoin.

Pour son contre-interrogatoire, Weathers s'étonna que les dates sur la confession soient différentes. Elle en était seule responsable, assurat-elle ; elle n'avait pas pris le temps de vérifier sur le calendrier quand elle avait commencé à taper la première page. L'anniversaire qu'ils devaient aller fêter aurait lieu le dimanche, mais la fête serait le samedi. Si M. Weathers avait un calendrier de 1976, elle pourrait sans doute mieux s'expliquer.

Ou pas. Un coup d'œil à un calendrier de 1976 montra que le 16 avril, le jour où la confession avait été enregistrée, tombait un vendredi.

— Pensez-vous que ça remontait à plus de quelques jours auparavant ?... demanda Weathers. Pensez-vous que c'était davantage ou moins ?

— C'était avant...

— Vous voulez dire en remontant au 18, au 17...

— Oui, répondit Maggy sans tenir compte des regards interloqués du jury. Ça remontait avant... autrement dit, je ne l'ai pas datée. C'était plutôt, disons... postdaté.

Elle n'expliqua jamais pourquoi la confession comportait deux dates différentes. Cela pouvait évidemment laisser penser qu'on avait dit à Walt Allanson de signer des documents vitaux le 16 avril et que la confession avait été tapée trois jours plus tard par une mère et une fille qui travaillaient de concert.

— Et comment avez-vous résumé... Vous avez résumé ça à partir de notes ?

— Je n'ai rien résumé. J'ai tapé textuellement.

— Vous avez repris ça ailleurs et l'avez tapé là ?

— C'est cela. Oui.

— Et qui vous a fourni...

— Ma fille, Mme Allanson.

— Voici ma question : tout ce qui se trouve sur ces papiers vous a été fourni par Pat Allanson ?

— Je n'ai rien changé, si c'est ce que vous sous-entendez.

— Pas du tout... Autrement dit, tout ce que vous savez à ce propos provient d'informations fournies par votre fille ?

— Non... je savais que M. Allanson avait déjà fait des aveux avant, oui.

— Qui vous l'a dit ?

— Mme Allanson.

— Mme Allanson vous a aussi dit ça ?

— Oui.

— Quand avez-vous eu cette conversation avec Mme Allanson ?

— Je ne peux pas vous préciser la date. Je vous dois la vérité, et ce ne serait pas honnête de donner une date.

Maggy Radcliffe avait cinquante-six ans, soit dix-sept de plus que la fille qu'elle essayait tant de protéger. Elle était encore belle et haussait légèrement le menton en parcourant la salle de son regard de cristal. Il était essentiel qu'elle donne une impression de parfaite sincérité et de totale correction.

— Vous rendiez-vous compte que ces personnes étaient toutes les deux pleines d'arsenic ?

Weathers faisait exprès d'utiliser des formulations destinées à choquer Maggy.

— Saviez-vous qu'elles avaient dans l'organisme un niveau d'arsenic propre à altérer leur structure humaine, qui aurait abouti à la mort si cette ingestion d'arsenic avait continué ?

— Il paraît que le laboratoire a dit ça, répondit Maggy. Je crois avoir lu le rapport la semaine dernière, mais auparavant je ne le savais pas.

Visiblement, Maggy aurait préféré parler d'autre chose ; cela lui pesait. Pourtant, Weathers poursuivit de plus belle, rappelant qu'elle avait une formation d'infirmière.

— Vous devriez savoir que l'arsenic peut causer la mort s'il est absorbé en quantité suffisante ?

— Tout ce que je sais, c'est qu'il s'agit d'un poison. Je n'en ai aucune autre connaissance particulière.

— Je n'insinue rien dans ce sens ! Je pose juste une question technique : vous rendez-vous compte que l'arsenic est un poison ?

— Je pense que c'est dangereux. Oui, très.

Quant aux nombreuses fautes typographiques dans la confession, les quelques lignes en lettres capitales, elle les expliquait par sa seule inexpérience.

— Je ne suis pas une très bonne dactylo.

Weathers voulait éclaircir un autre point. La prétendue confession de Walt comportait trop de détails sur les meurtres de Walter et Carolyn Allanson pour ne provenir que d'hypothèses. Elle devait avoir été rédigée par une personne y ayant effectivement assisté ou à qui on avait raconté les événements de cette terrible nuit. Walt avait catégoriquement nié avoir en quoi que ce soit participé aux meurtres et récusé la confession. Dans ce cas, qui l'avait rédigée ?

Weathers aborda la question avec une grande subtilité. À de nombreuses reprises, il était fait référence à l'inquiétude de Walt Allanson pour sa femme, à sa crainte qu'elle « n'ait une attaque » si elle apprenait la vérité. Pourquoi donc aurait-il raconté à quiconque être l'assassin ? Cela pouvait lui coûter ce qu'il avait de plus cher au monde : Nona.

Maggy Radcliffe reconnut que Walt Allanson tenait absolument à ce que ce document soit gardé secret afin d'épargner la santé de sa femme.

— Ainsi, demanda Weathers, si quelqu'un venait à apprendre l'existence de cette confession… ça ne viendrait pas de Walt Allanson… mais d'un autre participant.

— Je ne suis pas certaine de vous suivre, articula Maggy. Pourriez-vous répéter ?

— Envisageons qu'une tierce personne se trouvait dans cette cave, ou juste à côté, quand ces événements se sont produits, et qu'elle en connaissait le déroulement exact… ce n'était pas la santé de Mme Allanson qui pouvait l'intéresser. Cette tierce personne, quelle qu'elle soit, pourrait avoir couché sur le papier une partie, ou l'intégralité, de ce qui s'est passé. Vous ne croyez pas ?

— Je ne vous suis pas du tout, rétorqua Maggy en rougissant.

— Je retire ma question.

— Monsieur, je ne vois pas ce que cette cave a à voir avec ce dont nous parlons !

Ce jeudi de mai 1977, le témoignage de Maggy fut interrompu par la pause-déjeuner. La défense ne s'en plaignit pas. Le fantôme de cet autre crime hantait le procès de Pat, au point d'en devenir le point crucial. Le double meurtre de Walter et Carolyn Allanson se trouvait détaillé dans cette confession pleine de fautes et de ratures, et c'était pour ce crime que Tom Allanson croupissait en prison. Pourtant, Pat Allanson avait déclaré à la barre des témoins s'être trouvée à « un » pâté de maisons de là, puis à « un et demi », à « deux », à « plus de deux » au moment de la fusillade. Elle avait été suspectée de ces meurtres, sans jamais en être accusée ; mais l'ancienne enquête restait d'actualité, émaillée des questions les plus dangereuses. Du côté de la défense, nul ne tenait à ce qu'elles soient évoquées en ce tribunal 808.

Le témoignage de Maggy Radcliffe fut essentiellement occupé par sa dactylographie de la confession, le choix du papier, les parties raturées, la façon dont elle avait inséré le papier dans sa machine, toutes questions posées par Andy Weathers. Elle ne se rappelait pas pourquoi elle avait raturé tel ou tel mot et ignorait si on pouvait commencer à taper en haut d'une page, sauter l'entête et continuer, ou si on pouvait commencer au milieu pour revenir ensuite en haut de la page.

Le jury accorda-t-il de l'importance aux différences de dates, aux différences de marges, aux différences de papier ? Impossible de le savoir.

Weathers interrogea Maggy sur le 26 juillet 1976, ce jour où son mari et elle s'étaient présentés au poste de police d'East Point avec leur avocat, pour y faire une déposition sur les événements advenus à la ferme de Washington Road. Cela se passait deux semaines exactement avant l'arrestation de Pat pour tentative de meurtre.

— Avez-vous à un moment mentionné dans votre déposition, ou dit à la police, au bureau du procureur, ou à un quelconque représentant de l'ordre que vous aviez tapé des aveux de meurtres signés par Walter Allanson ?

— Non.

— Pas d'autre question.

Le colonel Clifford Radcliffe succéda à sa femme à la barre. En réponse à une question de McAllister, il dit avoir trouvé la bouteille de whiskey… une bouteille de whiskey, sans pouvoir préciser s'il s'agissait de la bouteille incriminée. La couleur de la capsule lui semblait maintenant différente. Il tenta de dire que sa femme lui avait recommandé de la jeter.

Weathers objecta qu'il s'agissait de ouï-dire.

Le colonel se hâta d'expliquer que le Dr Jones avait demandé à Mme Radcliffe de lui dire de jeter le contenu de la bouteille.

— Votre Honneur, ce sont des ouï-dire de ouï-dire.

448

Après une prise de bec entre avocats, le juge Holt autorisa le premier ouï-dire mais pas le second. McAllister demanda ce que le témoin avait fait de la bouteille.

— J'en ai humé le contenu... ça sentait l'alcool... J'ai jeté le contenu dans les toilettes puis j'ai donné la bouteille à ma fille pour qu'elle la range avec... les médicaments que nous récupérions dans la maison afin de les remettre au Dr Jones.

Il confirma les témoignages de sa femme et de sa belle-fille sur les événements du 12 juin, lorsque Nona les avait appelés au secours.

— Cette personne vous a-t-elle déclaré quelque chose à votre arrivée ?

— Oui... Si vous permettez, pas seulement à moi, mais, plusieurs fois par la suite, aux autres personnes qui sont entrées dans la maison.

— Qu'a-t-elle déclaré ?

— Que son mari avait tenté de la tuer.

— Merci.

Durant le contre-interrogatoire, Weathers fit à nouveau entendre au jury l'histoire de la vieille dame terrifiée, du mari brutal qui buvait et avalait des poignées de médicaments, du trio de sauveteurs lancé à son secours. Le colonel Radcliffe convint sans difficulté qu'il n'avait jamais vu Walt prendre ces médicaments... Peut-être l'avait-il dit à l'inspecteur, mais il se corrigea : « Je ne l'ai pas vraiment vu faire, cependant, il y avait des flacons de pilules ouverts sur la table. »

— Je vous demande précisément si vous avez déclaré aux inspecteurs à leur arrivée qu'il était en train d'avaler des pilules par poignées.

— J'en étais persuadé au moment où je l'ai vu.

Le colonel Radcliffe avait accusé Bob Tedford de mentir, de se tromper sur qui avait dit quoi à propos de ces médicaments. À présent il revenait, une fois encore, sur ses déclarations.

Weathers se reporta au 26 juillet, le jour de sa première déclaration.

— Votre femme vous avait-elle confié, à cette époque, avoir tapé un document... signé par Walt Allanson, reconnaissant le meurtre de son fils et de sa belle-fille ?

— À cette époque, je crois qu'elle m'a dit être en train de taper un document.

— L'avez-vous vu ?

— Oui, mais je ne l'ai pas lu.

— Vous saviez que votre femme tapait ce document censé reprendre les aveux d'un meurtrier et vous ne l'avez jamais lu ?

— C'est exact.

— À l'époque, vous n'en avez pas fait mention à la police ?

— Mention de quoi ?

— Qu'il existait d'éventuels aveux de meurtre.

— Pas que je me souvienne.

Weathers fit l'étonné. Il se rapprocha du distingué colonel.

— Allons, monsieur, je vais vous demander de faire un effort de mémoire. Vous ne pouvez pas vous rappeler avoir dit à la police détenir des informations sur un double meurtre au cours duquel un homme et une femme ont été tués dans la cave d'une maison ? Vous ne vous rappelez pas si vous l'avez dit ou non à la police ?

— Est-ce que ça aurait dû faire partie de ma déposition du 26 juillet ?

— Je vous demande : au cours de votre déposition à la police, avez-vous transmis cette information ?

Le colonel Radcliffe restait d'un calme olympien.

— Je crois avoir mentionné qu'il existait des aveux.

Il venait de tomber dans le piège sans s'en rendre compte. Il n'avait jamais parlé d'aveux.

Fanny Kate Cash fut le témoin suivant de la défense. C'était une femme imposante, aux cheveux en bataille, qui regardait la salle à travers d'épaisses lunettes. Fanny Kate expliqua avoir passé ses soixante-sept années de vie au 4185, Tell Road. Elle n'était pas mariée. Elle avait été secrétaire, bibliothécaire, mais, à la mort de sa mère, elle avait dû s'occuper de son père devenu grabataire.

Alors, elle avait vendu une partie de son terrain à Pat et à Gil Taylor. L'arrivée du colonel Radcliffe et de madame ainsi que de tous les enfants avait donné de la vie au quartier. Fanny Kate n'en voulait pas à Pat de n'avoir jamais fini de payer son terrain.

Elle était devenue entre-temps une amie de la famille et ils se montraient tous si gentils qu'elle n'osait réclamer son argent. Elle adorait Pat et avait toujours fait son possible pour aider cette pauvre femme si souvent malade. Elle était sur le point de lui offrir sa tête de lit sculptée de cœurs et de Cupidons.

Fanny Kate attesta recevoir souvent des confidences des Radcliffe et confirma leurs témoignages. Elle-même avait été sur les lieux ce 26 juillet.

Elle semblait se délecter de se trouver à cette place, en plein tribunal, trop heureuse de soutenir ses voisins. Elle se rappelait avoir entendu Walt Allanson parler bizarrement du meurtre de son fils et de sa belle-fille en mars 1976.

— La grand-mère disait avoir fait un rêve et il s'en était mêlé en précisant que c'était à propos du meurtre. Il lui a dit que c'était faux, et il s'est mis à dessiner la cave... au dos d'un magazine et il a donné un tas de détails : il a montré où était la niche, et la chaudière, et l'escalier qui descendait... et il a dit que la police n'avait jamais raconté la vérité sur Carolyn, comment elle était allongée sur les marches... et là, j'ai dit : « Bon, et où se trouvait celui qui a tué Walter ? ». Il a dit : « Juste là. » Et c'était en face de la niche.

Fanny Kate débordait de souvenirs sur ce que Walt lui avait expliqué.

— La conversation s'est arrêtée là ? demanda McAllister.

— Il s'est repris en s'apercevant qu'il avait trop parlé et après il l'a bouclée.

Weathers se dressa d'un bond.

— Votre Honneur ! Tout cela n'est qu'un tissu de conjectures...

Il semblait que Fanny Kate ait eu tendance à embellir son témoignage. Pourtant, elle pouvait aussi posséder une mémoire fidèle. En revanche, elle ne répondit pas si facilement aux questions.

Le juge Holt ordonna aux jurés de ne pas tenir compte de ses déclarations. Pourtant, il allait bien falloir l'écouter. N'avait-elle pas été témoin des aveux de Walt à Pat ? Peut-être pas un témoin oculaire mais certainement un témoin « auriculaire ». Elle dit avoir été avec Pat le jour où Walt lui avait dicté ses aveux.

— Mme Allanson commençait à s'agiter et je voulais savoir ce qu'ils fabriquaient là-bas. En m'approchant derrière la porte du garage, j'ai entendu la conversation. Pat qui lui demandait de ralentir, qu'elle n'arrivait pas à noter aussi vite. Lui, ça l'a énervé et il a élevé la voix : « J'ai tué Walter et Carolyn. Je n'avais pas l'intention de tuer Carolyn. Mais c'était de la légitime défense ! »

Fanny Kate ajouta qu'elle ne s'était pas attardée, car elle devait retourner au chevet de Nona Allanson.

Dans son contre-interrogatoire, Weathers la questionna sur son allégeance aux Radcliffe et à Pat Allanson. Elle admit être « proche » de Maggy et Clifford Radcliffe, et « très proche » de Pat.

— Combien de temps après avoir entendu quelqu'un reconnaître… un double meurtre, avez-vous averti les autorités ?

— Je ne comprends pas la question.

— Combien de temps… entre le moment où vous avez entendu cela et celui où vous avez pris contact avec un représentant de la justice ?

— Je n'ai pris contact avec personne.

— Quand avez-vous, pour la première fois depuis 1976, fourni ces informations aux autorités ?

— Je les ai fournies à M^e McAllister, l'avocat.

— Ce n'était pas ma question. Je voudrais savoir quand, madame, vous avez averti les autorités que vous possédiez des informations sur un double meurtre ?

— Je n'ai jamais dit ça aux autorités.

— Quand en avez-vous parlé au bureau du procureur ?

— Jamais.

— Quand avez-vous, pour la première fois, pris contact avec un juge ou un membre du tribunal ?

Fanny Kate ne comprenait toujours pas.

— Jamais.

— Dans ce cas, c'est aujourd'hui la première fois que quelqu'un vous entend raconter ça, n'est-ce pas ?

— Je l'avais dit à M^e McAllister.

— Cela n'est pas ma question.

— Je ne l'ai raconté à personne.

— Voilà… Pas d'autre question.

N'importe quel observateur aurait compris que Fanny Kate était prête à tout pour sortir Pat de ses ennuis et qu'elle n'était pas un témoin des plus subtils, d'autant qu'elle avait tendance à broder, mais sa loyauté était incontestable. Dunham McAllister avait bien cerné le problème. Il s'approcha d'un pas mesuré pour réorienter son questionnaire et fut récompensé par une incroyable histoire qu'il eût sans doute préféré ne pas entendre.

Avec Pat, elles s'étaient rendues dans la ferme, porteuses d'un message de Tom avertissant Nona de faire attention. Que sa vie était en danger…

— Et cette nuit-là, entre 23 heures et minuit, mon téléphone a sonné et j'ai répondu. Et c'était une voix contrefaite…

— Mademoiselle Cash, intervint vivement McAllister, je ne vous demande pas ce genre de précision. Je pense que M. Weathers pourrait émettre une objection.

M. Weathers émit une objection sur la supposition de McAllister selon laquelle il pourrait émettre une objection.

— Continuez, reprit ce dernier avec appréhension.

— J'ai répondu au téléphone et une voix contrefaite disait : « Qu'est-ce que vous avez raconté à Nona ? » Mais moi j'avais reconnu la façon de parler et le timbre de Walt Allanson.

Dans un film, c'était le genre de scène qui faisait rire tout le monde. Pas dans un tribunal.

Andy Weathers se releva pour un nouveau contre-interrogatoire. Si Mlle Cash craignait tant pour la vie de Nona Allanson, si elle s'était rendue à la ferme pour transmettre un prétendu message de Tom la prévenant que sa vie était en danger – cette malheureuse vieille dame dans son fauteuil roulant, qui n'avait plus l'usage que d'un seul membre –, alors quand avait-elle appelé les autorités pour les prévenir du grand danger que courait une personne invalide ? Avait-elle prévenu qui que ce soit ?

— Non, personne, répondit Fanny Kate.

McAllister demanda à voir toutes les lettres de Tom à ses grands-parents et pria qu'on lui accorde le temps de les faire analyser. Le juge Holt ne voulait pas ralentir le mouvement. Il avait averti qu'il ne disposait que d'une semaine pour ce procès. Il proposa que la femme de McAllister, Margo, son associée, parcoure ces lettres.

Deborah Taylor Cole fut le témoin suivant de la défense. À vingt et un ans, la seconde fille de Pat était une jolie jeune femme brune qui n'avait cependant pas l'allure majestueuse de sa mère et de sa grand-mère. Elle parlait si doucement qu'on l'entendait à peine au deuxième rang. Elle répondait aussi brièvement que possible. Dunham McAllister trouvait en elle un nouveau témoin qui avait passé du temps chez Walt et Nona Allanson et pouvait ainsi confirmer les dires de Pat.

— J'ai travaillé pour eux... trois semaines.

Elle n'aurait su dire exactement quand.

— C'était en été, peut-être en juin ou quelque chose comme ça.

Elle se souvenait d'avoir été là la veille du jour où Walt avait été transporté à l'hôpital. Oui, elle avait eu plusieurs conversations avec Nona.

— A-t-elle dit quoi que ce soit sur M. Walt Allanson?

— À propos de quel incident? Je veux dire, elle m'a raconté tellement de choses sur son mari...

— A-t-elle dit quoi que ce soit, ce jour-là, sur ce qu'il lui aurait fait?

— Eh bien, quand je suis arrivée, elle pleurait... et il faut vraiment s'approcher beaucoup pour la comprendre parce que... elle ne parle pas très bien. Alors je lui ai demandé ce qui n'allait pas. Elle a dit : « Walt a tenté de m'étouffer. » Et j'ai dit : « Comment a-t-il fait? » Elle a dit : « Il a essayé. »

Les souvenirs de Deborah étaient curieusement semblables à ceux de sa mère, de ses grands-parents et de Fanny Kate Cash.

Andy Weathers s'approcha pour son contre-interrogatoire et elle parut se tapir comme un lapin devant un chien de chasse. Il lui demanda d'abord comment se portait Nona. N'était-elle pas très faible, capable de n'utiliser qu'une main ? Et Walt n'était-il pas vigoureux, au point de pouvoir transporter sa femme de pièce en pièce ?

— Elle était très forte du côté qui pouvait encore bouger.

— Serait-elle capable de se lever seule de son lit ?

— Elle était aussi capable de répondre au téléphone quand il sonnait.

— Elle serait incapable de se lever seule de son lit ?

— Elle ne peut pas se lever toute seule.

— Ne croyez-vous pas que si cet homme voulait faire du mal à cette femme, un homme de sa force face à une femme qui pèse dans les quarante kilos et a subi une attaque cérébrale massive, s'il le voulait, aurait pu lui faire du mal sans aucune difficulté ?

Elle parut prise au piège et se rendit.

— Je ne peux vraiment pas répondre à cette question.

Weathers n'insista pas. Il avait obtenu ce qu'il voulait. En réponse à d'autres questions, Deborah Cole énuméra les personnes présentes à la ferme le 12 juin, la veille du jour de l'hospitalisation de Walt.

— Je crois que j'étais avec ma mère... Mme Allanson et M. Allanson... ma fille.

— Qui d'autre ?

— Personne.

— Vous en êtes sûre ?

— Pas à ma connaissance.

La réponse standard des Radcliffe.

Étonnamment, elle avait oublié la présence de Fanny Kate Cash qui venait de jurer à cette même place qu'elle avait passé la journée là pour protéger Pat et Nona.

— Pas d'autre question.

Au cours des mises au point qui suivirent, il apparut nettement que Deborah n'était pas un bon témoin. Elle répondait souvent : « Hein ? » ou « Je ne me rappelle pas ».

Deborah Cole avait été le dernier témoin. La défense se passa du témoignage de Tom Allanson, à la grande déception de la salle. Il avait regagné depuis longtemps la centrale de Jackson. Dunham ne voulait de rien ni de personne qui puisse lier sa cliente au double meurtre de 1974. Si Tom était apparu à la barre, Andy Weathers s'en serait donné à cœur joie durant son contre-interrogatoire.

À la plus grande déconvenue de l'équipe de la défense, Weathers fit presque aussi grave en appelant un ancien procureur adjoint du comté de Fulton pour la réfutation. Tom ne serait pas dans ce tribunal pour revivre la nuit du 3 juillet, mais Walter Weller, celui-là même qui l'avait poursuivi, allait arriver. Il avait récemment quitté sa charge pour entrer dans le privé et devenir le président de la section juridique de l'association du Barreau d'Atlanta.

Bien que la confession de Walt Allanson ait déjà été largement discréditée, Weathers voulait que le jury comprenne que le vieil homme n'avait pas pu tuer son fils et sa belle-fille et que Pat avait tenté de sacrifier le vieil homme pour libérer son mari. Malgré les objections vigoureuses de McAllister, Weller dessina un croquis rapide de la cave de Norman Berry Drive et désigna les marches de l'escalier ainsi que la niche. Il raconta comment il avait examiné l'intérieur de cette cavité et y avait vu des traces de balles partout sur le mur.

Bill Weller confirma que la fenêtre de la niche était au moins à hauteur de sa ceinture.

— Ça n'a pas été facile de me soulever assez haut pour m'y introduire malgré ma jeunesse et ma souplesse. De même, il fallait faire attention pour marcher dans cette cave, il y avait des obstacles partout. Le seul endroit pas trop encombré était couvert de tapis et de planches.

Pari gagné. Comment Walt, à près de quatre-vingts ans, aurait-il eu la possibilité physique de faire ce que disait la confession, en courant à travers cette cave jonchée de débris pour se jeter lestement dans la niche et en sortir ? En tant qu'expert, Weller certifia qu'il ne « gobait » pas cette histoire de confession.

— Aurait-elle pu servir dans le but d'obtenir un nouveau procès ?

— Oui. Comme à peu près n'importe quoi.

McAllister tenta encore le coup. Il ne voulait pas laisser le jury sur l'impression que les aveux de Walt auraient vraiment pu aider Tom à sortir de prison. Il devait absolument ôter ce mobile du dossier de Pat.

— Si la personne qui a commis cet acte était morte, demanda-t-il à Weller, cela ouvrirait-il la voie à un nouveau procès ?

— Tout dépend du juge qui a toute discrétion pour décider de l'opportunité ou non d'en ouvrir un.

Weathers se rapprocha encore.

— Si un juge acceptait de considérer ce document comme authentique et que M. Walt Allanson n'était pas là pour contester, n'est-il pas exact que toutes les charges pourraient être abandonnées et que Tom pourrait quitter le centre pénitentiaire dès le lendemain?

— Si un juge statuait ainsi, oui.

McAllister ne voulait pas lâcher prise.

— Vous voulez donc dire que, selon la loi de Géorgie, un juge a tous les pouvoirs dans le déroulement d'un procès?

— Certainement, maître, répondit Weathers.

La phase des témoignages du procès de Pat Allanson s'acheva vers 19 heures, le jeudi 5 mai.

Les plaidoiries commencèrent le vendredi matin avec Andy Weathers qui dépeignit une femme amorale ayant délibérément programmé un double meurtre. Il ne présentait aucun témoin oculaire.

— Mesdames et messieurs... quand on prépare un meurtre et qu'on est assez insensible pour déposer de l'arsenic dans la nourriture d'autrui, il est certain que l'accusation ne pourra jamais présenter personne qui vous ait vu faire. Ce genre d'action suppose un auteur beaucoup trop prudent pour ça.

Weathers énuméra les mensonges avérés, les dérobades, les omissions qui peuplaient les explications de Pat Allanson. Ce procureur, qui ne consacrait en général pas plus de cinq minutes à sa plaidoirie, parla beaucoup plus longtemps.

Dunham McAllister plaida que l'accusation n'avait pas apporté la preuve de son argumentation. Pourquoi Nona n'avait-elle pas témoigné ? Où étaient les résultats des analyses gastriques de Walt ? Pourquoi n'avait-on pas gardé ces sécrétions ? Walt Allanson était-il faible ou fort ? Puisque les cousins de Tom obtenaient encore un sixième des biens de leurs grands-parents, bien que Pat en soit l'exécutrice, cela ne prouvait-il pas qu'elle n'avait rien à voir dans ces trois changements ?

L'avocat se battait de toutes ses forces, attaquant sur des points relativement mineurs pour détourner l'attention des trous béants dans le témoignage de Pat. Il en arriva au point de laisser entendre que, d'après les experts, nul ne savait vraiment si l'arsenic était un poison ou un médicament et qu'il était possible que l'empoisonnement des Allanson n'ait jamais été qu'un accident pur et simple.

— Et alors Walt prend une overdose de médicaments et a des gestes aussi bizarres que vouloir faire avaler de drôles de choses à Mme Allanson, peut-être de l'alcool qui contenait de l'arsenic. Ce n'est qu'une possibilité.

En excellent avocat criminel qu'il était, McAllister ne cessait de répéter au jury qu'il s'agissait d'être sûr de ses conclusions.

— Douze personnes doivent faire taire tout le monde pour dire que la seule conclusion possible dans cette affaire est la culpabilité de cette dame, là-bas. Vous devez décider si ces choses ont été prouvées ou non.

Il insista sur le fait que l'accusation n'avait pas prouvé la culpabilité de Pat Allanson jusqu'au point de certitude morale. Si le jury était d'accord avec lui, Pat serait libre.

C'en était presque terminé. Andy Weathers se leva pour prendre une dernière fois la parole. Il était totalement absurde, réitéra-t-il, de faire passer le vieux Walt Allanson pour un meurtrier, par arme à feu ou par poison. À Pat Allanson d'assumer sa culpabilité, cette femme qui avait d'abord tenté de faire croire à de faux aveux pour faire libérer son mari de prison, puis d'assassiner deux personnes pour hériter d'une petite fortune. Car il s'agissait bien d'une fortune. Au pire, les enfants Boggs recevraient une mince portion du fidéicommis des biens des Allanson.

— Elle avait une procuration. Elle ne doit de comptes à personne. Voilà le mobile. Elle hérite du tout... Pat Allanson est coupable de ce dont on l'accuse. Elle se trouvait à un pâté de maisons lorsque son mari était dans cette cave en train de tuer. Et vous avez cette confession de Walt... Vous remarquerez que, dedans, Tom Allanson... est dans les parages. On y dit bien qu'il est là pendant que son grand-père commet ces meurtres. Dès lors, mesdames, messieurs, si Tom Allanson était là et pouvait le contester, alors qu'on est en train de juger sa femme, pourquoi, je vous le demande, ne nous l'a-t-on pas présenté ?

Pourquoi, en effet ? Il semblait qu'on n'ait pas fait venir Tom à la barre parce qu'il avait refusé de mentir au sujet de son grand-père. Oui, il désirait ardemment sortir de prison. Il serait effondré de voir sa femme condamnée et enfermée à son tour. Mais il aimait le vieux Walt et ne viendrait pas l'accuser d'un meurtre qu'il n'avait pas commis, pas même pour sauver sa peau et celle de Pat.

Peut-être la femme au banc des accusés avait-elle sous-estimé son mari.

Dunham McAllister fut scandalisé par ces conclusions. Il demanda que l'absence de Tom ne soit pas retenue dans le dossier et qu'on prie le jury de ne pas en tenir compte.

Raison fut donnée à Weathers.

— Je laisserai la Cour suprême décider, dit le juge Holt. Je ne statuerai pas. Objection rejetée.

— Qu'il soit noté, dit McAllister, que je demande un renvoi pour vice de forme.

— Certainement, maître, et je rejette votre demande de renvoi.

Le jury alla déjeuner. Les délibérations commenceraient à 14 h 45 en ce vendredi 6 mai 1977.

38

Susan Alford était terrifiée à l'idée qu'on puisse envoyer sa mère en prison. Elle en voulait à Dunham McAllister d'avoir refusé l'argument de la maladie mentale. Elle pensait que sa mère était droguée et devait se faire soigner à l'hôpital. Maintenant, il était trop tard. La jeune hôtesse d'Eastern Airlines, son amie, Sonja Salo, et sa sœur, Deborah, attendaient avec Walt, Boppo et Papy la décision du jury. M^e McAllister les avait prévenus

463

que cela pouvait durer un bon moment et que ce serait bon signe. Quand un jury revenait vite, c'était en général avec un verdict de culpabilité.

Susan avait le pressentiment d'un malheur.

Pat, Sonja et Susan descendirent acheter de quoi déjeuner. Pat se commanda un repas et du thé glacé, mais sa fille et l'amie de celle-ci étaient incapables de manger quoi que ce soit, aussi se contentèrent-elles de boissons.

— Je voyais déjà ma mère passer la nuit suivante en prison et je me demandais comment elle pourrait seulement y survivre.

Quant à Pat, elle semblait peu soucieuse à l'idée que d'autres étaient en train de décider de son avenir.

Après deux heures de délibération, le juge appela les jurés pour demander s'ils progressaient quelque peu. Ils répondirent que oui. Il leur proposa un choix pour le dîner : s'ils voulaient sortir au restaurant, ils devaient y aller ensemble en car et cela prendrait deux heures. Sinon, on pouvait leur monter un repas dans la salle.

Le jury commanda des hot-dogs à manger sur place.

Entre-temps, Boppo et Deborah fumaient cigarette sur cigarette, ce qui était normal pour la mère mais peu courant chez la fille. Non loin de là, les équipes de télévision attendaient patiemment.

Il n'était pas loin de 21 heures lorsque le juge Holt retourna voir où en était le jury. S'il le fallait, il les laisserait partir pour la nuit.

Robert Hassler avait été élu président. Il dit qu'ils avaient justement des questions sur des termes juridiques à poser.

Susan sentait une sueur froide lui couler dans le dos. Elle savait déjà. Peut-être était-ce dû à l'expression sur le visage des jurés pendant le procès.

Boppo alluma une autre cigarette et Papy faisait les cent pas.

À 21 h 08, le jury appela l'huissier. À 21 h 10, il regagnait le tribunal. Il avait un verdict. M. Hassler passa la feuille à l'huissier qui la tendit au juge Holt. Les visages du jury n'exprimaient rien.

— Ceci n'est pas daté, objecta le juge.

La salle retint son souffle tandis que le document revenait aux mains du président qui se hâta d'écrire : « 6 mai 1977 ».

De nouveau, le papier passa de main en main, jusqu'à Andy Weathers. Pat Allanson se leva, très droite, le regard fixe, alors que le procureur s'apprêtait à lire le verdict. Seule une veine sur son cou trahissait les violents battements de son cœur, faisant légèrement vibrer le camée de son pendentif.

Weathers s'éclaircit la gorge.

— Pour le premier chef d'accusation, nous, le jury, reconnaissons l'accusée coupable.

Pat restait impassible.

— Pour le deuxième chef d'accusation, nous, le jury, reconnaissons l'accusée coupable.

Deborah se leva en gémissant.

— Non !

Comme toujours, Boppo, réfrénant ses propres émotions, prit sa petite-fille dans ses bras dans le vain espoir de la consoler. Susan pleurait plus doucement et ce fut Sonja qui l'étreignit. Le colonel

Radcliffe semblait anéanti. Le tribunal 808 retentissait de pleurs et de gémissements, mais l'accusée semblait en état de choc. Pat, qui s'était toujours effondrée au sol à la moindre émotion, restait droite comme un I, immobile.

Le juge Holt émit un avertissement sévère.

— Les personnes incapables de se contrôler doivent immédiatement quitter la salle.

Personne ne bougea, mais les cris s'étouffèrent. Le juge allait rendre sa sentence lorsque Dunham McAllister se leva pour demander un report. Il avait besoin de temps. Il ne doutait pas que la cour saurait montrer sa clémence, mais il avait encore quelques recherches à effectuer.

Cela ne plut pas au juge Holt.

— Vous auriez dû y songer plus tôt.

— Je n'ai aucune excuse. J'implore votre tolérance.

— Je ne peux pas me libérer lundi. J'ai douze affaires civiles qui m'attendent. La sentence sera donnée le 16 mai.

McAllister allait demander si sa cliente pouvait bénéficier d'une liberté provisoire, mais le juge fut plus rapide que lui.

— Non. Si j'accepte pour un, je devrai accepter pour tout le monde. Il n'en est pas question. L'accusée est en garde à vue. C'est compris ?

Des gardes s'approchèrent de Pat pour la menotter. Elle se tourna vers sa famille en larmes, toujours aussi ravissante dans sa robe vert pomme et crème, ouvrant de grands yeux effrayés dont le vert contrastait avec sa peau claire. Ses filles sanglotaient. Les Radcliffe étaient atterrés mais n'en montraient rien, comme d'habitude. Ils suivirent des yeux Pat qu'on emmenait dans un couloir. Ce n'était pas possible, elle n'allait pas en prison, pas pour toute une nuit...

Jean et Homer Boggs félicitèrent Andy Weathers, et les juristes rassemblèrent leurs papiers. Alors que le procureur s'en allait, Boppo courut derrière lui.

— Monsieur! cria-t-elle. Vous avez commis une terrible erreur!

Il la salua d'un léger signe de la tête mais ne ralentit pas.

Les caméras de télévision enregistraient tant qu'elles le pouvaient, ce que la famille de Pat n'apprit qu'en regardant les informations de 23 heures.

— J'avais l'impression que quelqu'un était mort, dirait Susan. Et Sonja essayait de m'entraîner au-dehors.

Déjà, sur l'ordre du juge Holt, l'huissier éteignait les lumières.

Le 16 mai, Andy Weathers pressa le juge Holt d'infliger à Pat la condamnation la plus sévère possible.

— Elle a pris aux Allanson tout ce qu'ils avaient, outre leurs capacités mentales... L'empoisonnement à l'arsenic provoque l'une des morts les plus pénibles pour l'être humain... Elle n'a pas montré une once de pitié envers ces deux personnes qu'elle a tenté de tuer jour après jour. Et ils seraient morts si cette agression n'avait pas été découverte à temps. L'accusée ne mérite aucune circonstance atténuante. Elle a agi de sang-froid, en leur infligeant une mort lente. Ils ont beaucoup souffert... Je demande à la cour une sentence en rapport avec cette cruauté.

Dunham McAllister rappela au juge que « la preuve n'a été faite que pour ce qui était de l'empoisonnement, premièrement de Mme Allanson, deuxièmement de M. Allanson. Il n'existe d'autre preuve en aucune forme que ce soit ». Il demanda que les problèmes de santé de Pat soient pris en considération.

— Je demande à la cour de faire preuve de clémence dans sa sentence, d'envisager la mise en liberté surveillée car Mme Allanson est une personne qui peut en bénéficier.

Apparemment, le juge Holt n'était pas de cet avis. Il condamna Patricia Vann Radcliffe Taylor Allanson à deux fois dix ans de prison, à effectuer consécutivement. Selon la loi de Géorgie, c'était la pire sentence qu'il pût infliger. Pat regarda son avocat comme si elle ne comprenait pas. Il y avait sûrement une erreur. Le juge devait dire qu'il pourrait lui infliger cela, pas qu'il était bel et bien en train de l'envoyer en prison.

Dunham McAllister fit aussitôt appel.

— Pas maintenant, dit Holt. Déposez votre requête. Je l'entendrai dès que possible.

Trois années seulement s'étaient écoulées depuis que Pat était entrée dans le clan des Allanson et, durant ce laps de temps, la famille avait été à peu près annihilée. Walter et Carolyn étaient morts, Tom bouclé en prison, condamné pour leur double meurtre ; ses enfants avaient été adoptés ; Walt et Nona garderaient de l'arsenic dans leurs os jusqu'à leur mort et ne seraient jamais plus les mêmes ;

Jean avait été exclue de sa famille ; les rares Allanson encore vivants et en bonne santé vibraient d'amertume. Pat, qui leur avait semblé si délicate, si dépendante en arrivant, avait soufflé sur les braises du moindre malentendu entre eux pour le transformer en incendie. Exactement comme elle l'avait déjà fait au sein de sa propre famille.

Jusque-là, elle s'en était tirée indemne, tellement centrée sur ses propres intérêts qu'elle n'avait même pas remarqué les désastres qu'elle semait sur son passage. Maintenant, elle allait devoir affronter les conséquences de ses actes. À trente-neuf ans, elle allait en prison.

Ce n'était pas possible. Quelle injustice ! Comme l'avait crié sa mère au procureur, on commettait « une terrible erreur ».

39

Pat allait purger sa peine à l'institut correctionnel Hardwick, à Milledgeville, ancienne capitale de Géorgie. Vue de l'extérieur, la bâtisse en stuc beige, de construction récente, ressemblait plutôt à un pensionnat de jeunes filles enchâssé dans un écrin de vallons verts. Un arbre immense se dressait devant l'entrée qui ombrageait de petites tables de pique-nique et adoucissait l'impression laissée par la haute grille surmontée de barbelés.

Les locaux surveillés étaient en revanche petits, trop petits. De nombreux détenus dormaient dans des mobile homes aménagés en dortoirs derrière la prison. On ne pouvait se déplacer librement d'un endroit à l'autre, et les horaires de Pat obéissaient au règlement collectif. Les repas étaient lourds, pleins de féculents, les draps râpeux, et les pensionnaires n'avaient rien à voir avec les personnes distinguées qu'elle aimait fréquenter.

Un endroit abominable.

« Même si les murs sont peints de jolies couleurs, ne vous y trompez pas, écrivit-elle à sa famille. C'est vraiment une prison et on ne cherche qu'à vous y rabaisser. »

Maggy et Clifford Radcliffe effectuaient chaque week-end le trajet de cent trente kilomètres. Pas question de manquer un seul jour de visite. Lorsqu'ils arrivaient, eux ou les enfants de Pat, ils étaient fouillés, et tout ce qu'ils apportaient vérifié par une surveillante. À l'entrée comme à la sortie du parloir, une surveillante faisait passer Pat par une petite salle de bains où elle avait droit à une fouille au corps – « comme si on avait affaire à n'importe quelle criminelle », selon sa formule. Elle qui s'était tant intéressée aux humiliations subies par Tom en prison apprenait maintenant ce que c'était que d'être enfermée.

Néanmoins, elle eut vite fait de convaincre les autorités que ses ennuis de santé lui interdisaient de travailler à la cuisine. Elle ne pouvait rien porter de pesant et les odeurs de gargote lui soulevaient le cœur. On y préparait beaucoup de poisson pêché dans le lac Sinclair, tout proche, poissons que Pat estimait « empoisonnés » par la pollution. Le reste des menus était conforme à ce qu'on trouvait dans toutes les prisons : flocons d'avoine, gruau de maïs, pommes de terre, spaghettis, macaronis, riz et pain grossier fabriqué par les pensionnaires, qu'on enduisait d'une couche de margarine bien grasse le matin.

« C'est infect, se plaignait-elle à ses parents. Je refuse d'avaler ça. Il y a beaucoup de femmes qui tombent malades après avoir mangé du poisson, et la viande est pourrie. »

Elle assurait jeûner en semaine, et se rattraper pendant les week-ends, car Boppo lui apportait toujours une glacière portative remplie de nourriture fraîche. Si la surveillante s'avisait d'émettre des objections sur tel ou tel récipient ou couvert, elle assurait :

— Je ne peux pas faire de mal à quelqu'un avec ça.

Elle avait ainsi droit à un gros steak, à des hot-dogs, à une pizza et à tout ce qu'elle pouvait commander à ses parents. Elle mangeait tout en deux jours, même si elle risquait l'indigestion. Par la suite, elle aurait le droit de garder dans sa cellule du beurre de cacahuète, des biscuits salés et du café instantané.

Susan et Bill Alford venaient la voir aussi souvent qu'ils le pouvaient, Deborah un peu moins, et Ronnie très rarement. Le jeune homme adorait sa mère et vivait très mal son incarcération. Il ne fit qu'en consommer davantage d'alcool et, chaque fois qu'une fille le quittait, il en éprouvait un terrible chagrin, au point parfois de s'automutiler à coups de rasoir ou de couteau. Depuis son enfance, il se sentait investi de la mission de protéger sa mère. Son absence créait un vide terrible autour de lui.

Deborah était perdue elle aussi. Même s'il lui était arrivé, avec Susan, de se moquer ou de se plaindre des peccadilles de leur mère, elle ne pouvait s'en passer. Son couple vacillait de plus en plus et elle quittait régulièrement son mari, pour revenir peu après dans la mesure où elle ne trouvait rien de mieux ailleurs.

Le premier Noël de Pat en prison fut une véritable épreuve. Susan et Bill avaient décidé de passer cette journée chez eux, avec leur fils, Sean, âgé de cinq ans, et Pat prit leur absence comme une preuve éclatante de leur indifférence. Mais le pire, ce fut lorsque Deborah et Dawn ne se présentèrent pas non plus.

Si elle les réprimandait rarement dans ses lettres, en revanche, elle y étalait un art consommé de l'expression du désespoir.

Chers Susan, Bill et Sean,
J'aurais tellement aimé être parmi vous pour voir Sean au milieu de tous ses jouets! J'ai éprouvé un véritable choc en entrant dans le parloir pour ne voir que Boppo quand je m'attendais à vous trouver tous les trois, ainsi que Deborah et Dawn... Je me rends compte que la route est longue et que vous deviez tous être fatigués et préfériez rester chez vous, tranquilles. Pour moi, ça signifie la solitude. Je me sens très seule ici et l'unique chose qui me donne la force de supporter cette vie, ce sont les visites du week-end... Ne croyez pas que je ne me rende pas compte du sacrifice que ça représente pour vous, en temps et en difficulté, mais je n'ai pas de mots pour

472

exprimer l'importance qu'elles ont pour moi. C'est ce qui me permet de tenir, de ne pas complètement m'effondrer… Je ne vis que pour ces visites. J'ai besoin de vous tous ou je suis finie.

Je sais déjà que j'ai perdu Tom parce que je ne peux plus rien « faire » pour lui. Qui sera le suivant ? Je n'ai à offrir que mon amour et mon besoin désespéré de vous tous. Chaque jour de visite, je m'habille et je suis prête des heures à l'avance. Ça peut vous sembler bête, mais c'est indispensable à ma survie dans cet endroit… Je me sens tellement seule. Pardon pour les traces de larmes.

Susan en fut bouleversée et prise d'un profond remords. Quant à Tom, il avait bel et bien disparu de la vie de Pat, ne serait-ce qu'au sens physique du terme puisqu'il avait été transféré dans l'établissement pénitentiaire pour mineurs de Buford, au nord d'Atlanta, où son intelligence et sa culture seraient mieux mises à profit – une opportunité dont il aurait pu bénéficier depuis des années si Pat n'avait pas tout fait pour la bloquer.

— Plusieurs personnes m'ont dit, raconterait-il plus tard, « Cette femme va te coincer ici pour toujours », et j'ai fini par les croire. Je ne pouvais plus me retourner sans entendre des « Pat par-ci », « Pat par-là », sans me voir convoquer au bureau du directeur pour un autre de ses exploits. Dès que je suis arrivé à Buford, je me suis promis de tout recommencer du bon pied. Dans le système carcéral, on ne peut pas échapper à ce qui vous entoure.

À présent que Pat aussi était en prison, les communications devenaient démentes.

— Il fallait passer par nos avocats respectifs rien que pour se téléphoner, ce qu'on disait était consigné, enregistré… tout ça pour nous disputer… Franchement, je n'en avais pas besoin.

Cette relation qui avait commencé dans la ferveur romantique s'achevait comme souvent, banalement, sans grande émotion.

— Je lui ai dit que je ne pouvais plus l'appeler et que nous ferions mieux de reprendre notre vie chacun de notre côté. Elle a accepté, et peu après j'ai reçu les papiers de divorce. Tant mieux, finalement. Nous avons complètement coupé les ponts.

Tom se retrouvait seul. Ses enfants partis, il ne savait où, sa famille en miettes. Ses grands-parents étaient trop malades pour lui rendre visite et il avait admis, au fond de lui, que Pat avait bien pu faire ce dont on l'accusait. Bien qu'il ne puisse le lui pardonner, quelques vestiges de loyauté l'empêchaient de la condamner ouvertement. Elle le payait déjà assez cher.

Susan et Deborah, qui l'aimaient bien, avaient tout de même fini par s'éloigner elles aussi.

— On a dû choisir, dirait Susan, entre rester fidèles à notre mère ou écrire à Tom. On n'a pas hésité longtemps. Avec Deborah, on est allées le voir une fois, pour lui amener nos enfants, Dawn et Sean, en 1976, quand il était encore à Jackson. Ma mère était furieuse. Elle nous a juré qu'elle appellerait la police la prochaine fois, pour nous bloquer la route. Je pense que c'était une menace très exagérée, mais je n'en suis pas certaine. On a eu peur.

À Buford, Tom était bien décidé à faire de son mieux ; il avait accepté l'idée qu'il allait passer une grande partie de sa vie en prison et qu'il y serait seul.

En janvier 1978, Pat fut mordue par une araignée, incident dont elle put tirer toutes sortes de bénéfices. Le venin de cette variété d'arachnide était souvent mortel, si bien que, compte tenu de son dossier médical, elle fut envoyée à l'hôpital de Milledgeville, qui comportait une aile réservée aux détenus des prisons alentour. C'était un immense et ancien complexe qui faisait ressembler Hardwick à un vaisseau spatial. Plusieurs mois durant, Pat n'eut plus l'impression d'être en prison. Elle avait le droit de porter ses propres déshabillés, et sa famille pouvait lui rendre visite quand elle le voulait. Boppo et ses tantes lui apportèrent toutes sortes de friandises, et Pat essaya de rester là le plus longtemps possible. Quand elle fut remise, elle développa d'autres symptômes et il fallut assez longtemps aux médecins pour pratiquer toutes les analyses nécessaires afin de s'assurer qu'elle ne courait pas de risque d'attaque cérébrale ou d'embolie.

Au début, les Radcliffe avaient eu l'intention de poursuivre l'État de Géorgie pour les souffrances endurées par Pat à cause d'une araignée qui n'avait rien à faire dans une prison, mais ils finirent par abandonner cette idée car elle se sentait beaucoup mieux là qu'en prison. Elle avait toujours paru savourer ses séjours à l'hôpital. Il lui fallut pourtant regagner Hardwick. Ce fut presque pire de retourner en prison que d'y aller pour la première fois.

Les prisonniers ont un dicton : « On n'en bave que la première année. Après, on s'adapte. »

Pat Taylor s'adapta. Ses parents la soutenaient loyalement. En revanche, elle reçut un grand choc lorsque Susan et Bill Alford déménagèrent à Houston à cause de l'entreprise de Bill. Bien que celui-ci n'ait jamais fait les études de droit auxquelles il se destinait, Susan avait travaillé jusqu'à ce qu'il sorte avec une licence de l'université de Mercer. Elle démissionna d'Eastern Airlines quand il devint commercial dans le matériel de bureau et y réussit bien. Pat n'en revenait pas que Susan ait pu la laisser tomber avec une telle cruauté.

En 1979, les Alford s'installaient à Tampa, pour revenir à Atlanta en 1981. Mais Boppo et Papy restaient inébranlables. Tous leurs week-ends étaient programmés en fonction de Pat. Ils se firent tirer le portrait avec elle, service offert par les prisons de Géorgie les jours de visite. Ses parents posaient derrière elle fièrement, comme si elle venait d'obtenir un diplôme.

Susan et Deborah avaient aussi fait une photo avec leurs enfants, donnant l'apparence d'une famille unie...

Pour Maggy Radcliffe, la vie quotidienne prenait soudain un autre aspect. Elle pouvait jouer aux cartes avec des amies, sortir déjeuner. Elle avait toujours aimé le bingo et pariait régulièrement de petites sommes à Fort Mac.

Les week-ends restaient bien sûr consacrés à Pat, mais le reste de son temps lui appartenait enfin. Ses petites-filles s'émerveillaient de la voir aussi heureuse. Elle était continuellement aux ordres de

Pat, mais celle-ci ne pouvait plus l'appeler que le soir, selon le règlement de Hardwick. Il y avait toujours eu des urgences avec Pat, mais, au moins, Maggy savait maintenant où elle se trouvait et qu'elle y était en sécurité. Elle parlait souvent de sa « pauvre, innocente fille » enfermée en prison à cause d'une « terrible injustice ».

Désormais, plus personne n'osait téléphoner chez les Radcliffe les soirs où Pat appelait. Sa mère devait chaque fois lui faire un rapport circonstancié sur le déroulement de sa journée.

Maggy avait quelques péchés mignons, de ces petites choses qui lui permettaient peut-être de se consacrer aussi intensément à sa famille. Elle adorait les cacahuètes, et en avait constamment un pot à disposition ; elle buvait du café et fumait du matin au soir.

— Je veux qu'on m'enterre avec mes cigarettes, mes cacahuètes et mon café, disait-elle souvent en riant.

Elle avait aussi un penchant pour les plats qui dégoûtaient sa fille : foie grillé, œufs brouillés à la cervelle de porc, escargots, gésiers de poulet et huîtres fumées. Maintenant que Pat était en prison, elle pouvait préparer ce qu'elle voulait, boire son café, fumer et regarder son feuilleton préféré, *Des jours et des vies*.

Les Radcliffe déménagèrent pour une maison de ville qui n'exigeait pas beaucoup d'entretien et purent enfin se détendre. Loin de là, au Texas, Susan était encore enceinte, tandis que Deborah donnait une autre chance à son couple. Un an plus tard, Ronnie se marierait lui aussi et sa femme attendrait un bébé. Sans Pat, tous les Radcliffe retrouvaient une vie à peu près normale, chose qu'ils n'avaient pas eu beaucoup l'occasion de connaître. Et qui ne durerait pas.

Pour la plupart, les gardiennes et les surveillantes de Hardwick aimaient bien Pat. Elle était polie et ne leur causait pas d'ennuis, se montrait aimable, leur demandait sans cesse des nouvelles de leur famille et leur faisait de jolis travaux de couture. Au point qu'un jour elles l'emmenèrent en ville choisir dans un magasin les tissus dont elle aurait besoin.

En prison, elle avait trouvé un moyen de se faire remarquer, dominant sans peine ses codétenues souvent analphabètes, rappelant sans cesse qu'elle était fille de colonel.

Cela ne l'empêchait pas de se plaindre à ses parents d'avoir été approchée par une lesbienne, d'être entourée de femmes en manque de mâles, de n'avoir aucun atome crochu avec les nombreuses Noires qui peuplaient la prison. Alors elle se réfugiait dans son tricot, sa couture et ses travaux manuels.

Maggy et Clifford s'efforçaient de tenir Pat à l'abri des mauvaises nouvelles : Ronnie qui divorçait et se voyait confier la garde de son bébé, Ashlynne. La tradition des femmes Siler était respectée : ce serait Boppo qui l'élèverait. Papy semblait ravi de voir arriver une autre petite fille qu'il allait pouvoir gâter et habiller comme une poupée. Quand elle pleurait, la nuit, ses arrière-grands-parents la prenaient dans leur lit entre eux deux.

Pat n'approuvait pas cette initiative, comme si elle craignait que cette enfant ne prenne sa place à la maison, d'autant que Boppo l'amenait toujours en visite avec elle et s'émouvait davantage de son sort que de celui de sa fille, semblait-il.

Maggy idolâtrait ce bébé. Comme Marna Siler avait raffolé de Pat, elle vouait à Ashlynne un amour viscéral. Lorsque Pat téléphonait à la maison et l'entendait vagir, elle demandait d'un ton dur :

— Qu'est-ce qu'elle fiche là ?

Il y avait d'autres choses dont Boppo et Papy ne lui parlaient pas. Le 13 juillet 1978, Deborah était arrêtée par deux agents de la brigade des mœurs d'Atlanta et accusée de racolage pour sodomie, masturbation et prostitution. Elle eut beau expliquer qu'elle avait juste pris une place d'hôtesse, personne ne voulut la croire quand elle affirma qu'elle ignorait les véritables buts de l'agence qui l'employait.

Aussi, comment justifier qu'elle proposait ses services pour des rapports sexuels et des fellations à cent dollars la séance et, comme l'écrivit l'agent Cochran dans son rapport, pour « stimulation érotique intentionnelle des organes génitaux... par contact manuel ». Dans ses bulletins d'inscription, elle mentionnait son mari et son frère comme membres de sa famille, mais ni sa mère ni ses grands-parents.

Boppo l'apprit. Elle finissait toujours par tout savoir. Cependant, elle n'en dit rien à Pat. Elle qui avait tellement couru après la distinction et l'élégance se retrouvait avec une fille et un ex-gendre en prison et, maintenant, une petite-fille arrêtée pour prostitution. À près de soixante ans, elle avait passé sa vie à choyer les siens. Ce n'était pas ainsi qu'on l'avait élevée.

Deborah demanda à être jugée, mais le procès n'eut pas lieu avant le 11 juin 1979 et elle plaida *nolo contendere* : elle ne contestait pas la charge. Sa grand-mère apparut au tribunal, calme et droite, à ses côtés ; elle expliqua au juge :

— Monsieur, cette jeune femme a un enfant à charge.

Deborah fut condamnée à douze mois de liberté surveillée et, quand elle eut expliqué qu'elle avait d'énormes factures médicales et d'autres dettes, l'amende de trois cents dollars fut levée.

Cette fois, pourtant, c'en était trop pour Maggy. Elle qui s'était toujours comportée comme une martyre stoïque lâcha soudain prise et dut être hospitalisée.

Peu après, Deborah se ruait dans la chambre de la malade en pointant sur elle un doigt accusateur.

— Tu te rends compte de ce que tu me fais ? cria-t-elle.

Comme pour enfoncer le couteau dans la plaie, Pat avait reçu l'autorisation de lui rendre visite. Mais Boppo tourna la tête vers le mur en souhaitant, ne serait-ce qu'un moment, que tout ce monde lui fiche la paix.

Bien sûr, il n'en fut pas question. Ses enfants, petits-enfants et son mari comptaient trop sur elle ; ils occupaient toute sa vie. Passé un court temps de repos, elle sortit de l'hôpital la tête haute, prête à reprendre le combat pour sa famille.

En 1979, Pat écrivit une lettre de onze pages à Susan, curieux mélange d'inquiétudes et de planifications. Elle ne semblait pas du tout souffrir de son divorce. C'était comme si elle n'avait jamais connu Tom. Elle avait trop à faire pour les autres. Elle donnait des cours à ses codétenues, travaillait toute la journée à écrire, à coudre et à remplir les commandes des surveillantes.

Je suis la prof de ces vingt-huit femmes (et leur baby-sitter), je n'ai plus beaucoup de temps pour moi... La plupart sont vieilles, physiquement handicapées et analphabètes. Je dois tout leur apprendre, sans compter mes travaux d'aiguille et de crochet pour me faire un peu d'argent.

Susan était optimiste. Elle trouvait enfin en cette Pat apaisée la mère dont elle avait toujours rêvé. Son amie Sonja avait obtenu son diplôme de droit et s'évertuait à obtenir une réduction de peine pour Pat. Dès que sa mère serait libérée sur parole, leur vie recommencerait comme avant : Susan en était persuadée.

Susan, écrivait Pat dans la même lettre, *avant d'aller plus loin, je dois te dire que Deborah m'a tout avoué. Je savais que quelque chose n'allait pas... Je sais que Boppo et toi êtes effondrées par cette histoire, mais Deborah l'est encore plus que vous. Il faut l'aider.*

Pat mettait toutes ses propres fautes sur le compte des pilules amaigrissantes, du Valium et des somnifères.

481

On ne se rend même plus compte de ce qui vous arrive. J'ai passé à peu près deux ans dont je ne me souviens pour ainsi dire plus ; je crois que tout ce qu'il m'en reste, c'est ce qu'on m'en a raconté.

Elle expliquait aussi pourquoi Tom l'avait quittée.

Ça vaut mieux comme ça. Il m'a bien expliqué que : 1) tant qu'il resterait marié avec moi, il ne serait pas libéré sur parole ; 2) il ne bénéficierait pas de régime de faveur ; 3) que même s'il m'écrivait il aurait des ennuis ; et 4) que personne dans la famille ne s'intéressait à lui… Alors autant tout arrêter maintenant. Je regrette seulement qu'il y ait eu quelque chose entre nous.

Elle dressait également la liste des dizaines de vêtements qu'elle fabriquait pour les enfants de Susan et demandait à sa fille de *beaucoup prier pour que ce cauchemar s'achève bientôt et qu'on soit enfin réunis.*

En fait, elle s'était acclimatée à la vie en prison. Sans s'en rendre compte, elle était tombée dans une habitude répandue chez les détenus : dessiner de petits cercles souriants à la place des points. Car, pour les hommes et les femmes derrière les barreaux dans toutes les prisons d'Amérique, ce *smiley* est devenu une seconde nature, un signe de ralliement des plus révélateurs.

Elle achevait en précisant à sa fille qu'elle avait rédigé cette lettre alors que de « durs combats » se livraient à proximité, que le mobile home dortoir retentissait des cris de trop de femmes enfermées ensemble depuis trop longtemps.

Au secours! ajoutait-elle. *Sortez-moi de cette maison de fous!*

40

Après avoir soigneusement étudié son dossier, Sonja Salo s'efforçait de préparer une demande extraordinaire pour un nouveau procès basé sur sa conviction que les dernières preuves mises au jour allaient prouver la démence de Pat à l'époque de ses attentats contre Walt et Nona, et durant tout le temps de son procès en 1977. En effet, la mère de son amie lui avait confié ne rien se rappeler des deux années qui avaient précédé ces événements, n'être redevenue elle-même que récemment. Sonja la croyait d'autant plus que, chaque fois qu'elle lui rendait visite à Hardwick, elle découvrait une femme métamorphosée, bien dans sa peau, normale...

Si Pat avait connu une phase de folie, ce n'était plus du tout le cas; elle était désormais une tout autre femme. Elle dit à son avocat ne savoir que trop combien de dégâts pouvaient provoquer les personnes sans cœur.

— Nous n'en parlons pas souvent, expliqua-t-elle doucement, mais j'ai une sœur en Caroline du Nord, totalement dénuée de conscience. Elle se moque du mal qu'elle peut faire autour d'elle.

Sonja ne fit jamais mention de la sœur de Pat à Boppo. La malheureuse avait assez souffert comme ça. La jeune avocate ignorait seulement que Pat n'avait pas de sœur, à part, peut-être, ce pauvre bébé mort-né, Roberta. Pourtant, Pat en parlait si souvent que Sonja se demandait quand elle pourrait voir cette méchante sœur.

Elle finit par plaider sa cause le 5 décembre 1980, devant le tribunal du juge Ralph H. Hicks, et présenta un seul témoin : Maggy Radcliffe. Son dossier s'appuyait sur les déclarations d'un psychiatre et de plusieurs médecins depuis l'embole de Pat en 1973.

Andy Weathers contesta le témoignage de Maggy Radcliffe, car il ne voyait pas comment ses souvenirs d'une maladie de 1973 pouvaient prouver que Pat Taylor avait perdu l'esprit au moment où elle avait tenté d'assassiner deux personnes en 1977. Le juge Hicks rejeta l'objection lorsque Sonja Salo expliqua que Pat avait commencé à prendre trop de médicaments à l'époque de sa maladie et que c'étaient ces substances qui l'avaient menée à cet état de « démence ».

Maggy rappela l'embole et les abcès qui ne guérissaient pas. Elle témoigna que l'état physique de Pat était toujours fragile mais qu'il avait empiré après l'arrestation de son mari.

— Elle avait complètement changé de personnalité. Ce n'était plus la personne que je connaissais.

— Et comment vous apparaissait sa personnalité ? demanda Sonja.

— Je ne suis pas médecin. Je ne suis pas qualifiée... J'avais juste l'impression qu'elle perdait la tête. Je voulais qu'elle voie un psychiatre.

L'aveu que dut faire ensuite Maggy Radcliffe ne fut pas facile. C'était un énorme mensonge, un terrible secret qu'elle avait gardé des années durant. Mais elle allait finalement pouvoir expliquer ce qui avait tellement étonné les médecins à l'époque : la cause de cet abcès à la hanche qui avait failli tuer Pat.

— C'était elle qui s'automutilait par-dessus ce qui avait d'abord été un abcès bénin. Elle voulait se faire du mal.

— L'avez-vous vue faire ? demanda Sonja.

— Oui.

— Qu'utilisait-elle ?

— Une fois, c'était un outil de cuir avec un embout en métal. Elle grattait la plaie avec ça. Une autre fois, elle a utilisé un petit forceps.

— Avez-vous pu la faire admettre dans un hôpital psychiatrique ?

La malheureuse femme se retrouvait dans le même tribunal que deux ans et demi auparavant, obligée d'avouer cet humiliant secret. Mais elle aurait fait n'importe quoi pour sortir Pat de prison.

— Un soir, elle s'est entaillé les poignets et j'ai compris que je ne pourrais pas la laisser continuer ainsi. Je me suis entretenue avec son médecin… et j'ai vu le juge Gunby puis j'ai signé les papiers et ils sont venus la chercher pour l'emmener au Metropolitan.

— Pat a-t-elle tenté de s'infliger d'autres blessures ?

— Oui… là où elle avait eu son abcès. Les médecins avaient décidé de pratiquer de la chirurgie plastique, mais j'ai vu qu'elle versait de l'acide dessus, et c'était devenu tout noir... Elle ne voulait pas guérir. Elle finissait par se taillader tout le corps.

Et puis il y avait eu les médicaments. Maggy s'était pourtant donné beaucoup de mal pour la détacher du Demerol, mais cela n'avait pas fonctionné.

— Elle en voulait encore... J'étais pourtant chargée de lui en administrer en diminuant les doses petit à petit, mais elle s'en est aperçue et a commencé à beaucoup s'agiter... Sur les instructions du médecin, j'ai ajouté un peu de phénocaïne; je n'ai jamais réussi à l'en détacher. Quelqu'un lui en fournissait.

Maggy raconta comment elle l'avait vue rentrer un soir de l'hôpital après un traitement pour son abcès.

— Le colonel Radcliffe était parti en voyage dans un autre État et, dehors, il tombait de la neige fondue. Je croyais Pat en sécurité dans son lit. Mais quand je suis allée voir, elle était partie.

Alors elle s'était lancée à sa recherche à travers toute la maison, pour la retrouver tapie dehors « comme un animal ».

— Elle ne voulait pas me laisser approcher... Elle disait... qu'elle allait prendre le même instrument que celui avec lequel elle se creusait la hanche et se le plonger dans le cœur.

Maggy restait stoïque sur son siège, fixant de son regard de cristal ceux qui oseraient penser du mal de sa fille chérie.

Sonja estimait que ce témoignage constituait un élément nouveau, inconnu de Dunham McAllister au moment du procès.

— Je crois qu'elle était à l'époque dans un état de démence qui, si on l'avait connu, lui aurait évité d'être tenue pour responsable d'un crime.

Le juge paraissait un rien éberlué.

— Attendez, elle n'a jamais été déclarée folle aux yeux de la loi, que je sache?

Sonja répondit que ce pouvait être fait avant d'entreprendre un autre procès.

— Certes, rétorqua le juge. Toutes les informations sur lesquelles a témoigné Mme Radcliffe étaient connues d'elle en 1975 et 1976; elle a été interrogée par un juge, elle a témoigné durant le procès... Tout ça n'a rien de nouveau.

Sonja expliqua que si, non seulement pour Dunham McAllister mais pour tout le monde, car Maggy Radcliffe ne savait alors que faire.

— Mme Radcliffe n'avait aucune obligation, en cas de problème avec son enfant, de confier ce problème à un avocat ni à qui que ce soit.

— Eh bien, répliqua le juge aussi surpris qu'agacé, qui est la partie demanderesse aujourd'hui? Toujours la même Pat Allanson? Ou son tuteur? Sommes-nous dans une série télévisée ou dans un tribunal?

Sonja Sal croyait tellement en sa cause qu'elle n'avait peut-être pas pris conscience de l'aspect spécieux de ses arguments. Elle n'avait pas fait passer d'analyse psychiatrique à sa cliente parce que, dit-elle, « je crois que Patricia Allanson n'est plus démente aujourd'hui. Nous sommes dans une situation plutôt étrange ».

Andy Weathers opposa un contre-interrogatoire à Maggy Radcliffe, l'amenant à confirmer qu'elle savait que Dunham McAllister était l'avocat de sa fille dix mois avant son procès; elle répondit qu'elle n'était pas certaine de ses droits à l'époque, et ni elle ni son mari ne croyaient nécessaire de faire état de la démence de leur fille en plein tribunal.

C'était bien la première fois, observa Weathers d'un ton sarcastique, que ce couple donnait l'impression d'être timide ou hésitant. Il n'en obtint cependant pas davantage. Elle ne connaissait pas ses droits à l'époque.

Sonja Salo présenta une déclaration du Dr Ray Loring Johnson, psychiatre qui avait traité Pat au centre psychiatrique Metropolitan en avril 1975 mais avait perdu sa trace entre juin et décembre. Il ne l'avait plus revue que deux fois en décembre 1976 et sept fois au début de 1977, quand elle attendait son procès. Il avait tout d'abord diagnostiqué une « grave désorientation de la personnalité », alors qu'elle se tailladait les poignets après avoir été giflée par le colonel. Elle était obsédée par l'idée de faire sortir Tom de prison et estimait qu'elle et son mari avaient été brimés. À cette époque, Johnson constata de l'agitation, de la désorganisation et une « idéation largement paranoïde ».

A priori, le Dr Johnson ne pouvait pas diagnostiquer l'état mental de Pat à l'époque des empoisonnements à l'arsenic puisqu'il ne l'avait pas vue durant cette période.

« Il m'est impossible d'établir un avis précis sur sa santé mentale au moment du délit puisque cela se passait trois ou quatre mois après que je l'avais vue en décembre 1975 et six ou sept mois avant que je la revoie, en octobre 1976. Je peux dire qu'elle était déséquilibrée, méfiante, sur le qui-vive et qu'elle m'a paru, à plusieurs reprises, détachée de la réalité... Je crois que c'était encore le cas au moment du délit. »

Néanmoins, le Dr Johnson ajoutait qu'il l'avait sentie « incapable de collaborer effectivement avec son avocat pour préparer sa défense. Pas une fois elle n'a remis en question sa propre santé mentale, ni songé à en faire état lors de son procès ».

Ensuite venait une déclaration de Dunham McAllister précisant qu'il n'était pas au courant que Patricia Allanson « recelait une quelconque déficience mentale ». Andy Weathers n'en crut pas un mot. Il soutint qu'on ne pouvait raisonnablement imaginer qu'il ait pu passer presque une année avec Pat à préparer son procès sans remarquer qu'il avait affaire à une déséquilibrée. Pis encore : comment aurait-elle pu y témoigner si largement sans que ni le juge Holt, ni Weathers lui-même, ni personne dans le jury n'ait repéré la moindre trace de trouble mental ?

— Maintenant, ce genre de défense tirée par les cheveux prétend qu'elle ne savait pas ce qu'elle faisait au moment où elle a agi. Dans ce cas, autant dire qu'elle n'a rien fait du tout, alors qu'elle a évidemment pris part à l'élaboration de cette défense et témoigné à cet effet.

L'appel de Pat Taylor était basé sur l'un des arguments les plus couramment employés : « Je ne suis pas coupable, mais, si je le suis, c'est que j'ai agi sous le coup de la folie. Mais maintenant je ne suis plus folle. »

Cela marchait rarement.

Weathers acceptait tout juste de reconnaître que Pat « n'était alors peut-être pas au mieux de ses fonctions mentales », ce qui ne la rendait pas folle pour autant.

Pleine d'espoir, la famille priait pour que Pat soit rentrée à la maison pour Noël. Ce ne serait pas le cas. Le 9 décembre 1980, le juge Ralph Hicks rendit son verdict.

— Le tribunal statue, dispose et décrète que ladite demande est rejetée.

Hicks ne voyait pas d'« éléments nouveaux » apportés au dossier et n'était pas convaincu que Pat Allanson soit subitement revenue à la raison, au point de s'apercevoir qu'elle avait été folle de 1975 à 1977.

Sonja Salo était une très jeune femme. Elle avait fait ce qu'elle pouvait pour Pat et les Radcliffe, et ils avaient perdu. Des années plus tard, elle devait reconnaître à quel point elle s'était montrée crédule de gober ainsi les histoires de Pat ; elle avait même cru à l'existence de la sœur sociopathe cachée en Caroline du Nord.

— Je dis aujourd'hui, conclurait-elle sarcastiquement, que Pat Taylor est l'être humain le plus manipulateur que j'aie jamais rencontré.

L'histoire de Pat semblait devoir s'achever là. C'était une femme d'âge mûr, incarcérée pour de nombreuses années, à la beauté altérée par un régime déséquilibré, entre jeûne et excès, depuis des années. Elle se défoulait en feuilletant inlassablement les pages du catalogue d'un magasin d'œuvres artisanales et en bombardant ses petits-enfants, sauf Ashlynne, de cadeaux fabriqués de ses mains. Elle envoyait à Sean de beaux mouchoirs peints à la main, dont il la remerciait poliment avant de les ranger dans un tiroir. Elle promettait de lui acheter un poney dès qu'elle serait libérée – une promesse jamais tenue. Comme elle ne faisait pas les choses à moitié, elle devint complètement obsédée par les broderies à l'ancienne. Dans ses lettres, elle savait encore titiller la conscience de ceux qui l'aimaient. Elle se rappelait sans cesse à leur souvenir, malheureuse créature qui menait une existence misérable alors qu'ils profitaient bien de la vie.

N'oublie pas, écrivait-elle pour s'excuser de son retard dans l'exécution d'un ouvrage au petit point, en avril 1982, mes journées commencent à 4 heures du matin et je travaille de 7 heures à 20 ou 21 heures. Ensuite, je dois me préparer pour la nuit, prendre ma douche, me laver les mains et repasser mes vêtements pour le lendemain (je n'ai que deux uniformes). Après quoi, j'ai souvent une petite robe à ourler, ou des smocks à bâtir, etc. Mais je passe à peu près tout mon temps libre (tant qu'il y a de la lumière) dessus.

Elle fut horrifiée d'apprendre que Susan et Bill allaient quitter de nouveau la Géorgie ; elle craignait que ses petits-enfants n'en souffrent.

Je sais bien qu'on ne me demande pas mon avis ; qui suis-je, au fond ? Une prisonnière, mais je suis aussi ta mère... Oui, j'ai commis beaucoup de fautes. Laisse-moi te dire que je les paie, et continuerai de les payer même si je vis jusqu'à cent ans. Je paie pour tout ce que j'ai fait, ce que j'ai cru faire et ce que je n'ai pas fait. C'est déjà assez l'enfer de ne pas savoir si j'ai vraiment tenté de nuire à ces gens. Mais je vais devoir vivre avec et m'en arranger avec Dieu. Je sais que je ne reprendrai jamais aucune pilule (narcotique), car ça peut faire de vous un monstre sans même le savoir et vous pousser à faire du mal à tous ceux qui vous côtoient, d'une façon ou d'une autre. C'est une forme d'enfer en soi de savoir qu'on a fait ça (et à des gens qu'on aime et qui vous aiment), alors qu'on n'en garde même pas le souvenir… Si qui que ce soit pense que je ne souffre pas assez, je le rassure, j'en bave et j'en baverai jusqu'au jour de ma mort. Et la pire souffrance, ce n'est pas l'incarcération mais l'idée que je suis responsable de la destruction de la stabilité de ma famille.

À la fin, Pat précisait à sa fille aînée qu'elle assumait la totale responsabilité de tout ce qui s'était passé ; elle se demandait seulement si elle reprendrait jamais une vie normale. Voilà cinq ans qu'elle était enfermée. S'il existait une femme au monde qui avait des regrets et semblait prête à se réintégrer, c'était bien Pat Taylor.

Ses lettres faisaient pleurer ses enfants.

41

Tom Allanson était incarcéré depuis six ans et demi lorsque l'appel de Pat fut rejeté. Le personnel des deux centres de Jackson et de Buford, ainsi que le comité de mise en liberté conditionnelle, le considéraient comme un prisonnier modèle. Il avait longtemps occupé la présidence de la section de Buford de la chambre de commerce des jeunes, et, depuis quelques années, celle du projet d'embellissement institutionnel. Il avait organisé un pique-nique pour les attardés mentaux et avait été élu meilleur joueur de football interéquipes. Il avait sa chronique, rédigeait des articles et prenait des photos pour le journal de la prison. Il était aussi président de l'association des gospels, chantait dans les chœurs de l'église deux fois chaque dimanche, et, surtout, le 31 juillet 1981, il accepta Jésus-Christ comme son Sauveur personnel, selon les préceptes de l'Église évangélique.

Il n'était plus tout à fait seul au monde. Liz Price, son ancienne voisine de Zebulon, la femme dont il avait été amoureux à seize ans, celle qui avait nourri et abreuvé ses animaux après son arrestation, lui écrivait depuis de nombreuses années. Sa remorque de maréchal-ferrant était toujours garée chez elle, dans un garage dont Pat avait perdu la clef depuis longtemps. Il ignorait si ses outils s'y trouvaient encore, mais Liz lui assura qu'elle n'avait touché à rien.

Tous deux avaient échangé des lettres hebdomadaires, amicales au début, quand il était encore marié avec Pat.

— C'est moi qui ai écrit le premier à Liz, se souviendrait-il. J'étais tellement déprimé ! J'ignorais tout de ce qui se passait à la maison et j'avais l'impression que tout le monde me tournait le dos ;

493

et elle m'a répondu et est même venue me voir une fois alors que j'étais encore à Jackson.

Liz avait quitté la Géorgie pour s'installer en Floride, où elle s'était juré d'oublier Tom. Car elle l'aimait depuis toujours, sans le lui avoir jamais dit, sans même vraiment se l'avouer. Elle voulait laisser derrière elle les tristes souvenirs des événements passés. Elle ne voulait pas qu'il sache ce qu'elle ressentait pour lui, du moins tant qu'il était marié. Si bien qu'il avait longtemps ignoré où elle se trouvait. Ses lettres lui manquaient. Elle était différente de toutes les femmes qu'il avait connues. Elle ne semblait rien attendre de lui, c'était juste une amie. Après son divorce d'avec Pat, au printemps 1979, ils reprirent contact. Liz était revenue dans le comté de Forsyth où elle occupait l'emploi de secrétaire au bureau du shérif. Peu à peu, leurs lettres avaient pris une tournure plus personnelle. Tom lui confia qu'il n'avait pas grand espoir de jamais sortir de prison. Il pensait y passer au moins quatorze ans, ce qui le mènerait quelque part en 1989.

Peu importait à Liz. Elle lui rendit visite régulièrement, sans jamais manquer un dimanche soir. Au bout d'un an, ils comprirent qu'ils voulaient se marier, mais la seule solution, tant qu'il serait en prison, restait le concubinage. (Par la suite, trop tard pour eux, les mariages en prison devaient être autorisés à Buford.) Ils présentèrent des papiers aux autorités de la prison pour faire officialiser leur union. Il leur fallut faire preuve de persévérance, mais ils finirent par en obtenir l'autorisation. Cependant, il n'y avait pas de visites conjugales à la maison correctionnelle de Buford.

Peu leur importait également. Ils eurent droit à une cérémonie officielle au centre à la fin de 1980 et se promirent de se marier dès la sortie de Tom.

Bien que toutes ses demandes de libération soient alors rejetées, il se jura de ne pas laisser ces années derrière les barreaux le détruire.

Le directeur de Buford lui fit prendre des cours par correspondance et Tom finit par obtenir un certificat de l'État de Géorgie, faisant de lui un spécialiste du traitement des eaux usées ainsi qu'un analyste de laboratoire; par la suite, il reçut ces mêmes titres pour la Caroline du Sud et finit par payer de ses deniers la franchise pour la Californie. Bientôt, il fut responsable de l'usine qui alimentait Buford; il fut le seul détenu travaillant au-dehors à pouvoir utiliser son permis de conduire. Désormais, il sortait souvent, faisait des trajets de plus de cent vingt kilomètres. Il rentrait toujours à l'heure, à la minute près.

Par la suite, il raconterait en souriant un incident dont il avait le souvenir.

— Une fois, on avait transporté tout un car de prisonniers chez le directeur pour l'aider à déménager... et il a reçu un appel d'urgence parce que sa femme venait d'avoir un accident. Il est parti en criant : « Tom, ramène tout le monde ! » Et me voilà qui rentre à la prison au volant du car avec ma cargaison de codétenus sains et saufs.

Comme personne ne lui envoyait le moindre sou pour s'acheter quoi que ce soit, par exemple, de la crème à raser ou du dentifrice, il travaillait le cuir et fabriquait des ceintures, des sacs et des portefeuilles qu'il faisait ensuite vendre. Il se débrouillait

495

si bien qu'il put aider Liz à plusieurs reprises. Après un certain temps, il eut même droit à sa propre « maison », en quelque sorte : l'aile de contrôle de l'usine de traitement. Avec l'air conditionné et l'eau chaude, une douche, un tapis et deux vieux fauteuils bien confortables, ainsi qu'une radio. Il y ajouta une plaque de cuisson et deux chatons pour lui tenir compagnie.

Ce n'était pas une vraie maison, il ne pouvait y passer la nuit ; mais elle lui appartenait de 6 h 45 du matin jusqu'au crépuscule, avec des coupures pour les repas en prison. On ne lui demandait pas de travailler si longtemps, mais il préférait se dépenser à l'extérieur que de traîner à l'intérieur. Parfois, en début de soirée, il se faisait cuire des légumes verts et les mangeait en écoutant la radio, ses deux chats endormis sur ses genoux. Depuis longtemps il avait appris à goûter les petits plaisirs de la vie. Il aurait pu s'évader sans difficulté, jamais il ne le tenta, il n'y pensait même pas. Il recevait les visites de Liz le dimanche soir et attendait le jour où il serait libéré sur parole.

En outre, Tom labourait, plantait, semait et récoltait lui-même sur le petit terrain qu'on lui avait confié. Il payait de sa poche les graines qu'il choisissait. Les légumes qu'il obtenait ainsi, il les offrait au directeur, aux gardiens, aux professeurs, aux secrétaires et, bien sûr, à Liz. Il cultivait des pastèques, du maïs, des haricots, des pois, des tomates, des pommes de terre et des patates douces en été, des navets, des graines de moutarde, des choux et des rutabagas en hiver. Il avait même un muscadier.

En août 1987, il entamait sa dixième année à Buford. La quarantaine avancée, il commençait à compter fermement sur une libération proche. Trois emplois l'attendaient au-dehors : ses compétences en matière de traitement des eaux étaient très recherchées. Une fois encore il fut déçu; le 6 novembre 1987, il se vit brusquement transféré au centre pénitentiaire de Jackson. On avait besoin de lui pour y organiser l'évacuation des eaux usées; l'usine devait ouvrir le 1er décembre et serait cinq fois plus grande que celle de Buford.

C'était un énorme bâtiment situé au bout du terrain, sans aucune clôture qui le séparât du monde extérieur. Tom entendait la circulation sur le pont de la Towaliga et le rugissement des voitures sur l'autoroute. Il se sentait très seul, malgré son régime de faveur. Liz se trouvait désormais à plus de cent cinquante kilomètres et les visites devenaient une véritable expédition pour elle.

En un sens, c'était presque drôle. Alors qu'il avait tant travaillé pour réussir dans la vie après sa libération, ses résultats faisaient de lui un spécialiste trop estimé par le monde carcéral de Géorgie pour qu'on le laisse partir facilement.

SEPTIÈME PARTIE

Susan

42

Pat Allanson purgea sept ans de prison. Lorsque Tom fut transféré à Jackson, en 1987, elle en était sortie depuis trois ans. Tous deux n'avaient plus eu un seul contact depuis longtemps. Elle lui avait tant et tant répété ne pouvoir vivre sans lui, que son ancien monde avait disparu quand ils s'étaient rencontrés... Il l'avait tellement suppliée de s'accrocher, qu'une nouvelle existence les attendait au bout de la route...

Pour toute réponse, elle l'avait juste prié de sacrifier sa vie pour elle... si toutefois il l'aimait assez. S'il avait cédé à cette demande, il serait mort depuis longtemps, suicidé à trente-trois ans.

Malgré ses prédictions pessimistes sur sa mauvaise santé, non seulement Pat s'en était très bien sortie sans Tom, mais elle semblait prospérer. En quittant Hardwick en 1984, elle avait fait un séjour à New Horizons, un centre de réinsertion pour les femmes en conditionnelle à Atlanta, afin de se préparer à réintégrer la société qu'elle avait quittée à l'été 1977. Lors de son entrée en prison, les fans d'Elvis Presley prenaient le deuil; le monde dans lequel elle allait revenir avait fait de Boy George une star. Minijupes et cheveux gonflés n'étaient plus à la mode, les astronautes exploraient l'espace, Ronald Reagan était président.

L'univers romantique qui avait tant fait rêver Pat s'éloignait plus que jamais. Mais elle était libre, ou presque, et sa famille ravie de son retour sur Atlanta. Elle pouvait déjà passer les week-ends à la maison, et bientôt elle y reviendrait vraiment, avec Boppo et Papy. Tous croyaient qu'elle allait repartir du bon pied ; elle n'était plus dépendante des médicaments et encore assez jeune pour profiter de la vie. Elle était toujours jolie, quoique d'une beauté plus mature, mais, de toute façon, paraissait beaucoup plus jeune que son âge.

À New Horizons, elle prit l'habitude d'appeler sa mère et ses filles avant 7 heures du matin. Si elles ronchonnaient un peu d'être réveillées, elles se reprenaient aussitôt. C'était tellement important pour Pat d'entretenir un contact quotidien avec elles, un tel luxe de pouvoir leur téléphoner quand elle voulait ! Susan fut la plus attentive à l'aider dans sa réadaptation au monde. Elle avait presque l'air de la considérer comme une enfant.

— J'allais chercher maman au centre pour l'emmener au *Varsity*, le restaurant préféré des amateurs de hot-dogs. Quand elle venait dîner à la maison, elle aimait que je lui prépare du poulet pané mayonnaise, mais ça ne l'empêchait pas de vouloir s'arrêter d'abord au *Varsity* !

Si Susan et Bill vivaient à Atlanta en 1984, Bill allait être de nouveau muté, cette fois à Marion, dans l'Indiana. Aussi Susan profitait-elle du temps qui lui restait à Atlanta pour rendre visite à sa mère aussi souvent que possible.

Comme toujours, celle-ci était furieuse après son gendre d'avoir accepté cette mutation.

— Comment peut-il me faire ça ? geignait-elle.

Toutefois, elle avait commis une erreur en plaçant Bill dans la catégorie des hommes qu'elle pouvait manipuler. Elle aimait sa force et pensait l'utiliser comme elle s'était appuyée sur Gil, Tom et Papy. Combien de fois, dans les moments difficiles, ne s'était-elle pas écriée :

— Je veux mon Bill !

Mais ce qu'elle prenait pour de la faiblesse était de la gentillesse et elle ne comprit jamais qu'on pouvait le pousser seulement jusqu'à un certain point. Après, il devenait intraitable.

— Je rentre à peine, gémissait-elle auprès de Susan, et il me prive de la présence de ma fille et de mes petits-enfants.

Susan tenta de lui expliquer que c'était le travail de Bill qui l'appelait. Elle n'ajouta cependant pas qu'il préférait mettre le maximum de kilomètres entre sa belle-mère et lui.

Malgré son appétit d'ogresse, Pat avait perdu beaucoup de poids depuis sa libération de Hardwick. Susan l'emmena dans un centre commercial s'acheter des vêtements et elle se montra ravie.

— C'était la dernière fois que je la voyais avant notre déménagement, se souviendrait Susan. Je l'ai ensuite déposée à l'arrêt d'autobus pour qu'elle retourne travailler et on s'est séparées en larmes. Elle paraissait complètement perdue. Je m'en voulais beaucoup de la quitter ainsi.

Avec ses raisonnements souvent inexplicables, l'administration des mises en liberté conditionnelle n'avait rien trouvé de mieux que d'assigner Pat à l'assistance des personnes âgées, à la maison de repos Fountainview d'Atlanta. Apparemment, personne n'avait vérifié dans son dossier criminel la cause de ses sept années de détention. Elle se retrouvait donc au chevet de retraités fortunés en convalescence dans un établissement de luxe. Elle les aidait à prendre leur bain, à manger, et supervisait leurs prises de médicaments. À l'occasion, il lui arrivait même de faire des injections d'insuline aux patients diabétiques. Ses patients ne tarissaient pas d'éloges sur son compte et la considéraient parfois comme un membre de leur famille. Elle semblait n'avoir plus de vie sentimentale, quoiqu'elle eût fini par avouer à Susan avoir éprouvé une tendre attirance pour un pasteur épiscopal de New Horizons.

— C'est peut-être le seul homme que j'aurais pu vraiment aimer. Mais il n'était pas libre.

En novembre 1984, quand elle fut libérée du centre et officiellement en conditionnelle, elle avait quarante-sept ans, et « tiré le maximum ». Selon les lois sur les remises de peine en Géorgie, elle avait été incarcérée autant d'années que le stipulait la justice. Il lui faudrait maintenant passer chez un contrôleur judiciaire à Jonesboro, non loin de chez Boppo et Papy, chez qui elle allait devoir vivre. Cependant, Pat dit à sa mère qu'elle n'avait aucune envie de rester dans cette banlieue.

— Il y a trop de nègres, lâcha-t-elle carrément. Pas question que j'habite là.

Alors ils déménagèrent pour une petite maison de brique rouge dans le hameau de McDonough.

À l'étage, il y avait une chambre avec une salle de bains séparée qui reviendrait à Pat. Elle était enfin chez elle.

Elle n'en gardait pas moins son emploi à Fountainview et s'arrangea pour que sa fille Deborah y travaille elle aussi, durant les horaires qui précédaient ou suivaient les siens. La jeune femme n'avait pas encore trente ans, et sa fille, Dawn, presque quatorze. Avec sa vie conjugale mouvementée, Deborah aimait rendre visite à Susan et Bill dans les belles maisons qu'ils occupaient loin d'Atlanta, et Susan écoutait avec sympathie les tristes litanies de sa petite sœur. Leur mère lui avait beaucoup manqué pendant son incarcération à Hardwick, aussi était-elle contente de pouvoir travailler avec elle. Ni Pat ni Deborah n'avaient fait d'études d'infirmière. Elles apprenaient sur le tas.

Presque dès le début, le retour de Pat dans sa famille souleva de nouvelles difficultés. Sans doute inévitables. La famille avait tellement espéré son retour que nul n'avait prévu le tour que prendrait leur réunion. Elle se remit à piquer ses crises de colère pour obtenir ce qu'elle voulait.

— Je croyais que Pat serait contente de revenir, pleurait Boppo sur l'épaule de Susan. Elle ne sera jamais heureuse. J'ai fait tout ce que j'ai pu pour elle. Si je pouvais en faire davantage, je le ferais. Maintenant, je veux juste vivre en paix !

D'abord, il y avait Ashlynne, la fille de Ronnie. En prison, Pat avait été contrariée d'apprendre que la plus jeune de ses petites-filles vivait le plus souvent chez Boppo et Papy. Quand elle rentra, il lui fallut partager sa mère avec cette enfant de deux ans, qu'il n'était pas question de renvoyer chez sa propre mère. Ashlynne était dans un état affreux lorsque Boppo l'avait recueillie, ni lavée ni changée depuis des jours, les cheveux pleins de poux. Ronnie habitait non loin de là, mais il s'était marié trois ou quatre fois, personne ne savait plus trop, et menait une vie tellement instable qu'il n'aurait su s'occuper de sa fille. Ashlynne avait besoin de Boppo et, comme celle-ci aimait à le répéter : « Comment peut-on ne pas aimer un enfant ? »

Ashlynne mouillait encore ses draps. Quand cela lui arrivait, Pat lui enlevait un de ses jouets qu'elle cachait dans un placard... jusqu'à ce qu'Ashlynne n'en ait plus. Pat lui achetait des vêtements d'occasion : cela n'avait rien de condamnable en soi, excepté qu'elle choisissait toujours les plus laids, les plus tristes. Habillée par sa grand-mère, la fillette avait l'air d'une réfugiée. Dès que Pat avait le dos tourné, Boppo jetait ces tristes robes à la poubelle. Pat revenait sans arrêt à la charge : l'enfant devait aller vivre chez son père, car elle faisait perdre son temps à Boppo. À croire que tous les bébés de la famille représentaient une menace pour Pat, comme si elle craignait de ne plus être aimée s'il y en avait trop.

Elle commença aussi à harceler sa mère sur son passé. Elle voulait savoir d'où elle venait au juste, qui elle était vraiment. Boppo fondait chaque fois en larmes.

— Pourquoi remuer le passé, Pat ? Je t'ai déjà dit tout ce que je savais.

Et la vieille dame de se plaindre à Susan ou à Deborah.

— Votre mère appelle toutes ses tantes pour leur poser des questions sur son vrai père. Elle dit maintenant que je ne suis pas sa vraie mère et que Kent n'était pas son frère. Je n'ai jamais cessé de l'aimer. Je ne sais plus quoi faire. Quand sera-t-elle heureuse?

Susan s'efforçait de réconforter sa grand-mère, mais rien ne pouvait apaiser son désespoir.

— Ta Boppo est très fatiguée, Susan, disait-elle doucement. Mon corps est épuisé, je n'en peux plus. Quand je me regarde dans la glace, je n'en reviens pas d'avoir tant de rides et les cheveux si blancs. Au moins je suis sûre d'une chose : nous avons subi bien des malheurs avec ton grand-père, mais nous nous aimons toujours autant.

Boppo et Papy se faisaient vieux, mais, depuis le retour de Pat, ils pouvaient dire adieu à leur tranquillité.

Pat et Deborah se rapprochaient de plus en plus. Avec Susan et Bill qui « n'arrêtaient pas de déménager bêtement à travers le pays », Pat ne pouvait plus compter que sur sa cadette. Gary Cole, l'époux souffre-douleur, rentra un soir pour découvrir que sa femme, sa fille et tous ses meubles avaient disparu. Pat avait aidé Deborah à déménager dans un appartement en l'encourageant à emporter tout ce dont elle aurait besoin.

À Thanksgiving, en 1984, Boppo, Papy et Pat se rendirent à Marion, dans l'Indiana, pour passer ce jour de fête avec Bill et Susan. Celle-ci se montra enchantée que tout ait l'air de bien se passer. Pourtant, quelques semaines plus tard, Pat y retourna seule, en voiture. Quelque part dans le Kentucky, elle eut une de ses crises subites et, après quelques heures d'anxiété, Susan apprit qu'elle avait été hospitalisée. Le lendemain, Pat arrivait chez les Alford comme si de rien n'était. Susan en éprouva des sueurs froides qu'elle ne connaissait que trop.

Pat semblait faire une fixation sur les objets que Boppo avait donnés à Susan ces dernières années. Elle voulait les récupérer et promit de les remplacer par des objets neufs qui n'auraient pas une telle valeur sentimentale. Néanmoins, son séjour se passa bien et Susan se réjouit d'avoir sa mère auprès d'elle. Après tout, la situation n'était peut-être pas aussi inquiétante qu'elle l'avait cru.

En mars 1985, Pat revint, pour un plus long séjour. Les amies de Susan la trouvèrent charmante.

— Maman les avait conquises, mais, dès qu'on se retrouva seules, elle me dit qu'elle détestait ces gens-là qui me prenaient tout mon temps. Elle voulait que je reste à la maison avec elle.

Pat insista encore pour inspecter les placards de sa fille, ses tiroirs, ses soupentes, allant jusque dans le bureau de Bill, à la recherche d'autres cadeaux de Boppo.

— Je mets de l'ordre, assura-t-elle quand Susan lui demanda ce qu'elle faisait. Tu n'as pas besoin de ce candélabre, ni de ce service en argent. Maintenant que je suis revenue, tu peux les rendre à Boppo.

Susan la laissa prendre ce qu'elle voulait, et Pat remplaça quelques-uns des objets qu'elle avait emportés, mais par d'autres qui provenaient de bazars bon marché et valaient beaucoup moins cher. Par la suite, lorsque Susan et Bill déménagèrent de nouveau, cette fois pour aller à Florence, en Alabama, la jeune femme se rendit compte qu'il lui manquait beaucoup d'objets ; un jour de visite à McDonough, elle les retrouva presque tous dans la chambre de sa mère. Si elle en fut déconcertée, elle ne s'irrita pas vraiment. Après tout, cela restait dans la famille.

Pat et Deborah étendirent leurs activités pour se spécialiser dans les soins aux personnes âgées à domicile. Susan était très contente que sa mère travaille et aime son nouveau métier. Elle était tellement difficile ! Malheureusement, sa clientèle était, par définition, volatile. Ainsi, Pat et Deborah s'occupèrent toutes les deux de Mme Mansfield, une vieille dame qui vivait dans un luxueux appartement, au cœur d'une résidence de retraite dans les beaux quartiers d'Atlanta. Deborah était auprès d'elle lorsque sa patiente mourut et elle pleura toutes les larmes de son corps. Pat prit les choses avec plus de philosophie.

— Deborah aimait beaucoup Mme Mansfield, se souviendrait Susan. Quelque part, elle avait du cœur.

La carrière de Bill Alford prenait de l'essor, et il n'était jamais si content que lorsqu'il s'éloignait davantage d'Atlanta et des orages de la famille Siler-Taylor-Radcliffe.

Pat leur rendit souvent visite en Alabama, cet été 1985. Ils habitaient une superbe demeure que Susan avait su décorer avec goût. Pat aimait à y séjourner, à jouer avec Sean et Courtney, pendant que sa fille la servait, à se prélasser au bord de la piscine, même si elle ne se mettait jamais en maillot de bain malgré sa récente perte de poids. Il lui arrivait parfois de sauter dans l'eau avec son short et son chemisier.

Ce fut à Florence, au printemps suivant, que Susan s'aperçut qu'elle était enceinte pour la troisième fois. Elle avait trente-trois ans et le couple ne voulait pas d'autre enfant ; pourtant ils en furent tous deux contents. Pas sa mère.

— Tu es trop vieille pour avoir encore un bébé. Tu ferais mieux de t'en débarrasser.

— Maman !

— Ça va t'affaiblir, je te le dis. C'est ta santé qui va en pâtir. Et Sean et Courtney ? Si tu meurs, ils n'auront plus de mère. Tu n'as pas le droit de leur faire ça.

Et puis, insista Pat, elle ne tenait pas à avoir un petit-fils de plus alors qu'elle passait son temps à coudre et à broder pour les quatre autres. Elle n'aurait pas le temps de s'occuper d'un cinquième. Susan trouva l'argument lamentable ; elle oubliait simplement qu'à son âge Pat était déjà grand-mère... même si cette dernière avait toujours refusé de se laisser appeler ainsi. C'était tout juste si elle répondait lorsqu'on criait : « Mamie Pat ! »

Malgré les sombres avertissements de sa mère, Susan mit au monde son deuxième fils, Adam, le 5 janvier 1987. À cause de complications qui n'avaient rien à voir avec son « âge avancé », elle fut accouchée par césarienne. À sa demande, Pat avait été écartée de la salle de travail, mais elle put entrer dans la salle de réveil parce qu'elle avait dit aux médecins qu'elle était infirmière diplômée.

Susan ne voulait pas l'y voir non plus.

— Je ne saurais dire pourquoi, peut-être parce qu'elle avait voulu me faire avorter, mais c'était comme à l'époque où j'étais petite, aux Philippines, et où je m'étais écrasé la main. Je ne voulais plus voir ma mère. J'ai juste tourné la tête vers le mur. L'obstétricien et le pédiatre étaient des amis personnels de Bill, mais aussi les miens. Ils ont dit à maman que c'était moi l'accouchée et qu'ils avaient pour politique de passer tous leurs caprices aux jeunes mères.

Peut-être Pat s'était-elle vraiment fait du souci pour la santé de Susan. Ensuite, elle se montra tellement aux petits soins pour Adam que personne n'aurait pu imaginer combien elle avait lutté pour convaincre Susan d'avorter. Dès qu'elle se penchait sur ce bébé, elle roucoulait comme si elle n'avait pas d'autres petits-enfants.

Elle était entre deux contrats après la naissance d'Adam; aussi passa-t-elle beaucoup de temps à Florence, effectuant seule les cinq heures de route qui séparaient l'Alabama de la Géorgie. Elle semblait complètement subjuguée par son nouveau petit-fils, un gros bébé costaud que Susan revêtait des dentelles à l'ancienne et des bonnets fabriqués par sa mère, le temps d'une photo – pour avoir la paix. Mais Sean ne savait pas vivre; dès que le cliché était pris, il se précipitait pour remettre une casquette de base-ball et un tee-shirt à son petit frère.

En juin 1987, Susan emmena ses enfants rendre visite à Boppo, à Papy et à sa mère. Elle comptait n'y rester qu'une semaine, mais elle tomba malade.

— C'était une maladie bizarre, je n'avais jamais eu ça, raconterait-elle plus tard. Je comptais rentrer à la maison en juillet, mais j'ai dû rester quelques jours de plus parce que quelque chose n'allait pas. Bill n'arrêtait pas de téléphoner en nous priant de revenir et je lui disais : « Je ne peux pas conduire. Mes pieds ne fonctionnent pas bien. » À vrai dire, ils me faisaient terriblement souffrir, j'avais du mal à appuyer sur les pédales d'accélérateur et de frein. Un matin, j'ai décidé d'essayer quand même. Je devais retourner à la maison. Sean apprenait en conduite assistée et je pensais que je pourrais prendre l'autoroute en mode limiteur de vitesse. Mais ma mère ne voulait rien entendre. Elle me disait : « Ne fais pas ça, tu es faible, tu es malade. » Quand elle m'a vue monter dans la voiture, elle s'est écriée : « C'est ça ! Tu veux te tuer, vas-y ! » Elle disait toujours ça. Elle l'avait déjà dit quand j'ai voulu garder Adam.

Susan remmena donc ses enfants vers l'Alabama et tout se passa bien jusqu'à l'autoroute. La vitesse était limitée à cent kilomètres/heure, mais elle eut du mal à dépasser le soixante ; son pied ne pouvait trop appuyer sur l'accélérateur. À la fin, elle devait régulièrement pousser avec la main pour l'actionner.

— J'ai cru que je n'y arriverais jamais.

Ses mains la faisaient souffrir aussi. Peu après son retour à la maison, elle devait presser ses paumes l'une contre l'autre, se frotter les jambes, se masser les pieds pour soulager un peu la douleur. Sa peau virait au gris et ses yeux avaient perdu tout leur éclat. Elle ne cessait de répéter à Bill :

— Je ne supporte plus mes pieds. Ils me font trop mal. J'arrive à peine à marcher.

Son médecin essayait antibiotique après antibiotique, mais rien n'y faisait. Il finit par penser qu'elle prenait trop de médicaments.

— Je vais complètement supprimer les antibiotiques. Vous n'avez qu'une mauvaise grippe.

— Mais moi, se souviendrait Susan, je n'avais plus aucune énergie. C'était tout juste si je pouvais me traîner jusqu'à son cabinet. Bill s'inquiétait pour moi, pour les enfants. Et puis, petit à petit, je me suis sentie mieux.

Il lui fallut près de six semaines pour se remettre sur pied.

Adam aussi inquiétait les Alford. À quinze jours, il avait eu un saignement inexpliqué des intestins. Inquiets, les médecins essayèrent tous les traitements possibles pour un nourrisson et finirent par trouver un lait maternisé qui semblait lui convenir. Cependant, il ne put absorber de nourriture solide avant l'âge d'un an. Comme Deborah avait eu un peu les mêmes symptômes tout enfant, les médecins conseillèrent à Susan et à Bill de vérifier s'il ne s'agissait pas d'une faiblesse congénitale.

— En 1987, j'avais deux projets. D'abord remonter la vie de tous nos ancêtres pour voir s'ils n'avaient pas eu de maladie semblable à celle d'Adam; ensuite, écrire un livre sur ma mère et toute la famille. Maman en avait tellement vu et, après ces années en prison, elle avait pourtant trouvé un bon emploi, elle aidait les gens et faisait même la classe aux détenus dans les centres pénitentiaires. Nous aussi avions souffert, ces années difficiles nous avaient tous épuisés. J'avais envie que cette histoire se termine bien, pour montrer qu'on pouvait surmonter la maladie mentale et la toxicomanie. Ma famille n'était pas parfaite, personne ne l'est, et Dieu sait que nous avions certainement nos excentricités, mais je trouvais que nous nous en tirions très bien. Je refoulais mes peurs; je ne tenais pas encore compte des avertissements. J'avais tellement envie que tout se termine bien pour nous...

43

Pat Taylor eut un passage à vide en 1987. Après la mort de Mme Mansfield, elle ne trouvait plus de garde à faire. Si elle le voulait, Deborah pouvait toujours travailler comme réceptionniste dans un cabinet médical; elle était jeune et jolie, avec une silhouette superbe. Ce n'était pas aussi facile pour Pat. D'abord parce qu'elle avait arrêté ses études en seconde, ensuite parce qu'elle avait cinquante ans. Elle avait pris tellement de poids qu'elle paraissait désormais plus que son âge. Du jour au lendemain, ou presque, la jeune femme mince et presque éthérée avait fait place à une solide matrone. Elle aimait toujours les jolis déguisements pleins de dentelle et de broderies et gardait sa magnifique robe de mariée modèle années 1880 sur un mannequin, dans sa chambre, tel un fantôme parqué dans un coin sombre. La robe était en taille 38, Pat faisait du 52. Si elle rêvait d'aventure et d'amour, elle n'en parlait plus.

Il fut un temps où, alors qu'elle vivait avec ses enfants chez Boppo et Papy, elle avait accusé ces derniers de lâcher avec un élastique l'argent qu'ils dépensaient pour eux.

— Si on vous coûte trop cher, pleurait-elle, je peux toujours aller vendre des gaufres!

Ce n'était qu'une menace en l'air. À l'époque. À ses yeux, il ne pouvait rien arriver de pire à une femme de sa qualité. Vingt ans plus tard, en 1987, elle était obligée de prendre un emploi d'assistante du gérant d'un Pizza Hut sur TI-75, à Stocknridge. Elle dit à ses enfants qu'elle gagnerait près de vingt mille dollars par an, participation aux bénéfices incluse.

Elle détestait cela. C'était encore pire que les gaufres. Les seaux de pâte à pizza pesaient des tonnes et lui faisaient mal au dos. L'odeur de sauce tomate et d'origan s'accrochait à ses cheveux et s'infiltrait dans sa peau. Et puis elle ne s'entendait pas avec ses collègues, tous plus jeunes qu'elle.

La vie lui semblait injuste. Susan avait une belle maison et un bon mari. Deborah était bronzée, libre et séduisante comme elle-même l'avait été. Quant à Boppo, elle avait un époux qui l'aimait à la folie. Mais Pat?

Pat n'avait rien du tout : ni amour, ni avenir, ni argent, et elle avait perdu la seule maison qu'elle ait jamais désirée. Depuis peu, elle se passionnait pour les poupées romantiques et voulait en faire la collection. Et puis elle voulait son manège de chevaux de bois ancien. Elle voulait être une vraie dame du Sud. Elle voulait tant de choses. Il allait bien falloir trouver un moyen de se les offrir.

44

— Pat ne voulait pas aller travailler chez les Crist, voyez-vous, raconterait Maggy Radcliffe. Je crois que c'est leur fils qui lui a téléphoné, parce qu'elle avait de magnifiques références après ses gardes auprès des personnes âgées; il l'a suppliée de s'occuper de ses parents. Une vieille famille très très riche.

Pat démissionna du Pizza Hut, trop heureuse de se débarrasser des odeurs de tomate et d'origan (quoi qu'ait dit sa mère par la suite) pour aller travailler chez Elizabeth et James Crist.

Les Crist habitaient depuis des lustres ce manoir situé sur un immense terrain en plein Atlanta. De longues années auparavant, Pat Taylor avait cité ce genre de propriété comme modèle de ce dont elle rêvait, mais tous ses efforts pour réaliser ce rêve avaient tourné court. Et voilà qu'elle allait entrer dans cette haute bâtisse de trois étages, au sommet d'une colline de gazon vert, avec ses hauts plafonds, ses ailes latérales, ses lucarnes et ses larges baies. Mais pas dans le quartier des domestiques. Outre un garage assez large pour contenir quatre voitures, les infrastructures offraient un étang, une piscine, un coin barbecue et toutes les installations possibles pour une vie agréable. Une allée circulaire serpentait entre de hauts pins, des chênes, des buissons de houx et d'énormes rhododendrons qui entouraient la large pelouse. À l'arrière, la vue donnait sur des bois privés.

Au printemps 1987, les Crist se rendirent compte qu'ils avaient besoin d'une garde-malade à domicile. James Crist était atteint de la maladie de Parkinson et sa femme, Elizabeth, appela une de ses amies qui travaillait au *Peachtree Plaza* en lui demandant si elle connaissait quelqu'un.

— Oui, répondit l'amie. Il y a une femme, elle s'appelle Patricia Taylor, il paraît qu'elle est extraordinaire.

Aussitôt, Elizabeth Crist l'appela et lui donna rendez-vous pour un entretien. La grosse dame semblait compétente et intelligente. Elle avait l'air bien élevée et à peine impressionnée par le luxe entourant leur demeure. Pat Taylor fut engagée. Elle allait recevoir un salaire de dix dollars de l'heure et serait nourrie. Elle commença le 1er mai 1987, et Deborah la rejoignit bientôt pour les gardes de nuit.

Les Crist avaient deux fils et une fille qui virent tous trois en Pat Taylor la solution aux ennuis de santé de leur père ; ainsi, celui-ci pourrait rester à la maison au lieu de partir en maison de repos.

À soixante-seize ans, Elizabeth Crist était une femme aimable, alerte et intelligente. Elle n'avait pas besoin de soins pour elle-même mais souffrait d'un genou rétif et avait naguère souffert d'une hernie discale qui l'empêchait de soulever son époux. Ils étaient mariés depuis longtemps et s'aimaient tendrement. La présence de Pat allait lui permettre de tenir compagnie à James le temps qu'il lui restait à vivre.

Susan et Bill Alford habitaient toujours à Florence, en Alabama; ils poussèrent un soupir de soulagement en apprenant que les choses semblaient s'apaiser en Géorgie. Au point que la jeune femme fut à peine alertée en recevant un appel téléphonique de Boppo.

— Susan, sais-tu combien gagne ta mère dans son travail?

— Non, elle ne me l'a jamais dit.

— Parce que Deborah assure qu'elle se fait beaucoup d'argent, au moins autant que Bill.

— Oh, ça m'étonnerait! Tu sais comme maman exagère souvent, et Deborah aussi. Mais je suis contente qu'elles aient toutes les deux un emploi qui leur plaise et qu'elles puissent s'y retrouver.

Pat semblait gagner un peu plus d'argent qu'auparavant. Pour la réunion de la famille Siler, cette année-là, à White Lake, en Caroline du Nord, elle annonça fièrement que c'était elle qui s'occupait de sa mère et de son père « dans leurs vieux jours. J'ai un grand vase en verre que je remplis de billets. Maman peut y puiser quand elle veut et prendre des poignées d'argent ».

C'était très exagéré. Malgré la fortune qu'ils avaient perdue en frais de justice pour sa mère, Boppo et Papy l'entretenaient encore. L'argent qu'elle gagnait, elle le dépensait surtout pour elle-même. Il y avait bien un vase de billets, mais Boppo n'y puisait que pour lui faire plaisir. Cependant, Susan préféra ne pas semer la zizanie parmi les tantes et les cousins béats d'admiration. D'autant que Pat avait pour une fois distribué bijoux fantaisie et vieux livres, le genre de cadeau qu'elle aimait. Elle donnait à ses petits-enfants de drôles de jouets démodés qu'ils jetaient vite pour reprendre leurs figurines de plastique achetées chez Toys « R » Us.

Quant à elle, elle se lançait dans une nouvelle collection ; après les cartes romantiques et les poupées, elle s'intéressait aux épingles à chapeau. Elle disait que la défunte Mme Mansfield leur avait donné, à Deborah et à elle, beaucoup d'objets que toutes deux admiraient.

Durant l'automne et l'hiver 1987, Pat resta de plus en plus tard chez les Crist. Elle expliqua que la santé d'Elizabeth Crist avait commencé à se détériorer et que cela lui donnait beaucoup plus de travail. Cet emploi semblait tout d'un coup moins confortable ; Pat et Deborah se plaignaient toutes deux de l'avarice du vieux couple qui préférait par exemple tapisser les poubelles de papier journal au lieu de mettre des sacs en plastique prévus à cet effet. Elles n'avaient pas non plus d'endroit où dormir, à part un minuscule canapé. Cependant, elles ne démissionnèrent pas. Jamais Pat n'avait gardé si longtemps un emploi.

Il prit fin à la mi-juin 1988. Pat expliqua à sa famille que c'était dommage, mais il s'était produit un incident avec l'assurance médicale des Crist.

— Leur compagnie refuse de payer plus longtemps des gardes-malades. Alors les Crist ne peuvent pas nous garder.

Le colonel Radcliffe fêta ses soixante-quinze ans en juillet. Toute la famille se réunit au restaurant, et Pat lui fit une magnifique surprise pour laquelle elle avait longtemps économisé : un lapis-lazuli serti dans un anneau d'or de dix-huit carats. Il fut très content et brandit sa main droite devant le Caméscope de Susan. Il ne faisait pas son âge, tout au plus la soixantaine, sur la photo de famille qu'ils prirent ce soir-là, après avoir porté des toasts. Ce fut un joyeux moment.

Sans autre projet de garde en perspective, Pat lança sa propre entreprise dans la maison de ses parents à McDonough. Elle l'appela Patty's Play Pals et se fit fabriquer des cartes de visite. Elle restaurait des poupées anciennes et leur fabriquait des vêtements. Boppo et Papy lui laissèrent la salle de jeux pour qu'elle puisse y entreposer ses « pensionnaires ».

Pat cousait jusque tard dans la nuit, à la lumière d'une seule lampe, et le résultat était assez ravissant. Entre ses mains habiles, les poupées reprenaient vie; à l'évidence, cette occupation lui plaisait beaucoup.

Les week-ends, elle les emballait soigneusement et les emportait dans des salons, des marchés aux puces ou des foires du troc.

— Je n'aimais pas ça, se souviendrait Susan. Voir ma mère, à son âge, faire les marchés avec ses poupées. Ça me semblait tellement humiliant pour elle, presque pire que quand elle travaillait dans son restaurant de pizzas. Elle s'installait dehors et vendait ses poupées devant le coffre ouvert de sa voiture.

S'il ne restait aucun homme dans la vie de Pat, elle se fit une excellente amie d'un professeur, miss Loretta, qui collectionnait elle aussi les poupées anciennes. Elles avaient beaucoup en commun, enveloppées toutes les deux, du même âge, solitaires, avec des rêves jamais réalisés. Miss Loretta ne s'était jamais mariée.

Pat se montra vite aussi possessive avec elle qu'avec Hap Brown ou Tom Allanson, et comme elle l'était toujours avec sa mère. Elle n'avait jamais été capable de lâcher un peu la bride aux personnes qui tenaient une grande place dans sa vie. De même pour miss Loretta : Pat s'accrochait. Elle ne supportait pas que « ses » gens aient une vie en dehors d'elle ; elle devait tout savoir de leurs activités.

Si Pat vendit plusieurs centaines de dollars quelques-unes de ses délicieuses poupées, parfois même des milliers, son entreprise ne constituait pas une source de revenus réguliers. Il lui fallait prendre un autre emploi. Elle se présenta au Golden Memories, la boutique d'un prêteur sur gages qui vendait des bijoux anciens mais aussi toutes les babioles qu'on pouvait déposer pour récolter quelques billets. Au moins, cela se rapprochait davantage de ses centres d'intérêt que la pizza. Or, le restaurant en question se trouvait de l'autre côté de la rue et elle frémissait encore à l'idée qu'elle avait pu y travailler. Elle se faisait 45 dollars par jour chez Golden Memories. À la fin de chaque journée, elle ouvrait la caisse en appuyant sur la touche « Pas de vente » et se payait en espèces. Elle était devenue si grosse qu'il lui était difficile de rester debout toute la journée. Alors elle s'acheta une chaise pliante pour s'y reposer entre deux clients.

Si Tom Allanson était entré au Golden Memories, il n'aurait sans doute pas reconnu son ex-épouse. La fragile Belle du Sud était morte, étouffée sous des plis de chair graisseuse. Même sa voix douce qui avait su lui arracher des larmes avait changé. Désormais, Pat parlait d'un ton impérieux, ou soupirait d'un air fatigué, le timbre dur et sec.

Mais, après quatorze ans, Tom était toujours en prison. Et marié, du moins en concubinage, avec une autre femme. Curieusement, il ne gardait pas de rancœur envers Pat. Ce n'était pas son genre. En fait, la vérité l'aurait heurtée beaucoup plus gravement, si elle l'avait apprise : Tom ne pensait plus jamais à Pat.

45

Un jour, dans un élan de sincérité, Maggy Radcliffe avait avoué à Susan sa pire crainte.

— Je fais des cauchemars où je suis accusée à tort de crime et envoyée en prison. C'est vraiment ce qui me fait le plus peur.

Cela n'étonna guère Susan. Parfois, elle avait l'impression que sa mère et sa grand-mère partageaient le même cerveau. Si Boppo était incapable d'oublier le moindre accroc avec l'une ou l'autre de ses sœurs, elle avait toujours tout pardonné à sa fille et quasiment absorbé ses chagrins. Alors, bien sûr, Boppo redoutait ce qui était arrivé de pire à Pat. Elle s'était elle-même sentie en prison tout le temps que Pat y avait été.

Susan ne confia pas sa pire crainte à Boppo. Elle n'osait pas, de peur de la scandaliser.

— Ce n'était pas une peur rationnelle, admettrait-elle. Du moins, à l'époque, je ne le pensais pas. J'avais peur que Bill ne meure et que ma mère ne vienne s'installer chez moi, dans ma vie. Je l'imaginais très bien fermant toutes les portes pour empêcher quiconque de venir me voir et m'empêcher de sortir. C'était une impression suffocante.

Bill Alford fut de nouveau muté : cette fois, la famille revint sur Atlanta. Les Alford s'y achetèrent une belle maison dans le quartier du Brookstone Country Club. Sean allait au lycée. Il était devenu un grand garçon très beau qui jouait souvent au golf avec son père. Courtney y jouait aussi, seule fille dans sa catégorie, et prenait des leçons de danse. Adam était un adorable bambin aux yeux bleus.

Pat était toujours employée au Golden Memories et continuait de vendre ses poupées, cousant tard dans la nuit. Elle passait souvent chez Susan et se plaignait d'être obligée de travailler sans cesse.

— J'aurais voulu avoir du temps à consacrer à mes petits-enfants, soupirait-elle. J'en ai assez de travailler. C'est trop dur.

Enfermée en prison, elle avait manqué les jeunes années de ses petits-enfants, mais semblait les adorer, à une exception près. Elle n'avait toujours aucune affinité avec la fille de Ronnie, Ashlynne, et grognait que cette gamine n'avait rien à faire chez Boppo et Papy. Mais sa mère ne l'écoutait pas. Ashlynne resterait chez eux, point. Il avait fallu cette enfant pour que Boppo tienne un jour tête à sa fille.

— Je crois qu'elle aimait Ashlynne comme elle avait aimé maman, dirait Susan par la suite. Et ma mère le savait très bien.

Quand Adam se fit opérer des amygdales, en novembre 1988, sa mamie Pat l'accompagnait, pour lui tenir la main et lui promettre de la glace. Elle restait près de son lit à l'hôpital chaque fois que Susan devait s'en éloigner. Et la jeune femme en avait les yeux embués; c'était tellement merveilleux que sa mère puisse de nouveau participer à leur vie!

Susan n'avait pas beaucoup progressé sur son livre. Avec tous ces déménagements, elle avait du mal à se concentrer dessus. Bill Alford était devenu vice-président de sa société, et tout semblait marcher pour le mieux lorsque, à Noël 1988, il apprit soudain que l'entreprise avait été rachetée : il se retrouvait sans emploi. Susan et lui avaient déjà invité la famille pour le réveillon, aussi ne laissèrent-ils rien paraître. Les photos de la fête ne permettaient en rien de présager les jours difficiles qui les attendaient.

— C'était dur, se souviendrait Susan. Mais on a tenu le coup. Bill a fini par trouver un autre emploi, et moi j'en ai accepté deux à mi-temps.

Le jour, elle remplaçait des professeurs et prenait toutes sortes de classes, des cours élémentaires à la terminale, surtout dans l'enseignement spécialisé. Le soir, elle travaillait à la sécurité des supermarchés. Elle prit l'habitude de changer d'aspect, portant perruques et lunettes noires. Elle surprit de nombreux voleurs à l'étalage qu'elle interpellait dans le parking. Avec ses UV de criminologie et de psychologie, elle comptait obtenir bientôt un diplôme universitaire. Cependant, sa mère estimait que cela ne faisait pas distingué de travailler dans la police.

— Ces gens sont tellement bêtes qu'ils n'ont pas pu trouver de boulot ailleurs, disait-elle souvent.

Cela n'empêchait pas Susan d'envisager d'y faire carrière.

La nouvelle situation de Bill semblait prometteuse, et ils purent respirer un peu. Comme de nombreux couples parvenus à la trentaine, ils vivaient bien, peut-être trop bien. Les échéances de leur belle maison étaient très élevées, et leurs enfants avaient l'habitude de vivre sur un certain pied. Pour ses dix-sept ans, Sean reçut son propre pick-up décoré de rubans et de ballons.

Bien qu'elle-même travaillât dur, Susan trouvait difficile de voir sa mère s'échiner dans sa sinistre boutique. Quant à Deborah, elle était infirmière réceptionniste pour le Dr Francisco Villanueva. Susan se demandait parfois pourquoi toutes deux ne reprenaient pas leur emploi de gardes-malades. Pat y aurait certainement gagné beaucoup plus, mais ni l'une ni l'autre ne semblait caresser cette idée.

Pat commençait à s'inquiéter sérieusement pour son avenir. Qu'allait-elle devenir ? Elle demanda à Bill de lui promettre qu'elle ne serait jamais seule. Lui et Susan n'avaient qu'à lui construire une petite cabane à l'arrière de la maison et jurer de la prendre en charge quand elle serait trop vieille pour travailler, ainsi, elle se sentirait beaucoup mieux. Susan voyait bien que sa mère n'était pas aussi robuste qu'elle le prétendait, et ne pouvait rien faire sans Boppo dans les parages. Or Boppo et Papy vieillissaient. Pat avait besoin d'être protégée et les Alford lui assurèrent qu'elle ne devait pas s'inquiéter ; ils s'occuperaient d'elle.

Pat ajouta qu'elle s'inquiétait aussi pour Sean et Courtney. Elle insistait pour que Susan et Bill refassent leur testament et l'en nomment exécutrice pour le cas où se produirait quelque événement tragique. Elle demanda pardon pour ses années de désordre.

— Je comprends pourquoi vous ne pouviez pas me mettre sur votre testament avant. Je n'étais pas dans mon état normal, j'étais malade. Mais c'est différent maintenant. Je suppose que vous y avez mis Boppo et Papy, pour qu'ils s'occupent des enfants ?

Susan hocha plus ou moins la tête. Ils y avaient mis le frère de Bill et sa belle-sœur ; de ce côté, la famille était beaucoup plus équilibrée... Mais elle ne voulait pas vexer sa mère.

— Bon, s'empressa d'ajouter Pat, changez-moi vite tout ça et mettez mon nom en premier. Ils vieillissent et ce serait trop compliqué si je ne passais pas avant eux.

Pat revenait souvent sur le sujet, mais Bill s'arrangeait toujours pour en changer.

Parfois, elle parlait de sa propre mort, comme si elle en était directement menacée. Elle s'acheta une concession en Caroline du Nord, là où grand-père et grand-mère Siler, ainsi que Kent, étaient enterrés. Elle demanda à Susan si elle pourrait avoir la robe de maternité turquoise que celle-ci portait en attendant Adam. Évidemment, Susan la lui donna. Cette tenue, qui lui allait bien quand elle était enceinte de neuf mois, conviendrait à Pat qui avait maintenant pris près de cinquante kilos.

— Bien, conclut celle-ci. Maintenant, j'ai ma robe de mariée et ma robe d'enterrement. Quoi qu'il arrive, je suis prête.

Susan se mordit les lèvres. C'était tellement triste de voir sa mère attendre si peu de la vie. Elle ne se marierait plus jamais; elle ne sortait jamais, sauf avec miss Loretta ou dans sa famille.

En février 1989, la tante de Pat, Lizzie Porter, en Caroline du Nord, n'allait pas bien et Pat insista pour aller veiller sur elle. Tante Lizzie avait toujours été une jolie femme élancée, gentille mais incapable de tenir ses comptes. Elle avait élevé son fils, Bobby, seule après que son mari l'eut quittée. Jusqu'au milieu des années 1980, elle était restée magnifique. Mais elle avait maintenant largement dépassé les soixante-dix ans et devenait très fragile.

Pat arriva juste à temps pour la prendre en main. La vieille dame pouvait désormais à peine marcher. Pat loua un fauteuil roulant pour la promener tendrement à travers la maison de retraite.

Elle affirma au médecin avoir une bonne expérience des symptômes de déclin qui accompagnaient le grand âge.

Six semaines durant, elle s'occupa de tante Lizzie sans faillir, la coupant pratiquement du reste du monde, expliquant à Bobby et à sa femme Charlotte qu'elle était beaucoup trop fragile pour recevoir des visites, qu'elle guérirait beaucoup plus vite si on la laissait se reposer. Pat devenait l'unique personne à soigner sa tante, sa seule compagnie. Elle l'incita également à rédiger rapidement son testament.

Pendant un certain temps, il sembla que Lizzie Porter ne survivrait pas. Son médecin s'étonnait de la voir décliner si vite. Lorsque Pat retourna chez Boppo et Papy, elle semblait résignée à l'idée de ne jamais revoir sa tante vivante. Elle se plaignit à sa mère de ce que personne ne l'avait remerciée pour le mal qu'elle s'était donné. Boppo en fut outrée.

— Votre mère, dit-elle à Susan et à Deborah, s'est toujours montrée particulièrement gentille avec les personnes âgées, les enfants et les animaux. Ses cousins interprètent toujours de travers tout ce qu'elle fait, je me demande pourquoi. Elle a été obligée de partir, toute bouleversée, de rentrer seule en voiture. Je suis choquée de la façon dont ses cousins l'ont traitée, alors qu'elle voulait seulement aider sa tante. Votre mère travaille plus que n'importe qui, elle a toujours quelque chose à faire, elle veille tard pour ses travaux de couture…

Susan ne voyait pas en quoi les travaux de couture de sa mère pouvaient avoir aidé ou dérangé tante Lizzie ; mais, apparemment, ils avaient agacé en Caroline du Nord et Pat n'avait plus sa place comme garde-malade auprès de sa tante.

Heureusement, et à la surprise de tous, Lizzie Porter se remit peu à peu. Au printemps elle recommençait à marcher et parut beaucoup plus alerte. Bien que sa maladie l'ait visiblement vieillie, elle put se joindre à ses sœurs pour la réunion de la famille Siler de l'été 1989. Bobby et Charlotte Porter, le fils et la belle-fille de Lizzie, sentaient cependant un certain froid depuis qu'ils avaient renvoyé Pat. Prudemment, ils préférèrent ne pas se rendre à White Lake. Ils avaient osé critiquer Pat, ce que ne supportait pas Boppo. À l'exception de Lizzie, les autres Bonnes Sœurs prirent le parti de Boppo.

Cet été-là, Susan garda ses deux emplois. Adam n'avait que deux ans et demi et elle n'aimait pas le laisser avec des inconnus. Susan travaillait souvent le soir. Sean adorait son petit frère, mais lui aussi travaillait le soir ; quant à Courtney, elle était trop jeune pour une telle responsabilité. Boppo et Papy acceptèrent de grand cœur de s'occuper d'Adam trois soirs par semaine et de le garder à dormir deux nuits.

Visiblement, Pat en était contrariée. Elle ne voulait pas qu'Ashlynne vive chez Boppo et Papy, et n'y tenait pas davantage pour Adam. À la longue, sa fille aînée s'en rendit compte.

— Je n'arrivais pas à y croire, dirait-elle plus tard. Je voulais que tout se passe bien avec ma mère, mais j'ai bien dû admettre que tous ceux qui détournaient l'attention d'elle devenaient ses ennemis. Ma mère voulait rester la petite fille chérie de sa maman, même à cinquante-quatre ans. Ashlynne et, ensuite, Adam lui faisaient de l'ombre. Autant elle aimait mon fils chez moi, autant elle ne voulait pas le voir chez elle.

Un soir, alors que Susan, Sean et Adam se trouvaient à la maison, le petit garçon frappa son grand frère, puis se frappa lui-même, au visage, en soufflant :

— Chuuut ! Tais-toi !

— Maman ? demanda Sean. Où est-ce qu'il a appris ça ?

— Adam ? interrogea Susan. Qu'est-ce que tu fais ?

Il la regarda, se frappa de nouveau sur la bouche et murmura :

— Mamie Pat.

Sean était furieux. Cet adolescent commençait à se détacher de sa famille, mais il adorait son frère, et l'idée que quelqu'un puisse le frapper, même mamie Pat, le mettait hors de lui.

De son côté, Susan était tiraillée entre deux réactions. Elle aimait sa mère, qui lui avait toujours affirmé qu'elle réussirait dans tout ce qu'elle entreprendrait, sa mère qui lui avait écrit de si magnifiques lettres et dont les œuvres apparaissaient un peu partout dans sa belle maison. Elle aimait cette mère qui lui avait été retirée sept ans et demi et lui était revenue. En même temps, elle se rendait de plus en plus compte à quel point celle-ci était égoïste, jalouse, immature et consumée par le besoin de posséder toujours davantage d'objets. Pat avait seize ans de plus que Susan. Pourtant, des deux, Susan était la plus mature.

Elle avait eu peine à croire que Pat ait pu lever la main sur Adam et chassa cette idée de son esprit, se disant que l'enfant avait inventé, à moins qu'il n'ait voulu jouer avec les précieuses poupées : Susan savait que sa mère ne pouvait supporter qu'Adam ou Ashlynne touchent à ses poupées.

Tout comme elle avait des sentiments partagés envers sa mère, elle s'interrogeait sur sa cadette. Si elle aimait tendrement Deborah, elle désapprouvait sa conduite. Les deux sœurs étaient comme le jour et la nuit, ce qui ne les empêchait pas de bien s'entendre, de se moquer gentiment des manies extravagantes de la famille.

Deborah prétendait détester le sexe; pourtant, sur l'autoroute, Susan l'avait vue ouvrir son chemisier le temps de montrer sa poitrine aux conducteurs de camions qu'elles doublaient. Deborah possédait une magnifique silhouette et travaillait parfois comme hôtesse de bar, dans une tenue réduite à sa plus simple expression. Depuis des années, elle n'était plus mariée que sur le papier. Dawn, maintenant adolescente, était aussi belle, en digne représentante de la race des Siler.

Des années durant, Susan et Bill avaient entendu les lamentations de Deborah sur son ménage et sur ses relations avec Mike Alexander, un homme marié qui promettait régulièrement de divorcer. Dès que son monde s'écroulait, elle courait se réfugier chez les Alford. Ses petits airs innocents cachaient une nature explosive; mais, quoi qu'elle fasse, elle restait la sœur chérie de Susan – Dieu sait qu'elles avaient traversé ensemble des moments pénibles.

Elles avaient depuis longtemps appris à sourire des délires de leur mère. Pat se vexait souvent de ce que ses filles pouvaient lui dire au téléphone. Elles entendaient soudain un bruit de chute, suivi d'un grand silence. Pat savait très bien synchroniser ses « appels interrompus » : souvent, ses filles entendaient claquer les portières de la voiture puis s'ouvrir la porte d'entrée ; Boppo et Papy arrivaient à la maison et poussaient des cris en la découvrant affalée au sol, le récepteur à la main. Boppo le prenait alors et demandait :

— Qu'est-ce que vous avez encore fait à votre mère ?

Deborah et Susan avaient appris à réprimer leurs gloussements ; elles savaient que leur mère allait très bien, mais il semblait que Boppo crût toujours à ses comédies. Pour peu que miss Loretta ait un peu de retard, Pat était certaine qu'elle avait eu un accident et gisait raide morte quelque part dans un fossé. Et puis Loretta finissait par appeler et tout rentrait dans l'ordre. Pat vivait dans un monde d'hystérie, et Boppo tombait chaque fois dans le panneau.

Parfois, Deborah téléphonait à sa sœur pour lui faire part du dernier coup de fil de Boppo. Toutes deux imitaient entre elles leur grand-mère.

— Deborah (disait celle-ci en songeant Boppo), ta mère est tombée malade en allant chez Susan. Elle est à l'hôpital.

Ou :

— Deborah, ta mère vient d'essuyer un terrible orage en rentrant d'Alabama. Nous restons en contact permanent avec la police de la route pour avoir de ses nouvelles.

Et Deborah d'ajouter :

— J'en ai marre de toujours entendre parler de la police de la route! Tu sais aussi bien que moi que maman le fait exprès, pour attirer l'attention.

Invariablement, Pat arrivait à 20 ou 21 heures, histoire de faire une entrée remarquée; mais, maintenant qu'Ashlynne vivait chez Boppo et Papy, personne ne semblait plus se préoccuper de ses retards. Quand elle apparaissait, trempée, épuisée à la suite d'un « orage absolument effroyable » et trouvait Papy chantonnant calmement pour la fillette qui s'endormait sur ses genoux, Pat s'empourprait et demandait :

— Qu'est-ce qu'elle fiche ici?

— Ronnie a dû partir cette nuit, répondait Boppo d'un ton apaisant.

— Oui, eh bien, il ferait mieux de rappliquer pour l'emmener! C'est sa fille, pas la vôtre!

Elle détestait ouvertement sa propre petite-fille. Et Susan craignait qu'Adam ne subisse le même sort.

46

Le 25 octobre 1989, Tom Allanson fut enfin libéré. À Jackson, on n'était pas trop content de le voir partir : il en savait davantage que quiconque sur l'organisation de l'usine qui alimentait le centre pénitentiaire. En outre, c'était un homme sympathique qui s'entendait avec tout le monde. Il avait passé plus de quinze ans en détention, oublié depuis longtemps par la famille Radcliffe, à part Susan qui continuait de lui écrire de temps à autre. Nona et Walt étaient morts, la tante Jean ne se manifestait plus. Son fils Russ était venu le voir à Jackson quand il avait eu dix-huit ans et ils avaient essayé de refaire connaissance. Mais Tom n'avait aucune nouvelle de sa fille Sherry.

Il n'eut aucun mal à trouver un bon emploi. Grâce à sa compétence en matière de traitement des eaux usées, les propositions affluaient. Son nouveau patron lui gardait la place au chaud depuis un an, et il lui donna carte blanche sur son entreprise de transport routier dès le jour de sa sortie. Et une future épouse l'attendait. Tom et Liz avaient hâte de régulariser leur mariage, ce qui fut fait le jour même de sa libération. Il n'avait jamais fait attention aux anniversaires; il ne se rendit donc pas compte que le 25 octobre était la date de son mariage avec la petite Carolyn, vingt ans auparavant. Mais peu importait, cela lui semblait remonter à un siècle.

Il ne pensa pas davantage à Pat, à mille ans derrière lui. Il n'en gardait qu'un lointain souvenir et ne la détestait même pas. Elle n'avait pas assez d'importance dans sa vie pour lui inspirer de la haine.

Les appréhensions de Susan à laisser Adam chez Boppo et Papy revinrent sur le tapis, car ce fut son tour de tomber malade; elle dut cesser de travailler. En décembre 1989, elle contracta une sorte de grippe persistante, avec maux de tête, douleurs dans les articulations et une totale incapacité à garder quoi que ce soit dans l'estomac. Elle resta à la maison avec Adam; mais elle était si vite fatiguée qu'elle ne pouvait s'occuper de lui ni commencer à préparer les pâtisseries de Noël. Les douleurs empiraient de jour en jour, au point que ses extrémités lui parurent bientôt comme broyées dans d'impitoyables étaux.

Elle connaissait ces symptômes : ils lui rappelaient l'été 1987, quand elle avait eu tellement de mal à rentrer de chez Boppo pour regagner sa maison de Florence, en Alabama. Mais, cette fois, c'était pire.

— Je devais sans cesse me frotter les mains, les malaxer pour tenter d'atténuer cette terrible douleur. Elle était parfois si violente qu'elle me réveillait la nuit.

Pat arriva un beau jour en annonçant qu'elle allait veiller sur Susan.

— Maman ne voulait rien me laisser faire. Elle s'occupait d'Adam, préparait les repas pour Bill, Courtney et Sean, et s'assurait que je ne me déshydratais pas. Elle me préparait de la soupe ou du thé et venait s'asseoir près de moi jusqu'à ce que j'aie tout bu. Je ne sais pas ce que j'aurais fait sans elle.

Bill et Sean ne montraient pas le même enthousiasme. Ils se moquaient de la cuisine de Pat, ricanaient dans son dos comme s'ils craignaient d'être empoisonnés. Nul n'ignorait, même s'il était interdit d'en parler, que mamie Pat avait été en prison pour empoisonnement à l'arsenic, et Bill et Sean avaient un sens de l'humour quelque peu pervers.

— Maman n'était pas un cordon-bleu, reconnaîtrait Susan. Elle faisait ce qu'elle pouvait, mais, même si ce n'est pas gentil de le répéter, Sean et Bill ne voulaient rien manger. Elle aimait le gras et pensait que tout le monde partageait ses goûts.

Susan implora son mari et son fils de se montrer plus généreux, mais ils ricanaient et jetaient le contenu de leurs assiettes à la poubelle dès que Pat avait le dos tourné. Après quoi, ils filaient tous les deux en douce au restaurant.

Cependant, Susan avait perdu dix kilos, et ses yeux cernés de noir commençaient à s'enfoncer dans les orbites. Pat interdit sa chambre à Bill et aux enfants, mais Sean parvint plusieurs fois à se faufiler auprès de sa mère.

— Maman, tu ne crois pas que c'est ce qu'elle te donne qui te rend malade?

— Sean!

— Elle l'a bien fait à d'autres gens. Elle ne veut pas qu'on te voie. Elle est en bas à faire claquer les poêles et les casseroles comme si elle piquait sa crise. Quand est-ce qu'elle s'en va?

— J'ai besoin d'elle, Sean.

— Et moi je voudrais qu'elle s'en aille. Et je ne mangerai jamais de ce qu'elle prépare. Et papa non plus.

Susan était trop faible pour discuter avec lui. Bill était très souvent absent et elle avait besoin d'un autre adulte pour l'aider à s'occuper des enfants; elle ne se rendait pas compte que sa mère l'isolait complètement du reste du monde. Et prenait les commandes de la maison.

Personne ne venait jamais rendre visite à Susan, et elle se demandait pourquoi. Elle ignorait que

Pat n'ouvrait même pas à ceux qui se présentaient et qu'elle avait tiré tous les rideaux, si bien que les lieux semblaient inhabités. Elle ne transmettait aucune communication à la jeune femme.

— Je ne l'ai découvert que plus tard. Ma belle-sœur m'a dit être passée souvent, mais personne ne répondait.

À Noël, Susan était trop malade pour préparer le réveillon ; tout le monde se rendit chez Boppo et Papy. Les fêtes s'annonçaient idylliques. Pat avait passé des heures à peindre et à meubler une extra-ordinaire maison de poupée pour Courtney, que Sean s'empressa de nommer « South Fork », comme dans *Dallas*. Quatre colonnes soutenaient la véranda et il y avait des rideaux de dentelle et des volets noirs à toutes les fenêtres. C'était le genre d'œuvre qu'elle adorait réaliser, un petit monde de rêve et de candeur.

Pas de maison de poupée pour Ashlynne, ce que la fillette ressentit fortement car elle avait à peu près le même âge que sa cousine. Courtney remercia poliment sa grand-mère, mais elle s'inté-ressait beaucoup plus au sport qu'aux poupées.

Alors qu'ils allaient s'asseoir à table, mamie Pat recula la chaise haute d'Adam de plus d'un mètre, contre une armoire, l'empêchant de voir ce qui se passait dans la pièce. Le voyant au bord des larmes, Susan donna un coup de coude à son mari, qui rapprocha Adam.

On servit des plats délicieux que Susan essaya de manger, mais elle eut mal au cœur après quelques bouchées. De retour à la maison, Bill prit une photo d'elle sur une chaise longue, en chemise de nuit, les yeux enfoncés, le teint livide.

Depuis un mois, elle ne pouvait plus s'occuper d'Adam et, le mois suivant, ce ne fut pas mieux. Ses mains la faisaient tellement souffrir qu'elle pouvait à peine s'en servir. Bill souligna que de tels symptômes ne provenaient pas d'une simple grippe. Le 19 janvier 1990, il l'emmena au service des urgences de l'hôpital Kennestone à Marietta. Le médecin ne sut dire pourquoi elle était tellement malade mais suspecta un virus.

Bien qu'approfondies, les analyses ne donnèrent aucune réponse. Susan était déshydratée à force de vomir. On lui administra des fluides par intraveineuse, puis elle fut autorisée à rentrer chez elle. Cependant, Bill voulait en savoir davantage ; il demanda un examen de ses ongles et ses cheveux et la recherche d'arsenic. Susan refusa mordicus.

— Je ne voulais même pas y penser. Je ne pouvais pas croire que ma mère me fasse ça délibérément. C'était trop abominable.

Pat continua donc de s'occuper de Susan. Elle ne vivait pas avec les Alford, bien qu'elle soit présente à peu près en permanence. Susan lui en était reconnaissante ; elle ne savait pas ce qu'elle aurait fait sans sa mère. Elle commençait à se demander si elle n'avait pas une hépatite, une mononucléose, ou même un cancer. Cela faisait trois mois qu'elle était malade et son état ne s'améliorait pas. Adam devenait si vigoureux qu'elle ne pouvait le soulever. D'ailleurs, sa mère ne voulait même pas qu'elle essaie, se montrant très ferme sur ce point : elle ne voulait même pas la laisser approcher l'enfant.

Mais le petit ne l'entendait pas de cette oreille. Il voulait voir sa maman et celle-ci souffrait trop de ne pouvoir le serrer dans ses bras… Un soir, alors que Pat lui préparait son lit, Susan entendit Adam pleurer en bas. Comme cela durait depuis un moment, elle supplia sa mère.

— Maman, il faut que j'aille le rassurer.

Pat lui lança un regard exaspéré.

— Tu veux le tuer aussi ? C'est ça ?

Cependant, en s'appuyant sur les meubles, Susan atteignit le palier.

— Retourne dans ton lit ! ordonna Pat. Je m'en occupe.

— Maman, c'est moi qu'il veut voir. Il faut que j'y aille.

— Tu tiens absolument à me donner le double de travail ? Tu crois que je suis la bonne à tout faire ?

Susan céda et retourna dans son lit. Cependant, les pleurs du bambin redoublaient. Alors elle attendit que sa mère soit occupée ailleurs puis descendit tant bien que mal dans la chambre d'Adam et le prit dans ses bras.

— Il était si content de me voir ! Il s'est serré contre moi, m'a caressé le visage en me regardant. Il avait dû croire que j'étais partie pour toujours.

Elle n'entendit plus d'autre bruit que ses gazouillis, rien ne bougeait autour d'elle. Pourtant, elle se retourna.

— Elle était là. Elle me regardait. Je ne sais pas pourquoi, mais j'ai sursauté en disant : « Maman ! Tu m'as fait une de ces peurs ! »

— Qu'est-ce que tu fabriques ? demanda Pat d'un ton glacial.

539

— Il avait tellement besoin de me voir ! Il fallait que je lui fasse un câlin.

— Continue si tu veux y passer et lui aussi. J'ai déjà bien assez à veiller sur toi. Personne ne pense jamais à moi.

Susan remit Adam dans son berceau et remonta lentement dans sa chambre. La maison était tiède, mais elle avait froid. Pourquoi sa mère n'avait-elle rien dit, au lieu de rester silencieuse dans l'encadrement de cette porte à la regarder avec cette terrible expression de haine ? L'image même du mal. Pour la première fois, Susan avait eu peur de sa propre mère.

Le lendemain matin, ce trouble était passé, ne lui laissant qu'une impression de malaise. Susan était malade depuis si longtemps qu'elle se mettait parfois à divaguer.

En mars, Susan était toujours malade. Elle ne pouvait plus supporter de chaussures depuis quatre mois. Pourtant, elle eut l'impression, parfois, de se sentir mieux.

Respectant la tradition familiale, la fille de Deborah, Dawn, se maria à dix-huit ans, enceinte. Sa sœur l'ayant priée de faire les photos, Susan se demanda comment elle allait pouvoir s'habiller, mettre des talons hauts et rester debout le temps de la cérémonie puis de la réception.

En ce 10 mars 1990, Dawn apparut comme une jolie mariée blonde et Susan parvint à tenir sa promesse.

— Je m'étais bien maquillée, mais j'ai vu ensuite sur les photos que j'avais quand même très mauvaise mine.

Elle portait une robe blanche beaucoup trop grande pour elle mais en avait serré la ceinture. Ses cernes la vieillissaient de dix ans. Boppo arborait une jolie robe rose pâle, et Pat sa « robe d'enterrement » turquoise. Quant à Deborah, elle faisait très attention à sa tenue en dentelle et brocart de satin, car elle comptait bien la rendre dès le lendemain au magasin où elle l'avait achetée.

C'était un mariage typique de la famille. En apparence, tout semblait se passer à merveille ; en dessous s'accumulaient les secrets, les mensonges, les dérobades et ces peurs qui rongeaient ses fondements mêmes.

Bien que nul ne l'ait jamais admis, Susan et Bill Alford partageaient avec leurs enfants un mode de vie que tout le clan Siler-Radcliffe leur enviait. Nul ne sut vraiment à quel point ils avaient été près de tout perdre à la Noël 1988. C'était une question de fierté pour Susan et Bill : à eux de se sortir seuls de leurs difficultés, financières et autres.

Ils y réussirent presque. Mais, au printemps 1990, plus personne ne songeait à les imiter. La nouvelle entreprise de Bill était elle aussi sur le point d'être vendue. Susan et lui se demandaient s'ils allaient pouvoir survivre à une nouvelle perte d'emploi, même lorsqu'elle retrouva assez de forces pour retourner travailler. Ils ne cessaient de se disputer, et cela se terminait souvent par des portes claquées. Ils mouraient d'inquiétude, autant à cause de leurs finances que des mauvais résultats de Sean et de l'avenir en général. La tension montait.

— Nous punissions trop souvent Sean, regretterait Susan. Mais nous pensions bien faire. Il n'en pouvait plus de l'atmosphère qui régnait à la maison, de nos continuelles disputes. Je le comprenais. Ce fut une époque très dure.

Sean était amoureux, et beaucoup plus souvent chez les parents de sa petite amie que chez lui. En juin, il termina ses études secondaires et, comme il avait obtenu son diplôme, Bill, qui n'était jamais avare de grands gestes, lui loua une Cadillac pour le bal de la promotion. Sean posa devant en smoking pour l'appareil photo de sa mère.

Ce fut une de leurs dernières images heureuses. À dix-huit ans, Sean partit s'installer chez sa petite amie et tourna complètement le dos à sa famille. Il ne voulait plus entendre parler d'eux, de leurs disputes, de leurs angoisses, de leur vie.

— Nous n'avons pas voulu le laisser prendre son pick-up, avouerait Susan, des larmes dans la voix, et je m'en suis voulu. J'ai perdu patience, j'ai crié après mon fils.

Quelque temps plus tard, les Alford se déclarèrent en banqueroute; ils n'avaient plus le choix. Leur magnifique demeure fut vendue, et Bill reprit la route comme simple représentant.

— Nous n'avions nulle part où aller, à part chez Boppo et Papy. J'étais déprimée. Sean et tout ce pour quoi nous avions tant travaillé avaient disparu, et j'ai dû voir Adam et Courtney dire adieu à leur chambre, à leur maison. Quand j'étais petite, Boppo venait toujours à notre secours, mais nous étions adultes et cela faisait mal de devoir retourner vivre avec eux. Nous mourions de honte.

La petite maison de Boppo et Papy, à McDonough, était déjà pleine. Pat avait évidemment son domaine, son salon de poupées, son atelier de couture, sa chambre à coucher et sa salle de bains à l'étage. Elle refusa de laisser quiconque utiliser son entrée particulière, aussi Papy dut-il construire en hâte un escalier rudimentaire à l'extérieur de la cuisine.

Ashlynne habitait toujours là cinq ou six jours sur sept et dormait dans la chambre de ses arrière-grands-parents. Elle avait une chambre à elle, mais Pat répétait sans cesse que c'était la « chambre d'amis ». Il n'y avait rien d'autre. Le seul endroit où les Alford purent s'installer était le salon, plein de tapis et de souvenirs de voyages. Ils allaient vivre ainsi à huit dans cette maison jusqu'à Thanksgiving. Et ce serait le prélude à un nouveau cauchemar.

Susan avait toujours eu une confiance aveugle en sa grand-mère ; mais, cette fois, en l'aidant, celle-ci allait à l'encontre des désirs de Pat qui s'empressa de signifier à tous qu'elle ne voulait pas de cette famille dans la maison de sa mère. Elle ne voyait plus en Susan son enfant, mais une rivale.

— Ma mère était furieuse. Je n'aurais jamais cru qu'elle se mettrait dans des colères pareilles. Nous avions besoin d'aide, mais on empiétait sur son territoire. Exactement comme Kent autrefois. Ou comme Ashlynne. Elle ne voulait pas nous voir là. Surtout moi.

Adam s'ennuyait de son grand frère, de son ancienne chambre. Il ne comprenait pas pourquoi il fallait habiter là. Il s'asseyait tristement devant la fenêtre et y restait de longues heures, la tête sur ses bras croisés.

Susan était encore plus triste que lui. Elle ne comprenait pas pourquoi s'abattait sur elle une telle accumulation de malheurs. Au moins son corps était-il guéri, au moins ses membres ne la faisaient-ils plus souffrir, mais elle pleurait sans arrêt.

Au début, elle essaya d'aider à la cuisine, de se rendre utile, mais rien de ce qu'elle faisait ne plaisait à sa mère qui ne cessait de la critiquer, comme si elle ne savait ni laver un bol ni faire cuire un œuf.

— J'ai fini par abandonner. Alors je restais dans le salon, sur le canapé, à pleurer. Bill s'occupait des enfants, faisait la vaisselle et les courses. Il s'asseyait à la table de la cuisine et discutait avec tout le monde, il arrivait parfois même à rire. Il était merveilleux. Je sais dans quel état tout ça le mettait lui aussi, mais je n'y pouvais rien. J'étais paralysée.

Elle savait de quoi sa mère était capable dès qu'elle se sentait envahie. Elle attaquait toujours au point faible, capitalisait sur les déficiences d'autrui. Adolescente, Susan avait vu avec quelle sauvagerie elle s'en était prise à Kent avant qu'il se suicide.

À son tour, elle devenait la cible de Pat.

Sa seule défense contre une telle attitude, de telles attaques verbales, des critiques constantes, consistait à se cacher dans le salon, stupéfaite de souffrir d'une telle dépression. Quand elle regardait sa mère dans les yeux, elle retrouvait l'être qui était apparu derrière elle sur la pointe des pieds

544

dans la chambre d'Adam, une expression de haine sur le visage.

Susan en était si triste, si épuisée qu'elle pouvait à peine bouger. Elle n'avait plus envie de vivre. Mais elle avait des enfants et en venait à craindre de commettre l'irréparable juste pour échapper à son chagrin.

— Alors je me suis rendue à l'hôpital Clayton. Je souffrais d'une dépression nerveuse et on m'a gardée cinq jours. Jamais je n'oublierai le jour de mon retour. Ma mère est entrée en me toisant avec répulsion avant de laisser tomber : « Qu'est-ce qu'elle revient fiche ici ? »

Et cela ne fit qu'empirer.

Peu avant Thanksgiving, Susan vit qu'Adam avait une vilaine trace à l'arrière de la tête. En y regardant de plus près, elle eut l'impression qu'on lui avait coupé une grosse mèche de cheveux. Elle la montra à Boppo, qui déclara d'un ton égal :

— Je ne vois rien du tout, Susan. Il m'a l'air très bien comme ça. Regarde, Cliff, tu vois quelque chose qui ne va pas ?

Papy ne vit rien d'anormal. Si Susan n'avait pas été aussi déprimée, elle aurait trouvé la scène comique.

Pour Thanksgiving, alors que tout un chacun essayait de passer au mieux la fête, Pat évoqua cette histoire de cheveux. Ils venaient de finir de déjeuner quand elle sortit chercher deux poupées en prétendant que Susan leur avait massacré l'arrière de la tête. Effectivement, ce n'était pas joli à voir, on avait l'impression de retrouver ce qui était arrivé à Adam.

— C'est Susan qui a fait ça, accusa Pat d'une voix glaciale. Elle les a mutilées exprès.

Abasourdie, Susan secouait la tête ; elle comprit alors avec une horrible acuité ce qui se passait vraiment. Ce n'étaient pas les poupées préférées de Pat, mais les plus ordinaires. Elle comprit que sa mère leur avait délibérément coupé les cheveux pour ensuite l'incriminer. Elle comprit aussi que Pat avait fait de même avec Adam, exprès, appliquant ses ciseaux pointus contre la tendre nuque de l'enfant.

— Je ne savais pas pourquoi maman me haïssait à ce point. Je voyais juste une chose : elle voulait qu'on s'en aille ; elle était prête à tout pour ça. Adam n'était pas blessé, mais à l'idée de ce qu'elle lui avait fait j'avais des frissons.

Ce fut la dernière journée que les Alford passèrent dans cette maison. Boppo et Papy se tournèrent de concert vers Bill et Susan, et celle-ci reconnut leur regard : le même que lorsqu'ils avaient chassé Kent, parce qu'il contrariait sa sœur. Susan avait droit au même traitement.

Bill et Susan attrapèrent Courtney et Adam pour quitter la maison sur-le-champ. Ils n'allèrent pas loin. La seule maison qu'ils pouvaient s'offrir à ce moment se trouvait au bout de la grande rue de McDonough. Ils avaient économisé juste de quoi la louer. C'était une vieille bâtisse, mais avec un grand jardin et un gentil propriétaire.

Au moins, ils seraient chez eux et pourraient en boucler portes et fenêtres.

— Je ne me suis pas sentie bien pour autant, seulement je savais que ça ne pourrait pas aller plus mal. J'ignorais ce qui nous attendait. La famille s'était souvent disputée, mais on se réconciliait toujours. Cette fois ce ne fut pas le cas.

Susan se trouvait encore trop près pour que Pat la lâche.

— Elle a commencé par venir se garer dans notre allée et elle restait là, assise dans sa voiture. Elle n'en sortait pas, ne sonnait pas à la porte. Elle se contentait de regarder nos fenêtres puis elle redémarrait et partait.

Un mois plus tard, à Noël, Deborah avait divorcé pour se remarier aussitôt… avec Mike Alexander qui avait fini par divorcer lui aussi. Ronnie était marié avec Kathy et vivait d'une rente versée par son assurance, à la suite d'une blessure reçue sur un chantier. Quant à Susan et Bill, ils luttaient pour ne pas sombrer.

En décembre, Susan reçut un étrange coup de fil de sa sœur. Il lui fallut une minute pour comprendre de quoi parlait Deborah. Avec leur mère, celle-ci n'avait pas travaillé pour les Crist depuis juin 1988, mais, deux ans et demi plus tard, elle appelait son aînée pour lui reprocher leur renvoi.

— C'est toi qui as tout gâché ! On sait que tu as téléphoné à Mme Crist pour lui raconter des mensonges à notre sujet. À cause de toi, on a perdu notre travail. Je ne te le pardonnerai jamais.

Susan n'en revenait pas. Pour autant qu'elle sache, sa mère et sa sœur étaient parties à cause d'une histoire d'assurance. Pourquoi diable serait-elle allée parler aux Crist ? Elle ne les connaissait même pas. D'ailleurs, Bill et elle n'habitaient pas à Atlanta à l'époque.

Plus elle réfléchissait à ce coup de fil, plus elle avait l'impression qu'une affreuse boîte de Pandore venait de s'ouvrir... et elle n'avait aucune envie de savoir ce qui se trouvait à l'intérieur. Elle en parla à Bill qui, tout à sa stupéfaction, ne voulut pas en rester là. Il allait faire des recherches. Au moins pouvait-il jurer une chose : ni lui ni Susan n'avaient jamais appelé les Crist.

Le 26 décembre, il téléphonait à Dawn Slinkard, la fille de Deborah, pour tout autre chose : ils leur avaient prêté un berceau et leur demandaient de le rendre. Ce fut Deborah qui répondit, encore furieuse après sa sœur. Elle dit à Bill de ne jamais retéléphoner.

— Susan et toi, vous m'avez gâché l'existence. C'est Susan qui a poussé les Crist à nous virer. Elle m'a toujours mis des bâtons dans les roues.

Cette fois, Bill chercha le numéro des Crist, le composa. Ce fut Elizabeth Crist qui répondit. Il ignorait que cette date était importante pour elle : si son mari avait vécu, ç'aurait été son quatre-vingt-dixième anniversaire.

— Madame Crist, commença-t-il, avez-vous jamais reçu un appel de ma femme, Susan Alford ?

— Je ne connais pas ce nom.

— Je vais vous expliquer. La mère et la sœur de ma femme ont travaillé pour vous il y a quelques années. Je voulais juste savoir si ma femme vous avait appelée au sujet de sa mère, Patricia Taylor Allanson, que vous connaissez sans doute sous le nom de Pat Taylor.

Un long silence s'ensuivit, puis Elizabeth Crist lui dit « des choses qu'il aurait préféré ne jamais entendre ».

Quand Bill rapporta à Susan ce que Mme Crist lui avait dit, elle en eut le cœur retourné. Malgré ce que lui avait fait sa mère, elle espérait toujours que les choses allaient s'arranger.

— Mais parfois il me revenait à l'esprit certaines choses, ou même les plaisanteries de Sean, ou des questions posées par ma grand-mère... Et, malgré moi, je me demandais si ma mère était toujours dangereuse. Je voulais tellement qu'elle soit normale que je laissais passer une quantité de signaux. Mais je m'étais dit, et je l'avais dit à ma mère et à ma grand-mère, que si jamais j'avais l'impression que ma mère faisait du mal à quelqu'un ou, pire, tentait de le tuer, je serais obligée d'en référer aux autorités. Je m'étais juré que je ne la laisserais pas tuer quelqu'un, même si je devais m'attirer la désapprobation de toute la famille, même s'ils devaient tous me tourner le dos. En fait, je me suis toujours doutée que ça ferait exploser la famille entière.

Susan appela le bureau du procureur du comté de Fulton.

HUITIÈME PARTIE

Anciens secrets

47

Don Stoop récupérait tous les dossiers insolites du comté de Fulton. C'était le seul enquêteur du bureau du procureur à vouloir plonger dans des affaires à première vue banales mais qui pouvaient prendre d'intéressants détours. Il était très doué pour faire ressortir ce qui se cachait sous les apparences.

Stoop était lui-même un paradoxe ambulant. Nul ne savait au juste ce qu'il pensait à tel ou tel moment. C'était un petit malin au grand cœur. La plupart du temps, il apparaissait comme le parangon du flic macho ; pourtant, il savait exactement où cesser de bousculer ou de taquiner les gens pour les écouter attentivement.

C'était aussi la bête noire des flics pourris ; il avait nettoyé près d'une dizaine de postes de police dans la région d'Atlanta. Son bureau se trouvait au-dessus d'un restaurant, dans un recoin, non loin du tribunal du comté de Fulton ; cependant, il fallait une carte et des explications précises pour le trouver. L'endroit comportait juste une table et une bibliothèque, mais de toute façon Stoop n'y était jamais. Amateur de bière, il gardait toujours une coupelle de bonbons près de son téléphone mais mangeait trop peu pour garder un gramme de graisse. Blond comme un Scandinave, il arborait une étonnante moustache et des cravates qui ne passaient jamais inaperçues. Il avait épousé une jolie brune employée aux stup comme agent infiltré.

Il lui arrivait également d'enquêter pour des agences de détectives ou même pour les stup et le FBI. Cela ne l'empêchait jamais de s'emparer d'un nouveau dossier pourvu que celui-ci l'interpelle.

En appelant le bureau du procureur, Susan Alford demanda à parler à une personne au courant d'une main courante déposée par la famille de James Crist contre Patricia Taylor Allanson. Elle espérait encore que Mme Crist avait exagéré. Ce fut l'enquêteur en chef, Ron Harris, qui lui répondit. Il se rappelait fort bien la condamnation en 1976 de Pat Allanson. Il avait travaillé sur l'affaire, cette histoire bizarre d'un mari et d'une femme jugés séparément, à quelques années d'écart, pour meurtre et tentative de meurtre. Cela ne s'oubliait pas. Personne, au bureau, n'avait vraiment pu comprendre quelle était la part de Pat Allanson dans le meurtre de ses beaux-parents.

— Vous ne seriez pas la sœur de Pat Allanson ?
— Non...

Susan se demanda si sa mère n'évoquait pas encore sa « méchante sœur sociopathe », censée vivre en Caroline du Nord.

Au cours de ce premier appel, Susan ne dit pas qui elle était vraiment, mais Harris fut intrigué. Pourquoi lui posait-on soudain des questions sur Pat Taylor ? Cette femme devait maintenant avoir atteint la cinquantaine et être sortie de prison. Il vérifia sur l'ordinateur et put constater qu'il y avait bel et bien une main courante déposée par une Mme James Crist. Pour l'instant, elle n'avait pas donné grand-chose. Il ne trouva dans l'enveloppe du dossier qu'une feuille tirée d'un bloc-notes.

Harris appela le bureau de Don Stoop; celui-ci n'avait jamais entendu parler de Pat Taylor, mais ce seul papier le mena au service des vols simples de la police d'Atlanta, qui avait enregistré la main-courante des Crist en 1988, estampillée « toutes pistes épuisées ». Les flics n'avaient jamais rassemblé assez de preuves pour inculper qui que ce soit.

Tout à fait le genre d'affaire qui intriguait Stoop.

En ce 5 février 1991, Don Stoop fut officiellement chargé de l'affaire Crist. Il devait envisager l'« éventuel homicide d'un vieux monsieur sous la garde de deux personnes soi-disant infirmières diplômées ». James Crist était décédé depuis plus de deux ans, d'une mort considérée comme naturelle; il avait quatre-vingt-huit ans et souffrait de la maladie de Parkinson. Restait à savoir si on n'avait pas précipité sa fin.

Stoop demanda l'aide de Michelle Berry pour le seconder. Elle n'avait aucune expérience dans les enquêtes pour meurtre, l'affaire Crist pourrait lui en donner. Son physique de collégienne lui était d'un grand secours quand elle voulait se faire passer pour une gamine ou une toxicomane et s'infiltrer dans les milieux hippies. Jusqu'au jour où elle s'était mariée et avait dû accepter un poste administratif pour satisfaire son époux.

Son bureau était mieux rangé que celui de Stoop et elle avait un goût certain pour la décoration.

Don et Michelle parcoururent les casiers judiciaires de Pat et de Deborah, puis ils effectuèrent quelques recherches sur la famille Crist. Ils apprirent ainsi que James F. Crist avait pu s'offrir la belle propriété de Nancy Creek Road grâce à son seul travail. C'était le meilleur spécialiste du Sud en matière d'installations électriques.

Il avait commencé en 1927 comme simple apprenti ouvrier de ligne puis était devenu représentant avant d'aller travailler pour la compagnie électrique de Caroline du Sud. En 1946-1947, il couvrait l'Alabama, la Géorgie et le Mississippi. Son nom apparaissait dans le *Who's Who in America*, et il avait écrit un livre sur l'électrification du Sud durant la première moitié du XXe siècle.

Sa jolie épouse, Elizabeth Courtney Boykin Crist, et lui avaient appartenu à la plus haute société d'Atlanta et de Charleston. Lorsqu'il prit sa retraite de P-DG de la Southern Company, le 1er janvier 1966, il était considéré comme un véritable pionnier par les trente mille employés de son entreprise.

Les Crist avaient deux fils et une fille. James resta conseiller de la Southern Company jusqu'en 1977 et passa tout son temps libre au golf, jusqu'au moment où se manifestèrent les premiers symptômes de la maladie de Parkinson, destin tragique pour un homme aussi actif. Elizabeth eut bientôt besoin d'aide pour pouvoir le soulever et le transporter.

Il mourut en 1988. Elizabeth lui survécut, en excellente santé pour une femme de son âge.

48

Don Stoop et Michelle Berry rencontrèrent Mme Elizabeth Crist, sa fille, Betsy Chandler, et ses fils, Bill et Jim Jr, dans le ravissant manoir où elle vivait toujours. Femme séduisante et intelligente, elle ne paraissait pas du tout aller sur ses quatre-vingts ans. Les enquêteurs savaient qu'ils devaient lui faire revivre de pénibles souvenirs en évoquant la mort de James Crist, mais c'était le seul moyen de revenir sur l'intervention de Pat Taylor dans leur vie.

Elizabeth Crist raconta que celle-ci leur avait été chaudement recommandée. Elle s'était présentée comme infirmière diplômée qui viendrait soi-disant de prendre sa retraite des hôpitaux militaires ; elle proposa d'amener sa fille Deborah, également infirmière diplômée, pour les gardes de nuit. Comme sa mère, Betsy Chandler avait trouvé Pat « très aimable » durant l'entretien d'embauche. Celle-ci leur avait expliqué, à elle et à son frère Jim, qu'elle avait pris sa retraite si récemment qu'elle n'avait pas encore reçu son numéro professionnel mais que les exigences de l'armée étaient beaucoup plus strictes que celles de l'État. Elle leur donna ses références des « Services médicaux de l'armée des États-Unis : numéro d'identité NA-15-753 » et ajouta qu'elle avait à une époque supervisé toutes les infirmières de l'hôpital Piedmont d'Atlanta.

Jim Crist lui donnait une soixantaine d'années et lui trouvait l'air sérieux avec ses cheveux bruns au carré et ses lunettes. Elle dit habiter McDonough et leur communiqua son numéro de téléphone. Elle leur montra ses références signées par d'autres employeurs et Jim les avait vérifiées, pour n'en tirer que de bonnes appréciations. Il considérait Pat Taylor comme une « personne responsable », parfaite pour le rôle de garde-malade.

Pat fut ainsi chargée de « s'occuper de James, de prendre sa température, sa tension, etc., et de lui préparer ses repas. Il n'était pas cloué au lit lorsqu'elle avait pris son poste ». Ni Elizabeth Crist, alors en parfaite santé. Cela n'allait pas durer.

— Je suis tombée malade, elle n'était pas là depuis un mois. Elle a alors été chargée de m'administrer mes médicaments et de m'apporter mes plateaux-repas. Elle ne voulait jamais nous voir ensemble, James et moi. Elle me laissait à l'étage, tandis qu'il avait un lit d'hôpital installé dans son bureau.

— Comment était payée Pat ? demanda Don Stoop.

— Je lui remettais un chèque tous les samedis, dit Elizabeth Crist. Elle avait commencé à dix dollars de l'heure, mais à la fin je la payais beaucoup plus cher. J'étais sous sédatifs... alors je rédigeais mon chèque, pour elle et Deborah.

Toutes deux portaient des uniformes d'infirmières et semblaient très bien savoir ce qu'elles faisaient. Pat arrivait à bord d'un pick-up rouge et Deborah remontait leur allée dans une magnifique Camaro blanche. Pat avait toujours emmené Elizabeth à ses rendez-vous chez le médecin à bord du véhicule des Crist.

Mme Crist ne pouvait jurer que les ordonnances étaient suivies au pied de la lettre ; elle n'avait jamais entendu Pat les appeler, mais elle savait que les pharmacies livraient souvent des paquets de médicaments et de matériel médical. Les yeux d'Elizabeth Crist s'emplirent de larmes à l'évocation des changements radicaux intervenus dans leur vie du jour où Pat Taylor s'en était mêlée. Elle qui s'était tellement occupée de son mari ne pouvait soudain plus le voir. Il y avait toujours de bonnes raisons pour les séparer et Mme Crist s'affaiblissait de jour en jour, au point de n'avoir plus la force de discuter les décisions de son infirmière.

Avec leurs services successifs, Pat et Deborah étaient chez les Crist de 7 heures à 23 heures. Mme Crist s'était rendu compte qu'elle avait toujours terriblement sommeil après les repas.

— Pat me disait de rester au lit et de dormir… Je ne sais pas trop pourquoi, mais j'ai fini par avoir peur d'elle, de ce qu'elle pourrait faire. James et moi étions sans cesse séparés et ne pouvions recevoir aucune visite. Pat se plaignait d'avoir été engagée pour s'occuper d'une personne et d'en avoir finalement deux à charge.

En fin de compte, Pat dirigeait la maison et ne cessait de se plaindre à propos de petites choses ; souvent, elle ne manifestait sa colère que d'un regard, d'un soupir. Quand elle était vraiment fâchée, ce qui arrivait souvent, elle claquait les portes du placard de la cuisine et manipulait les casseroles à grand bruit.

Jim Crist expliqua comment, avec son frère et sa sœur, ils avaient commencé à s'inquiéter du mode de vie trop « réglé » imposé à leurs parents. Quand leurs enfants téléphonaient, on leur répondait que les grands-parents étaient « trop fatigués pour bavarder ». Au début, lorsque Betsy, Bill ou Jim Jr allaient leur rendre visite, Pat expliquait que leurs parents faisaient la sieste, qu'elle ne voulait pas les déranger ; ils trouvaient cela très attentionné de sa part et disaient qu'ils reviendraient plus tard. Par la suite, ils sonnèrent, à diverses heures, pour découvrir, à leur grand désarroi, que leurs parents étaient constamment indisposés.

Pat ne s'entendait pas du tout avec l'équipe médicale chargée des week-ends et de la nuit. Elle trouvait toujours quelque chose à redire à ce qu'ils avaient fait. À sa demande, ils furent presque tous renvoyés. Les enfants Crist en conclurent que les observations acerbes des autres infirmières sur Pat n'étaient dues qu'à de la rancœur. Pat semblait tellement efficace, tellement attentionnée…

Et puis ils s'attendaient à voir la santé de leur père décliner, à le voir divaguer quelque peu. Cependant, certains incidents leur parurent tout de même inexplicables. Un jour, Jim Crist reçut un appel téléphonique de son père ; cela paraissait hautement insolite dans la mesure où le malade ne pouvait s'approcher d'un téléphone sans l'aide d'une tierce personne. Voilà longtemps qu'il ne marchait plus seul.

— Je songe à donner nos bibelots de la guerre de Sécession. Ils prennent trop de place.

— Les donner ! s'exclama Jim Crist, éberlué. Les donner à qui ?

Son père dit que cela ferait plaisir aux infirmières. Jim répondit que ces œuvres inestimables étaient déjà inscrites dans son testament, destinées à ses petits-enfants. En son for intérieur, il comprit que quelqu'un était derrière cette bizarre initiative qui avait poussé le vieil homme à téléphoner, que ce même quelqu'un l'avait amené jusqu'à l'appareil. Son père avait dit plusieurs fois, par la suite, qu'il voulait les donner à Deborah. Elizabeth Crist hocha la tête. Son mari l'avait appelée une fois, elle aussi, alors qu'elle se trouvait à l'hôpital pour des analyses, et l'avait horrifiée en lui faisant part des mêmes intentions.

En janvier ou février 1988, la Rolex de James fut envoyée en révision. Quand l'atelier appela pour dire que la montre était prête, ce fut Deborah qui alla la chercher; mais elle revint les mains vides, expliquant qu'il y avait eu un retard.

— Alors j'ai téléphoné, dit Jim, et le bijoutier m'a dit que Deborah Cole l'avait récupérée et qu'elle avait signé le reçu. Je l'ai encore.

Bill raconta aux enquêteurs avoir remarqué des changements spectaculaires dans le comportement de leur mère au début de 1988. Elle toujours si vive s'était comme avachie, devenant léthargique, et sa pensée semblait confuse. Elle oubliait des événements qui avaient toujours compté pour elle. Betsy le remarqua elle aussi et en conclut tristement qu'il fallait incriminer son âge, sans doute autant que son chagrin de voir diminuer son cher époux. Ce dernier développait maintenant des éruptions irritantes qui lui couvraient le corps entier. Il ne s'était jamais plus mal porté que depuis l'arrivée de Pat et Deborah. Désormais incapable de marcher, il se plaignait de terribles douleurs aux pieds. Son médecin leur dit que cela n'avait rien d'un symptôme de la maladie de Parkinson, au contraire des rougeurs.

Pat n'avait jamais fourni son numéro d'identification d'infirmière diplômée et continuait d'inscrire sur les quittances envoyées à la compagnie d'assurance son numéro de l'armée, en signant « Pat Taylor, infirmière diplômée ». Quand elle eut fait engager Deborah, elle doubla purement et simplement ses honoraires en disant qu'elle paierait elle-même sa fille.

Par la suite, Don Stoop et Michelle Berry obtinrent des copies de ces quittances : ils notèrent une progression significative de leurs revenus. Pour sa première semaine, elle avait inscrit 40 heures à 10 dollars, pour un total de 400 dollars. En décembre 1987, elle comptait 79 heures par semaine, à 12,50 dollars l'heure et 6 heures de « congés payés » à 18,75 dollars de l'heure, soit un total de 1 100 dollars pour une semaine ! Mais elle ne s'arrêta pas en si bon chemin. Comme l'assurance payait immédiatement, les Crist pensèrent que de tels honoraires étaient courants. En janvier, la facture mentionnait 108 heures à 12,50 dollars : 1 350 dollars. En mai, elle se faisait payer 15 dollars de l'heure pour 132 heures : 1 980 dollars par semaine. Sa dernière quittance s'élevait à rien de moins que 2 040 dollars ! Bien que le nom de Deborah n'ait jamais été mentionné, elle devait bien recevoir sa part. À elles deux, la mère et la fille percevaient près de 10 000 dollars par mois.

Pat et Deborah n'avaient pas quitté leur emploi chez les Crist à cause d'une défaillance de l'assurance. Loin de là. Certes, des inspecteurs de la compagnie s'étaient étonnés de la montée en flèche du salaire de ces infirmières, mais l'assurance avait toujours payé. Pat et Deborah avaient ainsi amassé une petite fortune. Toutefois, Don Stoop et Michelle Berry apprirent que ce n'était pas cette paye exorbitante qui avait entraîné leur renvoi, mais ce qui arrivait à leurs patients.

Jim Crist expliqua qu'il avait fini par venir voir sa mère à l'improviste, alors qu'elle déjeunait. Elle mangeait de la salade quand il remarqua des comprimés répandus parmi les feuilles.

— Maman ! Ne mange pas ça.

Il lui prit son assiette et fit la première chose qui lui vint à l'esprit : il jeta la nourriture.

Peu après, en février 1988, Jim emmena sa mère à l'hôpital pour des saignements gastro-intestinaux. Son état se stabilisa en quelques jours et on ne lui prescrivit aucun médicament, sauf pour apaiser ses migraines. Elle recouvra bientôt la santé et rentra chez elle en excellent état, au grand soulagement de ses enfants.

Pourtant, quinze jours plus tard, Elizabeth Crist replongeait dans le même état léthargique, constamment endormie, perdue, déprimée.

En parlant avec l'infirmière, Jim fut surpris de la voir approuver son idée de la confier à un autre établissement. Et vite. Selon elle, sa mère devenait très difficile à soigner.

— Elle n'a parfois plus l'air de savoir ce qu'elle fait.

Selon Pat, elle buvait trop et se gavait de médicaments, au point de ne plus faire attention à tout l'argent qu'elle laissait traîner dans la maison. Incroyable. Ce portrait ne correspondait en rien à la mère de Jim Crist.

Pat accepta de l'emmener aussitôt faire un bilan chez le médecin. Plus la famille se montrait méfiante, plus elle témoignait de bonne volonté et semblait s'inquiéter. Elle promit de prendre immédiatement rendez-vous avec le Dr Watson. Lorsque Jim s'entretint avec sa mère, celle-ci reconnut qu'elle ne se sentait plus elle-même, qu'elle dormait beaucoup trop et avait parfois les idées embrouillées.

Jim Crist appela le Dr David Watson, lui dit combien il s'inquiétait pour sa mère. Leur médecin de famille reconnut qu'il commençait à se poser des questions lui aussi.

— À combien devraient s'élever les factures mensuelles de mes parents pour leurs médicaments ?

— Je dirais dans les deux cents à deux cent cinquante dollars.

Jim Crist contacta les pharmacies qui fournissaient la maison et demanda une copie des ordonnances d'Elizabeth et de James Crist. La facture s'élevait à quelque sept cents dollars par mois.

Il retourna voir ses parents la première semaine de juin 1988, comme si de rien n'était, et prétendit emmener sa mère en promenade. En fait, il la déposa à l'hôpital en demandant une analyse complète de son sang. Lorsque les résultats leur parvinrent, quelques jours plus tard, ils révélèrent la présence massive de triazolam, nom générique d'un somnifère, l'Halcion.

Sans en informer Pat, il lui demanda si elle avait finalement emmené sa mère voir le médecin. Elle répondit que oui, le matin même, et qu'Elizabeth Crist allait très bien.

— Vous avez demandé une analyse de sang ?

— Évidemment. Tout va bien.

Pat ajouta même que le résultat était arrivé alors qu'elles se trouvaient encore dans le cabinet du médecin. Jim savait que cela prenait bien plus de temps et il en eut froid dans le dos.

Peu après, quand il fut seul avec sa mère, il lui demanda comment se portait le Dr Watson.

— Je ne sais pas, répondit-elle. Voilà un moment que je ne l'ai pas vu.

— Tu es allée voir le médecin aujourd'hui, non ?

— On est allées chez le Dr Hardin.

Un dermatologue qui traitait son père pour ses plaques cutanées.

— On t'a prélevé du sang, maman, pour une analyse ?

— Mais non, bien sûr !

Cette fois, Jim en avait assez. Il renvoya Pat et Deborah.

Cependant, les choses ne s'arrêtèrent pas là. Elizabeth Crist dit aux enquêteurs que, quelques semaines plus tard, elle commença à s'apercevoir que de nombreux bijoux avaient disparu. Son mari lui avait offert quelques pièces magnifiques, et elle en avait aussi reçu en héritage.

Elle alla déposer une main courante auprès de la police d'Atlanta, enregistrée le 15 juillet 1988 sous le numéro 815G2682 :

— un rang de perles d'une valeur de 1 100 dollars ;

— un bracelet de perles assorti estimé à 340 dollars ;

— une bague de perle encadrée de deux petits diamants : 325 dollars ;

— un bracelet en maille d'or de quatorze carats : 1 500 dollars ;

— une bague en or ornée d'un lapis-lazuli : 420 dollars ;

— un anneau « tulipe » double avec deux fleurs de diamants : 990 dollars ;

— une bague « éternité » de petits rubis sertis d'or de quatorze carats : 290 dollars.

Elizabeth Crist déclara qu'elle gardait ses bijoux dans un coffre sur une étagère. Quand elle s'était retrouvée confinée dans son lit sous la garde de Pat Taylor en janvier 1988, elle l'avait installé dans sa commode, « sous un tas de combinaisons, parce que je voulais les avoir avec moi. Je ne pouvais pas les porter, mais je les voulais près de moi ».

Interrogée sur l'éventualité d'un cambriolage, elle répondit catégoriquement que c'était impossible avec les gardes-malades se succédant à son chevet et à celui de son mari. Elle reconnut toutefois avoir soupçonné deux infirmières. Son fils avait licencié Pat et Deborah, mais elle n'avait pas porté plainte de peur de répercussions sur son mari dont l'état s'aggravait assez sans qu'il ait à subir le stress des questions des policiers.

Le dossier avait été classé sans suite, faute du moindre indice. Pas un seul bijou n'avait été repéré chez les prêteurs sur gages, il n'existait donc aucun moyen de lier Pat ou Deborah à ces larcins.

Les Crist touchèrent leur assurance et abandonnèrent toute idée de poursuite. Cependant,

Elizabeth constatait de nouvelles disparitions d'objets, souvent de ceux que Pat Taylor avait admirés : dentelles anciennes, broderies, bibelots de la guerre de Sécession, la Rolex, de vieux livres de recettes et un minuscule lustre destiné à une maison de poupée.

Mais ce n'étaient que des objets. Le pire restait le temps perdu avec son époux alors qu'ils avaient été séparés par la maladie. Elle l'avait à peine vu ces derniers temps et il disparut vraiment à Noël 1988, à cause d'une insuffisance rénale, deux jours après son quatre-vingt-huitième anniversaire. L'enterrement eut lieu le 30 décembre à la cathédrale Saint Philippe, et le corps fut incinéré.

49

Ce mardi matin de mars 1991, peu après leur conversation avec les Crist, Don Stoop et Michelle Berry se rendirent au sud d'Atlanta, dans le petit village de McDonough, pour s'entretenir avec Susan et Bill Alford. Bien que Susan n'ait pas laissé son nom la première fois qu'elle avait appelé le bureau du procureur, Bill l'avait convaincue qu'il ne fallait plus hésiter et ils avaient rappelé. Les enquêteurs espéraient en apprendre davantage sur Pat Taylor et sa fille Deborah, mais ils ne savaient pas à quoi s'attendre. Si les ex-épouses témoignaient souvent les unes contre les autres, c'était rarement le cas des filles contre leurs mères.

Susan Alford était une jolie femme aux épais cheveux sombres et à l'intense regard brun. Elle semblait résolue à surmonter sa timidité, même si elle paraissait souffrir de revenir sur le passé de sa mère et de sa sœur. Bill Alford paraissait plus volubile, en représentant digne de ce nom, et riait volontiers.

— À mesure qu'on creusait l'affaire, se souviendrait Michelle Berry, je devais rappeler à Don que, quoi qu'ait pu commettre Pat Taylor, c'était la mère de Susan et qu'il fallait ménager cette dernière.

— Susan Alford nous a raconté cette histoire incroyable, dirait Stoop. Au début, je n'arrivais pas à y croire. Mais, visiblement, elle avait besoin de se libérer. Et elle en savait beaucoup. Pourtant, à l'époque, elle n'était pas au courant de ce que nous avions découvert de notre côté.

Les Alford dirent qu'ils n'avaient commencé à douter des vraies raisons du départ de Pat et de Deborah de chez les Crist qu'après les coups de téléphone virulents de cette dernière, juste avant Noël 1990.

— Alors j'ai appelé Mme Crist, expliqua Bill, et elle m'a dit que Deborah et Pat avaient été virées parce qu'elles l'avaient droguée et volée ! Et qu'elle allait les faire jeter en prison.

Les Alford se montrèrent aussi très francs sur le terrible été 1990, jusqu'à la rupture de Thanksgiving. Les enquêteurs échangèrent un regard lorsque la déclaration porta sur les cheveux des poupées. Pat Taylor ne serait donc pas une suspecte ordinaire.

Comme ils poussaient Susan à rassembler ses souvenirs sur l'époque où les deux femmes travaillaient chez les Crist, Susan décrivit l'inquiétude de sa grand-mère sur leur subite richesse. Deborah avait acheté comptant un pick-up jaune tout neuf, et sa mère, des tapis persans, des bijoux et des objets pour ses poupées.

— Ma grand-mère n'arrivait pas à croire qu'elles se fassent tant d'argent comme simples gardes-malades.

— Votre mère et votre sœur sont infirmières diplômées ? s'enquit Michelle.

— Non. Elles n'ont même pas terminé le lycée. Ma mère a reçu une formation d'aide-soignante quand elle était dans ce centre de réinsertion... Quand elles sont venues me voir à Florence, en 1985, je me suis étonnée qu'elles claquent autant d'argent. Et Deborah m'a répondu : « C'est vrai, j'avoue que ça m'inquiète un peu moi aussi. » Un médecin lui a demandé ses références et maman lui a dit de répondre qu'elle était allée à l'université de Munich. Je lui ai demandé si elle ne trouvait pas ça un peu bizarre, et elle m'a répondu : « Je ne sais pas. »

Étrange, en effet. Deborah avait bien vécu à Munich, mais à l'âge de quatre ans. Susan tendit à Stoop et à Berry un CV manuscrit remis par sa sœur. Ses « réussites » avaient certainement de quoi impressionner : professeur de sciences élémentaires ; monitrice d'équitation ; infirmière assistance chirurgie, soins gériatrie ; chef de bureau médical : correspondance, paye, dépôts, facturation, enregistrements, formation et entraînement, tenue de comptes, supervision d'une équipe de cinq personnes, encaissement.

Deborah se décrivait ainsi (avec des fautes d'orthographe !) : « fiable, efficace, aimable, adaptable, compétente ; nombreux séjours à l'étranger durant mon enfance, contacts avec beaucoup de cultures et de groupes ethniques ; études : université de Munich, Allemagne (Bad Toltz), diplôme d'infirmière, formation permanente en français et en espagnol ».

Susan ajouta que Deborah travaillait actuellement dans un cabinet médical et semblait bien s'en tirer. Avec Pat, elles avaient administré des injections aux personnes atteintes de diabète, et Deborah continuait à injecter des vitamines à son grand-père, le colonel Radcliffe.

Susan estimait que sa sœur n'aurait su monter un subterfuge aussi complexe : elle n'avait sans doute fait que suivre leur mère. Elle ajouta que Deborah avait toujours eu une vie difficile après un mariage dans lequel elle s'était sentie prise au piège.

— Votre mère a-t-elle fait partie de l'armée ? demanda Stoop.

— Non. Sauf que mon grand-père est lieutenant-colonel à la retraite et que mon père était sergent.

— Savez-vous si elles ont visé spécifiquement ces gens ? Comment entraient-elles en contact avec des personnes âgées ou sur le point de mourir ?

— Elles avaient une bonne réputation, par exemple, grâce au fils de Mme Mansfield, Lawrence, qui avait entendu parler d'elles grâce à Sue et Hudden Jones... Tout le monde les aimait.

Selon Susan, Deborah s'était vite aperçue que leur mère emportait tout simplement ce qui tentait l'une ou l'autre dans les maisons ou les chambres de ses patients.

— Deborah faisait exprès de disposer un objet d'une certaine façon et il finissait par disparaître.

Par la suite, Susan se prit à craindre que sa sœur ne fasse de même.

— Ma grand-mère me disait que j'étais sotte de croire Deborah innocente : « Ma chérie, tu peux être sûre qu'elle sait très bien ce qu'elle fait. »

— Et les bijoux ? demanda Stoop. Mme Crist a dit qu'il lui en manquait beaucoup.

— Je sais que Deborah et maman trouvaient normal d'emporter certaines choses. D'autres fois, elles disaient qu'on les leur avait données.

— De quel genre d'objets parlez-vous ?

— De petits trucs. Des bijoux. De l'argenterie. Des babioles. Ma mère aimait les objets qui avaient l'air anciens... Les aiguilles à chapeau. Elle m'a donné un collier de perles à deux rangs. Et puis il y a eu le bracelet assorti, avec un gros fermoir. Magnifique.

Stoop dressa l'oreille mais ne changea pas d'expression. Voilà qui ressemblait aux bijoux décrits par Elizabeth Crist. Susan dit qu'ils étaient dans sa chambre, elle pouvait les leur montrer. En fait, sa mère avait offert beaucoup de belles choses à la famille. Un superbe anneau de jade pour Boppo. Une bague en or et lapis-lazulis pour l'anniversaire de Papy. Et elle gardait pour elle-même un coffre empli de pièces d'argent et de flacons anciens.

— Avez-vous entendu parler d'une Rolex ?

— Non. Ce serait ma sœur qui l'aurait eue parce que ça n'intéressait pas ma mère. Deborah adore les Rolex et elle a eu des problèmes de vol à l'étalage quand elle était plus jeune.

— Et la bague en lapis-lazulis ? s'enquit Michelle. Votre grand-père la porte toujours ?

— Oui. J'ai même un film où il agite la main pour la montrer. Pourquoi ?

Visiblement, Susan hésitait entre le soulagement de voir ses soupçons confirmés et une horreur grandissante à l'idée de ce que sa mère avait fait. Ses yeux s'emplissaient de larmes et elle s'éclaircissait souvent la voix.

— Revenons au statut d'infirmières diplômées dc votre mère et de votre sœur, proposa Stoop. Est-ce qu'elles vous ont dit avoir prescrit des médicaments et se les être procurés ?

— Non, selon elles, Mme Crist se faisait livrer à domicile… Une fois, Deborah a goûté à une de ses pilules, et ça l'a défoncée : elle a dormi toute la nuit au lieu de travailler. Quand elle s'est réveillée, ils étaient tous les deux en train de lui crier dessus.

— Qui ça, « tous les deux » ?

— M. et Mme Crist.

Susan ajouta qu'elle avait beau désapprouver les petits larcins de sa mère et de sa sœur, s'étonner de tout l'argent qu'elles gagnaient, pas une fois elle n'avait pensé que celles-ci se seraient fabriqué leurs propres ordonnances. Don Stoop et Michelle Berry crurent voir l'éclair d'un ancien cauchemar briller dans ses yeux.

50

Don et Michelle avaient largement pris connaissance des comptes-rendus des divers interrogatoires de Pat face à la justice de Géorgie. Ils purent ainsi reconnaître les sinistres similarités entre ce qui était arrivé aux Crist et à Walt et Nona Allanson. Par exemple, lorsque Jim s'était entendu dire que sa mère buvait : cela ressemblait mot pour mot à l'accusation de Pat contre Walt Allanson quelque douze ans auparavant.

Susan et Bill Alford les avaient aussi mis sur la voie de l'affreux double meurtre de Walter et Carolyn Allanson dont Pat était sortie libre comme l'air.

Mais les enquêteurs devaient d'abord s'occuper du dossier actuel. Peu importait combien de personnes disaient que Pat et Deborah n'étaient pas plus infirmières diplômées qu'eux chirurgiens : Stoop et Berry devaient le prouver. De même, il leur fallait retrouver et identifier les médicaments utilisés pour paralyser Elizabeth Crist et découvrir comment ils avaient été obtenus. Et sans doute le plus difficile serait de mettre la main sur les innombrables trésors qui avaient disparu du manoir Crist.

Ces faits dataient de presque deux ans. Les enquêteurs préféraient ne pas imaginer ce qu'il en serait de remonter vingt ans en arrière pour les homicides.

Don Stoop commença ses recherches au sein des divers services de l'armée et des écoles d'infirmières de l'État. Il ne fut pas autrement surpris de constater que ni Pat Taylor ni Deborah Cole Alexander n'y avaient laissé la moindre trace. Un chirurgien de Floride, chez qui Deborah disait avoir été infirmière, n'existait apparemment pas; du moins, personne n'en avait entendu parler en Floride.

Quant à Pat Taylor, elle avait été formée, lors de sa réinsertion, à vider les pots de chambre, à donner des bains et à tenir compagnie aux personne âgées. Deborah Cole, elle, avait travaillé chez de nombreux médecins comme standardiste. Il lui arrivait de passer les commandes de médicaments de ses patrons.

Don Stoop obtint l'autorisation de s'entretenir avec les médecins qui avaient traité les Crist. Le Dr Fred Hardin, leur dermatologue, dit qu'il avait effectivement prescrit une lotion pour les rougeurs. En revanche, il n'avait pas examiné Elizabeth Crist depuis mars 1988.

— Auriez-vous fait une prise de sang à l'un ou à l'autre? demanda Stoop. Avez-vous jamais prescrit un médicament inscrit au tableau?

— Non, pas du tout. C'est leur médecin traitant, le Dr Watson, qui doit s'occuper de ça.

Comme tout un chacun, le Dr Watson avait trouvé Pat Taylor compétente à première vue. Elle semblait maîtriser la phraséologie médicale, et, au cours d'une discussion sur le traitement des assurances, elle avait parlé ouvertement de ses inquiétudes pour son patient. Elle expliquait garder sur elle un moniteur susceptible de l'alerter si M. Crist avait besoin d'aide. Elle semblait très protectrice et ne laissait personne d'autre préparer ses repas. Elle estimait que les infirmières du week-end le « fatiguaient » et se disait beaucoup plus capable d'évaluer ses besoins. Elle veillait constamment sur lui, car elle avait peur qu'il ne souffre de « petites attaques » et ne risque de se blesser en tombant.

Néanmoins, cette première impression favorable s'était altérée quand il vit Elizabeth Crist en 1988. Elle était sa patiente depuis avril 1985, vive, paraissant beaucoup plus jeune que son âge. C'était M. Crist, le malade; certes, sa femme était stressée par son état, mais elle parvenait habituellement à rester enjouée.

— Je dois dire, confia-t-il à Don Stoop en consultant ses notes, que je commençais à me demander si leur infirmière ne leur donnait pas trop de médicaments.

Le 6 juin 1988, il avait à peine reconnu Elizabeth Crist en malade nauséeuse, pâle, qui tenait à peine debout et perdait le fil de ses pensées. Il avait aussitôt prescrit un examen sanguin. Les médicaments qu'il lui donnait pour son hypertension ne pouvaient provoquer de tels résultats. Pourtant, l'analyse se révéla normale, à part un taux anormal d'Halcion.

— Est-ce vous qui lui aviez prescrit ce médicament?

— Oui, une seule fois, en avril. Je me rappelle avoir téléphoné chez les Crist. C'est peut-être l'infirmière, Pat, qui m'a répondu... parce que Mme Crist avait des difficultés à dormir.

L'Halcion est un sédatif très puissant. Or l'organisme d'Elizabeth Crist en présentait d'énormes concentrations. Son médecin précisa qu'il n'en aurait jamais prescrit de telles quantités. Il lui aurait conseillé d'en prendre tout au plus un demi-comprimé chaque soir. Pendant un mois.

Lorsque le Dr Watson se joignit aux fils Crist pour vérifier les ordonnances remises aux deux pharmacies qui livraient la famille, il dit avoir découvert qu'on avait commandé cent vingt comprimés d'Halcion pour une période de trente-six jours, chez l'un des deux fournisseurs. Il assura qu'il n'aurait jamais autorisé autant de somnifères sur une si courte période. Jamais.

Don Stoop découvrit qu'il suffisait à une personne connaissant un peu la terminologie médicale de téléphoner aux pharmacies en utilisant le numéro qui identifiait le cabinet du Dr Watson pour se voir livrer les médicaments voulus. Il aurait vraiment fallu qu'un des employés s'avise d'une utilisation excessive de certains pour mener à la vérification des ordonnances.

Stoop était maintenant convaincu que Pat ou Deborah s'en étaient chargées. Le 11 mai 1988, on avait transmis une ordonnance (30 comprimés) et cinq prolongements pour Elizabeth Crist. Le 29 avril, une autre pharmacie avait reçu la commande de 30 comprimés, 30 de plus le 17 mai, et encore 30 le 3 juin. De quoi en parsemer les salades de Mme Crist comme de confettis, l'empêchant ainsi de se poser des questions.

Stoop savait aussi qu'Elizabeth Crist, longtemps après avoir recouvré la santé, avait trouvé au fond de son placard un flacon de comprimés caché dans un coin. L'étiquette indiquait qu'il s'agissait de

Placidyl, un somnifère qui lui avait été prescrit trois ou quatre ans auparavant; il était aux trois quarts vide. Elle s'était toujours doutée que Pat lui avait administré plus que de l'Halcion.

Les enquêteurs interrogèrent les autres infirmières mais eurent bientôt la conviction qu'aucune n'avait jamais eu plus de pouvoir que Pat dans le manoir des Crist. D'ailleurs, elle en avait fait renvoyer la plupart et insistait auprès des autres pour être la seule à s'occuper des repas et des médicaments. Elle avait expliqué que Mme Crist était « sénile et folle », certainement pas en état de donner des ordres.

Il semblait désormais probable que celle-ci avait été massivement droguée cinq jours par semaine; du lundi matin au vendredi soir, elle ne quittait pas son lit et nul autre ne la voyait que Pat ou Deborah. Quant à l'infirmière de nuit, elle n'avait affaire qu'à une patiente profondément endormie.

Une aide-soignante, Lynn Battle, raconta comment elle était entrée dans la cuisine, un matin, pour y découvrir Pat occupée à dissoudre un comprimé bleu (couleur de l'Halcion) dans le jus d'orange de Mme Crist. Un instant surprise, Pat s'était vite reprise.

— Vous ne pouviez vous en charger, lui asséna-t-elle de son air supérieur. Vous n'avez pas les capacités pour toucher à ça.

Lynn se demandait pourquoi Pat ne se contentait pas de faire avaler le comprimé à Mme Crist... et surtout pourquoi on lui administrait un somnifère le matin.

— Pat m'a dit que, sinon, Mme Crist n'en faisait qu'à sa tête, qu'elle cachait toujours des médicaments à travers la maison. Moi, en tout cas, je n'en ai jamais vu, sauf dans la cuisine. Pat disait qu'elle devait toujours fouiller la chambre de Mme Crist et passait son temps à laisser entendre qu'elle était folle.

Lynn Battle n'était pas restée longtemps après que Jim Jr lui eut demandé si elle voulait travailler à temps complet.

— Pat ne voulait pas, expliqua-t-elle. Elle m'a piégée. Elle disait avoir perdu une enveloppe avec son argent dedans. Elle m'a téléphoné chez les Crist pour me demander de la chercher. Je l'ai fait, mais il n'y avait rien à l'endroit qu'elle m'avait indiqué. Elle est arrivée tôt le lendemain matin, un samedi, et elle a cherché partout, même dans le réfrigérateur.

Un jour ou deux plus tard, l'agence de Lynn l'appelait pour lui parler de l'enveloppe disparue en lui disant qu'elle ne devait pas retourner chez les Crist. Néanmoins, après que Deborah et Pat eurent été renvoyées, ce fut elle qui y retourna et y travailla près de six mois, jusqu'à la mort de M. Crist.

— C'était drôle, parce que, tant qu'elles y étaient encore, Pat et Deborah me téléphonaient pour me dire qu'elles faisaient leur possible pour qu'on me reprenne. Mais je savais que Pat m'avait piégée. Elle ne voulait pas qu'on reste là-bas plus de deux ou trois jours par semaine.

Pat et Deborah avaient de bonnes raisons pour ça.

Les infirmières du week-end avaient remarqué, en arrivant le vendredi, que Mme Crist était agitée et perdait la tête, alors qu'elle semblait se remettre tant qu'elles étaient là. Le lundi matin, au retour de Pat, elle ne ressemblait en rien à la femme que celle-ci avait laissée. Mais, quelques heures après, Mme Crist s'endormait pour le reste de la journée.

Ruth Garrett y effectuait parfois des gardes de nuit. Elle dit à Don Stoop que Pat l'avait renvoyée après qu'elle eut annoncé ne pas pouvoir venir un soir parce qu'elle était malade.

— Elle a dit que Mme Crist trouvait que je la « dérangeais ». Pat était chargée de tous les médicaments et de la nourriture... Un jour, j'ai vu cette pauvre Mme Crist dans un état cadavérique, les yeux gonflés, le teint grisâtre ; elle n'arrivait même pas à tenir sa tête droite. J'ai dit à Pat que je lui trouvais mauvaise mine, elle a répondu : « Je m'en occupe », et elle a téléphoné au médecin pour demander des médicaments. C'était elle qui les commandait tous.

À mesure que l'enquête avançait, il devenait manifeste qu'Elizabeth Crist avait été systématiquement droguée avec des médicaments obtenus à partir d'ordonnances falsifiées, qu'elle avait été dépouillée de sa dignité, de sa santé et d'objets qu'elle gardait précieusement.

Mais, par-dessus tout, elle avait été privée des quelques mois irremplaçables qui lui restaient à vivre avec son mari. Alors qu'elle dormait dans sa chambre, en ce printemps 1988, lui se trouvait loin d'elle, souffrant d'une maladie qui gagnait chaque jour davantage sur lui. Elle finirait par retrouver dignité, santé et quelques-uns de ses trésors, mais jamais ces ultimes moments avec lui.

Impossible de prouver ce que craignaient désormais Don Stoop et Michelle Berry : James s'était plaint de douleurs terribles dans les pieds, le symptôme le plus classique de l'empoisonnement à l'arsenic; or il avait été incinéré. Mais Stoop apprit que l'arsenic est l'un des rares poisons détectables dans les cendres humaines, sans doute parce qu'il s'insinue profondément dans les os, les ongles et les cheveux. Mais la famille Crist avait trop souffert. Quand Stoop leur demanda de faire analyser les restes de James, elle ne put s'y résoudre. Cela ressemblait trop à un sacrilège.

Personne ne saurait jamais si le vieil homme avait été drogué ou empoisonné.

51

Malgré les revers et les déceptions, l'enquête sur Pat Taylor et Deborah Alexander se poursuivait. Don Stoop et Michelle Berry travaillaient d'arrache-pied, glanant un indice par-ci, menant un interrogatoire par-là. Leur moral remonta lorsque Elizabeth Crist et sa fille, Betsy, identifièrent catégoriquement le collier de perles et le bracelet que Pat avait donnés à Susan, de même qu'un ancien livre de cuisine relié de cuir.

Cependant, il manquait encore des myriades de détails. Tôt ou tard, Stoop allait devoir demander un mandat de perquisition pour la petite maison de brique rouge de McDonough, chez Boppo et Papy.

Susan Alford avait encore d'étranges révélations à faire sur la façon dont fonctionnait l'esprit de sa mère, mais elle hésitait à en parler à Don Stoop. Cependant, ces souvenirs l'obsédaient davantage de jour en jour.

Des années auparavant, en 1977, alors que Boppo fouillait dans ses paquets hâtivement rangés après le déménagement du ranch de Tell Road, elle était tombée sur un sac alimentaire contenant un vieux magnétophone. Elle l'avait donné à Sean qui, alors âgé de cinq ans, s'était montré enthousiaste. Les Alford l'avaient emporté avec eux au fil de leurs divers déménagements, sans jamais vérifier s'il contenait quelque chose.

Un jour, alors qu'elle déballait une fois de plus ses caisses pour se réinstaller, Susan souleva le paquet et vit qu'il contenait aussi des cassettes.

— Tiens, proposa-t-elle à Bill, on va écouter de la musique country, ce sera plus gai pour ranger nos affaires.

Dès que la cassette se mit à tourner, tous deux se regardèrent, effarés. Ils reconnaissaient les voix et se rendaient compte qu'ils tombaient sur une conversation intime remontant à bien longtemps :

— Je t'aime plus que tout au monde, chaton.

— Ne dis pas ça, Tom.

— Hein ?

— Tu m'aimes plus que n'importe qui, mais pas plus que n'importe quoi. Tu aimes avant tout la vie…

Les enregistrements que Pat avait systématiquement effectués de toutes ses conversations téléphoniques, crachotants mais encore pleins d'émotion... Ils trahissaient la ruse de l'une, le désarroi de l'autre, la voix de la femme légère et retenue, celle de l'homme empreinte de tristesse. Bill et Susan se sentaient comme des intrus. Ils arrêtèrent l'enregistrement.

— Longtemps après, dirait Susan, je les ai ressorties et j'ai fini par les écouter toutes. C'était effrayant. Je ne savais pas que ma mère avait tenté de pousser Tom au suicide. Il me restait tant de choses à apprendre.

Elle avait d'abord tâché de se convaincre que sa mère était alors sous l'influence de la drogue, que ce n'était pas sa vraie nature. Mais elle ne pouvait désormais plus s'en tenir à cette théorie. Tant qu'elle n'avait pas été au courant de l'épisode chez les Crist, Susan avait vraiment cru que Pat ne gardait aucun souvenir de l'époque où les parents de Tom avaient été assassinés, où Walt et Nona avaient été empoisonnés. Maintenant, c'était fini : elle pensait que sa mère se souvenait parfaitement de tout et qu'elle n'en éprouvait aucun remords.

Susan remit les cassettes à Don Stoop et à Michelle Berry. La plupart portaient une étiquette de la main de Pat, marquées « Tom », avec les dates, surtout en 1975 – le plus extraordinaire était qu'elles aient résisté aux multiples déménagements et à seize étés torrides. Certaines étaient un peu tordues mais fonctionnaient encore. De peur de les abîmer en les manipulant, Stoop préféra les confier aussitôt à un expert pour qu'il les copie et améliore la qualité du son.

Tout était là, le timbre grave et inquiet de Tom, les minauderies de Pat. L'enquêteur n'avait pas encore parlé à cette dernière, mais la femme sur les enregistrements n'évoquait en rien la garde-malade qui lui avait été si souvent décrite. Presque toutes les communications suivaient un même fil conducteur : Tom essayant de rassurer son épouse éperdue, Tom oubliant ses propres inquiétudes pour apaiser Pat, Tom affolé par la mystérieuse infection qui allait bientôt emporter Pat, Tom refusant de renoncer quand Pat ne prédisait que malheur et désespoir. Et, enfin, dans un mouvement déchirant, Tom éclatant en sanglots qui trahissaient encore un lourd chagrin.

Pat était une manipulatrice de haut vol.

D'autres conversations montraient à quel point elle s'était servie de son mari. Stoop écarquilla les yeux quand il entendit comment elle pouvait changer son timbre de voix lorsqu'elle affrontait avocats et procureurs : un moment impérieux, pour ensuite s'alléger, devenir presque aguicheur. Il entendit Pat mettre quasiment son veto à la possibilité pour Tom d'enseigner en prison pour éviter la centrale de Jackson. Il y avait aussi là les voix des morts : Walt Allanson, qui faisait songer à Tom, en plus âgé, et appelait pour s'enquérir de la santé de Pat; et puis Nona, à la diction altérée mais qui semblait s'inquiéter elle aussi.

Stoop connaissait les circonstances de l'infection « fatale » de Pat. Il avait lu le compte-rendu du témoignage de Boppo. En s'automutilant, Pat n'avait fait qu'utiliser les émotions de tous ces gens qui craignaient pour sa vie; elle les avait exploités, pressés pour en extraire la pire des anxiétés.

Elle avait tout orchestré.

Stoop entendit aussi sa voix menaçant l'ex-épouse de Tom. Il se demandait pourquoi Pat n'avait pas jeté des preuves aussi écrasantes. Il savait que la petite Carolyn Allanson aurait dû servir de témoin clef contre Tom. Peu de temps avant le procès, Pat avait composé le numéro du magasin où celle-ci travaillait pour demander, d'un ton enjoué, à parler à la personne chargée des soins capillaires. Au moment où Carolyn s'annonça, la voix de Pat se métamorphosa en un sifflement vénéneux : « Méfie-toi ! » Là-dessus, elle raccrocha.

Cette femme avait déjà blessé physiquement d'autres humains. Maintenant, Stoop l'entendait éroder insidieusement leurs derniers vestiges de sérénité.

La cassette la plus impressionnante comportait vingt-cinq minutes de conversation entre Tom et Pat, alors qu'il allait être transféré de la maison d'arrêt du comté de Fulton à la centrale pénitentiaire de Jackson. Il avait emprunté et acheté du temps aux autres prisonniers pour pouvoir s'entretenir plus longuement avec sa femme. Et que recevait-il en retour ? Des pleurs, des gémissements, des accusations, de lugubres prédictions. Elle minutait soigneusement ses réponses, c'était patent pour un auditeur détaché. Dès qu'elle sentait Tom trop effondré, elle murmurait :

— Je t'aime, chaton.

En fait, c'était elle le chat, qui lâchait sa souris juste assez pour pouvoir ensuite lui sauter dessus et l'empaler sur les griffes acérées de ses paroles. En de très rares occasions, il arrivait à Tom de répondre sèchement ou brutalement ; alors elle éclatait en sanglots et se plaignait de ce qu'il ne l'aimait pas. Et lui de s'excuser platement.

Malgré les larmes qu'elle versait, une chose sautait aux yeux : elle s'amusait bien! Ce n'étaient pas des conversations qu'on entendait sur ces cassettes, mais des compétitions. Elle gagnait toujours, évidemment, comme Dalila avec Samson. Jour après jour, elle affaiblissait ce géant par les seules pointes de ses paroles acérées.

À un moment, Tom parut s'approcher de la réalité, même s'il n'usait que de métaphores, si près que Pat en resta un instant coite.

— Tom, quand ils t'emmèneront, je ne saurai pas si tu es vivant ou mort.

— Pat! implora-t-il, dans tes lettres tu es tellement dévorée par la haine. Tu es tellement amère...

— Tom! se lamenta-t-elle. Qu'est-ce que je peux faire d'autre? Tu ne m'aimeras plus...

— Tu peux remuer le couteau dans la plaie tant que tu veux; ça ne fera que l'aggraver...

— Quoi?

Elle se tut, et Stoop comprit qu'elle se demandait si son mari n'avait pas découvert son manège d'automutilation.

— Chaton, murmura-t-il, je veux dire que les choses ne s'arrangeront pas si tu te mets à haïr tout le monde.

Elle poussa un soupir qui en disait long sur son soulagement. Décidément, personne ne se doutait de rien... Stoop s'avisa qu'elle comptait aussi sur Tom pour garder quelques secrets. Mais lesquels?

Dès qu'il se mettait à parler de quelqu'un d'autre qu'elle, Pat s'emportait et lui donnait des ordres.

— Je t'aime, Tom. Je t'aime, chaton. Je ne veux voir personne d'autre s'immiscer dans nos vies.

Certes. Si Tom n'avait personne d'autre qu'elle dans sa vie, il ferait exactement ce qu'elle lui ordonnait. S'il croyait qu'elle seule l'aimait et s'acharnait à le faire libérer, bien qu'elle courût un « danger de mort », alors il ferait tout ce qu'elle lui demanderait. Mais qu'attendait-elle de lui, au juste ? Si elle isolait tellement Tom, c'était sans doute qu'il pouvait représenter un danger pour elle ; il devait connaître des secrets explosifs. Pour peu qu'il ait cédé au pacte de suicide qu'elle lui proposait, elle n'aurait plus rien eu à redouter de lui.

À ce stade, Don Stoop comprit qu'il allait devoir s'entretenir avec Tom. Il se demandait à quoi ressemblait cet homme qui avait été incarcéré plus de quinze années et ne connaissait la liberté que depuis un peu plus d'un an. La prison l'avait-elle anéanti ? L'enquêteur était au moins certain d'une chose : Tom Allanson n'évoquerait pas volontiers Pat et les années 1970.

Et qui le lui reprocherait ?

Lorsque Don Stoop interrogea Gary, l'ex-mari de Deborah Cole Alexander, celui-ci n'avait pas davantage envie de parler de Pat, sauf pour la traiter de « vicieuse, intrigante, salope ». Il n'avait pas oublié le jour où il avait appris qu'elle avait engagé un tueur à gages pour l'abattre. À l'époque, il l'avait cru et se posait parfois encore des questions. Gary Cole ne voulait plus rien avoir à faire avec Pat et Deborah. Il avait toujours peur de la mère et ne lui pardonnerait jamais.

En mars 1991, Pat et Deborah apprirent qu'elles faisaient l'objet d'une enquête. Mal à l'aise, anxieuses, elles eurent tôt fait d'accuser Susan de les avoir « trahies ».

Quant à Boppo, bien sûr, elle fila vent debout pour aider sa fille. Elle alla trouver Bill Alford à l'écurie où Ashlynne et Courtney prenaient une leçon. Bien qu'elle en soit venue à considérer Susan comme la paria du clan Siler et un être foncièrement mauvais, elle comptait toujours sur Bill, qui lui, au moins, savait dissimuler ses émotions derrière un sourire sardonique.

Elle lui demanda d'installer un micro dans le téléphone des Alford – autrement dit, son téléphone à lui –, afin qu'elle puisse écouter les communications de Susan. Pour appuyer son idée, elle lui rappela qu'il avait épousé une femme forcément folle pour avoir ainsi dénoncé sa mère. Pauvre Pat... Tout le monde savait pourtant combien elle avait souffert sa vie durant, et voilà qu'elle se trouvait maintenant confrontée à une fille ingrate et déloyale !

Bill promit solennellement, bien qu'il n'ait pas la moindre intention d'enregistrer quoi que ce soit ; mais il ne voulait pas que les Radcliffe se doutent qu'il était de mèche avec Susan. Car s'il restait le moindre bibelot des Crist dans leur maison, il fallait laisser Stoop le découvrir.

À la fin de mars 1991, Stoop avait obtenu des indices formels sur plusieurs accusations contre Pat et Deborah, mais il ne parvenait toujours pas à relier définitivement la mère aux meurtres de

Walter et Carolyn Allanson. En matière de meurtre, il n'y avait pas prescription.

Il n'était cependant pas facile de retrouver des témoins d'événements survenus dix-sept ans auparavant. Michelle s'entretint avec Jean Boggs, qui gardait de Pat un souvenir aussi clair que si elle l'avait quittée la veille. Jean se montra très coopérative ; toutefois, depuis des années elle évitait tout contact avec les Radcliffe, ainsi qu'avec son neveu, Tom. Nul n'aurait su la convaincre que Pat n'était pour rien dans la machination qui avait abouti à la mort de son frère et de sa belle-sœur.

Stoop retrouva la réceptionniste qui travaillait pour l'orthopédiste de Pat Allanson à East Point en juillet 1974. En fait, elle était toujours en poste et accepta de vérifier le carnet de rendez-vous en date du 3 juillet. Elle se souvenait d'avoir vu cette patiente, ce jour-là. Après tout, c'était une date spéciale et tout le cabinet avait suivi l'affaire des meurtres commis le soir même. Toutefois, le carnet prouva une seule chose : Pat n'avait pas rendez-vous ce jour-là et les dossiers disaient qu'elle n'avait pas subi de radio de la clavicule, contrairement à ses déclarations. La réceptionniste se rappelait surtout l'avoir vue entrer, dire bonjour à tout le monde puis repartir. Elle avait fait acte de présence, se dit Stoop, histoire d'être vue par différents témoins.

À force de lire et relire les dossiers de l'affaire, Stoop ne doutait pas que Tom Allanson se fût bien trouvé dans la cave ce soir-là ; en même temps, il se demandait qui avait coupé la ligne téléphonique et l'électricité. Il se demandait comment un fusil s'était trouvé dans la niche et restait particulièrement intrigué par l'omniprésente Pat. Elle s'était arrêtée devant la maison voisine du lieu du crime, avait circulé dans le quartier en jeep, acheté du poulet frit à proximité, puis attendu dans la voiture, soi-disant occupée à coudre son costume du 4 juillet, dans un coin obscur du parking, à un pâté de maisons de Norman Berry Drive. En revanche, elle prétendait ne plus avoir vu Tom après qu'il l'eut laissée devant le cabinet de l'orthopédiste.

Qu'avait-elle à gagner à la mort de ses beaux-parents ? Et, en élargissant un peu la perspective, qu'avait-elle à gagner à la mort de son époux par la même occasion ?

Zebulon.

Les Allanson avaient déshérité leur fils, mais Pat n'en croyait pas un mot. Après tout, ses parents à elle ne lui avaient-ils pas toujours tout pardonné ? Elle ne pouvait même pas imaginer que ces gens ne se sacrifieraient pas pour leur petit. Elle devait s'imaginer que le martyre de Boppo et Papy ne correspondait qu'à une vie de famille ordinaire. Et si elle pensait que Tom allait hériter tous les biens de Walter et Carolyn Allanson, elle devait en conclure que, en tant qu'épouse, elle hériterait de son mari. Il leur restait l'énorme emprunt sur le haras, avec les échéances qui commençaient à s'amonceler. Une riche veuve pourrait y faire face.

Ce n'était pas le seul aspect navrant du problème, surtout après que Tom eut répété son amour pour une femme geignarde et calculatrice dont la plupart des hommes se seraient débarrassés depuis longtemps. On disait que Pat s'était lassée de lui dans les semaines qui avaient suivi leur mariage à la *Autant en emporte le vent*. Susan, particulièrement, se souvenait bien de son indifférence grandissante. Au lieu de le rejoindre au lit, elle restait à se balancer sur la véranda avec sa tante. C'est seulement après l'arrestation de Tom que Pat commença à jouer son personnage d'héroïne tragique attendant le retour de son amant. Stoop avait l'impression qu'elle n'aurait pas été fâchée de jouer les veuves éplorées.

Pour un peu, il la voyait assez bien rêver au retour de Hap Brown, le chapeau à la main, dès qu'elle serait installée seule dans sa belle propriété de Zebulon.

Il restait une seule personne vivante à savoir ce qui s'était vraiment passé du côté de la maison des Allanson, sur Norman Berry Drive, le 3 juillet 1974.

Et cette personne était Tom Allanson.

52

Don Stoop et Michelle Berry rencontrèrent Tom Allanson dans le bureau de son contrôleur judiciaire. Légalement, Tom n'avait plus rien à craindre. Quoi qu'il se fût passé la nuit du meurtre de ses parents, il l'avait payé de quinze ans et demi de sa vie et ne risquait pas de remise en accusation. Il ne serait jamais rejugé pour cette fusillade, et rien ne l'obligeait à répondre aux enquêteurs. Pourtant, il accepta.

Malgré les années, il ressemblait encore au géant débonnaire des premières photos. À presque cinquante ans, il n'avait pour ainsi dire aucun cheveu gris, et ses bras restaient musclés et bronzés. Si l'idée de parler de la femme qui avait dévoré une partie de sa vie ne l'enchantait guère, il ne s'en montra pas moins poli, allant jusqu'à serrer la main de Don Stoop dans sa paume massive.

Même si celui-ci connaissait leur histoire presque par cœur, cela ne l'empêcha pas de commencer par quelques questions pour le relancer sur ce sujet, afin d'entendre la version de cet homme qui avait aimé Pat à la folie, au point de lui jurer de rester avec elle jusqu'à la mort – mais pas au point, se dit Stoop, de se suicider.

Il voulut d'abord revenir sur leur rencontre. Les réponses jaillirent chaque fois, brèves et nettes. À l'évidence, Tom n'avait pas la mémoire des dates. Il reconnut avoir intensément désiré épouser Pat.

— Je ne sais pas si elle en avait envie ou non, c'est moi qui insistais. Elle me disait tout le temps : « Non, on ne va pas se marier. » Et j'aurais mieux fait de l'écouter... Je n'avais pas la tête sur les épaules, à l'époque.

Pat connaissait sa proie. Elle savait très bien se faire prier juste ce qu'il fallait pour l'attirer où elle voulait.

— Maintenant, reprit Stoop, je vais vous poser une question difficile, à laquelle vous répondrez aussi sincèrement et précisément que possible. Nous voudrions savoir quelle a été la participation de Pat dans le meurtre de 1974. C'est-à-dire, ce qui l'a initié, ce qui l'a provoqué, ce qui en a transpiré au cours du procès et après, quand vous étiez en prison.

— En effet, ce sera difficile, commenta Tom. Mes parents n'ont jamais aimé Pat. Elle n'était pas la cause de mon divorce, mais le résultat… Et elle les détestait tout aussi cordialement.

— D'accord. A-t-elle jamais jeté de l'huile sur le feu ?

Tom reconnut qu'elle n'avait cessé de provoquer ses parents et que cela avait déteint sur lui. L'embuscade de Lake Lanier avait rendu son père « fou ».

— Vous croyez que c'est Pat qui l'a organisée ?

— Non… Elle était avec moi ; on ferrait des chevaux à Lithonia… La police a pris mes fusils pour les vérifier, les munitions ne provenaient pas d'eux… Mon père n'en avait que de vieux qui ne servaient à rien, alors il a acheté une nouvelle arme… et il a clamé sur tous les toits que ce serait réglé avant la fin du week-end. Normalement, je devais participer à la parade d'Atlanta, j'en ai conclu qu'il comptait m'abattre quand je défilerais.

— Qu'en disait Pat ?

— Ça remonte à longtemps… Elle n'a fait qu'en rajouter. Pat était une personne impétueuse, très manipulatrice, capable de tout pour obtenir ce qu'elle voulait, sans qu'on s'en rende compte. Elle pouvait complètement retourner un homme marié, l'arracher mine de rien à trente années de vie de couple… Il faut l'avoir vu pour le croire. Quand elle avait une idée derrière la tête, elle mettait tout en œuvre pour la réaliser. Si vous ne répondiez pas à ses attentes, elle trouvait un autre moyen. Elle ne vous lâchait pas tant que vous ne lui aviez pas donné ce qu'elle voulait.

Tom se souvenait qu'on lui avait fait part d'appels téléphoniques à son père l'après-midi des meurtres.

— Mais je ne l'ai pas vue ni entendue les passer.

Stoop lui demanda s'il croyait toujours que son père avait joué les exhibitionnistes avec sa femme.

— Non. Ce n'était pas son genre.

— Pourquoi croyez-vous qu'elle a raconté ça ?

— Pour m'exciter contre lui.

— Ça a marché ?

— C'est sûr que ça m'a rendu fou, mais… j'avais une peur bleue. Je ne savais pas ce qui pourrait m'arriver.

Les yeux de Tom s'embuèrent.

— Ce procès… ça n'a été qu'une mascarade. Elle était assise près de moi, à m'envoyer des coups de coude, et le juge n'arrêtait pas de lui dire de se tenir tranquille, que si elle continuait à essayer d'influencer le tribunal elle allait devoir sortir.

— D'accord. Passons au meurtre. Vous êtes partis en voiture avec Pat ce jour-là, n'est-ce pas ?

— Je l'ai emmenée chez son orthopédiste.

Sentant son interlocuteur sur la défensive, Stoop décida de s'y prendre plus doucement.

— Et c'est bien là qu'elle s'est rendue ?

— Je suppose.

— Pourriez-vous me raconter cette journée à votre façon ? Prenez votre temps…

— Bon. Je suis allé là-bas. Ma mère et mon père étaient des gens très méthodiques… Ils respectaient toujours les mêmes horaires pour aller

593

travailler, pour rentrer chez eux. Alors j'y suis allé en fin d'après-midi pour parler à ma mère parce que je pensais la trouver à la maison à cette heure-là. Je m'y suis rendu à pied puisque j'avais déposé Pat en lui laissant la voiture... J'ai dû longer un ou deux pâtés de maisons, quelque chose comme ça. Je voulais convaincre ma mère de calmer mon père et je ne pouvais pas la voir sur son lieu de travail, encore moins la joindre au téléphone parce qu'il ne lui aurait pas passé la communication... Il était très dur à la maison, il dirigeait tout... Aussi, le seul moyen d'obtenir quelque chose, c'était d'aller trouver ma mère en son absence.

— Pat savait-elle que vous alliez chez eux ?

— Oui.

— Ah, elle le savait ? insista Michelle Berry.

— Je crois même que j'ai été piégé... Parce que, en temps normal, j'aurais dû trouver ma mère en arrivant. Seulement, elle était un peu en retard. La porte de derrière était fermée mais celle de la cave ouverte, alors je me suis dit que j'allais attendre en bas. Je préférais ne pas m'asseoir devant l'entrée au cas où mon père serait rentré... Mon ex-femme et mes enfants ont fait irruption en même temps qu'elle, ce qui a plus ou moins gâché les choses... Dans un sens, j'étais pris au piège. La police a prétendu que la porte de la cave avait été forcée, mais moi je l'ai trouvée ouverte.

Cela ressemblait bien à un piège : son ex-femme, qu'il décrivait comme une « personne pas vraiment rationnelle », se trouvait au rez-de-chaussée, son père devait arriver d'un moment à l'autre, et lui se cachait dans la cave d'une maison dont il avait été chassé.

Pour corser le tout, son père revint effectivement plus tôt que d'habitude.

— C'était vous, l'électricité et la boîte à fusibles? demanda Don Stoop.

— En aucune façon.

— Et le fil du téléphone?

— Je n'y suis pour rien.

— D'accord. Vous avez bien dit avoir été piégé. Vous l'avez pensé à l'époque?

— C'est là que je voulais en venir. En règle générale, mon père ne rentrait pas si tôt. Et au procès on a dit qu'il avait reçu un coup de fil... Je crois aujourd'hui qu'elle l'a appelé de chez son orthopédiste, pour le prévenir que j'étais là. Je n'en ai aucune preuve. C'est juste ce que je pense.

— De cette cave, vous entendiez les gens au-dessus, n'est-ce pas?

— Non.

— Ainsi, votre père n'est pas entré en criant « Tom est là? » ou quelque chose comme ça?

— Non. Il est descendu à la cave, il a jeté un coup d'œil et il est remonté. Je m'étais caché dans un coin en cherchant un moyen de filer. Et là, il a appelé la police...

— Comment a-t-il pu appeler la police si le fil était coupé?

— Il est allé chez les voisins... Quand la police est arrivée, il est sorti et il a parlé à... je crois que c'était le sergent Callahan. J'ai entendu leur conversation parce qu'il se tenait à moins de dix mètres. Je me suis dit que je pourrais en profiter pour filer, sous le nez des policiers, avant que mon père sorte le fusil et le pistolet de sa voiture.

Tom s'était accroupi dans la cave quand il avait entendu son père refuser de laisser la police fouiller la maison. Il aurait pourtant été soulagé que les agents le trouvent là et l'emmènent. Mais son père avait répondu :

— J'ai ce fusil, là. Je connais le coupable et je m'en occuperai moi-même.

— Pour tout vous avouer, soupira Tom, je ne crois pas que Pat se souciait que je me fasse tuer ou non. Quand mon père a sorti le fusil, j'ai compris que si je courais vers la porte il m'abattrait sans sommation. J'étais complètement affolé.

Stoop devrait patienter, le temps que Tom se détende un peu pour en arriver à la fusillade. Il détourna donc la conversation.

— Je voudrais en venir à la responsabilité de Pat, d'accord?... Saviez-vous qu'elle parcourait le quartier en voiture en vous attendant?

— Non.

— Elle ne vous en a jamais rien dit?

— Non.

— Savez-vous qu'elle est allée voir un caviste où vous avez déclaré avoir voulu passer un coup de téléphone?

— Au moment où j'étais enfermé, à East Point, j'étais malade de peur. Je ne savais pas du tout ce que j'allais faire... J'avais toujours dépendu de mes parents, je n'avais jamais eu d'ennuis... Et la voilà qui arrive et me dit : « Je m'occupe de tout. Ne t'inquiète pas. Ne leur dis rien. » En fait, elle montait toute une chaîne de faux témoins qui m'auraient vu le long de Cleveland Avenue... Elle a convaincu Ed Garland d'insister sur le fait que je ne m'étais pas rendu là-bas puisqu'il n'y avait aucun témoin visuel pour le corroborer. J'aurais préféré plaider la légitime défense, je n'aurais pas passé quinze ans en prison... Elle s'est amenée avec ces gens rencontrés chez le caviste et qui m'auraient prétendument vu là-bas, mais je n'aimais pas ça. Une fois qu'on a menti à un avocat qui tente de vous aider, on a tout gâché... Il n'y croit plus et finit par vous lâcher.

Stoop demanda à Tom s'il avait compté retourner prendre Pat chez son orthopédiste ou si c'était elle qui devait venir le chercher.

— Je comptais rester le temps de parler avec ma mère, après quoi je retournerais chez l'orthopédiste. Ça devait me prendre quinze ou vingt minutes, et ça a duré beaucoup plus... mais qu'elle vienne me chercher ? Absolument pas.

— Quand je me suis retrouvé en prison, elle a dit à tous mes amis que je n'avais pas le droit de recevoir de courrier de l'extérieur, sauf de ma famille immédiate. Elle mentait. Elle voulait juste que personne ne me dise rien, à part elle.

— Ainsi, elle contrôlait toutes les informations que vous receviez, sur tous les sujets ?

— Elle contrôlait tout. L'argent. J'avais commis la bêtise de lui donner une procuration. Les avocats. Le haras. Tout ce qui a été volé ou a disparu. Je ne savais rien.

Il reconnut avoir eu des doutes en apprenant que la maison et les écuries de Zebulon avaient entièrement brûlé. Il ignorait qu'elle avait pris des assurances dessus, et ce fut Stoop qui lui annonça qu'elle avait touché un chèque destiné au créancier hypothécaire.

— Quand vous étiez en prison, reprit Stoop, a-t-il été question d'un « pacte suicidaire » entre Pat et vous ?

— Vous savez, elle m'a même apporté à Jackson de quoi me suicider sur place, avec elle. J'ai répondu : « Pas question ! »

— Qu'avait-elle apporté ?

— Je ne sais pas. Elle ne me l'a pas montré. Je crois qu'il s'agissait de comprimés, mais j'ai répondu : « Je ne suis pas prêt... » Elle m'a dit qu'elle recommencerait la semaine suivante et, quand elle est revenue le lendemain, j'ai dit non... Si j'avais fait ça, je ne crois pas qu'elle aurait même pris de l'aspirine. Elle avait trop à y gagner et moi trop à y perdre. Et si j'étais parti, elle aurait récupéré le haras et tout le terrain.

Ses yeux se décillaient, pourtant, il prenait encore Boppo pour un modèle.

— Avec moi, Mme Radcliffe s'est toujours montrée adorable et tout... Pat pouvait faire ce qu'elle voulait, elle trouvait toujours ça bien, mais je pense que Mme Radcliffe est un être humain extraordinaire. J'ignorais ce qui se passait dans cette famille parce que Pat mentait comme elle respirait... Je ne devrais peut-être pas dire ça, mais c'est systématique, chez elle.

— Croyez-vous, demanda Stoop, qu'elle soit folle, ou qu'elle calcule chacun de ses mouvements ? Estimez-vous qu'elle combine tout... qu'elle avait prévu votre réaction, qu'elle savait comment vous manipuler ? Corrigez-moi si je me trompe, mais je crois que son objectif principal était de vous garder en prison, de vous faire taire tout ce temps-là, non ?

— Comme je l'ai dit, elle se fichait que je sois vivant ou mort… Elle se moquait éperdument que je sorte ou non.

Interrogé sur une assurance vie, Tom se rappela en avoir pris une mais ne savait pas ce qu'elle était devenue.

En épousant Pat, il n'aurait jamais imaginé que les relations avec ses parents Allanson aient pu tourner à la violence.

— Je me voyais en froid avec la famille, ce sont des choses qui arrivent… Vous savez, mes parents étaient furieux de mon divorce, mais ça n'aurait jamais dû aller si loin.

Quant aux prétendues menaces de son père, Tom dit qu'elles lui avaient toutes été transmises par Pat ou Boppo. Ce fut ainsi qu'il apprit que « tout serait fini ce week-end ».

— Pensez-vous que Pat a participé au meurtre de vos parents ?

Un long silence s'ensuivit. Tom contemplait ses mains.

— Je ne dirai pas ça, lâcha-t-il enfin, parce qu'ils sont morts en trente secondes dans un cas de légitime défense…

Stoop expliqua qu'il parlait dans un sens plus large.

— Je pense, reprit lentement Tom, que si elle n'était pas intervenue ils seraient encore vivants. Disons ça ainsi. Je veux dire, si je n'étais pas sorti avec elle, ou je ne sais quoi... je crois que mon père et moi aurions fini par nous réconcilier. Je regrette de l'avoir rencontrée. Tout se serait beaucoup mieux passé.

Il n'était pas encore prêt à parler de la fusillade, qui devait rester un profond traumatisme pour lui. Néanmoins, il lâcha une petite information très insolite. Pat avait toujours souligné qu'elle n'avait plus vu Tom, ce 3 juillet 1974, après l'avoir quitté sur le seuil du cabinet de l'orthopédiste.

Traumatisé comme il l'était après la fusillade, Tom avait fui vers l'autoroute, vers le King Building.

— Pat s'était garée dans ce parking, déclara-t-il sans remarquer les mines médusées de ses interlocuteurs. Je lui ai raconté ce qui s'était passé et j'ai dit : « Il faut que je rentre à la maison. » Elle a répondu : « Mes parents arrivent. » Elle leur avait téléphoné ou je ne sais quoi et j'ignore pour quelle raison.

— Bon, dit Stoop en tâchant de garder une voix calme. C'est très important. Reprenons. Vous êtes en train de nous dire qu'après vous être enfui vous l'avez bel et bien trouvée dans le parking du King Building ?

— Oui.

— Comment avez-vous fait pour la trouver là-bas ?

— Je suis passé devant.

— Vous êtes passé devant, vous avez tourné la tête et vous l'avez vue. Que faisait-elle quand vous êtes allé la trouver ?

— Elle était assise dans la jeep.

— Que vous a-t-elle dit ?

— Que ses parents arrivaient. Pour autant que je sache, elle était déjà au courant des meurtres. Il suffisait de l'entendre. Alors je suis parti en stop. Je n'ai jamais descendu Cleveland Avenue. Je suis rentré à la maison et mon grand-père m'a appelé en me disant que quatre policiers étaient venus, qu'ils avaient un mandat d'arrêt. J'ai dit : « Rappelle-les et dis-leur que je suis là. » Et le shérif Riggins m'a téléphoné... On était bons amis... Il m'a dit : « Je ne veux pas de résistance. » J'ai promis et je n'ai pas résisté.

Il y avait de l'électricité dans l'air. Sans doute Tom ne s'était-il encore jamais autorisé à reconnaître le véritable coup monté qui avait présidé à cette fusillade apparemment spontanée. Il avait beaucoup réfléchi en prison. Pendant quinze ans et demi. Et les questions de Stoop et de Berry ne faisaient que souligner les mensonges de Pat et ses manœuvres de diversion.

Lentement, Stoop se mit à énoncer les « coïncidences » qui avaient émaillé les ennuis de Tom. D'abord, il y avait eu le formaldéhyde dans le biberon du bébé. Pat détestait la petite Carolyn et tout ce qui pouvait la relier à lui. Or, Tom et Pat avaient tous deux accès à ce produit en soignant les chevaux.

— Ensuite, continua Stoop, elle vous dit que votre père avait parcouru la route jusqu'à Zebulon – et s'était dénudé devant elle... Que vous ayez aimé ou détesté votre père, vous savez qu'il n'aurait jamais fait une chose pareille. D'ailleurs, il a été prouvé qu'à cette heure-là il se trouvait à son cabinet. Vous auriez pu en discuter avec votre mère, vous saviez que votre père était encore au travail, que c'était le bon moment. Seulement, Pat ne voulait pas de cette réconciliation, c'est ça?

— Je suppose.

— En arrivant tous les deux, vous vous êtes arrêtés devant le cabinet de l'orthopédiste. Vous partez de votre côté, elle du sien. Vous vous pointez chez vos parents... La cave est ouverte, c'est ça?

Tom hocha la tête.

— La petite Carolyn arrive avec les enfants, puis mère. Vous êtes coincé à la cave, et soudain votre père surgit. D'après les témoignages, une femme aurait téléphoné plus tôt à votre père à son cabinet... D'un seul coup, c'est la fusillade. Vous passez en courant devant le parking du King Building. Pat est arrêtée là, vous lui racontez cc qui s'est passé et elle dit : « Ne t'inquiète pas. J'ai déjà appelé mes parents, ils vont arriver. » Elle reste et vous partez. Maintenant que vous y réfléchissez, à quoi est-ce que ça ressemble, pour vous?

Malgré tout le temps qu'il avait dû passer à réfléchir à la tragédie qui avait bouleversé sa vie, c'était clairement la première fois qu'il l'envisageait dans son ensemble.

— Peut-être qu'elle avait tout planifié... mais je ne vois pas comment on peut exécuter une chose pareille avec tant de gens impliqués.

À l'évidence, il considérait la chose du point de vue d'un homme qui n'avait jamais tendu un piège à quiconque. Ce n'était pas un vicieux; il ne saisissait pas la cruauté intentionnelle de certains humains.

Don Stoop revint sur les affrontements, toutes les mortifications, parfois portés à des degrés inimaginables, par exemple, lorsque Pat avait aggravé sa terrible blessure. Elle était brillamment parvenue à intensifier l'antagonisme entre père et fils en jetant de l'huile sur le feu des petites vexations qui finiraient forcément par provoquer une déflagration impossible à apaiser.

Dans la foulée, Don Stoop se demanda à haute voix si Pat n'avait pas pensé voir son mari vivant pour la dernière fois quand elle lui avait dit au revoir devant le cabinet de l'orthopédiste.

— Elle pourrait bien vous avoir suivi des yeux, vous avoir donné dix ou quinze minutes avant d'appeler. Et, brusquement, votre père est arrivé. Là...

Finalement, Tom put raconter ce qui s'était passé. Il commença par expliquer qu'il avait eu l'occasion de décrire la cave à Pat, qu'il lui en avait même fait un croquis. Malgré elle, il avait fait de même avec Ed Garland ; mais, à cette époque, il était déjà beaucoup trop tard pour que l'avocat puisse changer sa tactique de défense. On aurait pris l'accusé pour un menteur toujours prêt à inventer autre chose. Tom et Ed étaient piégés dans le filet légal où les avait pris Pat.

De sa voix grave à l'accent du Sud, Tom reprit son récit à l'arrivée de son père, décrivant d'abord la cave comme s'il s'y trouvait à nouveau.

— Il est descendu avec son pistolet pour jeter un coup d'œil en bas, il a regardé autour de lui, là où il rangeait son matériel de camping. Il n'y avait qu'une lampe à cet endroit... qui ne marchait

603

pas… Mais je devais me tenir là à respirer trop fort ou je ne sais quoi, toujours est-il qu'il s'approche et crie vers l'escalier : « Je l'ai coincé dans la niche ! » Et il tourne le pistolet vers ce petit coin, pas plus grand qu'un placard, et commence à tirer tout autour du mur, pas loin de moi, il vide son chargeur. Des morceaux de ciment et des fragments de balles volent dans tous les sens et il crie à ma mère de descendre le fusil. Juste devant les marches, il y a une petite ampoule de deux cents watts. Quand on regarde en descendant, c'est la première chose qu'on voit. Je ne savais plus où était mon père ni rien, j'ai juste aperçu le fusil dans la niche, adossé au mur, celui qu'il avait déclaré volé… Un fusil à un coup…

— Était-il chargé ?

— Oui, il le gardait toujours chargé à la maison.

— Même avec ses petits-enfants dans les parages ?

— Il le rangeait en permanence dans son placard, même avec moi quand j'étais petit.

— Comment se fait-il que cette arme se soit retrouvée à la cave ?

— Il l'avait déclarée volée, avec son autre pistolet…

Tom ignorait comment et pourquoi l'Excel était arrivé dans la niche de la cave.

— En tout cas, continua-t-il, il venait de vider son pistolet, et moi j'étais tombé sur cet Excel. Je me suis dit qu'il était temps de me barrer, parce qu'il avait demandé qu'on lui descende le fusil neuf. Vous savez, ma mère n'a jamais tiré une cartouche de sa vie. Et la voilà qui descend, complètement paniquée, parce qu'elle entend que ça claque dans tous les sens en bas... Et elle déboule là juste au moment où je ramasse le fusil, sans tirer ni rien. Juste au moment où je vais sortir par l'entrée de la niche, il y a cet éclair et je recule, et le coup part. Je ne me rendais même pas compte si je les avais touchés. Je ne la visais évidemment pas... Et elle, elle a tiré et touché mon père, parce qu'il y avait du sang juste devant la porte et tout autour de la cave. Ce n'est pas moi qui l'ai tué... Et mon fusil n'a pas pu l'atteindre parce qu'il ne se trouvait pas devant la porte. [À cette distance, l'Excel trouvé dans la niche aurait littéralement réduit Walter Allanson en poussière.] C'est donc bien elle qui l'a touché. Alors tout se met à sonner là-dedans (Tom se tapota la tête). Je me suis penché vers le sol pour ramasser une autre cartouche, j'ai rechargé et j'ai poussé la porte avec le canon. Je ne sais pas combien de temps ça a duré. Peut-être une minute, peut-être même pas. Au moment où j'ai franchi la porte, mon père était là, en train de balancer le fusil à travers la cave, et j'ai tiré dans cette direction. En même temps, j'ai vu ma mère, déjà tombée sur les marches... et lui, je le vois qui va là-bas.

Le silence retomba sur la pièce.

Alors, Don Stoop demanda à Tom s'il avait jamais entendu son père prononcer son nom.

— Tout ce que j'ai entendu, c'était : « Je l'ai coincé dans la niche ! »... Je ne crois pas que ma mère ait su que j'étais là.

— Croyez-vous que votre père savait... ?

— Oui. Parce que c'est ce qu'il a dit à la police... qu'il savait qui s'était introduit dans sa maison et qu'il allait s'en occuper.

605

Stoop demanda à Tom plusieurs fois, de diverses façons, pourquoi il avait pensé que le fusil de son père et les cartouches se trouvaient dans la niche. Tom n'en avait aucune idée, il ne pouvait se l'expliquer. Son grand-père lui avait téléphoné deux semaines auparavant pour lui demander s'il savait qui avait volé l'Excel et le pistolet de son père, ce qui l'avait étonné car Tom ne s'intéressait pas aux armes et avait juste quelques fusils de chasse chez lui.

Don Stoop revint au refus catégorique de Pat de laisser Tom raconter à l'avocat comment s'était déroulée la fusillade.

— Lui avez-vous demandé pourquoi elle ne voulait pas qu'il sache la vérité?

— D'abord parce que ça entrait en contradiction avec l'histoire qu'elle avait racontée. Elle avait commencé à bâtir ses mensonges dès ce soir-là, mais quand il y en a beaucoup on ne se les rappelle pas tous. Quoique je ne pense pas qu'elle soit du genre à rien oublier... Mais si elle dit une chose aux avocats et que j'arrive en racontant autre chose, comment voulez-vous qu'ils nous croient ensuite?

Tom n'avait jamais trahi Pat. Il avait payé le prix fort. Jusqu'à cet interrogatoire, il n'avait jamais confié à personne avoir parlé à sa femme après la fusillade. Pat n'avait pas proposé de le ramener chez lui ni ailleurs. Elle l'avait laissé prendre la fuite, seul, dans la nuit pluvieuse, se débrouiller pour parcourir les cent kilomètres qui le séparaient du haras. Elle avait appelé sa mère et son père à la rescousse. À Boppo et à Papy de réparer les pots cassés, comme toujours.

En repensant à l'épisode du parking du King Building, Don Stoop et Michelle Berry étaient à peu près certains que, pour Pat, l'apparition de son mari courant dans sa direction sous la pluie avait dû être aussi effrayante que s'il s'était agi d'un spectre au crépuscule. Les deux enquêteurs étaient persuadés qu'elle l'avait jeté dans ce piège pour qu'il s'y fasse tuer. Elle ne s'attendait sûrement pas à le revoir ce soir-là. Ni jamais.

Il restait quelques questions sans réponses, même après l'interrogatoire de Tom Allanson. Il en resterait toujours. Stoop avait sa propre théorie sur la façon dont le fusil Excel et les cartouches de Walter Allanson étaient arrivés dans cette niche. Il savait que ce n'était pas Tom qui les y avait apportés en cette journée de juillet, puisqu'il voulait se réconcilier avec sa mère. Le pompier d'East Point qui le connaissait bien l'avait vu descendre la rue en direction de la maison de ses parents sans fusil à la main.

Il était possible que Walter Allanson lui-même ait déposé cette arme dans sa cave. Il avait peur, tout comme son fils, chacun étant convaincu que l'autre voulait le tuer. Walter pouvait l'avoir cachée là pour le cas où... Ainsi, il aurait un fusil en bas, le fusil neuf en haut, et le pistolet emprunté en permanence sur lui.

Pourquoi, dans ce cas, avoir raconté qu'on les lui avait volés, ainsi qu'une vieille valise ? Difficile à dire. Il en voulait tellement à Tom, comptait-il le faire passer pour un voleur et le voir emprisonner ? Stoop en arrivait même à imaginer que c'était aussi

Walter qui avait coupé l'électricité et le téléphone, ce qui lui donnait de quoi se plaindre à la police à l'occasion.

Toutefois, il restait possible que ce cambriolage soit le fait d'une tierce personne, qui aurait pu aussi couper le téléphone et fermer l'électricité.

Pat ? Sûrement pas. De même que pour tous les mystérieux incendies qui lui avaient profité d'une façon ou d'une autre, elle avait toujours pu prouver qu'elle ne se trouvait pas aux alentours de la maison ou des écuries lorsque celles-ci avaient pris feu. Elle était loin, aussi, lors de l'embuscade à Lake Lanier. Ce n'était pas davantage elle en personne qui harcelait la femme de Hap Brown au téléphone, mais plutôt une amie.

Pat ne se salissait pas les mains, et personne ne pourrait jamais plus prouver, des dizaines d'années après, qu'elle avait pu engager des aides pour commettre à sa place embuscades ou cambriolages, ni couper des fils, ni quoi que ce soit d'autre.

Chaque fois qu'elle était passée à l'action elle-même, elle s'était fait prendre. L'empoisonnement à l'arsenic de Walt et Nona lui avait valu une longue peine de prison. Et, si Stoop ne se trompait pas, sa machination contre les Crist allait se retourner contre elle : il pouvait prouver ce forfait. En revanche, il n'avait pas les moyens de démontrer sa participation aux meurtres des Allanson, même s'il ne croyait pas une seconde qu'elle ait été surprise par leur mort.

Elle avait juste été surprise que Tom n'y soit pas resté lui aussi.

53

On se rapprochait d'une convocation auprès du grand jury. La proie des deux enquêteurs continuait de vendre de vieilles broches et des colliers au Golden Memories; quant à Deborah, elle travaillait au cabinet du Dr Villanueva.

Le juge Sandra Harrison, du tribunal du comté de Henry, où se trouvait le village de McDonough, remit à Don Stoop et à Michelle Berry un mandat de perquisition pour la petite maison de brique rouge de Bryan Street. Accompagnés par les membres de la police locale, ils frappèrent à la porte des Radcliffe. Ils espéraient y trouver les bijoux disparus de chez Elizabeth Crist, les souvenirs de la guerre de Sécession et autres bibelots. Néanmoins, ils étaient assez réalistes pour se douter que ces objets avaient aussi bien pu être vendus, soit dans la boutique du prêteur sur gages, soit dans un marché.

Quand ils demandèrent à Maggy et à Clifford Radcliffe de les laisser entrer pour fouiller leur maison, ils se crurent face à la reine Elizabeth et au prince Philippe à Buckingham Palace. Le colonel prit le mandat avec une politesse glaciale. Maggy et sa sœur Thelma toisèrent les intrus avec mépris.

Ils commencèrent à fouiller la petite demeure immaculée, regardant les innombrables bibelots, souvenirs, photos et bijoux impossibles à examiner en détail tant il y en avait. Et le temps jouait pour Pat. Stoop vit tout de suite que le colonel Radcliffe ne portait plus le lapis-lazuli qu'il arborait sur les photos de son cinquante-septième anniversaire.

Ils passèrent du salon à la cuisine, au coin repas, à la salle de jeux, dit « salon des poupées », où ils s'arrêtèrent, étonnés. Susan avait bien essayé de les préparer à cette pièce, mais ils constataient qu'elle serait difficile à décrire.

— Ma mère est en bien des points une enfant, avait-elle expliqué aux enquêteurs. Ses poupées sont ses bébés parce qu'elles ne font pas d'histoires. Elles peuvent prendre le thé, mais elles restent sages.

On se serait cru dans un rêve de petite fille ou de collectionneur. Il y avait des dizaines de poupées, assises dans des sièges de velours, de soie, d'osier, dans des fauteuils à bascule, sur des chaises longues, des balancelles, allongées dans des berceaux, dans des lits, sur des canapés et des hamacs. Certaines jouaient à la dînette, d'autres choyaient leurs nounours ou même leurs propres poupées… Il y en avait qui semblaient remonter à plus de cent cinquante ans. Elles étaient vêtues de très jolis vêtements de coton et de lin, de dentelle et de mousseline, de satin et de soie. Elles portaient des chapeaux de paille, des rubans, des châles crochetés. Il y avait là des petits chevaux de bois, d'autres sculptés ou en peluche. Tout était à la taille des poupées, du minuscule piano aux tabourets, des malles de voyage aux portemanteaux. Les tableaux aux murs représentaient d'idylliques scènes enfantines et, bien sûr, des poupées. Il y avait des services à thé, des boîtes à musique, des toupies, des cerceaux et des ventilateurs.

Combien tout cela avait-il pu coûter ? Quand les policiers ouvrirent les tiroirs et les placards, ils reculèrent de surprise devant les bras, les jambes et les têtes qui s'y entassaient, parmi les perruques et tout ce qu'il fallait pour réparer une poupée abîmée – tissus, ceintures, boutons, yeux.

Et tous ces yeux dans la pièce qui contemplaient les intrus, par cette belle matinée de printemps… Que de malheurs infligés à autrui pour constituer cette lugubre collection !

L'atelier de couture n'était qu'un cabinet, derrière le salon. Lui aussi était plein de membres épars et de tissus.

— Tout ce qu'il fallait pour fabriquer une poupée, se rappellerait Michelle Berry. Même des cils.

Le mandat de perquisition mentionnait des éléments si petits que l'équipe avait le droit d'ouvrir le moindre tiroir, à la recherche d'un objet volé.

La chambre de Pat se trouvait au-dessus du salon des poupées, en haut d'un étroit escalier. Là aussi, on se serait cru revenu des siècles en arrière, avec un lit à colonnes couvert d'un dessus-de-lit en dentelle, des rideaux de chintz et les abat-jour des lampes assortis, ainsi que le mannequin avec sa robe de mariée. Michelle repéra une grosse malle de cuir brun, en fait, remplie des souvenirs de Pat : concours hippiques, fêtes du cheval, rubans et certificats, cartes en tous genres.

— Il y en avait au nom de Ronnie et de Deborah, mais pas de Susan, à croire que sa fille aînée n'existait plus.

Berry et Stoop formaient une bonne équipe. Il était caustique et sérieux, elle plus posée.

— En général, expliqua-t-elle, les gens commencent par se confier à moi. Peut-être parce que je suis une femme ou que je parle plus doucement. Au début, Mme Radcliffe s'est montrée très distante, mais elle a fini par me parler. Elle m'a dit beaucoup aimer s'occuper des poupées, et qu'avec le colonel ils passaient des heures toutes les semaines à changer leurs couches. Je ne lui ai pas demandé pourquoi. Ça m'a semblé tellement bizarre que j'ai préféré ne pas savoir.

Comme elle ouvrait un placard dans le coin repas, un ancien cadre de plâtre tomba et se cassa. Le colonel en parut furieux.

— Il a dit qu'il allait me poursuivre, et Mme Radcliffe est intervenue pour me défendre : « Elle ne l'a pas fait exprès, tu ne vas pas la dénoncer. De toute façon, ça ne valait rien. » Si c'était Don qui l'avait cassé, je ne dis pas ce qui aurait pu se passer !

Ce dut être une terrible épreuve pour Maggy Radcliffe, qui voyait là se rapprocher son cauchemar d'être un jour accusée par la police. Si bien qu'elle concentra sur Don Stoop toute la colère accumulée depuis des années contre ces gens qui osaient s'en prendre à Pat. Elle était une dame et, dirait-elle plus tard, Stoop un « horrible bonhomme mal élevé ».

En fin de compte, les enquêteurs ne trouvèrent rien de ce qu'ils recherchaient. Ils emportèrent un album de photos bleu, un autre relié de cuir brun, des vêtements de lin cousus à la main, une paire de gants en dentelle, un vieux dictionnaire et un collier de perles dans un sac en plastique.

Mme Crist ne reconnut rien du tout, et les objets furent rendus à leurs propriétaires. Tout ce qui avait pu être volé avait donc disparu, excepté les perles et le livre de cuisine offerts à Susan.

En fin de compte, cela ne changea pas grand-chose. Le 17 avril 1991, un grand jury était constitué, qui chargea Pat Taylor Allanson et Deborah Cole Alexander de sept chefs d'accusation : violences avec voies de fait dans l'intention de donner la mort; violences avec voies de fait; infraction à la loi de Géorgie sur les substances inscrites au tableau, alinéa I; infraction à la loi de Géorgie sur les substances inscrites au tableau, alinéa II; vol qualifié, alinéa Ier; vol qualifié, alinéa II; et violation du code pénal de Géorgie, section 43-26-12. Les sept accusations visaient des personnes se faisant passer pour des infirmières diplômées.

Pour le plus grand chagrin du colonel et de Mme Radcliffe, leur fille chérie, cinquante-trois ans, qu'ils avaient toujours tant gâtée, allait encore être traînée devant les tribunaux pour des crimes qu'elle n'avait pas commis. Quand donc serait-elle heureuse ? Tout cela ne finirait-il donc jamais ?

54

Le procureur Lewis R. Slaton, du tribunal principal d'Atlanta, émit deux mandats d'arrêt le 17 avril 1991 aux noms de Pat Taylor Allanson et de Deborah Cole Alexander. Ce serait à Don Stoop et à Michelle Berry de procéder aux arrestations.

Susan leur avait dit qu'il vaudrait mieux les interpeller séparément. Deborah serait certainement la moins agressive des deux.

— Si vous lui parlez en dehors de la présence de ma mère, elle pourrait se montrer honnête avec vous. Si ma mère est là, elle dira ce que maman voudra.

À 10 h 55, en ce matin du 17 avril, les enquêteurs se présentèrent au cabinet du Dr Villanueva, à Riverdale, en Géorgie. Deborah était au travail, en short et en débardeur. Michelle Berry la trouva très mince, les yeux cernés, et repéra l'hématome violacé qui lui marquait la cuisse. Elle ne leur opposa aucune résistance ; en fait, elle paraissait plutôt abattue, effrayée. Stoop lui lut l'énoncé des charges retenues contre elle et lui dit ses droits selon la loi Miranda. Sur quoi Deborah laissa échapper :

— Le coup des infirmières, ça vient de ma mère !

— Êtes-vous diplômée ? demanda Berry.

— Pas du tout.

L'une des accusations portait sur une Rolex, et Deborah avoua l'avoir subtilisée mais refusa de dire où elle se trouvait maintenant. Elle nia avoir administré des drogues à Mme Crist.

— C'était une alcoolique ! Elle prenait ces médicaments toute seule. En plus, c'est ma mère qui s'occupait de ça. Moi, je soignais M. Crist.

Deborah Taylor Cole Alexander fut écrouée à la maison d'arrêt du comté de Fulton.

Quant à sa mère, elle fut appréhendée au tribunal du comté de Henry, à McDonough, où, ironie du sort, elle était venue témoigner contre un voleur à l'étalage au Golden Memories. Voyant approcher Stoop et Berry, elle avait tourné vers eux un regard indifférent, sans paraître se douter de ce qu'ils lui voulaient. Le colonel et Maggy Radcliffe étaient présents eux aussi. Ils reconnurent aussitôt les deux enquêteurs et leurs visages se figèrent.

De nouveau, Don Stoop dit à Pat ses droits. Elle le dévisagea d'un œil froid puis, jouant les étonnées, lui demanda ce qu'ils avaient contre elle. Alors elle fit mine de comprendre : tout cela venait des accusations de Susan et Bill Alford.

— Ma fille est une malade mentale, vous savez. Elle devrait se faire soigner. Ils n'ont pas cessé de me menacer au téléphone, tous les deux. Ils sont dérangés. Bill a appelé Mme Crist et il a menacé de me tuer... je ne vous dis pas combien de fois.

Ni la mère ni la fille ne semblaient vouloir utiliser leur « droit de garder le silence ». En fait, Pat, se montra même fort volubile.

— Mme Crist était une alcoolique, voyez-vous. Ils voulaient que je signe les papiers de l'assurance comme si j'étais infirmière diplômée. Je ne voulais pas, moi ! Ce n'était pas bien.

Elle dérapait déjà et ne s'en rendait même pas compte. Ni Berry ni Stoop n'avaient évoqué quoi que ce soit touchant aux assurances signées par « Pat Taylor, infirmière diplômée ».

— Enfin, bon, ajouta-t-elle en souriant à sa mère, ça remonte à trois ou quatre ans, au moins, pas vrai, maman ?

Le passé n'était rien pour Pat ; elle effaçait sans cesse ce qui était arrivé la veille, à part, bien sûr, les agressions dont elle avait prétendument fait l'objet. Stoop et Berry ne s'étonnaient guère de constater qu'elle était accompagnée de ses parents. Maggy et Clifford Radcliffe soutenaient leur fille, affichant l'un et l'autre à peu près la même expression, subtil mélange d'indignation et d'inquiétude. Depuis combien d'années, combien de décennies l'épaulaient-ils ainsi ?

— Je ne suis pas en bonne santé, dit Maggy, et Mme Taylor est sous traitement médical pour hypertension et complications cardiaques.

Les deux enquêteurs connaissaient la chanson. Les avaient-ils lus et relus, les rapports concernant la santé fragile de Pat ! Elle était en phase terminale depuis 1972.

— Ma mère se meurt d'un cancer, ajouta Pat. Moi-même je ne me sens pas très bien.

Stoop lui trouvait une mine superbe. Les anciennes photos qu'il avait vues de Patricia Taylor Allanson montraient une belle jeune femme menue qui aurait pu paraître fragile, tandis que celle qu'il venait d'arrêter pesait près de cent quinze kilos. Son menton autrefois ravissant disparaissait sous des plis de graisse et le cou autour duquel « Scarlett » nouait autrefois un ruban orné d'un camée n'était plus qu'un amas de chairs avachies et flétries.

— Comment va Mme Crist ? s'enquit Pat de l'air le plus sincère du monde.

— Très bien.

— Ce sont des gens très riches et très influents. Ils peuvent faire ce qu'ils veulent. Ils ont plein d'argent. Moi, je n'en ai pas. Qu'est-ce que tu vas faire, maman ?

616

— On va trouver un moyen, dit Maggy en lui serrant la main.

Les poignets menottés dans le dos, Pat fut hissée dans le véhicule des enquêteurs et emmenée à la prison du comté de Fulton. Michelle Berry s'assit à l'arrière, avec elle, tandis que Don Stoop prenait le volant. Pat se plaignit d'être mal à l'aise et demanda à Michelle de lui ôter ses menottes.

— Je ne peux pas faire ça. C'est pour votre protection et la nôtre.

— Mais j'ai mal au dos. Et puis je souffre du cœur, je n'ai pas mes médicaments sur moi.

Cela ne l'empêcha pas de répondre sans trop de difficulté aux premières questions : son âge, le nombre de ses enfants. Stoop lui demanda aussi quel était son nom légal.

— Patricia Radcliffe Taylor.

— Pas Allanson ?

— Non.

Il voulut aussi savoir comment elle s'était procuré la carte d'accès à l'intendance de l'armée, et elle expliqua avoir été mariée vingt-deux ans à un militaire. Elle venait d'ajouter trois années à sa pesante union avec Gil Taylor.

— Avez-vous été infirmière dans l'armée ?

— Il m'est arrivé de garder des malades à cette époque.

— Vous n'êtes pas infirmière diplômée ?

— Non.

Cependant, quand Don Stoop aborda les circonstances de son arrestation, en 1976, et de sa condamnation pour l'empoisonnement de Walt et Nona Allanson, elle regarda par la fenêtre.

— Je pense que vous connaissez déjà toutes les réponses.

Dès lors, le trajet continua dans le silence.

Pat rejoignit Deborah dans la maison d'arrêt du comté de Fulton. C'était la deuxième fois que chacune d'elles s'y trouvaient bouclées. Une fois réunies, ni l'une ni l'autre n'eut plus rien à déclarer aux enquêteurs.

Maggy Radcliffe savait d'où venaient tous les ennuis de Pat. De Susan, bien sûr. Susan, qui semblait dépourvue de toute loyauté envers sa famille et qui pouvait encore lui causer un mal terrible. Maggy appela le fils de sa sœur Lizzie, Bobby, à Warsaw, en Caroline du Nord. Elle voulait s'assurer que personne, là-bas, ne s'était plaint aux autorités des « soins » prodigués par Pat à sa tante Lizzie. Bobby Porter répondit qu'il n'avait pas de quoi étayer une accusation puisqu'il n'était pas là lors des faits, mais qu'il n'irait pas non plus jusqu'à recommander sa cousine pour le prix Nobel de la paix; Lizzie non plus, d'ailleurs. Jamais plus Boppo ne ferait confiance à cette sœur qui refusait de porter secours à Pat.

Choquée, blessée, elle s'était alors tournée vers Bill Alford.

— Pourquoi, au nom du ciel, avez-vous dénoncé Pat aux autorités? Qu'est-ce que vous leur avez dit?

— Je n'ai fait que répondre aux questions qu'on me posait.

— Vous n'aviez pas le droit, Bill... après ce que le procureur avait déjà fait à la famille. Ils n'avaient absolument aucun droit de se renseigner sur la vie de Pat ou de Deborah. Vous savez aussi bien que moi qu'elles n'ont jamais tenté d'assassiner les Crist. Leur unique faute, c'est de s'être dites infirmières diplômées.

— Et vous avez laissé faire, Boppo? demanda brutalement Bill. Vous ne saviez pas que c'était mal? Que ce vieil homme malade avait droit aux soins d'une véritable infirmière?

Après un long silence, Boppo laissa tomber :

— Je ne peux plus parler à aucun membre de la famille ce soir.

Et elle raccrocha.

Le 13 mai, Bill et Susan reçurent une sorte de « communiqué officiel » du « bureau de Clifford B. Radcliffe ». C'était signé Maggy, sans aucune formule de politesse.

Je viens d'être diagnostiquée d'un carcinome à petites cellules du poumon gauche. C'est inopérable, la radiothérapie est inutile. Le pronostic à long terme est faible. Dès lors, au cas où je viendrais à mourir, je désire que ma petite-fille, Linda Susan Taylor Alford, et son mari, George Chester Bill Alford, ne soient pas autorisés à assister à mon enterrement ni à aucun office à ma mémoire.

Ils sont également exclus de tout héritage provenant de mes biens.

Ils ont provoqué une grande tragédie et blessé trop de gens dont leur propre fils...

Maggy S. Radcliffe

La lettre était contresignée par un notaire et accompagnée de trois copies des rapports de ses médecins pour étayer ses dires.

55

L'arrestation de Pat et de Deborah, sa fille de trente-cinq ans, eut des échos dans la presse du comté de Fulton. L'*Atlanta Journal* titrait :

DEUX FEMMES ACCUSÉES DE TENTATIVE D'EMPOISONNEMENT À L'ARSENIC, manchette saisissante quoique quelque peu inexacte. Bien que l'arsenic ait été le poison préféré de Pat par le passé, le corps de l'article précisait bien que, dans l'affaire en question, la substance incriminée était l'Halcion. Mais le journal s'intéressait davantage aux victimes qu'aux accusées ; le nom de Crist était révéré à Atlanta. En revanche, dans le journal du comté de Henry, Pat avait la vedette :

LE COMTÉ DE FULTON INCULPE UNE FEMME DE MCDONOUGH DE TENTATIVE DE MEURTRE. Elle représentait le point de vue de sa ville.

Tous les articles disaient que le procureur Lewis Slaton soupçonnait les deux femmes non seulement d'avoir surdosé Elizabeth Crist en Halcion mais peut-être aussi causé la mort de James Crist en le droguant.

Dès qu'il fut au courant de leur arrestation, Andy Weathers se prit à espérer qu'il hériterait du dossier. Ce serait son second affrontement avec Pat dans un tribunal et cela lui permettrait de satisfaire son immense curiosité quant au meurtre de Walter et Carolyn Allanson. Il avait suivi la chasse acharnée de Don Stoop avec un intérêt avide, ravi de le voir aussi méticuleux. Weathers avait encore des comptes à régler avec Pat.

Pourtant, les choses ne se passeraient pas comme il l'aurait voulu, du moins ne serait-il pas le procureur assigné à cette affaire. Le nom sorti de l'ordinateur fut celui de Bill Akins.

Jeune magistrat d'une très grande beauté, celui-ci approchait de la quarantaine ; lui aussi avait été impressionné par l'enquête de Stoop à partir d'une mince feuille de bloc-notes.

— À partir, du moment où j'ai commencé à me pencher sur cette affaire, je me suis rendu compte qu'elle était de celles qui comptaient dans la vie d'un procureur.

Étant donné le refus compréhensible des Crist d'exhumer les cendres de leur mari et père pour des analyses en laboratoire, il allait être difficile de prouver le meurtre. Étant donné la quasi-disparition des bibelots volés, il allait être difficile – mais pas impossible – de prouver l'accusation de vol. Quant aux meurtres des Allanson et à la possibilité bien réelle que Pat ait participé à la première vague de violence, pour autant qu'un chef d'accusation soit émis sur ce point, ce serait un véritable défi.

Qui plus est, Pat avait engagé un excellent avocat, Steve Roberts, du cabinet Garland. Il comptait sur un procès rapide, dans les soixante jours au plus. Si un avocat pouvait toujours traîner la patte et demander des délais, un procureur devait être prêt en deux mois.

Pour peu qu'Akins tente de mêler Pat à la fusillade contre Walter et Carolyn Allanson, il faudrait tenir compte du fait qu'un des témoins cités par l'accusation serait Edward T. M. Garland, ce même Ed Garland qui en était arrivé à détester Pat pour ses manœuvres lorsqu'il tentait de défendre Tom, ce même Ed Garland qui avait été l'objet de la dérision et du mépris de Pat pendant et après le procès. Et, bien sûr, ce même Ed Garland qui était associé au cabinet de son avocat actuel. Cela risquait de créer une situation délicate. Ed Garland témoignant contre Pat, une telle éventualité n'aurait rien de favorable à la défense mais faisait déjà jubiler Don Stoop et à Michelle Berry.

Deux mois de préparation, c'était vraiment juste pour une telle affaire. Et si Pat ne tenait évidemment pas à se trouver mêlée au double meurtre pour lequel son ex-mari avait été si lourdement condamné, voilà qui constituerait un excellent argument pour l'obliger à plaider coupable.

Pat ne voulait même pas se voir associer au nom des Allanson. L'une des premières demandes de Steve Roberts fut que les accusations mentionnent son nom actuel : Patricia Taylor et non Patricia Allanson. Elle craignait plus que tout de se voir accusée dans cette vieille affaire. Akins en conclut qu'elle allait choisir de plaider coupable. Plutôt la prison à coup sûr que de risquer encore davantage…

La politique d'Akins visait à se montrer clément envers Deborah et à tout mettre sur le dos de Pat.

Quant à Don Stoop et Michelle Berry, ils voulaient jouer le tout pour le tout. C'est ainsi qu'ils avaient procédé depuis le début sur ce dossier, pour en tirer la conviction que, dans l'affaire du meurtre de 1974, si Pat Allanson n'avait pas tenu le fusil, elle avait tiré les ficelles.

Et ils insistaient pour voir mis en lumière les recoins les plus obscurs de la vie de Pat. C'était en cela que différaient les méthodes des enquêteurs et celles des procureurs : les premiers prenaient tous les risques, les seconds préféraient avancer à coup sûr.

En fin de compte, Bill Akins décida d'accepter la négociation en vue d'un accord qui permettrait à l'accusée de subir une peine moins forte si elle reconnaissait d'office sa culpabilité. Pat Taylor irait en prison, mais elle n'aurait plus à redouter d'imputations de meurtre, du moins pas jusqu'en 1988. Dès lors, pas de procès. Pas de gros titres dans les journaux. Don Stoop était livide. Certes, il se fichait de la presse ; en revanche, il voulait que justice soit rendue. Il ne décolérerait pas de longtemps.

— Bill Akins n'aurait jamais dû accepter de la laisser plaider coupable. Personne ne me fera changer d'avis là-dessus.

Michelle Berry n'était pas moins déçue. Amèrement. Tous deux avaient consacré toutes leurs forces, toute leur passion à cette affaire. Désormais, ils n'avaient plus qu'à espérer retrouver un jour Pat sur leur chemin.

56

Le 12 juin 1991, moins de deux mois après son arrestation, Patricia Taylor Allanson, alias Patricia Radcliffe Taylor, paraissait avec son avocat au tribunal de l'honorable H. Alexander, à Atlanta.

Elle s'installa à la barre et regarda Bill Akins approcher. Il lui posa les questions de routine. Il devait vérifier qu'elle était apte à comprendre ce qu'on lui disait, qu'elle s'estimait bien défendue.

— Madame Taylor, comprenez-vous les charges qui sont retenues contre vous ? Premièrement, violences avec voies de fait dans l'intention de donner la mort, qui vous font encourir une peine de un à vingt ans de prison. Deuxièmement, violences avec voies de fait qui vous font également encourir une peine de un à vingt ans de prison... Vous pouvez être condamnée deux fois... Troisièmement, infraction à la loi de Géorgie sur les substances inscrites au tableau, en rapport avec la possession d'Halcion... un à cinq ans... C'est une drogue du tableau IV. Quatrièmement, idem, mais vous ne cumulerez pas les deux condamnations. Cinquièmement, vol qualifié, portant particulièrement sur une Rolex en acier... dix ans de prison. Sixièmement, vol qualifié de certains des bijoux énumérés ci-après... un à dix ans.

Akins expliqua que, ces deux dernières accusations étant séparées, Pat pouvait être condamnée pour les deux.

— Septièmement, usurpation du titre d'infirmière diplômée. C'est un simple délit qui peut vous valoir au maximum douze mois de prison et mille dollars d'amende. Comprenez-vous ces accusations et les peines encourues ?

— Oui.

Pat Taylor déclara ensuite qu'elle acceptait de plaider coupable pour violences avec voies de fait, infraction à la loi de Géorgie sur les substances inscrites au tableau, usurpation du titre d'infirmière diplômée : soit les accusations II, IV, VI et VII. Elle comprenait très bien qu'elle pouvait être condamnée à un total de trente-six ans de prison et qu'elle avait le droit à un procès devant un jury. Elle renonçait à ce droit.

Elle avait hâte d'expliquer pourquoi elle plaidait coupable. Son avocat lui indiqua qu'elle pourrait le faire lorsque le juge commencerait à l'interroger.

Bill Akins reprit l'énoncé des relations longues et orageuses de Pat avec la justice du comté de Fulton, présentant un résumé de ce qui devrait être présenté au jury en cas de procès : les morts violentes, les empoisonnements, les testaments falsifiés. En revenant à un passé plus récent, il dit au juge Alexander que Pat avait été mise en liberté conditionnelle et qu'elle avait reçu une simple formation d'aide-soignante dans les maisons de repos.

— Elle s'est également occupée d'une vieille dame du nom de Mansfield, dont les enfants n'ont pas eu beaucoup de contacts avec elle. Mme Mansfield est décédée par la suite et son corps a été incinéré. C'est à peu près tout ce que nous en savons.

Après quoi venait l'examen de la plainte des Crist. Akins évoqua les mensonges et les dissimulations, ainsi que les renvois constants des autres employés, provoqués par Pat.

— C'était essentiellement elle et sa coaccusée, Deborah Cole Alexander, qui s'occupaient du vieux M. Crist… Le médecin de Mme Crist avait prescrit un sédatif du nom d'Halcion, pour trente comprimés seulement… à raison de un, ou de préférence d'un demi au coucher. En trente-six jours, Votre Honneur, l'accusée s'est procuré cent vingt comprimés supplémentaires d'Halcion dans deux pharmacies différentes.

L'enquête si minutieuse de Don Stoop et Michelle Berry se déroulait maintenant devant la cour, sous l'oreille attentive du juge Alexander.

Akins acheva cette séquence en rappelant que Mme Crist avait été droguée des mois durant; quant à M. Crist, il était possible que ce surdosage d'Halcion ait renforcé les effets de sa maladie de Parkinson et précipité son décès.

Compte tenu des vols constatés dans la demeure des Crist, Allanson demandait, pour cette deuxième accusation de violences avec voies de fait, douze ans dont huit fermes… pour la quatrième, cinq ans avec confusion des peines. Pour la sixième, dix ans dont huit fermes, avec confusion des peines, et, pour la septième, douze mois avec confusion des peines…

— Pour le temps de liberté surveillée, Votre Honneur, je recommande que l'accusée suive une thérapie et qu'elle ne soit en aucune façon employée, ni contre rémunération ni à titre bénévole, dans aucun domaine attenant de près ou de loin à la santé.

Cela semblait aller de soi.

Steve Roberts ajouta deux conditions additionnelles.

— Bill Akins a accepté comme condition à cette négociation que la coaccusée, Deborah Alexander, qui est la fille de Mme Taylor, suive le programme d'intervention d'avant procès et, en cas de réussite, que le dossier soit abandonné et qu'il n'y ait pas davantage de poursuites contre elle.

Elle avait aussi promis de rendre la Rolex de M. Crist.

Et, le plus important :

— Mme Taylor plaidera coupable dans la mesure où Bill Akins ne tentera en aucune façon de l'inculper d'aucune charge en connexion avec la mort de M. Walter Allanson, survenue, je crois, en 1974.

Là-dessus, Akins se leva pour préciser ses conditions.

— Votre Honneur, au cours de cette enquête, la participation de la défenderesse au meurtre des parents de son ex-époux, Tom Allanson, a été évoquée. Si elle plaide coupable pour les accusations précédemment évoquées, la justice ne pourra plus la poursuivre pour cette affaire.

Steve Roberts reprit la parole, disant qu'il n'avait pas conseillé à sa cliente de plaider coupable mais d'aller au procès. Elle craignait en effet d'être alors condamnée plus durement par un jury et préférait payer une bonne fois pour toutes, avec l'assurance qu'aucune des accusations précédentes ni celle du crime de 1974 ne lui serait jamais plus imputable.

Après quoi, Pat se leva pour faire face au juge Alexander. Elle portait l'uniforme bleu de la prison, et des sandales. Quatorze ans et trente-cinq jours s'étaient écoulés depuis sa dernière condamnation, pourtant, elle avait toujours des partisans dans la salle. Deborah était là, avec son deuxième mari, Mike Alexander, ainsi que Boppo et Papy, toujours aussi dignes. Quant à miss Loretta, elle était trop bouleversée pour pouvoir assister à ce verdict.

— Madame Taylor, commença le juge d'un ton solennel, pour la deuxième accusation, je vous condamne à douze ans dont huit fermes et un sursis de quatre ans avec thérapie… Pour la quatrième accusation, je vous condamne à cinq ans, peine confondue avec la deuxième. Pour la sixième accusation, je vous condamne à dix ans dont huit fermes, peine confondue avec les autres… Pour la septième accusation, je vous condamne à douze mois. Toutes peines confondues.

Autrement dit, Pat allait faire huit ans de prison.

Les gardes l'autorisèrent à se rendre dans la salle, où elle tomba dans les bras de ses proches. Maggy secouait la tête en marmonnant que c'était une terrible erreur. Pat elle-même ne pleurait pas. La perspective même de retrouver Hardwick la soulageait. Ç'aurait pu être bien pire.

Pas la suite, Maggy Radcliffe dit que Pat n'avait plaidé coupable que pour sauver Deborah.

— C'est le genre de mère qui ne pouvait pas supporter de voir souffrir son enfant. Elle s'est sacrifiée pour Deborah.

Maggy ne fit aucune allusion à la condition posée par Steve Roberts, garantissant à Pat de ne jamais être confrontée à des interrogations sur les meurtres de Walter et Carolyn Allanson. Quoi qu'il se soit passé en cette veille pluvieuse de fête nationale de 1974, quoi qu'ait fait Pat pour provoquer cette confrontation sanglante dans la cave du 1458, Norman Berry Drive, le sujet était clos... du moins sur le plan légal.

57

Du moment où elle apprit la première arrestation de sa mère, Susan Alford s'était mise à redouter deux choses, sachant que si elle en évitait une l'autre lui tomberait immanquablement dessus.

Sans doute ne la croirait-on pas... Pourtant, elle aimait tendrement sa mère et rêvait que tout se termine bien. Lorsque Pat sortit de prison, en 1984, elle en fut soulagée. Pleine d'espoir, ce fut elle qui aida le plus sa mère à se réinsérer.

Sa pire crainte restait cependant que celle-ci ne désire tant certaines choses de nouveau qu'elle écarterait sans pitié tous les obstacles qui se dresseraient sur son chemin. Jamais, cependant, Susan n'aurait imaginé faire partie de ces obstacles... Même au milieu de ses deux mystérieuses maladies qu'aucun médecin ne sut diagnostiquer, elle avait refusé d'entendre les mises en garde de Bill et de Sean la prévenant que sa mère essayait sans doute de l'empoisonner. Impossible de croire une chose pareille.

— J'ai eu de la chance de m'en tirer, dirait-elle plus tard. J'aurais pu mourir, comme Kent ou les Allanson.

En 1976, elle s'était juré de ne plus jamais laisser sa mère détruire un autre être humain. Cela devait lui coûter cher.

Sa deuxième crainte en découlait : elle risquait de perdre le soutien de toute sa famille si elle rapportait à d'autres les crimes de sa mère. Personne n'avait jamais reconnu, parmi ses proches, le danger que pouvait représenter Pat. Si Susan commettait l'indicible, elle serait à jamais bannie du clan. Il ne lui resterait dès lors que Bill, Courtney et le petit Adam. Elle avait vu Bobby et Charlotte virtuellement excommuniés pour bien moins que cela. S'ils avaient accepté de ne pas poursuivre Pat pour ses mauvais traitements présumés envers tante Lizzie, ils n'avaient pas voulu lui faire une lettre de recommandation et étaient traités en parias.

Pourtant, Susan n'avait finalement plus eu le choix. Elle ne pouvait vivre en sachant qu'un jour ou l'autre sa mère allait poser les yeux sur une chose qui lui ferait très envie et qu'un désastre s'ensuivrait.

Boppo avait représenté un idéal pour Susan pendant plus de trente années, la seule personne sur qui elle ait jamais pu compter vraiment. Pourtant, du jour où sa présence dans la maison de Boppo avait irrité Pat, elle s'était retrouvée à la rue en moins de temps qu'il n'en fallait pour le dire. Donc, Susan ne se faisait aucune illusion : elle ne ferait plus partie de la famille, maintenant que sa mère et sa sœur avaient été arrêtées. Elle ne se rendait pourtant pas compte qu'il aurait mieux valu pour elle tourner le dos et aller refaire sa vie ailleurs. Le bannissement ne représentait que le début de la vengeance familiale.

Depuis qu'ils avaient quitté Boppo et Papy, à Thanksgiving 1990, les Alford se retrouvaient seuls. Susan n'avait plus ni frère, ni sœur, ni grands-parents, ni tantes, ni oncles, ni cousins – excepté Bobby et Charlotte, déjà discrédités –, ni neveux ni nièces. Son fils, Sean, restait à l'écart, mais elle apprit qu'il était invité à venir chez Boppo et Papy une fois par semaine.

Les Alford demeurèrent encore un an à McDonough. Parfois, ils avaient l'impression de vivre dans un aquarium, car le village était trop petit pour qu'ils puissent mettre le nez dehors sans tomber invariablement sur Boppo et Papy. Lorsque cela se produisait, Boppo prenait son regard de cristal et passait son chemin. Susan pouvait au moins constater que sa grand-mère n'avait pas l'air malade ; cependant, elle savait ce que disaient les médecins et s'inquiétait.

Il faudrait des mois à la jeune femme avant d'exploser de nouveau. Qu'on la batte froid tant qu'on voulait, mais qu'on ne fasse pas de mal à ses enfants ! Un jour, Courtney reçut une lettre de Boppo et Papy, disant qu'ils ne pouvaient plus payer ses leçons d'équitation. Et Adam ne comprenait pas pourquoi il ne voyait plus ses arrière-grands-parents.

Où qu'elle se rendît à McDonough, Susan entendait parler de sa trahison. On jasait ferme dans le village, et il semblait que les habitants aient pris fait et cause pour Pat et Deborah. Une « source anonyme » dénonça les Alford, disant qu'ils maltraitaient leurs enfants, allégations qui furent abandonnées le jour où Courtney éclata de rire en entendant dire qu'elle avait été « traînée sur le sol par les cheveux ».

Don Stoop et Michelle Berry les soutenaient pourtant; le dossier était clos, mais les enquêteurs s'étaient pris d'amitié pour ce couple qui avait fait son devoir.

Le 8 juillet 1991, Susan et Bill reçurent une lettre de Boppo, tapée sur sa vieille machine à écrire, celle-là même qu'elle avait utilisée pour la prétendue confession et pour les déshériter.

Susan Taylor Alford
George C. Alford

Depuis cette tragédie, je cherche comment vous dire… mais il n'existe pas de mots pour exprimer ma douleur et la perte que je ressens.

À ce point, il semble impossible qu'on puisse jamais reprendre des relations. Personne ne sortira vainqueur de cette histoire, mais il y aura beaucoup de perdants. Comme ma mère me le répétait : « Ce qui est fait est fait et on ne peut rien y changer, c'est écrit dans le livre de notre vie et il en sera toujours ainsi. Seul Dieu peut pardonner. Pour les humains, c'est un peu plus difficile. »

Ton grand-père et moi avons changé nos testaments. Et ta mère aussi. Vous en êtes tous les deux exclus. Il ne serait pas juste que tu tires un bénéfice de la tragédie que tu as provoquée. Toi, Susan, tu ne recevras pas la bague

632

que ton oncle Kent nous a donnée. Je sais qu'il n'aurait pas pensé que tu la mérites...

C'est bien dommage pour tes enfants. Adam t'a vue, Susan, pleurer pendant presque un an... Que s'est-il passé? Courtney est assez grande pour savoir que je l'aime. Je les aime beaucoup tous les deux et ils me manquent.

Susan... J'étais dans la salle d'accouchement le jour où tu es née et j'ai dit que c'était le plus beau jour de ma vie. Je ne me doutais pas, alors, du chagrin qui m'attendait à la fin de ma vie. Comment as-tu pu faire ça?

Avec une souffrance et une tristesse comme je n'en avais encore jamais connues, je vous dis au revoir à tous les deux...

Je t'aimerai toujours, Susan. Mais je détesterai toujours tes actes.

Ta grand-mère
Boppo

La réunion de la famille Siler célébra son vingt-cinquième anniversaire à White Lake en 1991 et Maggy rédigea son livre de souvenirs, toujours sur sa machine à écrire. Elle inclut les Alford dans la liste des descendants, sans commentaire, mais ne mentionna pas la dernière incarcération de Pat dans le vaste tour d'horizon des catastrophes qui avaient frappé les diverses branches du clan.

Sean y participa, mais évidemment ni Susan, ni Bill, ni Courtney, ni Adam ne furent conviés.

Lorsque Pat fut transférée à Hardwick, Boppo et Papy reprirent leurs visites hebdomadaires. Peu après, Pat fut hospitalisée pour une attaque.

— Elle ne peut pas parler, dit tristement Boppo en octobre 1991, et elle se traîne. C'est à cause de la prison. Ils ne lui ont pas donné ses médicaments pendant plusieurs jours. On va les poursuivre.

Elle accusait Susan de tous les maux. Le déclin de la famille avait commencé à cause de sa trahison.

Deborah et Mike Alexander étaient d'accord avec les grands-parents Radcliffe.

— Susan devrait se faire soigner, disait sa sœur. Elle a taillé les cheveux des poupées de maman et une nuit, alors que j'étais seule dans mon appartement, elle est venue couper l'électricité de mon immeuble. J'ai regardé par la fenêtre, et j'ai vu un 4×4 noir, je savais que c'était celui de Susan.

Cela semblait peu probable puisque celle-ci travaillait sans pause à la sécurité d'une grande surface pour gagner assez d'argent afin de quitter McDonough au plus vite.

— D'ailleurs, expliquerait Susan en riant, même si j'avais voulu couper le courant chez Deborah, je n'aurais jamais su où trouver les boîtes à fusibles ou je ne sais quoi...

La dernière condamnation de Pat semblait avoir entraîné la lente chute de la famille ; la belle façade se craquelait de partout. Tante Lizzie et Maggy s'adressaient à peine la parole. Tante Thelma avait été hospitalisée à la suite d'une attaque cérébrale. Au début, Maggy et Cliff lui rendirent régulièrement visite, mais elle ne se rétablit pas. Ses sœurs la mirent sous tutelle puis vendirent sa maison et sa voiture pour pouvoir la placer dans une maison de santé à Elizabethtown, en Caroline du Nord.

Ashlynne vivait toujours avec Boppo et Papy; Deborah et Mike, au bord de la débâcle financière, s'installèrent chez eux en 1992; et Ronnie, handicapé par une blessure au dos subie sur un chantier, avait installé sa caravane dans leur jardin. Boppo et Papy se vantaient de ce que Sean vînt jouer au golf tous les dimanches avec le colonel. Bien entendu, ils ne l'encourageaient pas à se réconcilier avec ses parents mais l'incitaient à rendre visite à mamie Pat en prison, ce qu'il faisait souvent.

Son histoire ayant eu quelques échos dans la presse, Pat Taylor recevait des lettres de l'extérieur, que la prison ne lui transmettait pas. Maggy disait que Pat était beaucoup trop malade pour répondre à une interview et qu'il devenait difficile de la comprendre. Ironie du sort, son état rappelait celui de Nona Allanson seize ans auparavant, lorsque Pat l'empoisonnait à l'arsenic. Néanmoins, il semblait que celle-ci fût encore capable de se livrer à ses passe-temps favoris. À l'été 1992, sa photo parut dans un journal de Milledgeville où elle montrait fièrement la couette en piqué qu'elle avait confectionnée.

Boppo n'arrivait pas à se faire à l'idée que Pat soit retournée en prison.

— Je n'arrivais pas à le croire, ni M. Roberts, mais ils parlaient d'accuser Deborah de l'empoisonnement à l'arsenic de 1976, ou Pat de la prétendue séquestration de sa tante Lizzie Porter. Je peux vous dire que Bobby, son fils, m'a dit que Pat s'était très bien occupée de sa mère. Pat est tellement atteinte qu'elle n'arrive plus à leur en vouloir, continuait Maggy. Elle a dû vendre pour huit mille dollars de sa collection de poupées et tous les vêtements qu'elle leur avait faits, en un jour, pour payer son avocat.

Maggy tirait quelques bouffées de cigarette avant d'ajouter :

— Je n'en ai plus pour longtemps, vous savez. Le médecin m'en donnait pour deux ans l'année dernière et il n'a pas revu son pronostic après mon dernier examen... C'est terrible de penser que je pourrais ne jamais revoir ma fille ici, pour qu'elle s'occupe de moi quand je vivrai mes derniers jours.

Maggy possédait une remarquable volonté et une forte constitution. Bien qu'elle soit arrivée en fauteuil roulant à la réunion de la famille Siler de cet été 1992, ses sœurs dirent qu'elles ne l'avaient jamais vue aussi en forme. Quand les roues ne voulurent plus la transporter dans le sable, elle abandonna le fauteuil et ne s'en servit plus de tout le week-end.

Tom Allanson avait passé le plus clair de ses cinq années de liberté à progresser de promotion en promotion, d'augmentation en augmentation dans son métier de traitement des eaux... au point que Liz n'eut bientôt plus besoin de travailler. Ils purent s'offrir une petite maison au nord d'Atlanta et prirent l'habitude de s'installer le soir sur la véranda pour écouter le vent dans les pins et regarder les fleurs pousser. Ils avaient un chat tricolore, un aquarium, des roses et des légumes ; ils allaient à l'église tous les dimanches, où Tom était président de l'association des gospels. Ils évoquaient rarement le passé.

La dernière fois que Tom avait vu Pat remontait à 1977, avant son transfert à Buford. Apercevant sa photo dans un journal en 1991, il en resta bouche bée. La Pat qu'il se rappelait était mince et délicate, rien à voir avec cette femme énorme.

— Je n'y crois pas ! s'exclama-t-il en secouant la tête. Ça, c'est Pat ?

Il voyait souvent son fils, Russ, mais n'avait toujours pas retrouvé sa fille, Sherry.

— Tout ce que je sais, c'est qu'elle est mariée et vit à Seattle. J'aimerais bien avoir de ses nouvelles, mais je ne sais pas quoi faire.

Il n'avait qu'une vieille photo de ses enfants quand ils étaient petits, qu'il avait toujours gardée dans son portefeuille.

— Les autres ont disparu. Pat a détruit tout ce qui me restait d'eux. Leurs parrains et marraines étaient photographes professionnels et nous avions quelques magnifiques portraits à mesure qu'ils grandissaient. Mais elle était jalouse et les a jetés sans me le dire.

Tom Allanson avait perdu ses enfants et plus d'une décennie et demie de sa liberté pour une femme qui prétendait l'aimer. Aussi goûtait-il chaque moment en compagnie de l'autre, celle qui l'avait toujours fidèlement aimé.

Pour Susan, les choses ne pouvaient bien se terminer. Inexplicablement, alors que les Alford retombaient enfin sur leurs pieds sur le plan financier, et pouvaient quitter McDonough, enfin s'éloigner des regards en coin de Boppo, Bill annonça à Susan qu'il la quittait. Il ne pouvait plus supporter sa famille. Elle en fut effondrée. Cette fois, elle n'avait vraiment plus de famille.

Bill déménagea, sans réellement expliquer pourquoi.

Et Susan dut rester à McDonough, abandonnée, seule, encore six mois. Timide et dépendante, mariée depuis l'âge de dix-huit ans, elle prouva qu'elle était plus coriace qu'elle ne l'aurait cru. Elle emballa tout ce qu'elle pouvait emporter, vendit le reste en organisant un vide-grenier. Courtney se débarrassa de « South Fork », la maison de poupées que Pat lui avait offerte, pour cent dollars qu'elle donna à sa mère.

Pendant la vente, la famille passa et repassa sur le trottoir : Deborah et son mari ainsi que Ronnie, qui se moquaient d'elle ; le colonel et Ashlynne, qui s'amusèrent devant sa maison avec un cerf-volant ; Boppo en voiture, qui fit de nombreux tours du pâté de maisons, la tête haute, le nez pointé en avant.

À part Courtney et Adam, Susan n'avait plus personne.

Elle commença son déménagement le jour de la fête des Mères, en 1992, heureuse que les autres soient partis rendre visite à Pat. Cependant, une fois installée loin d'eux, elle ne comprendrait jamais pourquoi ils cherchèrent à se procurer son adresse via la poste, l'école de ses enfants et même son ancien propriétaire. Pourquoi ? Ne pouvaient-ils donc pas lui ficher la paix ?

Deux jours après le vide-grenier, en démarrant de McDonough dans son pick-up chargé à ras bord, les enfants à côté d'elle, elle aperçut dans le rétroviseur une voiture qui ressemblait à celle de Deborah. Elle accéléra un peu, changea de file, pour tâcher de la semer. En vain. À la sortie du comté, un de ses pneus éclata. Cette fois, elle ne vit plus la voiture de Deborah et fut obligée de se traîner à deux à l'heure jusqu'à la station-service suivante.

— J'avais peur de ne même pas avoir assez d'argent pour faire changer mon pneu. Et c'est là qu'un homme est venu m'aider. Je l'appelle mon « ange noir ». Il a surgi de nulle part, a remplacé ma roue puis a examiné celle qui avait éclaté en me disant qu'un pneu pareil était trop épais pour éclater. Il m'a dit : « Remportez-le là où vous l'avez acheté, dites-leur de regarder ça de plus près. »

Elle se souvenait qu'il était mal habillé.

— C'était le genre d'homme qu'en principe je n'aurais pas laissé m'approcher. Et j'en ai eu très honte en y repensant par la suite. Il m'a promis que tout irait bien maintenant. Il avait dû voir dans quel état j'étais. Je lui ai proposé quelques dollars, mais il a refermé ma main. J'ai insisté, mais il a souri et dit : « Il reste encore des gens gentils dans ce monde. Occupez-vous bien de vos enfants. »

Susan put repartir sur l'autoroute. En prenant la rampe de sortie, quelques kilomètres plus loin, elle vit qu'il n'y avait personne derrière elle. Quand elle rapporta la roue abîmée au garagiste pour demander comment il se faisait que le pneu ait explosé, celui-ci se gratta la tête.

— Madame, si je ne vous connaissais pas, je dirais que quelqu'un a tiré dedans.

Épilogue

En remontant dans la vie de Patricia Vann Radcliffe Taylor Allanson, on ne peut que se demander pourquoi elle s'est comportée ainsi, pourquoi elle se sentait obligée de causer tant de peine aux gens qui l'aimaient. Cédait-elle à des moments de folie ou n'était-elle qu'une femme d'un égoïsme phénoménal, prête à tout, y compris une tentative de meurtre, pour obtenir ce qu'elle voulait ? Il n'y a sans doute pas de réponse définitive à ce genre de question. Au contraire de bien des criminels, Pat Taylor semble ne jamais avoir subi d'examen psychiatrique. Excepté le diagnostic du Dr Ray Loring Johnson, le psychiatre qui l'a examinée après qu'elle se fut ouvert les veines et eut couru comme une folle dans les bois au printemps 1975, il n'existe aucun rapport psychologique sur son cas. Selon le Dr Johnson, elle souffrait d'une « grave désorientation de la personnalité ». À l'époque, on l'avait mise sous traitement antipsychotique, traitement qu'elle s'est empressée d'abandonner après avoir quitté la clinique. Sans régression de sa part.

Il semble peu probable qu'elle ait jamais été folle. Souvent hystérique, certes. Depuis sa plus tendre enfance, elle se mettait dans tous ses états quand les choses ne se passaient pas comme elle le voulait. Dès que Patty pleurait, les adultes lui cédaient sur tout. Elle grandit, persuadée que c'était ainsi qu'il fallait se comporter. Elle se prenait pour un être extraordinaire, et ce n'étaient pas sa mère ni ses tantes en adoration devant elle qui auraient pu l'en dissuader. Jamais elle n'entendait le mot « non ».

Durant son enfance et son adolescence, elle ne cessa de mentir, de voler, de manipuler, de séduire et de trahir. Ensuite, elle se maria deux fois et finit par tenter d'empoisonner ceux qui l'empêchaient d'obtenir ce qu'elle voulait. Elle voulait de l'amour et du bonheur, elle voulait de l'argent et tout ce que l'argent peut acheter, et elle trouvait en général quelqu'un pour les lui donner. Sinon, elle s'arrangeait pour les obtenir quand même. Rien ni personne ne comptait plus. Elle ne voyait en son entourage que des moyens de parvenir à ses fins. Pourtant, rien ne parvint jamais à remplir le vide de sa vie. Comme le dit un jour Boppo : « Je ne comprends pas comment quiconque en ce monde peut seulement imaginer que Pat a toujours obtenu ce qu'elle voulait… Elle n'a jamais rien eu de ce qu'elle voulait. Toute sa vie n'aura été qu'une tragédie. Pourquoi est-ce que les gens ne comprennent pas ça ? »

Au début, cela fonctionnait parce qu'on l'aimait. Ensuite, ce fut parce qu'on redoutait ses colères et sa langue acérée. À la fin, sans doute ne pouvait-on plus se résoudre à voir les crimes qu'elle commettait de peur de se sentir tout aussi responsable. Les Radcliffe comme les Siler préféraient voir l'arbre vert qui cachait la forêt obscure, c'était plus confortable.

Jamais Pat ne s'est sentie responsable de sa vie. Il y avait toujours quelqu'un pour la prendre en charge. Au premier accroc, quelqu'un venait à son secours, en général, Boppo.

Si elle fut un fardeau pour beaucoup, elle était loin d'être folle. Tout au plus s'en donnait-elle parfois l'air, lorsque cela pouvait servir ses objectifs. Mais ce n'était qu'un rôle parmi tant d'autres.

En revanche, on peut dire qu'elle a souffert de troubles de la personnalité. Elle ne voyait pas le monde ni ses relations à travers le même prisme que la plupart des gens. Elle faisait parfaitement la différence entre le bien et le mal, mais cela lui importait peu. Elle a été élevée dans l'idée que ces règles étaient bonnes pour les autres, pas pour elle. Pour elle, l'important, c'était d'obtenir ce qu'elle voulait.

Nul ne sait d'où proviennent exactement les troubles de la personnalité. Selon la plupart des psychiatres, ils ne sont pas présents à la naissance mais s'installent dès les premières années de la vie. Normalement, un enfant de trois ou quatre ans commence à comprendre que ses actes peuvent causer du chagrin à ses parents, à un autre enfant ou à un animal... que les autres êtres souffrent eux aussi. C'est de là que procède le développement de la conscience, cette petite voix qui prévient les humains que certains actes sont cruels et vont à l'encontre des règles de leur société. C'est la conscience qui provoque le sentiment de culpabilité, émotion beaucoup calomniée, pourtant vitale pour le développement de l'humanité.

Les enfants maltraités et humiliés ont en général trop à faire pour essayer de survivre, sans pouvoir en même temps laisser « grandir » leur conscience ou franchir les premiers pas de la reconnaissance. De même, sans doute, un enfant qu'on ne reprend et ne punit jamais passera-t-il à côté du processus de développement de sa conscience. Le révérend Tasso Siler et sa douce femme, Mary, étaient la gentillesse personnifiée, et de même, à l'entendre, Maggy. Cependant, on peut se demander si trop de « gentillesse » ne risque pas de pervertir un enfant aussi sûrement que des mauvais traitements.

Quoi qu'il en soit, il apparaît clairement que Pat est fondamentalement un être asocial. Autrement dit, elle ne possède aucune conscience. Cela explique pourquoi elle a pu entraîner Tom dans une confrontation aussi désastreuse avec ses parents, pourquoi elle a pu administrer de l'arsenic à Walt et à Nona, de l'Halcion à Elizabeth Crist, pourquoi elle a pu acculer ses parents à la banque-route à force de leur réclamer sans cesse de l'argent. Et pourquoi elle a pu concocter des accusations contre sa propre fille jusqu'à la chasser de la maison.

En même temps, Pat était capable des plus tendres paroles, des lettres les plus émouvantes. Il n'y avait dedans aucun ressenti, seulement des manœuvres pour prendre ses proies au piège. Elle ne se rendait absolument pas compte des souffrances qu'elle pouvait infliger à son entourage, pas même de celles qu'elle s'infligeait à elle. Tant que cela servait ses desseins, elle se moquait du reste.

En outre, un trouble de la personnalité n'allant jamais seul, c'est probablement aussi un être des plus narcissiques, tel le Narcisse du mythe grec tombé amoureux de son reflet. Elle était littéralement amoureuse d'elle-même et croyait mériter tout ce qu'elle désirait, toujours très étonnée lorsqu'elle ne l'obtenait pas. Et, comme elle ne pouvait tout avoir, elle sombrait souvent dans la dépression. Elle croyait savoir ce qui la rendrait heureuse, mais son bonheur ne durait guère plus de quinze jours. À l'époque de sa rencontre avec Tom, elle avait perdu toute aptitude au bonheur, si elle l'avait jamais possédée.

De même, elle peut avoir souffert du fameux syndrome de Münchausen. Contrairement à la plupart des gens qui ont horreur de l'odeur des hôpitaux, elle l'adorait parce que cela signifiait recevoir l'attention des médecins et des infirmières. C'était tellement agréable qu'elle était prête à s'infliger d'autres blessures, d'autres maladies pour y retourner. Susan n'a-t-elle pas vu sa mère se battre elle-même à coups de casserole et de poêle jusqu'à se couvrir de bleus et de plaies ? Maggy n'affirmait-elle pas que sa fille s'automutilait ? La douleur qu'elle a dû s'infliger en infectant encore et encore son abcès avait dû lui faire souffrir le martyre, mais qu'était-ce, si on pouvait ainsi attirer l'attention, la pitié, l'effroi ? À force de s'empoisonner ainsi, elle a frôlé la mort.

Elle qui criait sans arrêt « Au viol ! », finissant par faire rire son entourage, elle qui s'évanouissait à la moindre contrariété, elle qui dut accueillir avec satisfaction la morsure de l'araignée dans sa prison... Comme bien des amateurs de l'hôpital, elle usait et abusait des médicaments, à en devenir droguée. Et tout cela faisait partie de ses meilleures armes pour manipuler son entourage.

Elle n'a jamais paru bien dans sa peau. Au point d'avoir à plusieurs reprises tenté de détruire son propre corps. Malgré le contrôle qu'elle parvenait à exercer sur les autres, il est fort possible qu'elle ne se soit jamais senti exercer le moindre pouvoir... sauf sur ses poupées : celles-ci, au moins, faisaient toujours ce qu'elle voulait. Elle était le centre de leur univers comme elle avait espéré être le centre de celui qu'elle voulait créer à Zebulon, là où elle eût été Scarlett, et Tom, Rhett. Comme la vie ne lui donnait pas ce qu'elle voulait, peu à peu, elle ne put plus se supporter elle-même, pâle imitation de Scarlett la décidée, la forte, la volontaire.

Son effet sur une famille un rien excentrique fut absolument dévastateur. Même en prison, elle parvenait à garder intacte son influence sur sa mère. De retour à Hardwick, en 1991, elle tomba malade, selon les dires de Boppo, qui la décrivait agonisante dans un fauteuil roulant, alors que c'était son cas à elle. Et autour d'elles ne gisaient plus que les restes d'une famille dévastée à cause non pas d'une enfant maltraitée, ravagée... mais d'une enfant outrageusement, aveuglément gâtée, au sens propre du terme, ravagée par l'inconscience de parents trop indulgents.

Le seul membre à s'en tirer avec dignité fut celui qu'elle rejeta, celui ou plutôt celle qui eut le courage de faire ce qu'elle savait devoir faire, quitte à se dresser contre cette même famille : Susan. Ils citaient tous Mary Siler, mais personne, à part Susan, n'avait écouté ses paroles.

Ce que nous avons fait n'existera bientôt plus que sous la forme d'un livre scellé. Bonnes ou mauvaises actions, nous ne pourrons rien y changer. Il en sera ainsi. C'est triste, car certains d'entre nous auront entaché les pages de notre livre de nombreuses paroles mauvaises à l'adresse d'un autre, à moins que nous ne nous soyons pas donné assez de mal pour rendre heureux notre prochain.

Mary Vallie Siler

Remerciements

Bien que le nom de l'auteur soit le seul qui apparaisse sur la couverture du livre, je crois que peu de lecteurs se rendent compte que j'ai été soutenue par une armée d'éditeurs, d'agents, de journalistes, de lecteurs, d'amis et de spécialistes assez gentils pour partager avec nous leurs avis et leurs souvenirs. Un livre de cette ampleur, qui couvre tant d'années, tant de kilomètres et une telle pléthore de détails légaux, n'aurait pas été possible sans l'aide courtoise que j'ai reçue de toutes parts.

J'aimerais remercier l'équipe du procureur Lewis Slaton du comté de Fulton, en Géorgie, particulièrement les enquêteurs Don Stoop et Michelle Berry, et les procureurs adjoints Andy Weathers et Bill Akins, le poste de police d'East Point, en Géorgie, et le personnel du maintien de l'ordre des comtés de Pike et de Forsyth, en Géorgie.

Bien des points de vue auront ainsi coloré des différentes couleurs de l'arc-en-ciel cette saga véridique, et rares sont les protagonistes qui l'ont accepté; je n'en suis que plus reconnaissante envers les différents membres et amis des familles

649

concernées qui ont bien voulu me consacrer du temps : le colonel Clifford Radcliffe et Maggy Radcliffe, Deborah et Michael Alexander, Bill et Susan Allanson, Courtney et Adam Alford, Tom et Liz Allanson, ainsi que J. C. et Rena Jones. Leurs impressions ont ajouté une touche précieuse au volumineux dossier des comptes-rendus officiels fournis par les États de Géorgie, de Floride, de Caroline du Nord ainsi que de la ville de Washington. De tous ces récits a émergé une nouvelle trame qui a forgé la base de ce livre.

La vie peut parfois sembler froide et solitaire pour un écrivain devant son manuscrit, et je remercie tous ceux qui m'ont aidée : mon premier lecteur, Gerry Britingham, et mon amie et assistante pour ce livre, Donna Anders, pour leurs conseils et leurs recherches sur le terrain. Et aussi, du Massachusetts au Wyoming, du Michigan à l'Oregon, et sans ordre précis : Sophie Stackhouse, Laura Rebecca, et Matthew Harris, Leslie Rule, David Coughlan, Andrew Rule, Michael Rule, Marlene Price, Bruce Sherles, Shirley et Bill Hickham, Lois Duncan, Fred et Bernie McLean, Jeoff Robinson, Jay et Betty Jo Newell, Bill et Maureen Woodcock, Martin et Lisa Woodcock et Don White (qui a agrandi mon bureau alors que j'y travaillais encore), Jennifer Gladwell, Edna Buchanan, de Miami Beach, Mike Bashey, Elida Vance, Nancy Hrynshyn, Jann et Sid MacFarland et l'équipe du house-boat, Ed Eaton, Betty May et Phil Settecase, Verne Shangle, Sue et Bob Morrison, Ruthene Larson, Joan et Jerry Kelly, Cheri Luxa, Ginger et Bill Clinton, Hope Yenko, Brian Halquist, Dee

Reed, Rose Mandelsberg-Weiss, Elaine et Wayne Dorman, le Dr Peter J. Modde, Anne Jaeger, Marsha MacWillie, Jenny Everson, Dee Grim, Mildred Yoacham, Johnny Bonds, du bureau du procureur du comté de Harris, au Texas, le Dr Martha Krenn, Lola Cunningham, Joyce et Bill Johnson, de Mukileto, Don Wall, Luke et Nancy Fiorantc, M. L. Lyke et Susan Paynter, Joyce et Pierce Brooks, les sergents Myra Harmon et Marsha Camp, Charlotte et Austin Seth, Geri et Bill Swank, de San Diego, Danny House et Karen Ritola.

Merci à la société ésotérique Northwest B & M dont j'ai l'honneur d'être un des membres fondateurs : Jeannie Okimoto, Judine et Terry Brooks, Ann Combs, John Saul, Margaret Chittenden, Michael Sack, Donna Anders, Don et Carol McQuinn; et merci à la conférence des écrivains de la Pacific Northwest, où tout auteur prend son essor.

Merci aux membres de ma famille de l'Ohio, descendants, comme moi, d'Albert Sherman et de Florence Stackhouse : Bertha et Bob Mowery (maintenant à San Benito, au Texas), Lucetta Mae Bartley, Sherman Stackhouse, David Stackhouse et Glenna Jean Longwell, Neva Steed Jones, et mon confrère, l'auteur James Steed.

Merci aux membres de ma famille du Michigan, descendants, comme moi, de Chris et d'Anna Hansen : Emma McKenney, Chris et Linda McKenney, Freda et Bernie Grunwald, Donna et Stuart Basom, Bruce et Diane Basom, Jan et Elby Shubert, Karen et Jim Hudson, Jim et Mary

651

Sampson, Maxine Hansen, Christa Hansen, Terry Hansen et Sara Jane et Larry Plushnik.

Voici près de deux ans, mon éditeur, Frederic W. Hills, est convenu avec moi que cette histoire valait d'être explorée et approfondie, et il m'a constamment soutenue. Avec Burton Beals, ils m'ont aidée à mettre en forme, à élaguer et à améliorer chaque chapitre, toujours avec le plus grand tact, une infinie gentillesse et sans jamais chercher à modifier mon style. Même quand je rouspétais, je savais au fond de moi qu'ils avaient raison. Merci à Daphne Bien, l'assistante de Fred Hill, qui nous a quittés au moment où nous franchissions la ligne d'arrivée, et s'est envolée pour Londres. Combien elle va nous manquer! Merci à Ed Sedarbaum et Leslie Ellen qui se sont chargés des corrections, à la virgule près, vérifiant que je ne m'étais pas trompée dans les dates ou dans les constructions de phrases. Merci à Emily Remes, mon ange spécialiste en matière judiciaire, et aux représentants qui ont installé mes livres aux quatre coins de l'Amérique et en sont revenus, j'espère, les mains vides.

Merci à mon équipe de publicité, Victoria Meyer et Joann Di Gennaro, et aux « amis d'un jour », mes accompagnateurs de tournées qui m'ont emmenée patiemment à travers des villes que je n'avais encore jamais vues.

Merci encore et encore à mes agents préférés, Joan et Joe Foley.

Enfin, et par-dessus tout, je remercie mes lecteurs. Vous ne pouvez imaginer l'importance que vos lettres revêtent pour un auteur enchaîné à son traitement de texte des semaines d'affilée. Que

j'apprécie vos sourires et vos commentaires encou-
rageants quand je signe mes livres quelque part sur
un point de vente! Vous me procurez ma plus
grande joie, le bonheur de gagner ma vie en faisant
quelque chose que j'aime vraiment.

Ann Rule

À propos de l'auteur

Ann Rule, auteur des best-sellers *Un tueur si proche*, *On a tué mes enfants* et *Si tu m'aimais vraiment*, est l'un des plus grands auteurs américains de « vrais » romans policiers. Elle-même ancien policier, elle a publié 1 400 articles et 30 romans sur des affaires criminelles authentiques. Elle conseille souvent les enquêteurs professionnels sur les tueurs en série, les sociopathes sadiques et les femmes meurtrières. Elle a témoigné devant le Sénat américain et présenté un séminaire à l'école du FBI. Pour le ministère de la Justice, elle a participé au lancement du vi-cap, groupe de travail du FBI spécialisé dans la recherche et la traque de tueurs en série. Quand elle n'assiste pas à des procès et n'enquête pas pour de nouveaux ouvrages, elle vit près de Seattle, dans l'État de Washington.

*Dans son blog, Ann Rule donne quelques nouvelles des protagonistes d'*Une petite fille trop gâtée.

On entend toujours parler de Patricia Vann Radcliffe Taylor Allanson. Pat a aujourd'hui soixante-douze ans et ne ressemble plus guère à la mince et jolie Belle du Sud d'autrefois. Il y a quelques années, elle a été mise en liberté conditionnelle après avoir purgé une partie de sa deuxième condamnation à la prison, consécutive à l'empoisonnement et au vol du couple Crist en se faisant passer pour une « infirmière diplômée ». Pat est retournée à McDonough, en Géorgie, où elle s'est installée avec son beau-père, Clifford, le colonel Radcliffe, et sa nouvelle femme, Aggie, épousée quelques mois après le décès de Boppo. Pat possède un petit magasin de poupées à proximité : Pat's Pretty Playthings (« Les Jolis Jouets de Pat »). Aggie est décédée peu après, de même que le fils de Pat, Ronnie, en 2004. Pat s'est querellée avec la veuve de celui-ci pour récupérer ses cendres. À quatre-vingt-dix ans, Radcliffe a été hospitalisé à plusieurs reprises en 2005. Quand il est à la maison, Pat s'occupe de lui et surveille ses affaires. Elle en veut toujours à sa petite-fille, Ashlynne, âgée de plus de vingt ans maintenant, ainsi, évidemment, qu'à sa fille, Susan, à l'origine de sa deuxième arrestation. Susan vit sur la côte Ouest mais reçoit encore des missives haineuses de Pat. Divorcée de Bill il y a longtemps, Susan s'est remariée ; elle mène désormais une vie tranquille et s'efforce de réunir sa famille autour d'elle.

Tom et Liz Allanson sont toujours heureux en ménage et ont vécu de belles années depuis qu'il est sorti de prison. Il participe à un programme de l'État de Géorgie pour aider les personnes en liberté conditionnelle qui désirent changer de vie. Malheureusement, Tom a été gravement blessé au cours d'un accident de camion. Il va mieux mais n'a pas recouvré sa belle santé d'autrefois. Il a repris contact avec ses deux enfants ainsi qu'avec d'anciens amis, grâce à mon livre. Il est la preuve vivante qu'on peut sortir de prison et exercer une action bénéfique sur la société. Toutefois, les perturbations que Pat a provoquées dans sa vie ont laissé beaucoup de cicatrices dans sa famille. Peut-être un jour ajouterai-je quelques chapitres à *Une petite fille trop gâtée*.

Ann Rule

Achevé d'imprimer par N.I.I.A.G.
en juillet 2011
pour le compte de France Loisirs, Paris

N° d'éditeur : 64823
Dépôt légal : mai 2011
Imprimé en Italie